251-

# Politik &Co.

Sozialkunde
für das Gymnasium

Rheinland-Pfalz

herausgegeben
von Prof. Hartwig Riedel

Band 1

bearbeitet von

Andreas Gerster
Erik Müller
Dr. Stephan Podes
Prof. Hartwig Riedel
Dr. Martina Tschirner
Martina Tuda

C.C. Buchner Bamberg

# Politik & Co.

Sozialkunde für das Gymnasium Rheinland-Pfalz
herausgegeben von Prof. Hartwig Riedel

Bearbeiter: Andreas Gerster
Erik Müller
Dr. Stephan Podes
Prof. Hartwig Riedel
Martina Tuda
Dr. Martina Tschirner

Dieses Werk folgt der reformierten Rechtschreibung und Zeichensetzung. Ausnahmen bilden Texte, bei denen künstlerische, philosophische und lizenzrechtliche Gründe einer Änderung entgegenstehen.

1. Auflage [54321] 2010 09 08 07 06
Die letzte Zahl bedeutet das Jahr dieses Druckes.
Alle Drucke dieser Auflage sind, weil untereinander unverändert, nebeneinander benutzbar.

Gestaltung und Herstellung: Wildner+Designer, Fürth, www.wildner-designer.de
Umschlaggestaltung: Daniela Paulus, Wildner+Designer

Druck- und Bindearbeiten: H. Stürtz GmbH, Würzburg

ISBN      3 7661 **6870** 3
ISBN 978 3 7661 **6870** 2

# Vorwort

*Es ist wichtiger,*
*Fragen zu stellen,*
*als auf alles eine Antwort zu haben.*

James Thurber

Wer sich als Jugendlicher in unserer heutigen Zeit nicht damit begnügen will, die sich ständig wandelnde Welt staunend und verständnislos wahrzunehmen, braucht grundlegende Kenntnisse über die Zusammenhänge von Politik und Wirtschaft.

Dieses eigens für die neuen Lehrpläne der Sekundarstufe I entwickelte Buch soll Hilfen bieten, komplizierte politische und wirtschaftliche Sachverhalte, die sich nicht zuletzt unmittelbar auf das Leben von Jugendlichen auswirken, verstehen zu lernen. Unser Ziel ist es, den Schülerinnen und Schülern Orientierungswissen, Urteilsvermögen und methodische Fertigkeiten zu vermitteln, die es ihnen erlauben, ihre Rolle als junge Bürgerinnen und Bürger in einer lebendigen Demokratie auszufüllen.

## Zur Arbeit mit dem Buch

Politik & Co. folgt einem klaren Aufbau.

Jede Lehrplaneinheit beginnt mit einer *Auftaktseite*, die collageartig gestaltet ist, einen motivierenden Einstieg in das Kapitel eröffnet und in die zentralen Begriffe und Themen des Kapitels einführt.

Daran schließt sich der *Materialteil* an, in dem die Inhalte des Kapitels in Form von unterschiedlichsten Quellen (Zeitungsartikel, Karikaturen, Statistiken, Bilder, Grafiken und Gesetzestexte) präsentiert werden. Die Überschriften der Materialien dienen als „roter Faden" und erleichtern so die Bearbeitung.

An die Materialien schließen sich *Arbeitsaufträge* an. Sie geben Anregungen für ein selbstständiges, methodengeleitetes Erschließen der Materialien und regen die Schülerinnen und Schüler zu aktivem Handeln innerhalb und außerhalb des Unterrichts an.

*Methodenseiten* dienen dazu, grundlegende Methoden zu erlernen und die Arbeitsaufträge jeweils methodengeleitet anzugehen.

*Infoboxen* zur Erklärung wichtiger Begriffe sind farblich hervorgehoben und helfen, ein begriffliches Grundwissen aufzubauen.

Die Rubrik „*was wir jetzt wissen*" hat eine besonderes Layout. Sie schließt jeweils ein Unterkapitel ab, fasst nochmals die wesentlichen Inhalte in schülergemäßer Form zusammen und kann so sinnvoll zur Nacharbeit oder zur Vorbereitung einer Leistungsmessung eingesetzt werden.

Lehrerinnen und Lehrern liegt mit Politik & Co. eine praktische Unterrichtshilfe vor, die einen didaktisch reflektierten und methodisch abwechslungsreichen Unterricht ermöglicht.

Der Herausgeber

M 1

M 2

*Aufgabe*

*1.*

*Methode*

*Infobox*

*Was wir jetzt wissen:*

# Inhaltsverzeichnis

# Kinder und Jugendliche
# in Familie und Gesellschaft

Familienleben

Mobbing

Soziale Rollen

Erziehung

Schulklassen

Zwangsgruppe –
Gruppenzwang

Vorurteile

# 1. Die Gruppe

## 1.1 Wir leben in Gruppen

**M 1** **Ich will ich sein**

Ich will ich sein, anders kann ich nicht sein.
Ich will nicht sein wie der oder der.
Ich will sagen, was ich denke.
Ich will ich sein, anders kann ich nicht sein.

5 Ich will nicht nur sehen, was alle sehen.
Ich will nicht nur gehen, wohin alle gehen.
Will nicht nur lachen, wenn alle lachen.
Will nicht nur machen was alle machen.
Ich will singen, was ich singen will.
10 Und ich will sagen, was ich sagen will.
Ich will leben, wie ich leben will.
Und will lieben, wen ich lieben will.
Und will nicht getreten werden
und will nicht treten.

*Rio Reiser, Ich will ich sein, Volksmund Verlag und Produktion Ralph*
*Steiz KG, Stadum*

**M 2** **Wir werden gleich zweimal geboren**

Der Mensch lebt nicht für sich allein. Unser gesamtes Leben verbringen wir in verschiedenen Gemeinschaften: Von der Familie, der Krabbelgruppe, dem Kindergarten, dem Sportverein, 5 der Kirchengemeinde, der Schulklasse usw. bis hin zum Staat. Die Soziologen, das sind Wissenschaftler, die sich mit dem Zusammenleben der Menschen innerhalb der Gesellschaft beschäftigen, sprechen dabei von *sozialen Gruppen*.
10 Die vielen kleinen sozialen Gruppen, in denen wir unser Leben verbringen, sind für uns von besonderer Bedeutung. Sie geben unserem Leben eine Struktur. Die Mitglieder einer Gruppe fühlen sich auf bestimmte Weise miteinander verbunden 15 und bilden ein „Wir-Gefühl" aus. Dadurch grenzen sie sich auch von anderen Gruppen ab. Man unterscheidet Gruppen, in die wir zwangsweise eintreten und an deren Zusammensetzung wir nichts ändern können, von freiwilligen Interessen- 20 sen- oder Freundschaftsgruppen.
Die Familie ist eine ganz besondere soziale Gruppe. Dass dies so ist, zeigt diese überlieferte Geschichte: Friedrich II., deutscher Kaiser von 1194 bis 1250, interessierte sich dafür, welche

Sprache Kinder reden, mit denen zuvor noch 25 niemand gesprochen hatte. Er stellte Vermutungen an, ob diese Kinder vielleicht die lateinische oder die griechische Sprache oder gar die älteste

aller Sprachen, die hebräische, sprechen würden.
Um dies herauszufinden, übergab er verwaiste
Neugeborene an Ammen und Pflegerinnen und
befahl ihnen, sie zu füttern, zu waschen und auch
zu kleiden, sie aber nicht zu liebkosen oder mit
ihnen zu sprechen. Friedrichs Experiment schei-
terte, denn alle Kinder starben.
Warum sind die Säuglinge gestorben? Sie hatten
doch ausreichend Nahrung und gepflegt wurden
sie auch. Ohne Fürsorge und Zuwendung waren
die Kinder nicht überlebensfähig. Das heißt, dass
ein Säugling andere Menschen braucht. Dabei
genügt es nicht, dass er regelmäßig gefüttert und
gewickelt wird.

Ebenso wichtig für seine Entwicklung sind Liebe, Nähe und Geborgenheit. Wir sagen deshalb,
dass ein Mensch zweimal geboren wird. Die erste
Geburt oder auch biologische Geburt meint den
Vorgang, bei dem das Kind das „Licht der Welt
erblickt". Die zweite Geburt nennt man auch
soziale Geburt. Damit meint man die Aufnahme
des hilflosen Neugeborenen in die Gemeinschaft.
Während dieser viele Jahre währenden sozialen
Geburt entwickelt das Kind seine Persönlichkeit
und lernt alles, um sein Leben bewältigen zu
können.

*Autorentext*

## Wie wird der Mensch ein Mensch?

Ganz wichtig für die Entwicklung des Menschen
sind Liebe, Sicherheit und Geborgenheit. Schon
die kleinen Säuglinge lernen so, Gefühle zu entwickeln und auch zu erwidern. Auch Vertrauen
ist sehr wichtig. Denn wenn ein Kind schon im
frühesten Kleinkindalter lernt, dass es sich auf
andere und besonders auf die Eltern verlassen
kann, dann kann es im späteren Leben auch Vertrauen zu anderen Menschen aufbauen. Auch ob
ein Mensch selbstbewusst wird, hängt entscheidend davon ab, welche Erfahrungen er schon
im Kindesalter macht. Hat man dem Kind Mut
gemacht, sich auch auf Unbekanntes einzulassen,
Neues auszuprobieren, so wird es auch später
vor schwierigen Aufgaben nicht zurückschre-
cken oder vor Problemen nicht davonlaufen. Im
Zusammenleben mit den Eltern und auch den
Geschwistern lernt das Kind auch Verantwortung zu übernehmen und Konflikte auszuhalten.
Aber nicht nur die Eltern und Geschwister sind
dafür zuständig, dass aus dem Säugling langsam
„ein Mensch wird". Diese Aufgabe wird auch
von anderen übernommen. So wirken bald die
unterschiedlichsten Einflüsse aus Nachbarschaft,
Freundeskreis, Kindergarten, Schule, Fernsehen,
Werbung usw. auf das Kind ein. Den gesamten
Prozess, den ein Mensch durchläuft, um seine

M 3

Persönlichkeit auszubilden und ein Mitglied in
der Gesellschaft zu werden, nennen wir **Sozialisation.** Das Wort kommt aus dem Lateinischen:
„sociare" bedeutet verbinden, gemeinschaftlich
machen. Während dieser Sozialisation werden
uns Normen und Wertvorstellungen vermittelt,
die für das Zusammenleben innerhalb der Gesellschaft notwendig sind.
Normen kann man als Regeln bezeichnen, die
von den Mitgliedern der Gesellschaft akzeptiert
werden müssen. Für den Einzelnen können Normen aber auch Einschränkung bedeuten. Wenn
man die Regeln bricht, macht man sich unbeliebt
oder wird vielleicht aus der Gruppe ausgeschlossen. Ihr könnt das mit dem Sport vergleichen. Ein
Fußballspiel z.B. verläuft nach festen Regeln, an
die sich alle Spieler halten müssen, denn sonst
bricht ein Chaos aus. Fußballer, die gegen die
Regeln verstoßen oder sich beim Spiel schlecht
benehmen, werden vom Platz gestellt. Werte sind
Zielvorstellungen oder Grundideen, nach denen
die Menschen handeln sollen. Normen sind demnach Handlungsanweisungen, die sich aus den
Werten herleiten.

*Autorentext*

## Infobox

### Normen

Regeln, Verhaltensvorschriften innerhalb einer Gesellschaft an die einzelnen Mitglieder. Man soll sich „normal" verhalten, weil diese Normen das soziale Gefüge einer Gesellschaft bilden. Dieses erwartete Verhalten kann nicht immer das mögliche Verhalten sein.

*Dieter Claessens / Karin Claessens, Gesellschaft. Lexikon der Grundbegriffe, Reinbek 1992, S. 165 f. und S. 240*

### Werte

Richtlinien oder Zielvorstellungen in einer Gesellschaft. Zum Beispiel waren in der biblischen Gesellschaft (des alten Israel) die Zehn Gebote der Versuch der Durchsetzung von Werten. ... „Du sollst nicht töten!" (auch nicht dich selbst) ist eine Verhaltensanweisung oder eine Norm, die davon abgeleitet ist, dass das Leben etwas Wertvolles ist. ... Die in einer Gesellschaft entwickelten Werte bilden zusammen ein Wertesystem. Jede Kultur hat ihre eigenen Wertvorstellungen und somit ihr eigenes Wertsystem.

### Aufgaben zu M 2 – M 3

1. Du kennst bestimmt die Geschichte von Mogli, dem Jungen aus dem „Dschungelbuch" von Rudyard Kipling. Mogli wächst unter Tieren auf. Die Geschichte ist zwar erfunden, geht aber auf einen realen Fall zurück. Wie wird Moglis Verhalten beschrieben? Ab wann ist Mogli ein Mensch? Erkundige dich nach anderen „Wolfskindern" (M 2).

2. Verfasse einen Lexikonartikel über den Begriff „Sozialisation" (M 3).

3. Auch die biblischen 10 Gebote formulieren Normen für das Zusammenleben der Menschen. Kannst du Werte benennen, denen die Gebote zugrunde liegen (Infobox)?

4. Mitmenschlichkeit wird in unserer Gesellschaft als sehr hoher Wert geachtet. Welche Normen leiten sich von diesem Wert ab?

### M 4 Soziale Rollen – „Die ganze Welt ist eine Bühne"

> „Die ganze Welt ist eine Bühne
> Und alle Frau'n und Männer bloße Spieler.
> Sie treten auf und gehen wieder ab,
> Sein Leben lang spielt einer manche Rollen,
> Durch sieben Akte hin."
>
> *William Shakespeare, Wie es euch gefällt (II 7)*

In der Umgangssprache gebrauchen wir sehr häufig den Begriff der Rolle. Mit den sprachlichen Bildern wird sehr schnell deutlich, was mit dem soziologischen Begriff *Rolle* gemeint ist. Die
5 soziale Rolle beschreibt unser eigenes Verhältnis zur Gesellschaft.

Mit der Geburt betreten wir die „Bühne der Gesellschaft". Nach und nach lernen wir, diesen oder jenen „Part" und damit unterschiedliche
10 Rollen zu spielen. Manchmal müssen wir auch unterschiedliche Masken aufsetzen, um schließlich mit dem Tod wieder von der Bühne abzutreten. Dann übernehmen andere unsere Rollen. Alles geschieht unter den kritischen Augen der Zuschauer und auch der Mitspieler. Jeder erwartet von uns, dass wir unseren Text kennen. Jeder erwartet von uns etwas anderes. Die Rollen, die wir einnehmen, können ganz unterschiedlich sein. So sind wir Sohn oder Tochter, Freund oder Freundin, Mitglied im Chor oder Torwart der Schulauswahl, Schülerin oder Schüler, freiwilliger Feuerwehrmann, Pfadfinderin usw. Aber nicht immer erfüllen wir auch die Erwartungen, die an uns formuliert werden, und so kann es dann zu einem Rollenkonflikt kommen.

*nach: Hans Peter Henecka, Grundkurs Soziologie, 7. Aufl., Opladen 2000, S. 81 f.*

# Sozialisation

M 5

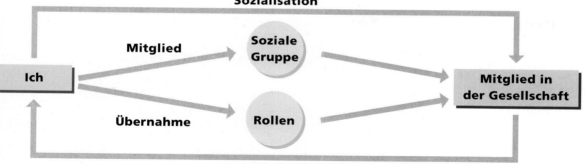

**Sozialisation**

**Mitglied**

**Soziale Gruppe**

**Ich**

**Mitglied in der Gesellschaft**

**Übernahme**

**Rollen**

**Regeln, Normen**

## Was wollen denn nur alle von mir?

M 6

Katja besucht die 7. Klasse eines Gymnasiums. In der letzten Zeit hat sie große Probleme mit dem Aufstehen. Auch heute muss ihre Mutter sie drei Mal wecken, bis sie endlich aus dem Bett kommt.
5 Katzenwäsche und ohne Frühstück zum Bus. Normalerweise schafft sie es in der letzten Minute – nur heute nicht. Als sie auf den nächsten Bus wartet, denkt sie sich schon einmal eine Entschuldigung aus. Wecker kaputt, Mutter verschlafen ...
10 Aber Herr Becker, der Deutschlehrer, den sie heute in der ersten Stunde haben, kennt kein Pardon und macht ein ziemliches Theater, als Katja mit einer viertel Stunde Verspätung die Klassentür öffnet. Er erwartet absolute Pünktlichkeit. Katjas
15 Freundin Lisa hat schon sehnsüchtig gewartet, um von dem Film zu erzählen, den sie gestern im Kino gesehen hat. Eigentlich will Katja aber lieber aufpassen und sich am Unterricht beteiligen, um Herrn Becker wieder milde zu stimmen.
20 Nach sechs anstrengenden Unterrichtsstunden geht es wieder nach Hause. Weil Katja auf Lisa wartet, verpasst sie an diesem Tag den Bus ein zweites Mal. Zuhause sitzen ihre Mutter und ihre Geschwister schon am Mittagstisch und warten.
25 Als Katja sich hinsetzen will, klingelt das Handy. Marie will sich am Nachmittag mit ihr verabre-

den. Die Mutter ist sauer, weil sie Telefonieren beim Essen nicht duldet. Ihre Mutter erinnert sie daran, dass die Familie heute zum Geburtstag ihrer Patentante eingeladen ist. Am Abend soll 30 sie auf die jüngeren Geschwister aufpassen, weil sich ihre Mutter mit einer Freundin verabredet hat. Ausgerechnet heute hat aber der Schwimmverein ein Sondertraining für den Wettkampf am kommenden Sonntag angesetzt. „Was wollen 35 denn bloß alle von mir?", denkt Katja.

*Autorentext*

M 7

*Karikatur: Marie Marcks*

## Aufgaben zu M 4 – M 7

**1.** Erkläre, weshalb man den Sozialisationsprozess auch als „Rollenlernen" begreifen kann (M 4, M 5).

**2.** Verdeutliche am Beispiel Katjas, was man unter einem Rollenkonflikt versteht (M 7).

## Wir leben in Gruppen

**Der Mensch –**
**eine biologische**
**Frühgeburt**
*M 2*

Anders als andere Lebewesen wird der Mensch eigentlich zweimal geboren. Unmittelbar nach unserer Geburt können wir kaum etwas und sind ohne die Unterstützung und Fürsorge anderer nicht lebensfähig. Deshalb behaupten die Biologen auch, der Mensch sei eine biologische „Frühgeburt". Nach unserer eigentlichen Geburt erleben wir unsere soziale Geburt, das heißt, wir werden langsam zu Mitgliedern in der Gesellschaft. Eine dauerhafte familiäre Betreuung sorgt dafür, dass aus hilflosen Neugeborenen langsam eigenständige Individuen werden, die ihren Platz in der Gesellschaft behaupten.

**Sozialisation**
*M 3, M 5*

Den Prozess des langsamen Hineinwachsens in die Gesellschaft, die uns umgibt, nennt man Sozialisation. Dabei lernen wir grundlegende Regeln des Zusammenlebens und nehmen Normen und Werte unseres gesellschaftlichen und kulturellen Umfelds an.

**Soziale Gruppe**

Die Familie ist die wichtigste soziale Gruppe, die die Sozialisation des Menschen ein Leben lang beeinflusst. Daneben existieren weitere Gruppen, in denen wir sozialisiert werden. Wir unterscheiden dabei zwischen Freiwilligengruppen, ihnen gehören wir freiwillig an, und Zwangsgruppen, in denen wir uns die Mitgliedschaft nicht aussuchen können.

**Soziale Rolle**
*M 4, M 5*

Innerhalb dieser Gruppen übernehmen wir unterschiedliche Rollen, die mit ganz bestimmten Erwartungen verbunden sind. So werden an uns unterschiedliche Erwartungen als Schülerin, als Tochter, als Freundin, als Mitglied in der Volleyballmannschaft oder im Schulchor formuliert. Es ist nicht immer leicht, die Vielzahl von Erwartungen, die an einen in unterschiedlichen Lebensbereichen gestellt werden, in Einklang zu bringen. Es kann dabei nämlich zu Rollenkonflikten kommen. Solche Rollenkonflikte entstehen immer dann, wenn die verschiedenen Erwartungen, die an eine Rolle gestellt werden, einander widersprechen.

**Lesetipps**

- Rudyard Kipling, Das Dschungelbuch (Die abenteuerlichen Erlebnisse des Menschenkinds Mogli)
- Daniel Defoe, Robinson Crusoe (Mit Mut und Einfallsreichtum gelingt es Robinson Crusoe nach einem Schiffbruch auf einer einsamen Insel zu überleben)
- David Glover, Der Mensch (Young Oxford), Weinheim, Basel (Beltz und Gelberg), 1999 (Ein Bilder-Lesebuch über den Ursprung des Menschen, seinen Körper und Geist und das menschliche Zusammenleben)

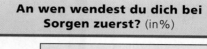

# 1.2 Cliquen und andere soziale Gruppen

## Eine Umfrage

M 8

**Von wem fühlst du dich gut oder sehr gut verstanden?** (in%)

| | 12/13 | 17/18 |
|---|---|---|
| Mutter | 96 | 88 |
| Freund/in | 89 | 94 |
| Vater | 87 | 74 |
| Schwester | 60 | 69 |
| Lehrer/in | 58 | 48 |
| Bruder | 57 | 67 |

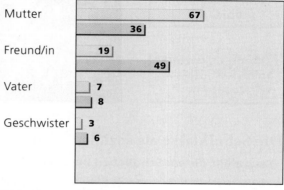

**An wen wendest du dich bei Sorgen zuerst?** (in%)

| | 12/13 | 17/18 |
|---|---|---|
| Mutter | 67 | 36 |
| Freund/in | 19 | 49 |
| Vater | 7 | 8 |
| Geschwister | 3 | 6 |

☐ 12- und 13-Jährige
☐ 17- und 18-Jährige

*Stern, 52/99, S.23*

## Die Clique – wichtiger als die Familie?

M 9

Wir verbringen unser ganzes Leben in Gruppen. Eine sehr wichtige soziale Gruppe ist die Familie. Hat sie für die Säuglinge und Kleinkinder eine lebensnotwendige Funktion, so nimmt ihre Bedeu-
5 tung für die Sozialisation von Kindern, Jugendlichen, jungen Erwachsenen und schließlich den Erwachsenen immer weiter ab. Die Aufgaben der Familie werden mit zunehmendem Lebensalter von anderen Gruppen oder Einrichtungen über-
10 nommen.
Die Clique, der Sportverein, die Schulklasse, später auch die Kolleginnen und Kollegen am Arbeitsplatz, aber auch Werbung und Medien wirken auf uns ein. Alle diese Gruppen und
15 Einrichtungen nennen wir auch Sozialisationsagenten oder -agenturen. Man spricht auch von Sozialisationsinstanzen. Gerade für Jugendliche ist die Clique oder Freundesgruppe von besonderer Bedeutung. Soziologen sagen dazu auch
20 „peer-group" und meinen damit eine Gruppe von gleichaltrigen Kindern und Jugendlichen, denen sich die Mitglieder besonders zugehörig fühlen und von denen sich der Dazugehörige die Stütze verspricht, die er zum Erwachsenwerden braucht.

Warum ist die Clique oder die peer-group für die 25 Jugendlichen so wichtig? Als Jugend bezeichnen wir ganz allgemein die Phase zwischen Kindheit und Erwachsensein, und diese Phase beginnt mit der Pubertät. Nach dem Gesetz ist man erst mit 14 Jahren Jugendlicher und erwachsen mit Errei- 30 chen des 18. Lebensjahres. In der Jugendphase bildet der heranwachsende Mensch seine Persönlichkeit – oder wie die Soziologen sagen, seine Identität – aus. Man lässt sich jetzt nicht mehr so viel von den Eltern sagen und hinterfragt 35 häufig das, was man tut. Rückhalt sucht man dabei mehr bei der Freundin oder dem Freund, weniger bei seinen Eltern. Den Gleichaltrigen geht es doch ebenso, sie verstehen die Probleme besser als die Erwachsenen. Langsam beginnt ein 40 Ablöseprozess von den Eltern. Die Clique übernimmt jetzt die Rolle der Familie. Das muss nicht bedeuten, dass man sich völlig von der Familie entfernt, man entwickelt nur ein anderes Verhältnis zu ihr und möchte mehr Handlungsspielräu- 45 me für sich selbst. Dieser Ablöseprozess ist oft von Konflikten begleitet.

*Autorentext*

**M 10**

„In unserer Klasse gibt es eine tolle Gemeinschaft!"

„Bei uns achtet jeder nur auf seinen eigenen Vorteil"

„Wenn es darauf ankommt, halten wir zusammen!"

„Jeder Schüler versucht besser zu sein als der andere"

„Auch wenn es bei uns in der Klasse mal Zoff gibt, raufen wir uns doch wieder zusammen!"

**M 11**

## Die Schulklasse als soziale Gruppe

**Was gefällt dir am Schulleben besonders?**

| | |
|---|---|
| Freunde in der Schule | 64 % |
| wenn ich gute Noten kriege | 45 % |
| best. Fächer im Unterricht | 39 % |
| gute Klassengemeinschaft | 30 % |
| Pausen/Pausenleben | 25 % |
| ich kann etwas lernen | 23 % |
| gutes Verhältnis zu Lehrern | 22 % |
| interessanter Unterricht | 17 % |
| ich treffe viele Leute | 14 % |
| ich kann viel Unsinn machen | 11 % |
| wenn Lehrer mich loben | 11 % |
| mir gefällt gar nichts | 2 % |

Befragt wurden 6.392 Kinder und Jugendliche im Alter zwischen 10 und 18 Jahren. 12 Antworten wurden vorgegeben, von denen maximal drei ausgewählt werden konnten.

*Jürgen Zinnecker u.a., null zoff & voll busy.*
*Die erste Jugendgeneration des neuen Jahrhunderts, Opladen 2002, S.43*

**M 12**

## Die Schulklasse – nur eine Zwangsgruppe?

Anders als die Clique ist die Schulklasse eine „Zwangsgruppe". Eine Clique funktioniert, wenn die „Chemie" zwischen den Gruppenmitgliedern stimmt und sich alle wohlfühlen.
5 Auch in der Schulklasse gibt es Freundschaften und viele Schülerinnen und Schüler, die dieselbe Klasse besuchen, gehören auch einer Clique an. Aber innerhalb einer Schulklasse kann es neben diesen Freundschaften auch Streit und Konflikte
10 geben. Das muss nicht so sein, denn viele Schulklassen durchlaufen die Schulzeit problemlos und werden von den Lehrern gelobt, weil sie eine tolle Klassengemeinschaft entwickeln und sich die Schüler wohl fühlen. In anderen Klassen stimmt die „Chemie" überhaupt nicht. Rangelei- 1 en und Hänseleien, die eigentlich zum Schulalltag gehören, führen zu Mobbing und offener Gewalt. Was also tun? Aus der Zwangsgruppe kann man kaum ausscheiden, man muss also Wege und Mittel finden, das Zusammenleben für alle 2 erträglich zu gestalten und Konflikte zu lösen.

*Autorentext*

# Gruppendruck – ein Interview mit Sasha

**SPIEGEL:** Sasha, die meisten Ihrer Fans sind Teenager. Es ist aber auch noch nicht so lange her, dass Sie selber einer waren. Ist es schwerer geworden, erwachsen zu werden?

**Sasha:** Ich habe den Eindruck, dass heute alles eher passiert. Zumindest gibt es diesen Anspruch an die Kids, erwachsen zu sein. Ich weiß aber nicht, ob sie dem nachkommen können. Vieles macht da natürlich der Umgang in der Clique aus, ob man gezwungen wird, mitzuziehen oder nicht. Bei uns gab es früher auch einen Gruppenzwang, aber der kam später.

**SPIEGEL:** Wie wichtig waren Cliquen zu Ihrer Schulzeit?

**Sasha:** Enorm wichtig. Zwischenzeitlich wurde ich sogar depressiv, weil ich feststellte, dass auch in der Clique Statussymbole wichtig wurden. Ich war zeitweise sehr neidisch auf Kinder, deren Eltern sich etwas leisten konnten.

**SPIEGEL:** Was zum Beispiel?

**Sasha:** Klamotten. Als ich in die Pubertät kam, brach der Fanatismus der Markenartikel los. Es ging in den achtziger Jahren vor allem um die richtigen Turnschuhe. Ich bekam das besonders zu spüren, weil ich nicht aus einer besonders gut situierten Familie komme, sondern allein mit meiner Mutter und meinem Bruder aufgewachsen bin. ...

**SPIEGEL:** War es Zufall, in welcher Clique man war?

**Sasha:** Zuerst ja. Als ich noch in die Ganztagsklasse ging, hatte ich zwei Freunde, wir haben uns gegen die verbündet, die uns diskriminierten. Später habe ich mir meine Freunde bewusster ausgesucht.

**SPIEGEL:** Und Mitschüler, die gar keinen Anschluss gefunden haben, was war mit denen?

**Sasha:** Das ist das Grausame. Viele von diesen Leuten treffe ich heute manchmal wieder, die tragen mir zum Glück nichts nach. Aber damals wurden einige ausgestoßen. Ich war da genauso grausam, wahrscheinlich, um von mir abzulenken. Man versucht, seinen eigenen Stand aufzuwerten, indem man andere niedermacht. Das war damals so.

*www.spiegel.de/spiegel/0,1518,137341,00.html (12.5.2002)*

## Aufgaben zu M 8 – M 13

**1.** Decken sich die Ergebnisse der Umfragen in M 8 mit deinen eigenen Erfahrungen?

**2.** Zeige auf, was eine gute Klassengemeinschaft kennzeichnet und was man tun kann, um die Klassengemeinschaft zu verbessern (M 10).

**3.** Führt die Umfrage M 11 in eurer Klasse / auf dem Schulhof durch. Vergleicht die Ergebnisse.

**4.** Erkläre den Begriff Statussymbol, den Sasha in M 13 benutzt. Sasha beschreibt in dem Interview, wie wichtig Musik und Klamotten für ihn sind bzw. waren. Kannst du erklären, warum das so ist?

**5.** Es gibt innerhalb von Gruppen immer wieder Situationen, die einen dazu führen können, Dinge zu sagen und zu tun, die man eigentlich gar nicht sagen oder tun möchte. Wie entsteht deiner Meinung nach Gruppendruck? Welche (auch positiven) Auswirkungen kann Gruppendruck haben?

## *Cliquen und andere soziale Gruppen*

**Bedeutung der sozialen Gruppe/ peer-group**
*M 9*

Der Einfluss, den die Sozialisationsagentur oder Sozialisationsinstanz Familie auf Kinder und Jugendliche ausübt, lässt im Laufe unserer Entwicklung immer weiter nach und wird langsam abgelöst von Kindergarten, Schule, Jugendgruppe oder peer-group. Die Gleichaltrigengruppen übernehmen eine immer wichtiger werdende Aufgabe bei unserer Entwicklung zur eigenständigen Persönlichkeit. Wir entwickeln langsam eine eigene Identität. D.h. wir bekommen die Gewissheit von dem, was wir sind, was uns wichtig ist und was uns „einmalig" macht.

**Ingroup/outgroup**

Neben der peer-group oder Clique im Jugendalter gibt es noch viele soziale Gruppen, denen wir im Laufe unseres Lebens angehören. Dazu zählen u.a. der Sportverein, die Jugendgruppe in der Kirche oder im örtlichen Naturschutzverein, die Jugendfeuerwehr usw. In diesen Gruppen kennt man sich, fühlt man sich wohl, ist man unter sich. Diese Gruppen bezeichnet man auch als Wir-Gruppen oder „ingroups". Personen, die nicht zu diesen Gruppen gehören, bilden die Fremdgruppe oder „outgroup". Die Mitglieder von in- und outgroups müssen sich nicht unbedingt fremd gegenüberstehen, es kann aber vorkommen, dass Einzelne oder ganze Gruppen zu Außenseitern gemacht werden, nur weil sie vermeintlich Merkmale haben, die sie von der ingroup unterscheiden. In Schulklassen lässt sich dies häufig beobachten. Der Außenseiter nimmt in einer Gruppe eine isolierte Position ein, weil er wegen einer Eigenschaft oder einer Verhaltensweise die Ablehnung der Gruppe erfährt. Häufig nimmt er dann die „Igelposition" ein, d.h. er zieht sich zurück und bewirkt damit, dass er noch stärker abgelehnt wird. Es kann aber auch vorkommen, dass auf einzelne Mitglieder einer Gruppe Druck ausgeübt wird, damit sie sich anpassen.

**Die Schulklasse als Gruppe**
*M 12*

Viele der Gruppen, in denen wir uns bewegen, können wir uns nicht aussuchen – wir sind sozusagen zu einer Zwangsmitgliedschaft verpflichtet. Eine solche Gruppe ist beispielsweise die Schulklasse. Dennoch funktioniert das Zusammenleben und die Zusammenarbeit in den meisten Klassen gut und viele Schülerinnen und Schüler fühlen sich wohl. Innerhalb von Zwangsgruppen kann es zu Konflikten kommen, wenn einzelne Mitglieder ausgegrenzt und schikaniert werden.

# 2. Die Familie

## 2.1 Die Familie und andere Formen des Zusammenlebens

**Familie bedeutet ...**

M 1

**Was bei Jugendlichen „in" ist**

M 2

**Von je 100 Jugendlichen (12 bis 15 Jahre) nennen**

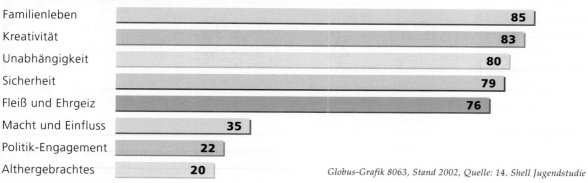

| | |
|---|---|
| Familienleben | 85 |
| Kreativität | 83 |
| Unabhängigkeit | 80 |
| Sicherheit | 79 |
| Fleiß und Ehrgeiz | 76 |
| Macht und Einfluss | 35 |
| Politik-Engagement | 22 |
| Althergebrachtes | 20 |

*Globus-Grafik 8063, Stand 2002, Quelle: 14. Shell Jugendstudie*

**M 3**

## Wer gehört zur Familie?

Die moderne Familienforschung hat herausgefunden, dass die Familie des beginnenden 21. Jahrhunderts nicht mehr nur die Kernfamilie ist, sondern sich zur „multilokalen Mehrgenerationenfamilie"
5 entwickelt hat. Mit diesem komplizierten Begriff ist erstens gemeint, dass die Familie auseinander, an unterschiedlichen Orten („multilokal") wohnt, diese aber in erreichbarer Nähe zueinander liegen. Die Familienmitglieder fühlen sich dennoch
10 zusammengehörig. Und zweitens besteht die moderne Familie häufig aus mehr als zwei Generationen. Die Großeltern, die entweder im gleichen Haus oder der gleichen Wohnung oder im selben Ort wohnen, sind wichtige Familienmitglieder
15 und gehören nach den neuesten Umfragen zu den wichtigsten Menschen im Leben der Kinder und Jugendlichen („Mehrgenerationenfamilie").

Danach rangieren Mutter und Vater an der Spitze der Liste der wichtigsten Menschen im Leben der 10- bis 18-Jährigen. Als zweitwichtigste Personengruppe nannten die Kinder von 10 bis 13 Jahren 20 die Großmütter, dicht gedrängt folgen an dritter Stelle die Geschwister und Großväter. Eine Familie besteht also heute vielfach aus der so genannten Kernfamilie, die in einer gemein- 25 samen Wohnung lebt, und den Großeltern, die in der näheren Umgebung oder im gleichen Haus wohnen. Viele Familien rechnen darüber hinaus auch andere Verwandte oder auch Freunde zu ihren Mitgliedern. Die Soziologen sprechen deshalb 30 auch von der Familie als einem eng verbundenen sozialen Netzwerk.

*nach: Jürgen Zinnecker, u.a., null zoff & voll busy. Die erste Jugendgeneration des neuen Jahrhunderts, Opladen 2002, S. 24 ff.*

**M 4**

## Formen des Zusammenlebens

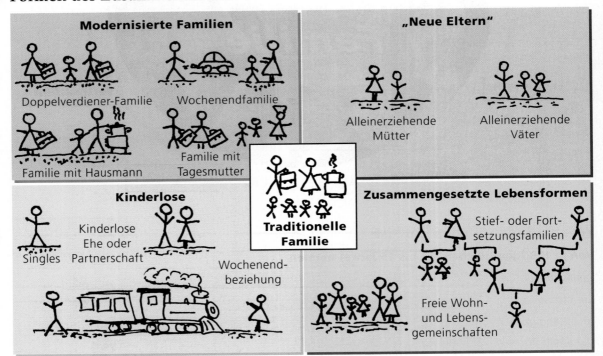

## Aufgaben zu M 1 – M 4

**1.** *Beschreibe kurz zu drei Begriffen deiner Wahl, warum Familie das für dich bedeuten könnte (M 1).*

**2.** *Die moderne Familienforschung bezeichnet die Großeltern als „großen Zugewinn" für die heutigen Kinder und Jugendlichen (M 3). Erkläre, worin dieser Zugewinn bestehen könnte.*

## Zur Vertiefung
## *Familie in der Geschichte und in anderen Kulturen*

### 1. Die Familie im Wandel

Der Begriff „Familie" ist sehr alt. Er geht auf das lateinische „familia" zurück. Die Römer bezeichneten damit eine Gemeinschaft von Menschen, die gemeinsam in einem Haushalt lebten. Die Grundbedeutung dieses Wortes ist also „Haus". Zu dieser Gemeinschaft gehörten nicht nur die Eltern und Kinder, sondern alle Generationen einer Familie einschließlich der Sklaven und Bediensteten. Das Oberhaupt dieses Familienverbandes war der „pater familias", der uneingeschränkte Macht über alle Mitglieder der „familia" hatte. So verfügte er über das gesamte Vermögen der „familia" und konnte ihre Angehörigen vor Gericht vertreten. Der pater familias besaß soviel Autorität, dass er einzelne Mitglieder der familia mit Gewalt bestrafen oder sogar, ohne ein Gerichtsverfahren, mit dem Tode bestrafen konnte. Auch konnte er Neugeborene aussetzen, wenn sie krank oder unehelich waren. Die Stellung des pater familias hat mit unserer Vorstellung von Vaterschaft überhaupt nichts zu tun.

Die familia prägte im Wesentlichen das Leben der Menschen bis weit über das Ende des Mittelalters hinaus. Man sprach aber nicht von familia, sondern vom „Haus" oder „ganzem Haus".

Eine gefühlsmäßige Bindung der Menschen im „ganzen Haus" war kaum vorherrschend. So wurde weniger aus Liebe geheiratet, sondern vielmehr darauf geachtet, was der Ehepartner als „Mitgift" oder Erbe in die Gemeinschaft einbringen konnte. Auch das Verhältnis zwischen Eltern und Kindern war weniger durch Liebe oder Zuneigung geprägt.

Kinder wurden mehr als Arbeitskräfte angesehen. Die Kindheit selbst war auf die ersten Lebensjahre beschränkt. Die Kinder mussten schon sehr früh mitarbeiten und ihren Beitrag für die Gemeinschaft leisten.

Lange Zeit spielte sich Leben und Arbeiten im ganzen Haus unter einem Dach ab. Arbeitsplatz und Wohnbereich waren räumlich nicht voneinander getrennt. Dies änderte sich erst im Zuge der Industrialisierung, die in Europa im 18. und 19. Jahrhundert stattfand. Insbesondere in den Städten kam es so zu einer Trennung zwischen der Wohnstätte und dem Arbeitsplatz. Die Menschen verließen jetzt die Wohnung, um zur Arbeit zu gehen. Das galt besonders für die Arbeiterinnen und Arbeiter, die in den neu entstandenen Fabriken arbeiteten, aber auch für die Angestellten und Beamten in den Büros.

Mit dieser Veränderung ging ein Wandel im Zusammenleben der Menschen einher. An die Stelle der Lebens- und Produktionsgemeinschaft des ganzen Hauses trat die Kleinfamilie als Lebens- und Konsumgemeinschaft. Die häusliche

*Berberfamilie, Marokko*

19

Produktion wurde immer überflüssiger, denn man konnte jetzt alles auf den größer werdenden Märkten kaufen. Für die Frauen bedeutete dies, dass sie entweder als Arbeiterinnen in die Fabrik gingen, um zum Lebensunterhalt beizutragen, oder mehr Zeit für die Erziehung der Kinder aufbringen konnten. Zur Kleinfamilie gehörten nur noch die Eltern und ihre Kinder. Reiche Familien konnten sich Bedienstete (z.B. Dienstmädchen oder Kutscher) leisten. Auch wenn diese, wie in der vorindustriellen Zeit, im selben Haus wohnten, lebten sie jetzt getrennt von der Familie.

Die Kleinfamilie, in der nur noch zwei Generationen zusammen lebten, setzte sich im Laufe des 20. Jahrhunderts in Europa immer mehr durch. Natürlich gibt es neben der modernen Kleinfamilie auch noch andere Familienformen auf der Welt. Das Südseevolk der Ifaluks z.B. lebt in großen Familienverbänden zusammen, die man durchaus mit dem Leben im ganzen Haus vergleichen kann. Bei den Ifaluks bilden die Eltern und die Familie ihrer verheirateten Töchter den Familienverband, wohingegen die Söhne mit Erreichen der Pubertät aus dem Haus der Eltern ausziehen und bis zur Heirat bei Verwandten leben. Nach der Hochzeit leben sie dann in der Familiengemeinschaft der Ehefrauen. Interessant ist auch, dass bei den Ifaluks entgegen der sonst üblichen Erbregeln Land von der Mutter auf die Tochter vererbt wird.

Großfamilien gibt es heute nur noch in den Teilen der Welt, die noch nicht von der Industrialisierung erfasst wurden. So leben viele Menschen in weiten Teilen Afrikas in familialen Großgemeinschaften.

*Autorentext*

## 2. Andere Zeiten – andere Kulturen – andere Erziehung – Tipps für ein Projekt

Erziehungsziele und Erziehungsstile unterliegen einem dauernden Wandel. Es ist sehr interessant, diesem Wandel nachzugehen.

Dazu könnt ihr z.B. eure Eltern und Großeltern befragen. Gegenstand der Befragung könnten z.B. die Taschengeldfrage, der Fernsehkonsum, die Freizeitgestaltung oder Fragen nach Strafen sein. Interessant ist auch, ob Mädchen und Jungen früher anders erzogen wurden als heute. Die Untersuchung kann man natürlich auch ausweiten auf Erziehungsziele und -stile zu anderen Zeiten, z.B. im 19. und frühen 20. Jahrhundert. Man kann auch einen Vergleich mit dem Familienleben in anderen Kulturen anstellen.

*Literaturtipp:* Erich Renner, Andere Völker, andere Erziehung. Eine pädagogische Weltreise, Wuppertal (Peter Hammer Verlag), 2002

*Autorentext*

## Die Patchwork-Familie: groß und bunt

Ich habe eine zum dritten Mal verheiratete Mutter und einen Vater, der auch wieder geheiratet hat, plus zwei Stiefväter also und eine Stiefmutter. Der erste Stiefvater hat sich auch wieder ver-
5 heiratet, der zweite, jetzige, war es vorher. Macht drei weitere – ja, wie soll ich sagen: Stiefmütter? Halbtanten? Allein die Ehen meiner Eltern haben einen Familienkosmos aus sieben Familien zusammengeführt. ... Unsere Familie hat ein Motto:
10 Seid großzügig, nur so funktioniert das Durcheinander. Und es gibt noch etwas: Jeder mag jeden. Das klingt zwar furchtbar kitschig, ist aber wahr, so groß und verrückt unsere Familie auch ist. Ich bin jetzt zwanzig, und erst in letzter Zeit
15 fällt mir auf, was für ein Glück es ist, eine solche Großfamilie zu haben. ... Ich glaube, meiner komplizierten Großfamilie habe ich ein paar Ei-

genschaften zu verdanken: Offenheit für jede Art Menschen und Beziehungen. Eigene Wünsche auch mal zurückstellen. Und Menschenkenntnis. 20
... Mama könnte man für eine Rabenmutter halten: Wie kann man seinen Kindern solche Belastungen, die Scheidungen ja sind, zumuten. So zu denken wäre aber nicht gerecht. Sie hat alles dafür getan, dass wir unter den Trennungen nicht 25
leiden mussten. Wir konnten immer unsere Väter sehen und mussten uns nicht entscheiden, wen wir lieben dürfen. Das Wort Patchwork-Familie hat für mich keinen negativen Klang. In der Tat: Meine Familie ist eine Patchwork-Decke. Groß, 30
bunt und wärmend.

*PZ Nr. 104 (2000), Beziehungskisten und Partnerschaften, hg. von der Bundeszentrale für politische Bildung, Bonn, S. 36 f.*

## Scheiden tut zwar weh, bringt Kindern aber kaum Nachteile

Etwa jede dritte Ehe geht derzeit in Deutschland in die Brüche. Kinder müssen nicht nur die Trennung der Eltern verkraften, sondern oft auch mit neuen Partnern der Eltern zurechtkommen. Trotz
5 der hohen Anforderungen an Eineltern- oder Stieffamilien konnten Münchner Forscher aber bei den Kindern „kaum Nachteile in der Persönlichkeits-, Sozial- und Kompetenzentwicklung im Vergleich zu ihren Altersgenossen in traditi-
10 onellen Kernfamilien nachweisen", sagt Pädagogik-Professorin Sabine Walper, die das seit 1994 laufende Projekt „Familien in Entwicklung – Kinder und Jugendliche in Deutschland" leitet.
In der Studie ... untersuchen die Experten traditi-
15 onelle Familien, Familien mit allein erziehenden Müttern sowie Stiefvater-Familien in West- und Ostdeutschland. Als wichtige Faktoren gelten dabei die finanzielle Lage, die Gestaltung der Beziehung zwischen den leiblichen Eltern so-
20 wie den Eltern und ihren neuen Partnern. Eine besondere Rolle spielt das Verhältnis der Kinder zu den leiblichen Eltern. Walper kommentiert: „Versuchen die Eltern etwa, die Kinder in eine

Allianz[1] gegen den anderen Elternteil zu ziehen, leiden die Kinder häufig unter den Kontakten 25
zum getrennt lebenden Elternteil."
Mit finanziellen Engpässen plagen sich laut Studie vor allem allein erziehende Mütter. ...
Walper resümiert: Weniger die Familienstruktur als die Qualität der Beziehungen ist ausschlag- 30
gebend für die Persönlichkeitsentwicklung der Jugendlichen. Allerdings zeigten sich auch späte Nachteile der Scheidungskinder bis ins Erwachsenenalter hinein. „Dies betrifft weit weniger Jugendliche aus stabilen Trennungsfamilien, 35
also mit dauerhaft allein erziehender Mutter oder mit einer stabilen neuen Partnerschaft der Mutter", so Walper, „schlechter geht es vor allem denjenigen, die im Untersuchungszeitraum eine Trennung der Eltern, der Stiefeltern oder eine 40
neue Partnerschaft erlebt haben – die also akut von familiären Umbrüchen oder Übergängen betroffen sind", sagt die Professorin.

*Joachim Wille, Frankfurter Rundschau, 6.5.2004*

[1]Allianz = Bündnis

**M 7**

Tomaschoff/CCC, www.c5.net

1. | Die Vorsilbe „stief" enthält in der deutschen Sprache eine negative Nebenbedeutung. Was verbindest du damit?

2. | Welche positiven Erfahrungen vom Leben in einer Patchworkfamilie werden in M 5 geschildert? Kannst du dir auch negative Aspekte vorstellen?

3. | Beschreibe, welche Voraussetzungen gegeben sein müssen, damit Kinder nicht unter der Scheidung ihrer Eltern leiden (M 6).

**M 8**

## Gleichberechtigung in der Ehe

Männer und Frauen sind gleichberechtigt. Der Staat fördert die tatsächliche Durchsetzung der Gleichberechtigung von Frauen und Männern und wirkt auf die Beseitigung bestehender Nachteile hin.

*Grundgesetz, Art. 3,2*

### Das Ehenamensrecht im Wandel

*1976:* Seit 1976 konnte sowohl der Name des Mannes als auch der Ehefrau zum gemeinsamen Familiennamen gewählt werden. Konnten sich
5 die Eheleute allerdings nicht auf einen gemeinsamen Familiennamen einigen, war automatisch der Geburtsname des Mannes der Familienname.

*1994:* Das seit 1994 geltende Ehenamensrecht sieht folgende Regelung vor:
10 Ehegatten sollen einen gemeinsamen Familiennamen (Ehenamen) bestimmen. Dies kann der Geburtsname des Mannes oder der Frau sein. Ehegatten, die keinen Ehenamen bestimmen, führen ihren zur Zeit der Eheschließung geführ-
15 ten Namen weiter.

*Autorentext*

Für die lieben Wünsche und zahlreichen Aufmerksamkeiten zu unserem Hochzeitsfest danken wir Ihnen und euch ganz herzlich.

*Ulrike Meyer & Dirk Schmidt*

**M 9**

## Neue Väter hat das Land

Tim Sonka ist jung, erfolgreich – und in Elternzeit. Seit zwei Jahren hat der 34-jährige Betriebswirt eine leitende Funktion in der Unternehmensentwicklung beim Hamburger Verlags-
5 haus Gruner + Jahr inne. Dass er Elternzeit nehmen wollte, war spätestens nach der Geburt von Sohn Luis im März 2003 klar. Zum einen, weil er alles andere seiner Freundin Katrin gegenüber als „unfair" empfunden hätte, denn „wir beide

lieben unsere Jobs", erklärt Sonka. Auch Katrin 10 arbeitet in einer Führungsposition und musste für das Kind beruflich erstmal zurückstecken. Außerdem wollte Tim Sonka einen „besseren Draht" zu seinem Sohn bekommen: „Unter der Woche sah ich Luis immer nur kurz morgens 15 – wenn ich von der Arbeit kam, war er schon im Bett." Das war dem frisch gebackenen Vater zu wenig.

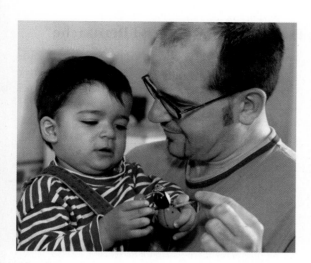

Also beantragte er ... Elternzeit ... Sein Chef, be-
20 richtet Tim Sonka, hätte „erstaunlich entspannt"
reagiert. Er sei zwar „nicht wirklich begeistert" gewesen, hätte den Wunsch aber „voll verstanden"

... Seit 1. Januar 2004 ist Tim Sonka zwei volle Tage
in der Woche für seinen Sohn da. ...
„Jederzeit" würde er wieder Elternzeit nehmen 25
– „man bekommt so viel zurück", schwärmt der
Teilzeit-Vater. Luis' Betreuung ist für die Zukunft
allerdings schon organisiert: Er geht zurzeit zwei
Stunden täglich in die Kita. Wenn Sonkas Elternzeit vorüber ist, bleibt Luis den ganzen Tag dort. 30
Ein kleiner Luxus, denn in Hamburg kostet ein
voller Kita-Platz 930 Euro pro Monat. „Wenn Katrin weniger verdienen würde, könnte unser Modell nicht funktionieren, und ich hätte auch keine
Elternzeit genommen – auf jeden Fall wollen wir 35
unseren Lebensstandard aufrechterhalten", stellt
Tim Sonka klar.

*nach: Brigitte.de, (www.brigitte.de/frau/familie/elternzeit_maenner/index.html?*
*PAGE=1#521197_1_1, 25.7.2004)*

## Erziehung wird nicht wertgeschätzt

*Zur Zeit nehmen 5% aller Väter Elternzeit. Die Zeit-*
*schrift Brigitte fragte den Familienwissenschaftler*
*Harald Rost, nach den Gründen, warum so wenig*
*Väter von der Möglichkeit der Elternzeit Gebrauch*
*machen.*
**Harald Rost:** Kindererziehung ist vor allem
ein Problem der gesellschaftlichen Werte und
Rollenbilder. Mütter, die ihre Kinder in die Kita
geben, gelten als Rabenmütter, weil gemeinhin
5 davon ausgegangen wird, dass die Kinder bei
der Mutter am besten aufgehoben sind. Erziehung als Leistung wird nicht wertgeschätzt – bei
uns ist die Ausbildung und Entlohnung von
Erzieherinnen miserabel, in Finnland haben sie
10 dagegen einen Hochschulabschluss. Insofern
wären finanzielle Entlastungen eine notwendige, aber keine hinreichende Bedingung für
ein stärkeres familiäres Engagement der Väter:
Notwendig, weil bei 75 Prozent aller Paare der
15 Mann immer noch der Hauptverdiener ist, wie
wir in einer Studie festgestellt haben. ... [Die
Männer haben] Angst vorm Jobverlust trotz Ar-
beitsplatzgarantie, fürchten einen Karriereknick.
In der Regel wird ein Mann, der eine Erziehungs-
20 auszeit nimmt, dafür nicht geachtet, sondern als

Drückeberger verachtet. Das Umdenken in den
Firmen hat zwar eingesetzt, aber vor allem kleine
und mittelständische Unternehmen haben noch
nicht begriffen, dass familienfreundliche Politik
sich langfristig auszahlt – auch und gerade bei 25
Führungskräften.

*Brigitte.de, (www.brigitte.de/frau/familie/elternzeit_maennerindex.html*
*?PAGE=3#521197_3_7, 25.7.2004)*

### Elternzeit

Das Bundeserziehungsgeldgesetz legt neben der
Höhe des Kindergeldes, das der Staat den Eltern für
jedes Kind zahl, und steuerlichen Vergünstigungen
auch die Elternzeit fest. Beide Elternteile können
gleichzeitig Elternzeit nehmen. Jeder Elternteil kann
bis zu 30 Wochenstunden in Teilzeit arbeiten. Hat
das Unternehmen, in dem der Vater und die Mutter
beschäftigt sind, mehr als 15 Mitarbeiter, so haben
die Eltern einen Rechtsanspruch auf diese Teilzeitbeschäftigung. Den Eltern darf in der Elternzeit nicht
gekündigt werden.

*Autorentext*

**Infobox**

M 11

# Horst Köhler: „Kinder sind nicht allein Frauensache, sondern Elternsache"

Die Mehrheit der jungen Menschen wünscht sich die Vereinbarkeit von Kind und Beruf. Aber da ist noch ein weiterer, sehr wichtiger Punkt: Wir müssen zu einem Land werden, in dem die Gleichberechtigung von Frau und Mann selbstverständlich ist. Und das gilt nicht zuletzt für Führungspositionen von Frauen in Wirtschaft und Gesellschaft. Deutschland gehört hier zu den Entwicklungsländern. Das kann ich Ihnen aufgrund meiner internationalen Erfahrung berichten. Wir Männer müssen uns klar machen: Es geht dabei nicht einmal so sehr um das Thema Kinder und Familien. Es geht vielmehr um die Kreativität und die Kompetenz der Frauen. Wir brauchen sie dringend. Wir müssen die Kraft haben, Familiengründungen auch parallel zu Ausbildung, Berufstätigkeit und Aufbau einer Existenz möglich zu machen. Ich appelliere an Politik und Wirtschaft, an Verbände und Verwaltung, vor allen Dingen an die Selbstverwaltungseinrichtungen: Schaffen Sie schneller bessere Bedingungen! Helfen Sie mit, dass Frauen und Männer die Entscheidung für eine berufliche Karriere frei treffen können, ohne sich deshalb gegen Kinder entscheiden zu müssen! Wir brauchen mehr Kindertagesstätten und bessere Arbeitszeitmodelle, die es möglich machen, Beruf und Zuhause zu verbinden. Gleichzeitig ist es mir ganz wichtig, zu sagen: Auch die Mütter, die sich zu Hause für ihre Familien engagieren wollen, sollten in unserer Gesellschaft stärker Anerkennung finden, sichtbar und handfest.

*aus: Antrittsrede des Bundespräsidenten Horst Köhler, 1.7.2004*

## Aufgaben zu M 8 – M 11

**1.** Zeigt am Beispiel des Ehenamensrechts auf, wie sich die Stellung von Mann und Frau in der Ehe verändert haben (M 8).

**2.** Nennt Gründe dafür, warum immer noch wenig Väter das Angebot der Elternzeit wahrnehmen (M 9 – M 11).

**3.** Welche Maßnahmen müssten ergriffen werden um dies zu ändern (M 11)?

**4.** Diskutiert in diesem Zusammenhang die Vor- und Nachteile von Ganztagsschulen.

## Umgang mit Statistiken und Schaubildern

### Eine Statistik auswerten

Eine *Statistik* ist die systematische Sammlung und Ordnung von Informationen in Form von Zahlen. Diese Zahlen werden entweder in *Tabellen* oder optisch aufbereitet als *Diagramme* und *Schaubilder* ausgewertet und dargestellt. Statistiken helfen uns in vielen Alltagssituationen. So wird beispielsweise unter jeder Klassenarbeit, die ihr schreibt, nach der Rückgabe ein Notenspiegel angebracht, damit ihr und eure Eltern sehen könnt, wie viele Schülerinnen und Schüler bessere oder auch schlechtere Ergebnisse erzielt haben. Der Lehrer sammelt die Ergebnisse aller Klassenarbeiten und kann dann herausfinden, wie sich eure Leistung innerhalb eines Schuljahres entwickelt.

Es gibt kaum einen Lebensbereich, der nicht statistisch erfasst wird. So gibt es u.a. Statistiken zu den Bereichen Bevölkerung, Beschäftigung, Gesundheit, Kriminalität, Wohnungen, Verkehr, Wirtschaft. Aus diesen Statistiken können wichtige Erkenntnisse zum Beispiel für die Verkehrsplanung oder den Bau von Kindergärten und Schulen gezogen werden.

Die Zahlen oder auch Daten müssen nach strengen Regeln erhoben werden. Die meisten Daten sammelt das Statistische Bundesamt in Wiesbaden, das seine zusammengefassten Ergebnisse in den Statistischen Jahrbüchern veröffentlicht. Viele Daten stellt das Bundesamt aber auch ins Internet, wo sie unter www.statistikbund.de abgerufen werden können. Das Statistische Bundesamt ist zur Neutralität verpflichtet, andere Organisationen, die Daten erheben und veröffentlichen, verfolgen möglicherweise auch eigene Interessen.

Weil Zahlen sehr abstrakt sind, stellt man sie gerne in Diagrammen dar. Es gibt unterschiedliche Formen von Diagrammen: Kreis- oder Tortendiagramm, Säulendiagramm, Balkendiagramm, Kurvendiagramm.

Zahlen kann man als *absolute* (genaue, gerundete) *Zahlen* oder als *Prozentzahlen* angeben.

Die Prozentzahlen verdeutlichen den Anteil an einer Gesamtmenge.

### Statistisches Material untersuchen:

**1. Beschreiben**

- Woher stammen die Daten, wer hat sie erfasst und veröffentlicht? (Quelle)
- Welcher Sachverhalt wird dargestellt? Wie lautet das Thema? Welcher Zeitraum wird dargestellt?
- Welche Darstellungsform wurde gewählt? (Säulen-, Balkendiagramm...?)
- Absolute oder relative Zahlen?
- Wurden die Zahlen sinnvoll im Diagramm umgesetzt? Wurden die Abstände auf den Achsen richtig gewählt?

**2. Auswerten**

- Welche Entwicklung ist zu erkennen? (Dabei sind hohe und niedrige Werte, Trends, Veränderungen zu beachten!)

**3. Erklären**

- Erst wenn du das Diagramm / die Tabelle genau beschrieben und ausgewertet hast, kannst du versuchen, deine Aussagen zu erklären oder Schlussfolgerungen zu ziehen.

### Beispiel für eine Auswertung

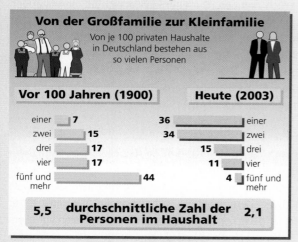

**Von der Großfamilie zur Kleinfamilie**

Von je 100 privaten Haushalte in Deutschland bestehen aus so vielen Personen

| Vor 100 Jahren (1900) | Heute (2003) |
|---|---|
| einer 7 | 36 einer |
| zwei 15 | 34 zwei |
| drei 17 | 15 drei |
| vier 17 | 11 vier |
| fünf und mehr 44 | 4 fünf und mehr |

**5,5 durchschnittliche Zahl der Personen im Haushalt 2,1**

*Quelle: Stat. Bundesamt, Globusgrafik 9629*

Die Daten stammen vom Statistischen Bundesamt und wurden als „Globus-Schaubild" veröffentlicht. Das Schaubild zeigt Anteile verschiedener Haushaltsgrößen und die durchschnittliche Personenzahl in einem deutschen Haushalt 2003 und im Jahr 1900. Als Darstellungsform wurden zwei Balkendiagramme gewählt. Von je 100 Haushalten bestanden z.B. im Jahr 1900 7 Haushalte aus nur einer Person, im Jahr 2003 bestehen 36 Haushalte aus nur einer Person. Gab es im Jahr 1900 nur 15% Zwei-Personen-Haushalte, so sind es 2003 34%. Die Anzahl hat sich also mehr als verdoppelt. Lebten um 1900 in 44 von 100 Haushalten noch fünf und mehr Personen, so sind es 2003 gerade 4% der Haushalte. Betrug die durchschnittliche Personenzahl je Haushalt im Jahr 1900 5,5, leben im statistischen Durchschnitt 2003 gerade einmal 2,1 Personen in einem deutschen Haushalt. In 70% aller deutschen Haushalte leben 2003 nur ein oder zwei Personen. Die durchschnittliche Haushaltsgröße hat sich in Deutschland innerhalb eines Jahrhunderts halbiert.

Die vorherrschende Lebensform ist der Ein- oder Zwei-Personen-Haushalt. Diese Entwicklung lässt sich zum Beispiel mit den Veränderungen in der Arbeitswelt, der Entwicklung von der landwirtschaftlich geprägten Gesellschaft zur Industrie- und Dienstleistungsgesellschaft erklären.

**So leben Kinder in Deutschland**
Von den 14,9 Mio. minderjährigen Kindern leben ...

... mit Bruder oder Schwester **47 %**

25 ohne Geschwister

9 mit drei oder mehr Geschwistern

19 mit zwei Geschwistern

... bei den verheirateten Eltern **79 %**

mit Mutter oder Vater als allein Erziehenden 15

6 mit Elternteil in einer Lebensgemeinschaft

*Stat. Bundesamt 2003, Globusgrafik 9338*

## Aufgaben

1. Wertet nach dem Beispiel auch das obenstehende Schaubild aus.

2. Macht innerhalb eurer Klasse eine Umfrage und findet die durchschnittliche Haushaltsgröße in eurer Klasse heraus. Vergleicht sie mit dem hier vorgestellten Ergebnis. Warum fallen die Ergebnisse unterschiedlich aus?

## Die Familie und andere Formen des Zusammenlebens

**Aufgaben der Familie**

Die Familie ist die am häufigsten auftretende soziale Gruppe. Sie sorgt für die äußeren Lebensbedingungen (Wohnung, Nahrung, Kleidung usw.) und stellt somit die Existenz ihre Mitglieder sicher. Daneben trägt die Familie auch Sorge dafür, dass die Kinder all die Fähigkeiten erwerben, die sie benötigen, um mit anderen Menschen in der Gesellschaft leben zu können. Man spricht davon, dass die Familie eine Sozialisationsfunktion hat. Die Familie sorgt aber auch dafür, dass die Gesellschaft nicht ausstirbt, denn die Familie ist der wichtigste Bereich, in dem Kinder geboren werden und aufwachsen. Diese Funktion der Familie nennt man auch die Reproduktionsfunktion. Darüber hinaus hat die Familie auch einen entscheidenden Einfluss darauf, welche soziale Position ein Mensch in Schule, Arbeitswelt und Gesellschaft einnimmt (Platzierungsfunktion).

**Andere Formen des Zusammenlebens**
*M 3 – M 6*

In unserer modernen Industrie- und Dienstleistungsgesellschaft ist die Verschiedenheit der Familien- und Lebensformen die Regel. So wird Familie heute ganz unterschiedlich gelebt: verheiratete und nicht verheiratete Eltern, die ihre Kinder gemeinsam erziehen, Väter und Mütter, die ihre Kinder alleine erziehen, Patchwork- oder Stieffamilien, Adoptionsfamilien, Pflegefamilien. Weiterhin leben in unserer Gesellschaft neben den deutschen Familien auch binationale und ausländische Familien. Es gibt aber immer mehr Menschen, die sich bewusst gegen eine Familie entscheiden und lieber als Single oder als Paar ohne Kinder durch das Leben gehen.

**Gleichberechtigung in der Familie**
*M 8 – M 11*

Gesetzgebung und Rechtsprechung haben auf die Veränderungen der Lebensformen in unserer Gesellschaft reagiert. So wurde durch ein neues Sorgerecht (1998) geregelt, dass beide Elternteile trotz einer Scheidung gemeinsam die elterliche Sorge über die Kinder ausüben, es sei denn, dass ein Elternteil ausdrücklich beantragt, allein das Sorgerecht zu besitzen. Bis dahin galt die Regelung, dass das Familiengericht im Rahmen des Scheidungsverfahrens über die elterliche Sorge entschieden und in der Regel einem Elternteil das alleinige Sorgerecht zugesprochen hat. Auch bei nichtehelich geborenen Kindern können sich die Eltern jetzt das Sorgerecht teilen. Auch das geänderte Namensrecht führte zu einer verbesserten Gleichstellung von Mann und Frau in der Ehe.
Seit dem Jahr 2001 können sich außerdem Eltern die Kindererziehung noch besser teilen und Elternzeit in Anspruch nehmen. Die Elternzeit erleichtert berufstätigen Müttern und Vätern die Teilzeitbeschäftigung. Allerdings nehmen immer noch sehr wenig Väter das neue Recht auf eine befristete Teilzeitbeschäftigung zur Kindererziehung in Anspruch, weil Männer in der Regel mehr verdienen als Frauen und sich die meisten Familien Gehaltseinbußen, die mit einer Teilzeitbeschäftigung verbunden sind, nicht leisten können. Auch fehlt es in Deutschland eindeutig an Kinderbetreuungsmöglichkeiten, die die Vereinbarkeit von Familie und Beruf deutlich erleichtern würden.

**Bedeutung der Großeltern**

Die Großeltern spielen eine wichtige Rolle im Leben der Familien. Das liegt unter anderem daran, dass die Generation der Großeltern seit einigen Jahrzehnten länger lebt und auch länger aktiv und gesund ist. In vielen Familien übernehmen deshalb die Großeltern auch Aufgaben der Eltern, indem sie sich um die Enkel kümmern, für sie kochen, mit ihnen die Hausaufgaben erledigen usw. Großeltern spielen vor allem dann eine entscheidende Rolle, wenn beide Elternteile berufstätig sind.

## 2.2   Erziehen ist kein Kinderspiel

### Leben in der Familie – nicht immer Friede, Freude, Eierkuchen

In der Klasse 7b geht es heute um das Thema Streit in der Familie:

„Was ich überhaupt nicht leiden kann, ist, wenn meine Mutter ständig ohne anzuklopfen in mein Zimmer kommt." (Nina, 12)

„Meine Kinder nehmen nur selten Rücksicht auf mich. Die merken oft gar nicht, dass auch ich ab und zu meine Ruhe brauche. Den ganzen Nachmittag klingelt bei uns das Telefon. Die Musik stellen sie erst nach langen Diskussionen leiser, um sie spätestens nach einigen Minuten wieder laut zu drehen. Deshalb gibt es in unserer Familie Streit." (Frau Joost, 42, die Klassenlehrerin der 7b)

„Stress gibt es bei uns immer, wenn`s ums Aufräumen geht. Was geht es meine Eltern an, wie`s in meinem Zimmer aussieht?" (Mareike, 12)

„Meine Eltern verlangen von mir immer, dass ich im Haushalt mithelfe, Staub saugen und so. Wir kriegen regelmäßig Krach." (Max, 13)

„Angeblich mach` ich zu wenig für die Schule." (Jonathan, 14)

### Wie würdest Du entscheiden?

Macht einen Zeitsprung von 20 Jahren und stellt euch vor, ihr hättet selbst Kinder. Die folgenden Beispiele, die ihr auch im Rollenspiel fortsetzen könnt, verlangen von euch Entscheidungen als Eltern.

| 1. Beispiel | 2. Beispiel | 3. Beispiel |
|---|---|---|
| Ihr habt mit Familie im Urlaub eine Ferienwohnung gemietet. Bei der Aufgabenverteilung in der Familie wurde besprochen, dass die beiden Kinder für den Müll zuständig sind. Getrennte Müllentsorgung (Glas, Papier, Bio-Müll) ist etwa 300 Meter entfernt möglich. Das ist den Kindern zu umständlich. | Die Tochter (12) plant eine Geburtstagsfete mit Mädchen und Jungen aus der Klasse. Das Nachbarmädchen, mit dem sie manchmal Hausaufgaben macht und das ihr vor Mathe-Arbeiten hilft, will sie aber nicht einladen, da es in der Klasse eine Außenseiterin („Streberin") ist. | Der 6-jährige Sohn spielt häufig mit seinen Freunden auf dem Spielplatz in der Siedlung Fußball. Wegen des Abendessens soll er im Sommer spätestens um 18.30 Uhr zu Hause sein. Er kommt 20 Minuten später, weil er „bei dem wichtigen Spiel" nicht früher weggehen konnte. |

*aus: Zeitlupe 37 (1999), Familie, hg. von der Bundeszentrale für politische Bildung, Bonn, S.8*

### Aufgaben zu M 12 und M 13

1. *Wenn Menschen auf so engem Raum zusammen leben wie in einer Familie, sind Konflikte vorprogrammiert. Weshalb gibt es in deiner Familie Streit? Ihr könnt in der Klasse auch die „Top-Five" der Streitpunkte innerhalb der Familie aufstellen (M 12).*

2. *Hier eine Liste mit Erziehungszielen: Höflichkeit und gutes Benehmen – Ordnungsliebe – Durchsetzungsfähigkeit – die Meinung anderer achten (Toleranz) – Sparsamkeit – Menschenkenntnis – sich die richtigen Freunde/Freundinnen aussuchen – gesunde Lebensweise – Anpassungsfähigkeit – Selbst-* *ständigkeit – Freude am Lesen – technisches Verständnis – Interesse für Politik und Wirtschaft – Bescheidenheit – Glauben, feste religiöse Bindung.*
*Ordne die Liste mit den Erziehungszielen danach, welches Ziel du besonders wichtig, wichtig oder überflüssig findest! Vergleicht die Ergebnisse innerhalb der Klasse. Lege dann diese Liste deinen Eltern oder anderen Erwachsenen vor. Vergleiche mit deiner eigenen Liste! Wie unterscheiden sich die Ergebnisse?*

*nach: Allensbacher Jahrbuch für Demoskopie, 10/1993-1997, S. 118*

## M 14 Wie Eltern strafen

An der Universität Halle wurde im Auftrag der Bundesregierung eine Untersuchung über Gewalt in der Erziehung durchgeführt. Dazu wurden 3 000 Eltern mit Kindern unter 18 Jahren, 2 000 Jugendliche im Alter von 12 bis 18 Jahren und 1 074 Beratungs- und Hilfeeinrichtungen für Familie und Jugendliche befragt.

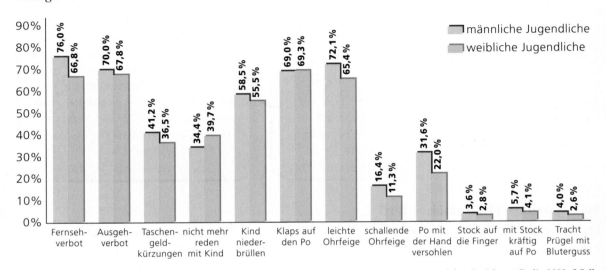

*Bundesministerium für Familie, Senioren, Frauen und Jugend, Bundesministerium der Justiz (Hg.), Gewaltfreie Erziehung, Berlin 2003, S.7 ff*

## M 15 Warum wenden Eltern Gewalt an?

Gewalt ist oft ein Ausdruck von Hilflosigkeit und Unsicherheit. Besonders häufig kommt es zu Gewalttätigkeiten, wenn die Eltern sehr belastet sind: Streitigkeiten und Probleme zwischen den
5 Eltern, berufliche Probleme, finanzielle Schwierigkeiten ... Manche Eltern empfinden in Streitsituationen einen Machtverlust gegenüber ihren Kindern und wollen durch körperliche Gewalt ihre Autorität wieder herstellen. Viele Eltern halten Schläge zudem immer noch für ein wirk- 10 sames Mittel, Kindern ein bestimmtes Verhalten abzuzwingen.

*Hans-Jürgen an der Gieth, Winfried Kneip, Gewalt stoppen. Projekte zur Gewaltprävention, Berlin 2000, S. 34*

## M 16 Warum lösen körperliche Strafen Probleme nicht?

*Der Deutsche Kinderschutzbund erklärt dies in einer Broschüre für Eltern folgendermaßen:*
Durch Bestrafung werden Sie Ihren Kindern nicht beibringen, wie sie sich in Zukunft besser verhalten können. Sie machen ihnen damit nur klar, dass sie etwas falsch gemacht haben, aber
5 nicht, wie sie es richtig machen können. Mit Strafen erreichen Sie nur, dass Ihre Kinder zornig und widerspenstig werden. Mit Strafen, wie z.B. Klapsen oder Einsperren, können Sie erst mal eine Unartigkeit unterbrechen ... richtiges Verhalten bringen Sie Ihrem Kind aber nicht bei. Denn
10 der plötzliche Schock, den Ihr Kind erleidet, fegt erst mal seinen Kopf leer. Es wird sich nur noch an den Klaps erinnern, aber nicht daran, warum es seinen Klaps bekommen hat. Wenn Sie ein Kind fragen, warum es seinen letzten Klaps be- 15 kommen hat, dann wird es entweder sagen ‚Ich weiß es nicht' oder ‚Mama war böse auf mich'. ... Kinder lernen das meiste von den Eltern. Sie machen nach, was diese ihnen vormachen. Wenn Sie ihr Kind schlagen, weil es geschlagen hat, 20 oder es beißen, weil es selbst gebissen hat, dann ist es ziemlich unwahrscheinlich, dass das Kind dadurch lernt, nicht zu schlagen oder zu beißen.

*Deutscher Kinderschutzbund Bundesverband e.V., Kinder brauchen Liebe, keine Hiebe. Hinweise für eine gewaltlose Erziehung, Hannover, o.J. o.S.*

# Was sagt das Gesetz?

### Aus dem BGB (Bürgerliches Gesetzbuch)

*§ 1626 [Elterliche Sorge, Grundsätze]*

(1) Die Eltern haben die Pflicht und das Recht, für das minderjährige Kind zu sorgen (elterliche Sorge). Die elterliche Sorge umfasst die Sorge für die Person des Kindes (Personensorge) und das Vermögen des Kindes (Vermögenssorge).

(2) Bei der Pflege und Erziehung berücksichtigen die Eltern die wachsende Fähigkeit und das wachsende Bedürfnis des Kindes zu selbstständigem und verantwortungsbewusstem Handeln. Sie besprechen mit dem Kind, so-weit es nach dessen Entwicklungsstand angezeigt ist, Fragen der elterlichen Sorge und streben Einvernehmen an.

*§ 1631 [Inhalt und Grenzen der Personensorge]*

(1) Die Personensorge umfasst insbesondere das Recht und die Pflicht, das Kind zu pflegen, zu erziehen, zu beaufsichtigen und seinen Aufenthalt zu bestimmen.

(2) Kinder haben das Recht auf eine gewaltfreie Erziehung. Körperliche Bestrafungen, seelische Verletzungen und andere entwürdigende Maßnahmen sind unzulässig.

# Würdest du genauso erziehen wie deine Eltern?

a) „Würdest Du deine Kinder so erziehen, wie du von deinen Eltern erzogen worden bist?"

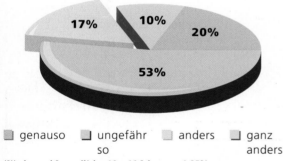

genauso    ungefähr so    anders    ganz anders

*(Kinder und Jugendliche: 10 – 18 Jahre, n = 1.052)*

b) „Was würdest Du anders als deine Eltern machen?" … Die sechs häufigsten Nennungen gibt die folgende Abbildung wieder.

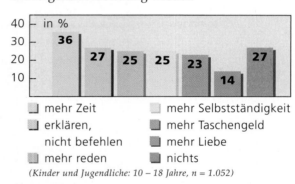

☐ mehr Zeit      ☐ mehr Selbstständigkeit
☐ erklären,      ☐ mehr Taschengeld
    nicht befehlen      ☐ mehr Liebe
☐ mehr reden      ☐ nichts

*(Kinder und Jugendliche: 10 – 18 Jahre, n = 1.052)*

*Jürgen Zinnecker u.a., null zoff & voll busy. Die erste Jugendgeneration des neuen Jahrhunderts, Opladen 2002, S. 36 (a) und S. 39 (b)*

## Aufgaben zu M 14 – M 17

**1.** *In M 14 werden Beispiele für körperliche und psychische Strafen genannt. Warum können beide Formen schlimme Folgen für Kinder haben (M 14 – M 16)?*

**2.** *Kann man mit einem Gesetz überhaupt Gewalt in den Familien verhindern? Was soll deiner Meinung nach mit dem Gesetz erreicht werden (M 17)?*

**3.** *„Wenn du nur einmal zuhören würdest. – Nie machst du das, was man dir sagt. – Immer hast du was an mir herumzunörgeln. – Du machst jetzt, was ich dir sage. – Du bist einfach zu blöd. – Dass Eltern immer meinen, sie wüssten alles besser. – Dauernd willst du was von mir." Überlege, warum diese Sätze als „Killersätze" bezeichnet werden? Was „killen" diese Sätze?*

**Was wir jetzt wissen:**

## Erziehen ist kein Kinderspiel

**Konflikte in der Familie**

Wie in jeder Gruppe, in der Menschen intensiv zusammenleben, so kann es auch innerhalb der Familie zu Konflikten kommen. Die Ursachen dafür können sehr unterschiedlich sein. Manchmal entstehen Konflikte in der Familie, weil Eltern mit ihrer Erziehung ganz bestimmte Ziele verfolgen, diese aber den Kindern nicht immer einsichtig sind, oder wenn Erwartungen nicht erfüllt werden. Daneben ist die Familie einer Vielzahl von Belastungen ausgesetzt, die ebenfalls zu Konfliktsituationen führen können.

**Erziehung**
**M 17**

Erziehung meint allgemein die Überlieferung von Normen an die nachfolgende Generation. Die Erziehung ist für die Eltern und Kinder kein Kinderspiel. In den meisten Familien gelingt es, die Konflikte auf dem Verhandlungsweg zu lösen. Aber auch Streiten will gelernt sein. Die Anwendung von Gewalt ist in unserem Staat durch ein Gesetz verboten. Jedes Kind und jeder Jugendliche hat ein Recht auf eine gewaltfreie Erziehung. Das friedliche Austragen von Konflikten wirkt positiv auf die Entwicklung des Einzelnen. So kann man in jedem Streit auch lernen, wenn man bestimmte Regeln beachtet.

**Regeln für einen fairen Umgang miteinander**

**Ruhe ausstrahlen durch ...**

- entspanntes Gesicht
- entspannte Sitzhaltung
- Arme locker, offene Hände
- lockere Schultern
- gleichmäßige, sanfte Stimme
- langsame Sprechweise mit Pausen

**Helfen, dass der andere redet ...**

- Fragen ohne Vorwürfe, offene Fragen (wann, wo, wie, ...)
- aktives Zuhören, Gesagtes wiedergeben, Verständnis zeigen

**Ich – Botschaften**

- „Ich bin sauer, weil ..." ist besser als „Du Idiot, du hast ..."
- Barsche Du-Botschaften fördern die Aggression

**Helfen, das Gesicht zu wahren ...**

- keine Vorwürfe machen, Fehler nicht herausstellen, nicht zuviel auf einmal verlangen

*nach: Zeitlupe 37 (1999), Familie, hg. von der Bundeszentrale für politische Bildung, Bonn, S. 11*

# Politik in Schule, Gemeinde und Land

Finanzen

Gemeinde **Aufgaben**

**Wahlen**

Bürgerinitiative

Mitbestimmung
Jugendgemeinderat
Bürgermeister
Schülervertretung

# 1. Demokratie lernen – Mitbestimmung in der Schule

**M 1** **Unser Pausenhof – Wie können Schüler ihre Interessen in der Schule vetreten?**

*Interview mit einem Mitglied der SV:*

**Was hat euch am alten Pausenhof gestört?**
Vor allem, dass es keine Möglichkeit gab, sich hinzusetzen und sich zu unterhalten. Der alte Schulhof war einfach nicht schön, man hat sich
5 dort nicht wohlgefühlt.

**Gab es auch Schwierigkeiten?**
Schwierigkeiten direkt nicht, aber viele Schüler sind z.B. in der Mittagspause in die Stadt gegangen, da die Schule kein Ort war, wo man seine
10 Mittagspause gut verbringen konnte.

**Was habt ihr gefordert?**
Wir wollten einen Pausenhof zum Wohlfühlen, wo man sich gerne aufhält. Wir wollten einen Platz, wo man sich auch mal hinlegen kann und
15 miteinander reden kann – die Schule als einen Raum, wo man sich auch gerne aufhält.

**Wie seid ihr vorgegangen, um eure Vorstellungen zu verwirklichen?**
Das war ein langer Weg! Wir mussten natürlich

mit den Lehrern und auch den Eltern zusam- 20
menarbeiten und gemeinsam unser Projekt planen. Ohne diese Zusammenarbeit hätte das nie geklappt. Uns war aber immer wichtig, dass wir Schüler – soweit das handwerklich ging – unseren Pausenhof selbst umbauen wollten, denn so 25
konnten wir sagen: Das ist unsere Schule.

*nach einem Gespräch des Autors mit Schülern der SV*

**M 2** **Wer trifft Entscheidungen in einer Schule?**

*Aus dem Landesgesetz über die Schulen in Rheinland-Pfalz vom 30. März 2004:*

**§ 44 Allgemeines (Lehrerkonferenzen)**
(1) Die Lehrkräfte beraten und beschließen in Konferenzen über alle wichtigen Fragen der Erziehungs- und Unterrichtsarbeit im Rahmen des
5 Bildungsauftrags der Schule, die ihrer Art nach ein Zusammenwirken der Lehrkräfte erfordern und für die keine andere Zuständigkeit begründet ist.

**§ 28 Gesamtkonferenz**
10 (1) Die Gesamtkonferenz gestaltet und koordiniert die Erziehungs- und Unterrichtsarbeit sowie Maßnahmen zur Schulentwicklung und Qualitätssicherung im Rahmen der gesamten Schule.

**§ 31 Schülervertretungen** 1.
(1) Bei der Verwirklichung des Bildungs- und Erziehungsauftrags der Schule wirken die Schülerinnen und Schüler durch ihre Vertretungen eigenverantwortlich mit.
(2) Die Vertretungen nehmen die Interessen der 2
Schülerinnen und Schüler in der Schule, gegenüber den Schulbehörden und in der Öffentlichkeit wahr und üben die Beteiligungsrechte der Schülerinnen und Schüler aus. Sie können im Rahmen des Bildungs- und Erziehungsauftrags 2
der Schule selbstgestellte Aufgaben in eigener Verantwortung durchführen.
(4) Vertretungen für Schülerinnen und Schüler sind die Klassenversammlung, die Versammlung

40 der Klassensprecherinnen und Klassensprecher sowie die Versammlung der Schülerinnen und Schüler.

### § 40 Schulelternbeirat

(1) Der Schulelternbeirat hat die Aufgabe die Erziehungs- und Unterrichtsarbeit der Schule zu fördern und mitzugestalten. Der Schulelternbeirat soll die Schule beraten, sie unterstützen, ihr Anregungen geben und Vorschläge unterbreiten.

(2) Der Schulelternbeirat vertritt die Eltern ge-genüber der Schule, der Schulverwaltung und gegenüber der Öffentlichkeit. Er nimmt die Mit-wirkungsrechte der Eltern wahr.

(3) Die Schulleiterin oder der Schulleiter unter-richtet den Schulelternbeirat über alle Angele-genheiten, die für das Schulleben von wesentli-cher Bedeutung sind.

(4) Der Schulelternbeirat ist anzuhören bei allen für die Schule wesentlichen Maßnahmen, insbe-sondere bei Veränderungen des Schulgebäudes, der schulischen Anlagen und Einrichtungen ...

## Hat sich das Engagement gelohnt? Der neue Pausenhof wird eingeweiht

**M 3**

*Campus Einweihung. In einer langfristig angelegten Gemeinschaftsaktion von Schülern, Eltern, Lehrern und dem Schulträger wur-de der Hof des Pestalozzi-Gymnasiums zu einem „Wohlfühl-Campus" umgestaltet. Nach dem Abschluss des ersten Bauabschnitts nahmen die Schüler im Rahmen eines Schulfestes den neu gestalteten Bereich des Schulhofes in Besitz.*

## Aufgaben zu M 1 – M 3

**1.** Zeige, was den Schülern an ihrem Pausenhof nicht gefallen hat (M 1).

**2.** Welche schulischen Gremien müssen an der Pausenhof-Initiative beteiligt werden? Be-gründe deine Aussage (M 2).

**3.** Wie gefällt euch eure Schule? Stellt eine Liste zusammen, was man an eurer Schule noch verbessern könnte. Nehmt dann Kontakt zur Schülervertretung auf.

33

**M 4**

# Der Klassensprecher

(2) Die Klassenversammlung besteht aus den Schülerinnen und Schülern der Klasse. Sie wählt aus ihrer Mitte die Klassensprecherin oder den Klassensprecher; diese oder dieser vertritt die Belange der Klasse gegenüber der Schule.   *§ 32 Landesgesetz über die Schulen in Rheinland-Pfalz vom 30. März 2004*

| Aufgaben des Klassensprechers | Der Klassensprecher darf nicht |
|---|---|
| • vertritt die Interessen der Schüler der Klasse;<br>• gibt Anregungen, Vorschläge und Wünsche einzelner Schüler oder der ganzen Klasse an Lehrer, Schulleiter oder Elternvertreter weiter;<br>• unterstützt einzelne Schüler in der Wahrnehmung ihrer Rechte;<br>• vermittelt bei Schwierigkeiten zwischen Klasse und Lehrer;<br>• leitet die Klassenschülerversammlung und beruft sie ein;<br>• nimmt an den Sitzungen des Schülerrates teil und informiert die Klasse darüber. | • der verlängerte Arm des Klassenlehrers sein;<br>• der Aufpasser in der Pause sein;<br>• derjenige sein, der alles alleine machen soll;<br>• derjenige sein, der alle Probleme lösen kann;<br>• derjenige sein, der alle Dummheiten der Klasse mitmacht;<br>• einer sein, den man wählt und dann im Stich lässt. |

*Arbeitskreis für SMV und Schülerzeitschriften (Hrsg.), ZIPP ZAPP. Praxisbuch für SMV und Jugendarbeit, Donaueschingen 2000*

## Aufgabe zu M 4

**1.** *In M 4 sind einige Aufgaben aufgelistet, die eine Klassensprecherin oder ein Klassensprecher erfüllen muss oder die er auf keinen Fall tun sollte. Lies die Liste genau durch und entscheide, was dir persönlich am wichtigsten erscheint.*

**M 5**

# Wenn es einmal Probleme in der Klasse gibt … – die Schülervertretungsstunde

Die Klasse, die eine Besprechung über schulische und unterrichtliche Fragen wünscht, erhält auf Antrag des Klassensprechers beim Klassenlehrer anstelle einer Unterrichtsstunde eine Verfügungs-
5   stunde, die im Allgemeinen in Anwesenheit des Klassenlehrers oder eines anderen Lehrers stattfindet. Im Antrag ist das Beratungsthema anzugeben und zu begründen.
Die Diskussionsleitung sollte der Klassenspre-
10   cher oder ein anderes Mitglied der Klasse übernehmen. Während der Verfügungsstunde solltet ihr beim Diskutieren den Grundsatz einhalten: „Zuhören und ausreden lassen!"
Es ist die Aufgabe der Gesprächsleitung dafür zu
15   sorgen, dass alle in der Klasse die Möglichkeit haben, zum Thema ihre Meinung zu sagen. Selbstverständlich könnt ihr den Lehrer bitten, euch zu helfen. Doch es ist wesentlich besser, wenn ihr das selbstständig auf die Beine stellen könnt.
20   Ihr könnt eure Tische beispielsweise in Hufeisenform oder Rechtecksform aufstellen, um bei der Diskussion alle gut sehen zu können.

Um wirklich jeden zu Wort kommen zu lassen, ist es hilfreich, eine Redeliste zu führen. Die Gesprächsleitung schreibt entweder an der Tafel oder auf ein Blatt Papier die Reihenfolge der Meldungen auf. Dann wird immer der Nächste auf der Liste aufgerufen. Eine solche Redeliste hat sich bei Diskussionen bewährt.
Die Diskussionsleitung muss darauf achten, dass ihr nicht von einem Thema zum nächsten springt. Umgekehrt kann die Diskussionsleitung das Gespräch mit neuen Ideen wieder in Schwung bringen.
Ist die Diskussion an einem Punkt angekommen, an dem alles gesagt worden ist, solltet ihr euch als Diskussionsleiter nicht scheuen, die Diskussion zu beenden und eine Entscheidung herbeizuführen. Somit spart ihr euch viel Zeit, weil sich die Redebeiträge nur noch wiederholen.

*Redaktion – LStV – Durchblick. SV zum Nachschlagen, Gießen 2000, S. 30f.*

## Tipps für das Gelingen der Schülervertretungsstunde (SV-Stunde)

### • Rolle des Lehrers

Während der SV-Stunde besteht kein Grund, dass der Lehrer auf dem angestammten Platz vor der Klasse sitzen bleibt. Bittet ihn, auf einem der frei gewordenen Plätze in der Klasse teilzunehmen. Damit verhindert ihr, dass Wortbeiträge der Schüler automatisch an den anwesenden Lehrer gerichtet werden. In der Verfügungsstunde solltet ihr weniger mit dem Lehrer als vielmehr miteinander diskutieren.

### • Beginn der SV-Stunde

Zu Beginn der SV-Stunde schreibt ihr am besten die zu besprechenden Punkte an die Tafel. So behaltet ihr leichter den Überblick. Ihr solltet euch nicht zu viele Punkte auf einmal vornehmen, damit ihr auch alle Fragen klären könnt und nicht mitten in einer heißen Diskussion abbrechen müsst.

*Autorentext*

## Themenfindung mit dem Metaplan

Was wollen wir in unserer SV-Stunde mit dem Lehrer besprechen?

Wer kennt das nicht? Es gibt Streit in der Klasse und ihr wollt in der Klasse darüber reden. Allerdings kommt ihr kaum zu Wort, da alle durcheinander reden und am Ende weiß niemand, was man jetzt eigentlich tun soll. Dagegen könnt ihr etwas unternehmen, indem ihr die Diskussion in der Klasse mit Hilfe eines Metaplans ordnet.

### Wie erstellt man einen Metaplan?

• Jeder Schüler bekommt zwei grüne und eine rote Karte.

• Schreibt auf die grünen Karten, warum ihr euch in eurer Klasse gerade wohl fühlt. Notiert auf die rote Karte, was euch an eurer Klasse gerade stört.

• Sammelt eure Ergebnisse an der Tafel oder an einer Pinnwand.

• Ordnet eure Ergebnisse, indem ihr Karten mit ähnlichen Fragen, Problemen oder Inhalten einander zuordnet. Sucht passende Überschriften für jeden Bereich.

• Nun müsst ihr noch ermitteln, welche Probleme und Fragen in eurer Verfügungsstunde besprochen werden sollen. Dazu bekommt jeder von euch zwei Klebepunkte. Klebt eure Punkte auf die Karten, auf denen die Fragen und Probleme stehen, die euch am wichtigsten sind. Ihr könnt einem Problem zwei

Punkte zuordnen oder aber eure Punkte auf zwei Probleme verteilen.

• Diese Probleme können dann in eurer SV-Stunde besprochen werden

### Worauf müsst ihr achten, wenn ihr einen Metaplan erstellt?

• Groß und deutlich schreiben

• in Druckschrift schreiben

• fasst euch kurz

• nur ein Gedanken, ein Problem auf eine Karte

• konzentriert euch auf das Wesentliche

### Was benötigt ihr, um einen Metaplan zu erstellen?

• Farbiges Papier (A5) in rot und grün

• Dicke Filzstifte

• Eine Pinnwand, Korkwand oder die Tafel

• Pinnwandnadeln oder Kreppband für die Tafel

• Klebepunkte

Natürlich kann man mit dem Metaplan auch andere Themen besprechen und ordnen, z.B. was man im Schullandheim tun will und wer im Schullandheim wofür zuständig sein soll.

*Methode*

## Schüler über Erfolge und Misserfolge in der SV-Arbeit

Es gibt oft Momente, da möchte man am liebsten verzweifeln, wenn man sieht, wie wenig sich die eigenen Mitschülerinnen und Mitschüler für das interessieren, was man tut. Dabei liegt es doch auch in ihrem Interesse, ob an der Schule was läuft oder nicht.

Die SV-Arbeit bietet mir die Chance meine Fähigkeiten zu entwickeln, mich selbst zu verwirklichen. Durch meine Position werde ich von anderen Schülerinnen und Schülern respektiert und auch von den Lehrern anerkannt. Teamfähigkeit, Organisationstalent und Durchsetzungsvermögen sind nur einige der Fähigkeiten, die man als Schulsprecher braucht. [5]

„Bist du blöd, so viel Freizeit für die Schule zu opfern!", bekomme ich oft zu hören. [10] Ich finde es aber wichtig, meine Umwelt gestalten zu können und Dinge zu verbessern, die mich stören. Ich finde es nicht o.k., wenn man an allem rumnörgelt und dann nichts unternimmt, um etwas zu verändern. Darum habe ich beschlossen, mich in der SV zu engagieren.

Weil man zu den Lehrern ein Vertrauensverhältnis aufbauen kann, [15] hat man die Möglichkeit Kontakte zu knüpfen und kann so wichtige Entscheidungen zumindest mitbeeinflussen, die in der Regel in Konferenzen getroffen werden. Das Mitsprache- und Antragsrecht reicht oft schon aus, um neue Ideen einzubringen und die Lehrer auf unsere Interessen aufmerksam zu machen. [20]

Natürlich heißt SV-Arbeit auch, ständig Kompromisse schließen zu müssen. Man kann nicht alles 1:1 umsetzen. Man muss zwar Visionen haben, darf aber nicht enttäuscht sein, wenn sie sich nicht so umsetzen lassen, wie man sich das vorgestellt hat. Man muss bereit sein, viele kleine Schritte zu machen, manchmal einen vor und zwei [25] zurück, bis man sein Ziel erreicht.

Nach einem halben Jahr als Schulsprecher bin ich zurückgetreten. Es hatte sich schnell herausgestellt, dass ich die ganze Arbeit alleine machen musste, obwohl wir zu dritt waren. Viele Diskussionen und endloses Geschwätz, herausgekommen ist dabei gar nichts. [30] Schließlich habe ich dann das Handtuch geworfen.

*Autorentext*

## Aufgabe zu M 6

**1.** Ordne die Aussagen nach positiven und negativen Erfahrungen in der SV-Arbeit (M 6). Sind Erfahrungen dabei, die du in der Schule auch schon gemacht hast?

## Schule früher: im Gleichschritt – lernt!

*Carl Kehr gibt in seinem 1877 erschienenen Buch Anweisungen „zur Führung einer geregelten Schuldisziplin und zur Erteilung eines methodischen Schulunterrichts für Volksschullehrer und solche, die es werden wollen".*

*Klassenordnung um 1900*

Alle Schüler sitzen anständig, gerade, mit dem Rücken angelehnt in Reihen hintereinander. Jedes Kind legt seine Hände geschlossen auf die Schultafel. Die Füße werden parallel nebeneinander auf den Boden gestellt. Sämtliche Kinder schauen dem Lehrer fest ins Auge. Sprechen, Plaudern, Lachen, Flüstern, Hin- und Herrücken, heimliches Lesen, neugieriges Umhergaffen dürfen nicht vorkommen. Das Melden geschieht bescheiden mit dem Finger der rechten Hand.

Dabei wird der Ellbogen des rechten Armes in die linke Hand gestützt. Beim Antworten hat sich das Kind zu erheben, gerade zu stehen, dem Lehrer fest ins Auge zu schauen und in vollständigen Sätzen rein und laut zu sprechen. Bücher werden auf Kommando in drei Zeiten herauf- und hinweggetan. Auf „eins" erfassen die Kinder das unten liegende Buch, auf „zwei" heben sie das Buch über die Tafel, auf „drei" legen sie es geräuschlos auf die Schultafel nieder und richten den Blick wieder unverwandt und fest auf den Lehrer. Beim Austeilen von Büchern ist folgende Ordnung einzuhalten. Der Lehrer teilt die Bücher an die Bankobersten aus. Auf „eins" nimmt jeder Bankoberste ein Buch und gibt die übrigen fünf schnell und leise an den linken Nachbarn. Auf „zwei" nimmt der zweite Schüler ein Buch und gibt die übrigen vier schnell und leise an den linken Nachbarn, usw.

*Carl Kehr, Die Praxis der Volksschule, Gotha 1877*

## Stefan Zweig[1] über seine Erziehung

Wir sollten vor allem erzogen werden, überall das Bestehende als das Vollkommene zu respektieren, die Meinung des Lehrers als unfehlbar, das Wort des Vaters als unwidersprechlich, die Einrichtungen des Staates als die absolut und in alle Ewigkeit gültigen. Ein zweiter kardinaler (wesentlicher) Grundsatz jener Pädagogik, den man auch innerhalb der Familie handhabe, ging dahin, dass junge Leute es nicht zu bequem haben sollten. Ehe man ihnen irgendwelche Rechte zubilligte, sollten sie lernen, dass sie Pflichten hatten und vor allem die Pflicht vollkommener Fügsamkeit. Von Anfang an sollte uns eingeprägt werden, dass wir, die wir im Leben noch nichts geleistet hatten und keinerlei Erfahrung besaßen, einzig dankbar zu sein hatten für alles, was man uns gewährte, und keinen Anspruch, etwas zu fragen oder zu fordern. Von frühester Kindheit an wurde in meiner Zeit diese stupide Methode der Einschüchterung geübt. Dienstmädchen und dumme Mütter erschreckten schon dreijährige und vierjährige Kinder, sie würden den „Polizeimann" holen, wenn sie nicht sofort aufhörten, schlimm zu sein. ... Man wurde nicht müde, dem jungen Menschen einzuschärfen, dass er noch nicht „reif" sei, dass er nichts verstünde, dass er einzig gläubig zuzuhören habe, nie aber selbst mitsprechen oder gar widersprechen dürfe. Aus diesem Grunde sollte auch in

der Schule der arme Teufel von Lehrer, der oben
am Katheder saß, ein unnahbarer Ölgötze blei-
35 ben und unser ganzes Fühlen und Trachten auf
den „Lehrplan" beschränken. Ob wir uns in der
Schule wohl fühlten oder nicht, war ohne Belang.
Ihre wahre Mission im Sinne der Zeit war nicht
so sehr, uns vorwärts zu bringen als uns zu-

rückzuhalten, nicht uns innerlich auszuformen,
sondern dem geordneten Gefüge möglichst wi-
derstandslos einzupassen, nicht unsere Energie
zu steigern, sondern sie zu disziplinieren.

*Stefan Zweig, Die Welt von Gestern, S. 42-43, zit. nach: Wochenschau I
Nr. 6 Nov./Dez. 1995, S. 237*

[1] österreichischer Schriftsteller (1881 – 1942)

## M 9  Der Auftrag der Schule

In Erfüllung ihres Auftrags erzieht die Schule zur
Selbstbestimmung in Verantwortung vor Gott
und den Mitmenschen, zur Anerkennung ethi-
scher Normen, zur Gleichberechtigung von Frau
5 und Mann, zur Gleichstellung von behinderten
und nicht behinderten Menschen, zur Achtung
vor der Überzeugung anderer, zur Bereitschaft,
die sozialen und politischen Aufgaben im frei-
heitlich-demokratischen und sozialen Rechtsstaat
10 zu übernehmen, zum gewaltfreien Zusammenleben und zur verpflichtenden Idee der Völkerge-
meinschaft. Sie führt zu selbständigem Urteil,
zu eigenverantwortlichem Handeln und zur

Leistungsbereitschaft; sie vermittelt Kenntnisse
und Fertigkeiten mit dem Ziel, die freie Entfaltung der Persönlichkeit und die Orientierung in
der modernen Welt zu ermöglichen, Verantwor-
tungsbewusstsein für Natur und Umwelt zu fördern sowie zur Erfüllung der Aufgaben in Staat,
Gesellschaft und Beruf zu befähigen. Sie leistet
einen Beitrag zur Integration von Schülerinnen
und Schülern mit Migrationshintergrund.

*§ 1 Landesgesetz über die Schulen in Rheinland-Pfalz vom 30. März
2004*

## M 10  Mobbing – ein Konflikt in der Klasse

*Szene aus dem Film „About a Boy"*

Er kam früh in die Schule, ging in den Klassen-
raum, setzte sich an sein Pult. Dort war er relativ
sicher. Die Kinder, die ihn gestern blöd ange-
macht hatten, gehörten wahrscheinlich nicht zu
5 denen, die es eilig hatten, zur Schule zu kommen
... dachte er düster. Es waren ein paar Mädchen

im Raum, aber sie ignorierten ihn, falls nicht das
prustende Gelächter, das er hörte, als er sein Lese-
buch herausholte, etwas mit ihm zu tun hatte.
Was gab es da zu lachen? Eigentlich nichts, außer
man gehörte zu den Menschen, die permanent
auf etwas lauerten, worüber sie lachen konnten.
Unglücklicherweise waren das seiner Erfahrung
nach genau die Menschen, zu denen die meisten
Kinder zählten.
Sie ... lauerten ... auf die falsche Hose, den falschen Haarschnitt oder die falschen Turnschuhe
... Da er normalerweise die falschen Turnschuhe
oder die falsche Hose trug und sein Haarschnitt
immer falsch war, an jedem Tag der Woche,
musste er sich nicht sehr anstrengen, damit sie
sich über ihn totlachten.

*Nick Hornby, About a Boy, München 2000, S. 21-22*

## Mobbing – eine Form von Gewalt

M 11

Ein Schüler oder eine Schülerin ist Gewalt ausgesetzt oder wird gemobbt, wenn er oder sie wiederholt und über einen längeren Zeitraum den negativen Handlungen eines oder mehrerer anderer Schüler oder Schülerinnen ausgesetzt ist.

**Typisch negative Handlungen sind:**

- hänseln, lächerlich machen, herabwürdigen, verspotten, beschimpfen, schikanieren
- bedrohen
- aus der Gruppe ausschließen, ignorieren der Bedürfnisse, zum Sündenbock machen

- schlagen, schubsen, kneifen, mit Gegenständen bewerfen
- Sachen verstecken, wegnehmen oder beschädigen.

Mobbing ist eine Form der Gewalt, sowohl körperlich als auch seelisch.

*Dieter Krowatschek, Gita Krowatschek, Cool bleiben? Mobbing unter Kindern, Lichtenau 2001, S. 17*

## Wie ist das Klima in der Klasse?

M 12

| | JA | NEIN |
|---|---|---|
| Ich fühle mich in meiner Klasse wohl | | |
| Mitschüler lassen mich nicht zu Wort kommen | | |
| Was ich sage oder mache, wird ständig von Mitschüler(innen) kritisiert | | |
| Mitschüler(innen) wollen nicht mit mir zusammenarbeiten | | |
| Ich werde von anderen wie Luft behandelt | | |
| Mitschüler(innen) sprechen hinter meinem Rücken schlecht über mich | | |
| Mitschüler(innen) machen mich vor anderen lächerlich | | |
| Jemand macht mein Aussehen oder meine Kleidung lächerlich | | |
| Ein Mitschüler droht mir mit körperlicher Gewalt | | |
| Ich fühle mich von meinen Lehrern ernst genommen | | |
| Ich bin schon häufiger von meinen Lehrern unfair behandelt worden | | |
| ... | | |

*Autorentext*

## Aufgaben zu M 7 – M 12

**1.** Fertige eine Liste der Erziehungsziele an, die den Verhaltensanweisungen in M 7 zu Grunde liegen.
So kannst du beginnen: Ordnung, Disziplin, ...
Wie wirken sich die geforderten Verhaltensweisen deiner Ansicht nach
a) auf das Lernklima und
b) auf die persönliche Entwicklung der Schüler aus?

**2.** Ermittle die Erziehungsziele, denen Stefan Zweig unterworfen war (M 8).

**3.** Das Landesgesetz über die Schulen in Rheinland-Pfalz nennt Grundsätze für die schulische Erziehung von heute. Stelle die Unterschiede der Erziehungsziele von damals und heute in einer Tabelle gegenüber (M 7, M 9). Wie müssen Schule und der Unterricht aussehen, damit die Ziele des Schulgesetzes auch erreicht werden können?

**4.** Ermittelt, wie das Klima in eurer Klasse derzeit ist. Führt dazu eine anonyme Umfrage mit dem Fragebogen (M 12) durch und wertet die Ergebnisse aus. Einigt euch auf Regeln und Maßnahmen, um euer Klassenklima zu verbessern. Führt die Umfrage nach vier Wochen noch einmal durch und überprüft, ob eure Maßnahmen erfolgreich waren.

## Demokratie lernen – Mitbestimmung in der Schule

**Mitbestimmungs-
rechte von Schülern**
*M 2*

Schülerinnen und Schüler haben im Schulalltag ganz eigene Interessen und Probleme. Um diese Interessen und Probleme gegenüber den Lehrern oder der Schulleitung einbringen zu können, haben sie bestimmte Mitspracherechte oder das Recht, in bestimmten Gremien vertreten zu sein. Diese Rechte sind im Landesgesetz über die Schulen in Rheinland-Pfalz geregelt.

**Klassensprecherin
oder Klassensprecher**
*M 4, M 5*

Eine wichtige Stellung bei der Interessenvertretung hat der Klassensprecher. Er sowie sein Stellvertreter werden von jeder Klasse zu Beginn des Schuljahres gewählt. Der Klassensprecher vertritt seine Klasse gegenüber den Lehrkräften und wenn nötig auch gegenüber der Schulleitung.

**Schule früher**
*M 7, M 8*

Schule vor 100 Jahren bedeutete oft, dass von Schülerinnen und Schülern in autoritärer Tradition neben der unreflektierten Aneignung des Stoffes uneingeschränkter Gehorsam, Fügsamkeit, Fleiß, Disziplin und Pflichterfüllung verlangt wurden.

**Erziehungs- und
Bildungsauftrag
der Schule**
*M 9*

In einem demokratischen Staat muss die Schule den Schülern Werte vermitteln. Im Landesgesetz über die Schulen in Rheinland-Pfalz werden die Ziele der Schule dargestellt.
Danach sollen Schülerinnen und Schüler u.a. lernen, die Rechte anderer zu achten, nach ethischen Grundsätzen zu handeln, die Meinung anderer zu respektieren und Verantwortung für sich und die Gesellschaft zu übernehmen.
Die Schule erfüllt also den wichtigen Auftrag, die Schüler zur Demokratie zu erziehen, denn die genannten Fähigkeiten und Kenntnisse sind für eine demokratische Gesellschaft unabdingbar.

**Soziales Lernen**

Nicht nur im Alltag, auch in der Klasse kommt es immer wieder zu Konflikten. Diese Konflikte müssen erkannt und gelöst werden. Soziales Lernen dient dazu, die Fähigkeiten zu erwerben, sich selbst richtig einschätzen zu können, andere zu respektieren und mit ihnen im Team zu arbeiten. Diese Fähigkeiten sind auch wichtig für das Zusammenleben in einer demokratischen Gesellschaft.

**Mobbing**
*M 11*

Ein Schüler oder eine Schülerin wird gemobbt, wenn er oder sie wiederholt und über einen längeren Zeitraum den negativen Handlungen eines oder mehrerer anderer Schüler oder Schülerinnen ausgesetzt ist. Mobbing ist eine Form von Gewalt, sowohl körperlicher als auch seelischer.

**Mediatoren**

Mediation ist ein Verfahren, bei dem Außenstehende – z.B. Schüler einer anderen Jahrgangsstufe – helfen sollen, Konflikte zu entschärfen. Dabei soll eine Lösung gefunden werden, mit der alle Beteiligten einverstanden sind.

# 2. Politik in der Gemeinde

## Mombacher Hallenbad vor der Schließung – wie geht's weiter?

Das Sparpaket ist verkündet – jetzt beginnt die Debatte. Vor allem gegen die Schließung des Mombacher Hallenbads regt sich Widerstand. Verärgert reagierte der Vorsitzende des Mainzer Schwimmvereins 1901, Torsten Traxel, auf das Aus für das Mombacher Hallenbad, das zur nächsten Wintersaison nicht mehr öffnen soll. "Das hat uns aus heiterem Himmel getroffen", sagte Traxel. In einem offenen Brief an Stadtrat, OB und Baudezernat fordert der Verein den kompletten Erhalt des Mombacher Bades. Das Hallenbad werde nicht nur von zahlreichen Vereinen genutzt. Schon jetzt müssten außerdem viele Schulen mangels Platz in der Traglufthalle auf das Mombacher Hallenbad zurückgreifen. "Eine Schließung des Hallenbades wäre für Schulen nur zu kompensieren, wenn die Traglufthalle ganzjährig zur Verfügung stehen würde", heißt es in dem offenen Brief. ... "Das geht schon hart an die Substanz", räumte auch die Ortsvorsteherin Eleonore Lossen-Geißler ein. Dennoch hat sie das Sparpaket wegen der immensen Kosten für das Mombacher Bad mitgetragen. Man müsse allerdings Ersatz schaffen und sozial verträgliche Lösungen suchen, betonte sie. ... Es sei nun Aufgabe aller Beteiligten, tragbare Lösungen zu finden. Das unterstrich auch Bau- und Sportdezernent Norbert Schüler. "Natürlich ist das ein schwerwiegender Einschnitt in die Versorgung der Stadt mit Wasserfläche", räumte er ein. Allerdings verwies auch er auf die jährlichen Betriebskosten von zwei Millionen Euro für den Badstandort Mombach, die deutlich reduziert werden sollen. Außerdem seien für eine überfällige Generalsanierung des Hallenbads rund drei bis vier Millionen Euro errechnet worden - zuviel für die Stadt.

*Mainzer Rhein-Zeitung, 26.1.2005*

## „Es regt sich Widerstand!“

*Im Bild tragen sich Bürgerinnen und Bürger in Unterschriftenlisten der Bürgerinitiative Mombacher Schwimmbad ein.*

Die Bürgerinitiative Mombacher Schwimmbad setzt sich für den Erhalt des einzigen städtischen Schwimmbads in Mainz ein, das barrierefrei ist. Dazu bietet das Schwimmbad mehrfach in der Woche einen „Warmbadetag" für Kleinkinder 5 und ältere Menschen an, die dann bei einer erhöhten Temperatur baden können. Dies ist für diese Personengruppen sehr wichtig. Außerdem ist der Besuch des Bads für alle Bevölkerungsgruppen finanziell tragbar; die Preise der kom- 10 merziellen Anbieter liegen hier höher.

*http://www.mainz-neustadt.de/schwimmbad.htm (20.7.2005)*

## Mehr als 21 000 unterschreiben für Bad

Die Bürgerinitiative Mombacher Schwimmbad hat 21 250 Unterschriften für den Erhalt des Hallenbads am Großen Sand gesammelt. Damit übertraf die Initiative die für ein Bürgerbegehren nötige Zahl von 12 000 Unterschriften deutlich.

Sollte sich die Mehrheit des Stadtrats dem Ansinnen verschließen, kann es im Herbst zu einem Bürgerentscheid kommen.
Sprecherin Heidi Hauer äußerte Stolz über die Zahl der Unterstützer. „Das sind mehr Main- 10

zer, als ins Bruchwegstadion passen." Oberbürgermeister Jens Beutel (SPD) sowie Bau- und Sportdezernent Norbert Schüler (CDU) nahmen die Unterschriften entgegen und sicherten eine zügige Prüfung der Listen zu. Nach Möglichkeit werde der Stadtrat schon in der Sitzung am 24. August über das Begehren entscheiden, sagte Beutel. Vor einem end-gültigen Beschluss würden keine Fakten geschaffen, sagte Schüler. „Sie können davon ausgehen, dass das Hallenbad nach den Sommerferien wieder öffnet."
Nach der Übergabe der Unterschriften sprach Hauer von einem Etappensieg. Das Ziel sei je-

doch erst erreicht, wenn der Stadtrat beschlossen habe, die Anlage am Großen Sand langfristig zu erhalten. Die Bestandsgarantie müsse für das Hallenbad, das Freibad und die Traglufthalle gelten. Betreiber solle nach Möglichkeit die Stadt bleiben. Die Initiative befürworte jedoch auch andere Lösungen, die einen dauerhaften Bestand und vertretbare Eintrittspreise ermöglichten. Abzulehnen seien Betreiber, die nur das Freibad erhalten oder das Hallenbad durch eine andere Einrichtung ersetzen wollten.

*(trau), Frankfurter Allgemeine Zeitung, 19.7.2005*

## Infobox

### Bürgerinitiative

Ein von Parteien und Verbänden meist unabhängiger Zusammenschluss von Bürgern, die sich zu einer Aktionsgruppe zusammenfinden, um ein gemeinsames Ziel zu verfolgen. Meist richtet sich eine Bürgerinitiative gegen ein verkehrspolitisches Projekt (Bau einer Straße oder eines Flughafens) oder gegen die Bebauung von Naturschutzgebieten.
Im Unterschied zu politischen Parteien versuchen sie nicht, über Wahlen politische Macht zu erlangen. Es gibt mehrere tausend Bürgerinitiativen in der Bundesrepublik. *Autorentext*

---

**M 4**  ## Ablaufmodell einer Bürgerinitiative

**Phase 1** → **Phase 2** → **Phase 3**

**Phase 1**
Einzelne Bürger empfinden bestehende Verhältnisse als misslich oder wollen die Verwirklichung öffentlicher Planungen verhindern.

**Phase 2**
Die Bürger betreiben Öffentlichkeitsarbeit: Flugblätter, Zeitungsanzeigen, Artikel in der Lokalzeitung.

**Phase 3**
Briefe an Verwaltung, Gemeinderat, Fraktionen und Parteien. Sie bleiben ohne Erfolg.

**Phase 4**
Gründung einer Bürgerinitiative (Schaffung eines organisatorischen Rahmens; Wahlen) Öffentlichkeitsarbeit, Gewinnung von Mitstreitern, Einschaltung von Experten.

HIER IST GEPLANT :

WIR PROTESTIEREN GEGEN :

**Phase 7** ← **Phase 6** ← **Phase 5**

**Phase 7**
Mögliche Kompromisslösungen prüfen. Die Bürgerinitiative muss sich entscheiden, ob sie sich zufrieden geben und auflösen will oder eine neue Aktion einleitet.

**Phase 6**
Verwaltung und Mehrheitsfraktion(en) suchen nach Kompromissmöglichkeiten.

**Phase 5**
Parteien schalten sich ein: Presseerklärungen, Anfragen an die Verwaltung.

*Horst Pötzsch, Die deutsche Demokratie, 2. Aufl., Bonn 2001, S. 48*

## Aufgaben zu M 1 – M 4

**1.** Zeige, worüber in Mainz gestritten wird (M 1).

**2.** Erkläre, was eine Bürgerinitiative ist. Informiere dich, ob es in eurer Gemeinde eine Bürgerinitiative gibt (Infobox, M 4). Zeige, womit sich die Bürgerinitiative beschäftigt.

**3.** Finde mit Hilfe von M 4 heraus, in welcher Phase sich die Bürgerinitiative Mombacher Schwimmbad (M 1 – M 4) befindet.

**4.** Recherchiert im Internet, wie der Streit um das Mombacher Schwimmbad ausging.

## Was ist Politik?

M 5

Die einen zählen alles, was Menschen tun, zu Politik, andere umschreiben sie als das öffentliche Leben, und wieder andere zucken die Schultern und meinen, das alles ginge sie nichts an. Politik sei das, was „die da oben" machen.

Der Begriff „Politik" kommt vom altgriechischen Wort „polis". Die Polis war ursprünglich die Burg, dann die zur Burg gehörende Siedlung und später das gesamte Gemeinwesen, der Stadtstaat. Politik bedeutete damals die Kunst der Staatsverwaltung. Von ihr hing das Gedeihen der Gemeinschaft ab, der Friede nach außen und innen und die Versorgung der Bewohner. Die Griechen nannten den Menschen „Zoon politikon", was übersetzt „Gemeinschaftswesen" heißt. Weil innerhalb der Gemeinschaft nicht jeder beliebig tun und lassen kann, was er will, muss es Spielregeln für ein geordnetes Miteinander geben. Damals wie heute gehören zur Politik die Entscheidun- gen, die das Zusammenleben der Menschen regeln. Wenn eine Straße gesperrt wird, ist das ebenso eine politische Entscheidung wie die Einführung oder Abschaffung eines Feiertags. Was in der Schule gelernt werden soll, haben Politiker der Kultusministerien beschlossen. Wo Flüchtlinge untergebracht werden und ob sie bleiben dürfen, sind politische Fragen. In der Demokratie bestimmt die Mehrheit der Wähler und der Gewählten, welche Richtung die Politik einer Gemeinde oder eines Staates nimmt. Dabei ist es in der Politik wie im richtigen Leben: Je mehr Leute mitreden, desto schwieriger wird die Entscheidungsfindung ... Und doch ist es oft der beste Weg, um zu einer für alle Beteiligten annehmbaren Lösung zu gelangen.

*Friedemann Bedürftig, Dieter Winter, Birgit Rieger, Das Politikbuch, 4. Aufl., Ravensburg 1997, S. 7 f.*

## Konflikte gehören zur Demokratie

M 6

Dort, wo viele Menschen zusammenleben, kommt es immer wieder zu Konflikten. Die Menschen, die in einer Gesellschaft leben, haben unterschiedliche Interessen und Wertvorstellungen und dies führt zu politischem Streit. Natürlich ist nicht jeder Konflikt ein politischer Konflikt. Wenn sich zwei Nachbarn um einen Gartenzaun streiten, dann ist dies nicht von öffentlichem Interesse. Ein politischer Konflikt betrifft die Allgemeinheit viel stärker, z.B. wenn darüber entschieden werden muss, wofür die Gemeinde ihr Geld ausgeben soll oder man streitet sich, ob eine Straße gebaut werden soll oder nicht. Aufgabe der Politik ist es nicht, eine Gesellschaft ohne Konflikte zu schaffen – das würde auch niemals funktionieren, sondern dafür zu sorgen, dass diese Konflikte gelöst werden. Es ist wichtig, dass dabei keine Gewalt angewendet wird und die Lösung des Konflikts offen und in geordneten Bahnen gesucht wird.

In einer Gemeinde kann z.B. der Gemeinderat stellvertretend für die Bürger über vieles entscheiden und die Gemeinderäte wurden genau dafür von den Bürgern gewählt, damit ihre Interessen bei einer Entscheidung berücksichtigt werden.

*Autorentext*

## Aufgabe zu M 6

**1.** Sammle aus der Tagespresse Beispiele für politische Konflikte (M 6).

*Methode*

## Was ist ein Modell und was kann es leisten?

Viele von euch haben bereits mit Modellen gearbeitet: z.B. mit einem Modellflugzeug. Es ist zwar kein richtiges großes Flugzeug, aber im Wesentlichen zeigt es, wie ein Flugzeug funktioniert. Mit dem einfachen Papierflieger kann man z.B. zeigen, wie ein Vogel im Gleitflug fliegt. Mit diesen einfachen Modellen könnt ihr das Prinzip des Fliegens erklären.

Was ist also ein Modell? Ein Modell versucht, die Wirklichkeit vereinfacht abzubilden. Das ist deshalb wichtig, weil die Wirklichkeit oft sehr kompliziert ist und wir sie ohne Modelle nur schwer verstehen können. Das Modell versucht nur das Wichtigste darzustellen und lässt Einzelheiten, die unnötig sind, weg. Darin liegt aber auch eine Gefahr, denn lässt man zu viel weg, dann verfälscht das Modell die Wirklichkeit und kann diese nicht mehr erklären.

Da Politik oft mit Interessenkonflikten zu tun hat, kann es hilfreich sein, den Konflikt in einem Modell grafisch darzustellen. Dabei sind folgende Leitfragen wichtig:

- Wer streitet sich mit wem? Welche unterschiedlichen Interessen haben die beteiligten Gruppen?

- Worum geht es? Worüber wird denn gestritten? Was ist das „Gut", das so umstritten ist?

- Wie kann dieser Streit gelöst werden? Wer darf hier eine Entscheidung treffen? Wer ist zuständig (z.B. der Bürgermeister oder der Gemeinderat)?

*Autorentext*

### Schema eines Politikmodells:

**Fall:** Eine Gemeinde hat beschlossen einen Skaterpark zu errichten. Nun wird gestritten, wo dieser errichtet werden soll. Ein Standort in einem Wohngebiet wird diskutiert.

**Wohngebiet**

Was darf in einem Wohngebiet gebaut werden?

**Interessen der Skater**

**Interessen der Anwohner**

- Wollen einen Skaterpark haben
- Skaterpark soll zentral sein und gut zu erreichen
- Wollen nicht ins Industriegebiet abgeschoben werden

- Wollen den Skaterpark nicht in ihrem Wohngebiet haben
- Wollen nicht gestört werden und ihre Ruhe haben
- Skaterpark soll ins Industriegebiet
- Haben Angst, dass ihre Häuser an Wert verlieren

**Konflikt**

**Hier sind die finanziellen Mittel vorhanden. Es geht um die Frage des Standorts.**

## Aufgabe

**1.** Wende das Politikmodell auf die Bürgerinitiative gegen die Schließung des Mombacher Hallenbades an (M 1, M 2).

Übertrage dazu das Modell in dein Heft und beantworte die Leitfragen.

---

**M 7** ## Das ABC der Beteiligungsmöglichkeiten

Alle Bürger haben Chancen, sich politisch am Leben in der Gemeinde zu beteiligen, indem sie

- **A**nregungen und **B**edenken öffentlich äußern, wenn sie von Vorhaben der Gemeinde erfahren oder selber Ideen und Interessen einbringen möchten.

- einen **B**rief an die Gemeindeverwaltung schreiben, in dem gefragt, kritisiert oder gelobt wird.

- sich bei einer wichtigen Frage für einen **B**ürgerentscheid einsetzen, wenn sie glauben, dass das Problem nicht auf anderem Weg gelöst

*Mit einer ungewöhnlichen Aktion demonstrieren die Umweltaktivisten von Greenpeace gegen die Verwendung von gentechnisch veränderten Zutaten in Babynahrung.*

soll. Plakate und Broschüren können gezeigt und verteilt werden.

- das Kinder- und Jugendparlament unterstützen. Dazu kann man sich als Kandidat oder Kandidatin zur Wahl stellen oder auf jeden Fall zur Wahl gehen.

- sich über das Programm der Lokalen Agenda 21 informieren und vielleicht an einem Bürgerforum beteiligen.

- einen Leserbrief an die Zeitung schreiben.

- einen Offenen Brief verfassen, dazu kann man Unterschriften sammeln, die gemeinsam mit dem Brief als Flugblatt oder in der Zeitung veröffentlicht werden.

werden kann. Wie solch ein Bürgerentscheid durchgeführt werden muss, ist wiederum in der Gemeindeordnung (GemO) Rheinland-Pfalz festgelegt.

- eine Demonstration organisieren oder an ihr teilnehmen. In Art. 8 des GG wird die Versammlungsfreiheit zugesichert. Aus Gründen der öffentlichen Sicherheit müssen Demonstrationen angemeldet werden.

- ein Ehrenamt übernehmen. Für diese Tätigkeit bekommt man kein Geld, in einigen Fällen höchstens eine „Aufwandsentschädigung". Eine ehrenamtliche Tätigkeit kann man beispielsweise als Ortsbeirat, bei der freiwilligen Feuerwehr, in einer Partei, einer Bürgerinitiative oder in einem Verein übernehmen.

- die Einwohnerversammlung nutzen, um sich zu informieren oder direkt zu Wort zu melden. Nach § 16 GemO Rheinland-Pfalz soll mindestens einmal im Jahr eine Einwohnerversammlung stattfinden.

- durch ein Flugblatt ihre Meinung öffentlich darstellen und für ihren Schwerpunkt werben.

- ein Gespräch mit wichtigen Personen aus der Gemeindeverwaltung führen.

- einen Info-Stand genehmigen lassen, wenn er auf einem öffentlichen Platz aufgebaut werden

- die Offenlage nutzen, d.h. die Gemeinde muss für eine Frist z. B. Bebauungspläne offenlegen, dann kann man bei der Verwaltung Einblick nehmen.

- in eine Partei eintreten.

- von dem Petitionsrecht Gebrauch machen. Dieses Recht sichert der Art. 17 des GG zu. Konkret bedeutet das, einen Brief an den Petitionsausschuss des Landtages oder Bundestages zu schicken.

- Rechtsmittel einlegen; d.h. gegen eine Entscheidung der Verwaltung mit rechtlichen Mitteln vorgehen indem man ein Gericht anruft.

- sich nach Sprechstunden in der Gemeindeverwaltung erkundigen (Bürgermeister, Jugendbetreuer, ...)

- in der Schülerzeitung einen Artikel über die Gemeinde schreiben.

- Eine Unterschriftensammlung durchführen. Auf diese Weise können Mitbürgerinnen und Mitbürger aufgefordert werden sich zu engagieren. So wird deutlich, wie viele Bürgerinnen und Bürger sich für ein bestimmtes Anliegen einsetzen wollen.

- Vereinsmitglied werden; so kann man in einer Gruppe und mit einer Gruppe in der Gemeinde tätig werden.

- zur Wahl gehen. Diese Form der Beteiligung hat besonders große Bedeutung, weil man dann über Personen und Parteien entscheidet, die für mehrere Jahre das Leben in der Gemeinde gestalten, in der man lebt.

- als Zuhörer an öffentlichen Sitzungen des Gemeindeparlaments oder der Ausschüsse teilnehmen.

*Wolfgang Redwanz, in: Zeitlupe 28. Unsere Gemeinde, hg. von der Bundeszentrale für politische Bildung, Leipzig 1992*

## Aufgaben zu M 7

**1.** Lege eine Tabelle an und ordne die Beteiligungsformen in M 7 den Kategorien a) „sich informieren", b) „seine eigene Meinung zum Ausdruck bringen" und c) „sich organisieren und aktiv werden" zu.

**2.** Welche Beteiligungsformen erscheinen dir besonders wirkungsvoll? Begründe deine Meinung.

**M 8** ## Wie „funktioniert" eine Gemeinde?

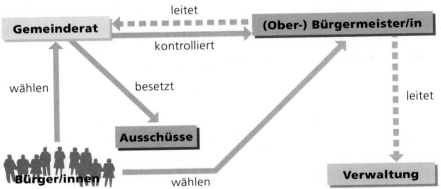

*www.kommunalwahl-bw.de (20.4.2004)*

**M 9** ## Kommunalwahlen

Kommunalwahlen finden alle fünf Jahre statt. Gewählt werden die Gemeinde- und Ortschaftsräte sowie die Kreistage. Alle Parteien und Vereinigungen, die sich zur Wahl stellen, fertigen
5 Wahlvorschläge (Listen) an. Ein Wahlvorschlag darf nur so viele Kandidaten enthalten, wie Gemeinderäte zu bestellen sind. Das wiederum hängt von der Einwohnerzahl ab. Der Wähler besitzt so viele Stimmen, wie Gemeinderäte zu wählen sind. Er kann einem Bewerber bis zu drei Stimmen geben (kumulieren) und darüber hinaus Bewerber von anderen Stimmzetteln übernehmen (panaschieren).

*www.kommunalwahl-bw.de (20.4.2004)*

**M 10** ## Der Gemeinderat

Der Gemeinderat ist das Hauptorgan der Gemeinde. Er legt die Grundsätze für die Verwaltung fest, z.B. die Richtlinien für die Selbstverwaltungsangelegenheiten. Darüber hinaus fasst
5 er wichtige Beschlüsse, kontrolliert den Haushalt und überwacht die Verwaltung. Seine Mitglieder, die Gemeinderäte, werden von den Bürgerinnen und Bürgern für fünf Jahre gewählt. Die Anzahl der Gemeinderäte ist von der Einwohnerzahl abhängig (6-60). In Städten führen die Gemeinderäte die Bezeichnung Stadträte. Die Gemeinde- oder Stadträte arbeiten ehrenamtlich. Sie bekommen nur eine Aufwandsentschädigung.
Unter dem Vorsitz des Bürgermeisters bzw. Oberbürgermeisters beraten und entscheiden die Gemeinderäte über die Belange der Gemeinde.

Der Gemeinderat beschließt über alle Selbstverwaltungsangelegenheiten, soweit er nicht die Entscheidungskompetenz auf einen Ausschuss oder auf den Bürgermeister übertragen hat bzw. der Bürgermeister kraft Gesetz zuständig ist (§ 47 GemO). Außerdem überwacht der Gemeinderat die Ausführung seiner Beschlüsse.

Die Gemeinderäte werden wie die Kreisräte, Landtags- und Bundestagsabgeordneten in allgemeiner, freier, gleicher und geheimer Wahl gewählt (vgl. zu den Wahlgrundsätzen die Grafik S. 187).

*Autorentext*

## Der Bürgermeister

Der Bürgermeister hat die stärkste Position in der Gemeinde. Er wird direkt vom Volk für eine Amtszeit von acht Jahren gewählt. Im Amt sind drei wichtige Funktionen vereinigt: Der Bürgermeister ist stimmberechtigter Vorsitzender des Gemeinderates nebst aller seiner Ausschüsse, er leitet die Gemeindeverwaltung und er vertritt die Gemeinde nach außen.

Als einziges Mitglied des Gemeinderats ist der Bürgermeister in allen drei Phasen des kommunalen Geschehens entscheidend mit dabei: wenn die Entscheidung vorbereitet wird, wenn im Gemeinderat darüber entschieden wird und wenn das Projekt, über das entschieden wurde, dann verwirklicht wird.

In Ortsgemeinden wird der Bürgermeister auf fünf Jahre gewählt und übt seine Tätigkeit ehrenamtlich aus.

*www.kommunalwahl-bw.de (20.4.2004)*

## Aufgaben zu M 8 – M 11

**1.** Finde heraus, welche Parteien im Gemeinderat deiner Gemeinde sind und welche Mehrheitsverhältnisse bestehen.

**2.** Wie beurteilst du, dass der Bürgermeister direkt vom Volk gewählt wird und nicht vom Gemeinderat (M 8, M 11)?

## Woher bekommen die Gemeinden ihr Geld?

M 12

| **Steuern** | **Gebühren** | **Beiträge** | **Finanzzuweisungen** |
|---|---|---|---|
| • Gewerbesteuer (z.B. die Maschinenbaufabrik im Ort) | für | Erschließungsbeiträge (z.B. Häuslesbauer) für | Zuschüsse von Bund und Ländern für |
| • Grundsteuer (z.B. Familie Maier für ihr Reihenhaus) | • Kanalisation | • Straßenbau | • Sportanlagen |
| • Anteil an der Einkommensteuer (z.B. jeder Angestellte) | • Stände (z.B. auf dem Wochenmarkt) | • Beleuchtung | • Schulbauten |
| • Anteil an der KFZ-Steuer | • Friedhöfe | • Bürgersteige | • kulturelle Gebäude |
| • Vergnügungssteuer (z.B Schausteller auf dem Schützenfest) | • Müllabfuhr | • Kabelanschluss | • (Nah)verkehrsprojekte |
| | • Straßenreinigung | | |

*Zusammenstellung des Autors*

## M 13  Die Aufgaben der Gemeinde

*Grob werden zwei Arten von Aufgaben der Gemeinden unterschieden: Selbstverwaltungsaufgaben und Auftragsangelegenheiten.*
*Bei den Selbstverwaltungsangelegenheiten unterscheidet man zwischen freiwilligen und pflichtigen*
*Selbstverwaltungsaufgaben. Beide zusammen bilden den eigenen Wirkungskreis der Gemeinden und Gemeindeverbände. Die Auftragsangelegenheiten sind die vom Staat übertragenen Aufgaben.*

| Eigene Selbstverwaltungsaufgaben | Verwaltungsgeschäfte der Ortsgemeinden | Auftragsangelegenheiten |
|---|---|---|
| • Flächennutzungsplanung<br>• Trägerschaft von Grund- und Hauptschulen<br>• Brandschutz (Feuerwehr)<br>• Zentrale Sport- und Freizeitanlagen<br>• Überörtliche Sozialeinrichtungen (insbesondere Sozialstationen, Altenheime)<br>• Wasserversorgung<br>• Abwasserbeseitigung<br>• Ausbau und Unterhaltung von<br>• Gewässern dritter Ordnung (Bächen) | • Verwaltung der Abgaben<br>• Sonstige Bescheide<br>• Vollstreckung<br>• Kassengeschäfte<br>• Gerichtliche Vertretungen<br>• Vorbereitungen von Entscheidungen der Ortsgemeinden<br>• Sitzungsdienst in den Ortsgemeinden | Wahrnehmung staatlicher Aufgaben für das Land, z.B.:<br>• Melderecht<br>• Pässe, Personalausweise<br>• Straßenverkehrsrecht<br>• Gewerberecht<br>• Gaststättenrecht |
| *Nur Rechtsaufsicht des Landes* | *Bindung an Entscheidungen der Ortsgemeinden* | *Rechts- und Fachaufsicht des Landes* |

*Rudolf Oster, Kommunalpolitik in Rheinland-Pfalz, in: Andreas Kost/Hans-Georg Wehling (Hg.), Kommunalpolitik in den deutschen Ländern, Bonn 2003, S. 224*

## M 14  Die Finanzen der Städte und Gemeinden

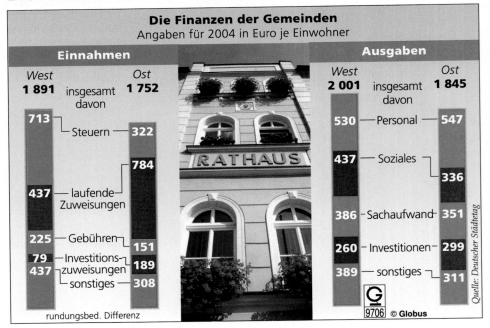

**Die Finanzen der Gemeinden**
Angaben für 2004 in Euro je Einwohner

**Einnahmen**

| | West | Ost |
|---|---|---|
| insgesamt | 1 891 | 1 752 |
| davon | | |
| Steuern | 713 | 322 |
| laufende Zuweisungen | 437 | 784 |
| Gebühren | 225 | 151 |
| Investitionszuweisungen | 79 | 189 |
| | 437 | |
| sonstiges | | 308 |

**Ausgaben**

| | West | Ost |
|---|---|---|
| insgesamt | 2 001 | 1 845 |
| davon | | |
| Personal | 530 | 547 |
| Soziales | 437 | 336 |
| Sachaufwand | 386 | 351 |
| Investitionen | 260 | 299 |
| sonstiges | 389 | 311 |

rundungsbed. Differenz

9706  © Globus

*Quelle: Deutscher Städtetag*

# Warum stellt die Gemeinde einen Haushaltsplan auf?

Eine Gemeinde kann ohne eigene Finanzmittel nicht selbstständig und unabhängig politische Entscheidungen treffen. Daher gehört es zu den wichtigsten Rechten einer Kommune, einen ei-
5 genen Haushalt aufzustellen, zu beraten und zu verabschieden.

Der Haushaltsplan einer Gemeinde ist ein Ar-beits- und Wirtschaftsplan, von dem die Verwal-tung nur im begrenzten Sonderfall abweichen
10 darf. Auf diese Weise haben die demokratisch gewählten Gemeindevertreter, die den Haus-haltsplan beschließen, ein Steuerungsmittel, mit dem sie die Interessen der Bürger durchsetzen können.
15 Die Gemeinde ist dabei völlig unabhängig, wie sie ihr Geld investieren will (sofern dies Recht und Gesetz nicht widerspricht). Eine Gemeinde könnte also, wenn sie über genügend Vermögen verfügen würde, zum Beispiel beschließen, ein

Eisenbahnmuseum zu errichten. Ob wir das rich- 20 tig oder gut finden, ist völlig uninteressant – das ist einzig und allein die Sache der Bürger dieser Gemeinde!

Die Gemeinde stellt einen Haushaltsplan auf, in dem sie Einnahmen und Ausgaben für das nächste 25 Jahr festlegt. Dies tut sie in einem so genannten Verwaltungshaushalt und in einem so genannten Vermögenshaushalt. Dadurch wird der Haushalt übersichtlicher. Die regelmäßig wiederkehrenden Belastungen, die im Rahmen der Verwaltungsauf- 30 gaben anfallen, wie z.B. die Personalkosten, aber auch die Steuereinnahmen werden im Verwal-tungshaushalt eingeplant. Im Vermögenshaushalt werden z.B. Investitionen, Kreditaufnahmen oder Immobilienbesitz verbucht. 35

*www.hessennet.de/landkreis_kassel/politik/poliinfo/haushalt.htm (15.10.2002)*

## Bestandteile des Haushalts

### Verwaltungs-haushalt
(laufende, jedes Jahr wieder-kehrende Einnahmen und Ausgaben)

**Einnahmen**

- Steuern
- Gebühren/ Beiträge
- Zuweisungen Bund/Land
- Sonstige Einnahmen

**Ausgaben**

- Personal-ausgaben
- Sachaufwand
- Sozial-leistungen
- Sonstige Ausgaben
- Zinsen
- Zuführungen zum Vermö-genshaushalt

### Vermögens-haushalt
(Investitionen, Bauausgaben, Kredite, usw.)

**Einnahmen**

- Einnahmen aus Rücklagen
- Zuführung vom Verwal-tungshaus-halt
- Zweckge-bundene Zuweisungen
- Kredit-aufnahme
- Sonstige Einnahmen

**Ausgaben**

- Investitionen
- Tilgung von Krediten
- Zuführung an Rücklagen
- Sonstige Ausgaben

**M 16**

## Viele Wünsche – wenig Geld!

Einrichtung eines Jugendzentrums — 90 000 €

Ganztags – Kinderhort — 200 000 €

Rollstuhlgerechte Bürgersteige — 100 000 €

neues Einsatzfahrzeug — 70 000 €

480 000 €

400 000 €

300 000 €

150 000 €

Zuschuss zu einem Seniorenheim

Erschließung Gewerbegebiet

Ausbau der Fahrradwege

Sanierung des Schuldaches

## Aufgaben zu M 12 – M 16

1. Informiert euch beim Stadt- oder Gemeindekämmerer über die Finanzsituation eurer Gemeinde (M 12 – M 16).

2. Recherchiert dabei, wie viel Prozent der Kosten des Hallenbades, in dem euer Schwimmunterricht stattfindet, durch die Einnahmen gedeckt sind.

3. Stell dir vor, du bist Gemeindevertreter und sollst über den Haushalt mitentscheiden. Die geschätzten Kosten der dringenden Vorhaben gehen aber deutlich über die Finanzmittel von 1 200 000 € hinaus, die zur Verfügung stehen.
   Bildet Gruppen und entscheidet, wie die Mittel verwendet werden sollen und begründet

eure Entscheidung (M 16). Ihr könnt
   a) eine Maßnahme auf jeden Fall verwirklichen,
   b) eine Maßnahme streichen oder
   c) bei einer Maßnahme kürzen oder sie auf einen späteren Zeitpunkt verschieben.
   Tauscht eure Vorschläge aus und diskutiert, ob sie gerecht sind.
   Welche Bevölkerungsgruppen aus der Gemeinde sind von euren Maßnahmen besonders betroffen?

4. Um welche Art von Aufgaben handelt es sich in M 16? Muss die Gemeinde diese Aufgaben überhaupt erfüllen (M 13)?

## „Die Jugend mischt mit!"

Hallo, wir heißen „JeePie–Jugend mischt mit" und sind seit dem Jahr 2003 die offizielle Jugendvertretung in Neustadt an der Weinstraße. Aktiv sind wir allerdings schon seit vier Jahren. Unser
5 Name, bzw. der Buchstabe J steht für JUGEND und der Buchstabe P für POLITIK. Wir sind also die jungen Politiker aus Neustadt und vertreten eure Interessen, z.B. im Jugendhilfeausschuss oder sogar im Stadtrat. Unser Motto ist: „Die
10 Jugend mischt mit" und tatsächlich mischen wir bei allen Angelegenheiten, die Kinder und

Jugendliche unserer Stadt betreffen, mit. Und du kannst es auch, wenn du deinen Wohnsitz in Neustadt hast und schon 14, aber noch nicht 18 Jahre alt bist. 15

Wir wollen von euch wissen, wie ihr euch einen Jugendtreffpunkt im Freien in NW vorstellt. Was es dort alles geben muss, damit ihr euch dort auch wirklich gerne treffen wollt, damit es ein cooles Fleckchen in NW wird. 20

*http://www.nw4you.de/9601/index.html (21.7.2005)*

## Welche Aufgaben hat die Jugendvertretung in Neustadt an der Weinstraße?

### § 1 Einrichtung und Aufgaben der Jugendvertretung

(1) Die Stadt Neustadt an der Weinstraße richtet nach Maßgabe dieser Satzung eine Jugendvertre-
5 tung ein. Sie gibt sich den Namen „JeePie–Jugend mischt mit".

(2) Sie setzt sich ein für die Belange der minderjährigen Einwohnerinnen und Einwohner durch Beratung, Anregung und Unterstützung der Or-
10 gane der Stadt. Sie soll Kinder und Jugendliche mit demokratischen Entscheidungsstrukturen vertraut machen und ihr Interesse an kommunaler Aufgabenstellung fördern.

(3) Der Jugendvertretung obliegt außerdem die
15 Anregung von Veranstaltungen und sonstigen Maßnahmen für Kinder und Jugendliche. Gemeinsam mit dem Jugendamt können auch eige-

ne Kinder- und Jugendveranstaltungen durchgeführt werden.

(4) Die Beteiligung der Jugendvertretung bei 20 Planungen und Vorhaben, die die Interessen von Kindern und Jugendlichen berühren, ist gleichzeitig Beteiligung im Sinne des § 16c GemO. Bei Planungen und Vorhaben des Stadtrates, die die Interessen von Kindern und Jugendlichen be- 25 rühren, ist die Jugendvertretung zu hören. Auf Antrag der Jugendvertretung hat der Oberbürgermeister dem Stadtrat Selbstverwaltungsangelegenheiten, die unmittelbar die Aufgaben der Jugendvertretung berühren, zur Beratung und 30 Entscheidung vorzulegen.

*Auszug aus der Satzung zur Einrichtung einer Jugendvertretung in der Stadt Neustadt an der Weinstraße vom 11. September 2003, http://www.nw4you.de/9601/index.html (21.7.2005)*

## Aufgaben zu M 17 – M 18

1. „Wer sich nicht engagiert, der verliert sein Recht, sich zu beschweren."
Nimm Stellung zu dieser Aussage. Was hältst du persönlich davon (M 17)?

2. Informiert euch, ob eure Gemeinde bereits eine Jugendvertretung besitzt.
Befragt dann ein Mitglied des Jugendgemeinderats, mit welchen Problemen sie sich gerade beschäftigen (M 18).

## Politik in der Gemeinde

**Beteiligungs-möglichkeiten**
*M 7*

Demokratie lebt vom Engagement der Bürger. Auch wer das Wahlalter noch nicht erreicht hat, hat viele Möglichkeiten, seine Interessen zu äußern und sich politisch zu engagieren.
Man kann dazu
- Gespräche mit Mitschülern, Freunden oder Eltern führen,
- an öffentlichen Diskussionen, Anhörungen und Versammlungen teilnehmen,
- Leserbriefe an Zeitungen schreiben,
- eine Bürgerinitiative gründen,
- an einer Demonstration teilnehmen,
- Mitglied in einem Verein oder einer Partei werden,
- für den Jugendgemeinderat kandidieren ...

**Wahlen**
*M 8, M 9*

Wahlen gelten als die wichtigste Form der politischen Einflussnahme, denn damit werden die Mehrheits- und Machtverhältnisse – beispielsweise im Gemeinderat – direkt festgelegt. Eine Besonderheit bei den Kommunalwahlen ist, dass man so viele Stimmen abgeben kann, wie Vertreter in den Gemeinderat zu wählen sind. Die Stimmen kann man auf verschiedene Vertreter (auch von unterschiedlichen Parteien) verteilen (panaschieren) oder auch häufeln (kumulieren), d.h. einem Kandidaten z.B. bis zu drei Stimmen geben.

**Gemeinderat**
*M 10*

Der Gemeinderat (das „Parlament" der Gemeinde) ist das Hauptorgan der Gemeinde. Er entscheidet über wichtige Fragen, die die Gemeinde betreffen. Die Gemeinderäte werden auf fünf Jahre gewählt.

**Bürgermeisterin oder Bürgermeister**
*M 11*

Die Bürgermeisterin oder der Bürgermeister ist Vorsitzender des Gemeinderats und leitet die Gemeindeverwaltung. Er hat also eine herausragende Stellung in der Gemeinde. Er wird auf acht Jahre direkt gewählt.

**Aufgaben einer Gemeinde**
*M 13*

Jeder von uns lebt in einer Gemeinde und nimmt täglich ihre Dienstleistungen in Anspruch. Schulen, Kulturveranstaltungen, Freizeiteinrichtungen wie Schwimmbäder und auch die Abfallentsorgung – die Aufgaben einer Gemeinde sind umfassend und betreffen das tägliche Leben.

**Finanzen der Gemeinden**
*M 12 – M 16*

Um diese vielen Aufgaben bewältigen zu können, braucht die Gemeinde natürlich Geld. Die Einnahmen der Gemeinden setzen sich zusammen aus
- Steuereinnahmen (z.B. Gewerbesteuer, Grundsteuer und einen Anteil an der Einkommenssteuer)
- Gebühren und Beiträge (Schwimmbad, Müllabfuhr ...)
- Finanzzuweisungen von Bund und Land

**Jugend-vertretungen**
*M 18*

Die Gemeinden können nach §16c und §46b der Gemeindeordnung von Rheinland-Pfalz eine Jugendvertretung einrichten. Aufgabe der Jugendvertretung ist es, die Interessen von Jugendlichen gegenüber dem Gemeinderat zu vertreten. Um diese zu erfüllen, haben die Jugendvertretungen in nahezu allen Gemeinden ein Rede- und Antragsrecht im Gemeinderat sowie einen eigenen Etat (in sehr unterschiedlicher Höhe) für Öffentlichkeitsarbeit, Veranstaltungen und sonstige Aktionen aller Art, z.B. Skateboardanlagen, Jugendzentren, Umweltaktionen ...

# 3. Politik im Land Rheinland-Pfalz

## Die Verfassung des Landes Rheinland-Pfalz

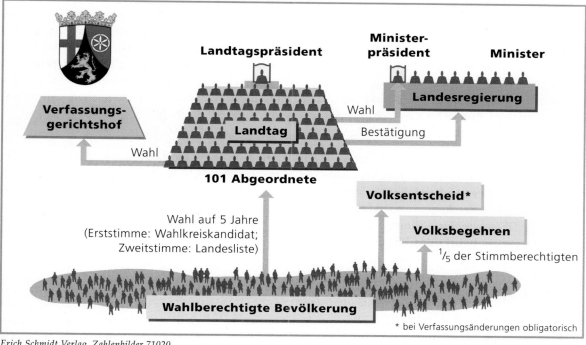

*Erich Schmidt Verlag, Zahlenbilder 71020*

## Projekt: Steckbrief des Landes erstellen

Wie gut kennt ihr euer Land? Mit Hilfe des Internets und anderer Informationsquellen könnt ihr leicht – am besten in Gruppen – einen Steckbrief eures Landes erstellen. Dazu könnt ihr Informationen zu folgenden Stichpunkten sammeln:

- Geschichte des Landes
- Bedeutung des Landeswappens
- geographische Lage
- Größe

- Einwohnerzahl
- wichtige Städte oder Zentren
- Wirtschaftskraft
- herausragende Persönlichkeiten
- politische Machtverhältnisse im Landtag
- Parteienlandschaft ...

Präsentiert das Ergebnis möglichst anschaulich in Form einer Wandzeitung oder gestaltet eine Internetseite.

*Methode*

**M 2**

## CDU will Kopftuchverbot

*Nach dem Urteil des Bundesverfassungsgerichtes zum so genannten „Kopftuchstreit" (vgl. das Kapitel zum Grundgesetz, S. 164 ff.) haben einige Landesparlamente Gesetze erlassen, die das Tragen eines Kopftuches für Lehrerinnen untersagen. In Rheinland-Pfalz startete die Opposition eine Gesetzgebungsinitiative:*

**a)** Ihren Gesetzentwurf zum Kopftuchverbot an Schulen hat die CDU-Fraktion in den Landtag von Rheinland-Pfalz eingebracht. Die Vorschrift sei nach dem Vorbild bereits bestehender Regelungen in Bayern und Baden-Württemberg erarbeitet worden, sagte der Fraktionsvorsitzende Christopf Böhr. Der Gesetzentwurf sieht vor, muslimischen Lehrerinnen das Tragen eines Kopftuches während des Unterrichts zu verbieten. Bei den anderen Landtagsfraktionen stieß der CDU-Vorstoß auf Kritik. Die rheinland-pfälzische Landesregierung aus SPD und FDP sieht keinen Handlungsbedarf und argumentiert, dass die bestehenden Gesetze ausreichen, um mögliche Konfliktfälle zu lösen.

*nach: Der Landtag, 21.3.2005, S. 3*

**b)** In Rheinland-Pfalz wird es vorläufig kein Gesetz zum Kopftuchverbot für Lehrerinnen an Schulen geben. Der Landtag lehnte am Mittwoch mit den Stimmen der Regierungsfraktionen von SPD und FDP sowie der Grünen einen entsprechenden Gesetzentwurf der CDU zur Änderung der des Schulgesetzes ab. In einer namentlichen Abstimmung votierten von 89 Abgeordneten 34 mit Ja, 55 mit Nein. In der Debatte hatten sich zuvor beide Seiten vorgeworfen, mit falsch verstandener Toleranz Vorurteile zu schüren und die Integration zu behindern.

*Yahoo Nachrichten, 30.11.2005*

**M 3**

## Der Landtag und sein Auftrag

Der Landtag Rheinland-Pfalz ist das oberste Organ der politischen Willensbildung im Land. Seine 101 Mitglieder werden alle fünf Jahre vom Volk gewählt.

5 **Die wichtigsten Aufgaben des Landtags sind:**
- die öffentliche Diskussion der unterschiedlichen Interessen der Bevölkerung
- die Wahl des Ministerpräsidenten und die Bestätigung der Landesregierung
10 - die parlamentarische Kontrolle der Landesregierung und der ihr nachgeordneten Verwaltung
- die Festlegung des Landeshaushalts und
- die Landesgesetzgebung

15 Einmal im Monat tagt der Landtag zwei oder drei Tage als Ganzes (Plenum), um Gesetze und Anträge zu beraten und zu beschließen, aktuelle Themen zu erörtern und Fragen an die Regierung zu stellen.

In der Zeit zwischen den Plenarsitzungen tagen die Ausschüsse. Sie sind kleine, spezialisierte Arbeitsgremien, in denen die Abgeordneten die Detailarbeit leisten und Empfehlungen für das Plenum erarbeiten.

*http://www.landtag.rlp.de/Landtag/index.asp (25.7.2005)*

# Das Landtagswahlsystem in Rheinland-Pfalz

Die Abgeordneten des Landtags Rheinland-Pfalz werden für jeweils fünf Jahre nach den Grundsätzen einer mit einer Personenwahl verbundenen Verhältniswahl gewählt (Artikel 80 Abs. 1 und 83 Abs. 1 der Verfassung für Rheinland-Pfalz). Das Nähere regelt das Landeswahlgesetz, insbesondere in den §§ 26 bis 30.

Danach besteht der Landtag im Regelfall aus 101 Abgeordneten. Davon werden 51 nach Wahlkreisvorschlägen in den Wahlkreisen gewählt. Die übrigen 50 werden nach Landes- und Bezirkswahlvorschlägen (sog. Landes- und Bezirkslisten) gewählt. Die Wahlberechtigten haben zwei Stimmen: eine Stimme für die Wahl eines Wahlkreisabgeordneten (Wahlkreisstimme) und eine Stimme für die Wahl einer Landes- oder Bezirksliste (Landesstimme). Mit den Landesstimmen entscheiden die Wähler über die Zusammensetzung des Landtags nach Parteien und Wählervereinigungen, mit den Wahlkreisstimmen darüber, welche Abgeordneten direkt gewählt sind.

Dies geschieht folgendermaßen:
Die 101 Sitze werden auf die Parteien und Wählervereinigung im Verhältnis der für sie abgegebenen Landesstimmen verteilt. Dabei bleiben Listen unberücksichtigt, die landesweit weniger als fünf Prozent der Stimmen erhalten haben (Fünf-Prozent-Klausel). Gleichzeitig wird in jedem der 51 Wahlkreise mit den Wahlkreisstimmen je ein Abgeordneter gewählt. Gewählt ist der Bewerber mit den meisten Stimmen, d.h. die einfache Mehrheit genügt. Für die Wahlkreisbewerber gilt die landesweite Fünf-Prozent-Klausel nicht. Somit können auch parteiunabhängige Einzelbewerber gewählt werden oder Bewerber von Parteien oder Wählervereinigungen, die landesweit an der Fünf-Prozent-Klausel gescheitert sind.

Die Abgeordnetensitze werden sodann wie folgt besetzt:
Jede Partei oder Wählervereinigung mit mehr als fünf Prozent der Stimmen erhält von den 101 Abgeordnetensitzen so viele, wie ihr nach ihrem Landesstimmen-Anteil zusteht. Hiervon werden die Sitze der von der Partei oder Wählervereinigung errungenen Wahlkreismandate abgezogen. Die verbleibenden Sitze werden aus der Landes- oder Bezirksliste in der dort festgelegten Reihenfolge besetzt. Werden mehr Direktmandate erzielt als einer Partei nach dem Landesstimmen-Anteil zustehen, so erhält sie Überhangmandate.

Die Wahl von Abgeordneten in den 51 Wahlkreisen im Land ermöglicht einen engen Kontakt zwischen den Wählern und „ihrem" jeweiligen Abgeordneten. Daneben können über die Listen z.B. auch für die parlamentarische Arbeit notwendige Fachleute und Spezialisten sowie politische Quereinsteiger in den Landtag gelangen, die (noch) nicht über die erforderliche Verankerung in einem Wahlkreis verfügen (vgl. dazu das Kapitel Wahlen, S. 187 ff.).

*http://www.landtag.rlp.de/Landtag/index.asp (2.1.2006)*

# Droht ein Bedeutungsverlust der Landesparlamente?

**DIE ZEIT:** Die Landtage verlieren immer mehr ihrer Kompetenzen an den Bund, haben sie überhaupt noch eine Existenzberechtigung?

**Werner Patzelt:** Ja, Landtage haben eine doppelt wichtige Aufgabe. Sie bieten nach wie vor die beste Möglichkeit, das Handeln einer Landesregierung zu kontrollieren. Zum anderen sind Landtagsabgeordnete wichtige Bindeglieder zwischen Bürgerschaft und politischem System. ...

**ZEIT:** Sind die Landtage denn leistungsfähig? Die Regierungen entziehen sich immer häufiger der Kontrolle durch Gemeinschaftsbeschlüsse mit den anderen Landesregierungen, die Landtage sind außen vor, dürfen die Entscheidungen nur noch abnicken.

**Patzelt:** Am Beispiel der deutschen Länder lässt sich ablesen, was den Nationalstaaten auf europäischer Ebene blühen wird. Wenn man Integration will, kann man einen solchen Bedeutungsverlust nicht grundsätzlich abwenden. Notwendig ist allerdings eine Reform des Föderalismus, eine stimmige Durchsetzung des Subsidiaritätsprinzips. Das bedeutet klare Zuständigkeiten auf europäischer, auf Bundes- und

*Blick in den Landtag von Rheinland-Pfalz im Deutschhaus in Mainz*

25 auf Landesebene, sodass eine Landesregierung auch tatsächlich von ihrem Landtag haftbar für ihre Politik gemacht werden kann.

**ZEIT:** Wo müsste eine Reform ansetzen?

**Patzelt:** Wir müssen aus der Politikverflech-
30 tungsfalle ausbrechen. Die Gemeinschaftsaufgaben müssen abgeschafft werden, bei denen der Bund den Ländern projektbezogen Geld gibt und überaus stark auf die Gestaltung der Landespolitik einwirkt. Die Selbstkoordination der Länder
35 muss reduziert werden. Solange die Länder ih-

ren größten Ehrgeiz darauf richten, etwa ihre Bildungssysteme ununterscheidbar zu machen, begeben sie sich ihrer eigenständigen Ge-
staltungsmöglichkeiten auf einem 40 Feld, wo sie diese noch haben.

**ZEIT:** Für wie realistisch halten Sie es, dass sich solche Vorschläge tatsächlich durchsetzen lassen?

**Patzelt:** Der Leidensdruck ist grö- 45 ßer geworden. Zum einen tangiert das Abfließen von Kompetenzen in Richtung Europa inzwischen auch gründlich die Länder. Zum anderen müssen sie sich dagegen weh- 50 ren, dass der Bund die Euro-Kriterien vor allem auf Kosten der Länder einhält. Die Folge ist, dass es jetzt eine Diskussion über eine finanzielle Entflechtung von Bund und Ländern gibt. Und wenn der Leidensdruck weiter zu- 55 nimmt, gibt es im Lauf des nächsten Jahrzehnts durchaus die Chance auf Reformen im deutschen Föderalismus.

*Roland Kirbach, „Die Tüchtigen zieht es nicht in einen Landtag". Interview mit dem Politikwissenschaftler Werner Patzelt, in: Die Zeit Nr. 17, 18.4.2002*

## Aufgaben zu M 1 – M 5

**1.** Kläre mit Hilfe der Landesverfassung die Begriffe *Volksbegehren* und *Volksentscheid* (M 1).

**2.** Informiert euch über die Positionen der Parteien im Landtag zum „Kopftuchstreit" (M 2) und entwerft eine Übersichtsskizze zum Verlauf des Gesetzgebungsverfahrens.

**3.** Erläutere, warum der Politikwissenschaftler Werner Patzelt einen Bedeutungsverlust der Landesparlamente sieht (M 5).

## Infobox

## Schülerlandtag – Schüler spielen Landtag

Der Schüler-Landtag, der nach ähnlichen Regeln durchgeführt wird wie die Landtagssitzungen selbst, ist ein Rollenspiel. Dabei werden die Funktionen/Rollen der Landtagspräsidentin bzw. des Landtagspräsidenten, der Fraktionsvorsitzenden und der Abgeordneten vergeben.

Wer sich beim Landtag bewerben will, wendet sich an:
Landtag Rheinland-Pfalz
Deutschhausplatz 12, 55116 Mainz
www.landtag.rlp.de/jugendbereich

# Aufgaben von Bund und Land – Zuständigkeiten in der Gesetzgebung

**M 6**

## Ausschließliche Gesetzgebung des Bundes (Art. 71 u. 73 GG)

- Auswärtige Angelegenheiten
- Verteidigung, Zivilschutz
- Staatsangehörigkeit
- Passwesen
- Währungs- und Geldwesen
- Zölle und Außenhandel
- Deutsche Bahn und Luftverkehr
- Post- und Telekommunikation

## Konkurrierende Gesetzgebung (Art. 72, 74, 74a GG)

*Länder besitzen Gesetzgebungsbefugnis solange und soweit der Bund von seiner Gesetzgebungszuständigkeit nicht durch Gesetz Gebrauch gemacht hat, z.B.:*

- Bürgerliches Recht
- Strafrecht und Strafvollzug
- Personenstandswesen
- Versammlungsrecht
- Aufenthaltsrecht für Ausländer/innen
- Nutzung der Kernenergie
- Arbeitsrecht
- Wirtschaftsrecht
- Straßenverkehr

## Ausschließliche Gesetzgebung der Länder (Art. 70 GG)

- Kultur
- Polizeiwesen
- Schul- und Bildungswesen
- Gesundheitswesen
- Presse
- Hörfunk, Fernsehen
- Kommunalwesen

**Rheinland-Pfalz**

## Rahmengesetzgebung (Art. 75 GG)

*Bund beschränkt sich auf allgemeine Regelungen*
- Hochschulwesen
- Jagdwesen, Naturschutz und Landschaftspflege
- Bodenverteilung und Raumordnung
- Melde- und Ausweiswesen

**Bund**

## Gemeinschaftsaufgaben (Art. 91a GG)

*Bund wirkt bei der Erfüllung der Aufgaben der Länder mit*
- Hochschulausbau
- regionale Wirtschaftsstruktur
- Agrarstruktur, Küstenschutz

## Politik im Land Rheinland-Pfalz

**Rheinland-Pfalz –
eine parlamentarische
Demokratie**
*M 1*

Das Land Rheinland-Pfalz versteht sich als „demokratischer und sozialer Gliedstaat Deutschlands" (Art. 74,1 Landesverfassung). Das politische System entspricht dem Typ der repräsentativen parlamentarischen Demokratie. Die in der Landesverfassung vorgesehenen direktdemokratischen Elemente Volksbegehren und Volksentscheid spielten aufgrund der bestehenden hohen Hürden (Quoren, Kosten) praktisch keine Rolle.

**Der Landtag –
Wahlsystem**
*M 3, M 4*

Der Landtag wird auf fünf Jahre bestellt und besteht aus 101 Mitgliedern. Hinzu kommen gegebenenfalls Überhang- und Ausgleichsmandate. Die Abgeordneten werden wie auf Bundesebene nach den Grundsätzen einer mit der Personenwahl verbundenen Verhältniswahl gewählt. Dem Landtag obliegt die Aufgabe der Gesetzgebung sowie die Wahl und Kontrolle der Landesregierung.

**Landesregierung**

Die Landesregierung ist ein Kollegialorgan (Ministerrat; Kollegialprinzip). Den Vorsitz im Ministerrat führt der Ministerpräsident (Richtlinienkompetenz). Die Landesminister leiten ihr Ressort selbstständig (Ressortprinzip).

Bei der Bildung und Abberufung der Landesregierung kommt dem Landtag ein stärkeres Mitspracherecht zu als dem Bundestag gegenüber der Bundesregierung. So wählt das Landesparlament mit der Mehrheit seiner Mitglieder den Ministerpräsidenten, und dieser ernennt die Landesminister. Die Landesregierung als Ganzes bedarf jedoch vor der Übernahme der Geschäfte noch der ausdrücklichen Bestätigung durch die einfache Mehrheit des Landtags.

**Rheinland-Pfalz im
Bundesrat**

Entsprechend seiner Bevölkerungszahl verfügt das Land Rheinland-Pfalz über vier Stimmen im Bundesrat und nimmt damit – hinsichtlich seiner potentiellen Einflussmöglichkeiten auf die Bundespolitik via Bundesrat – eine mittlere Position unter den Bundesländern ein.

**Machtverlust
der Landtage**
*M 5*

Die Rollenverteilung zwischen Landtag und Landesregierung ist – dies gilt für alle Bundesländer und ist bedingt durch die zunehmende Verlagerung von Kompetenzen der Länder auf den Bund und auf die europäische Ebene sowie durch das wachsende Gewicht des kooperativen Föderalismus – seit vielen Jahren von einem kontinuierlichen Machtverlust des Landtags geprägt.

# Recht und Rechtsprechung in der Bundesrepublik Deutschland

Grundrechte
Strafe
**Jugendgericht**

Rechtsstaat
Verantwortlichkeit
Zivilrecht

# 1. Recht und Rechtsstaatlichkeit

## Menschenrechte – oft missachtet

*Todesstrafe in China*

*Folterinstrumente für schlechte Sportler im früheren Irak*

*Kindersoldaten in Sierra Leone*

*Leben auf der Straße – Armut in Rumänien*

## Aufgabe zu M 1

**1.** Bildet für ein Schreibgespräch über Menschenrechte Vierergruppen. Betrachtet die Bilder in M 1. Nehmt ein großes DIN-A-3 Blatt, teilt es in so viele Felder, wie es Gruppenmitglieder gibt. Setzt euch um das Blatt herum. Jede/-r schreibt in ein Feld ein Kommentar zu dem Thema „Menschenrechte" (Fragen, Gedanken, aktuelle Begriffe, …). Nach drei Minuten dreht ihr das Blatt im Uhrzeigersinn ein Feld weiter.

Nun kommentiert ihr das, was euer/eure Sitznachbar/in geschrieben hat. Dreht das Blatt noch ein weiteres Mal. Auf diese Art und Weise habt ihr ein Schreibgespräch miteinander geführt. Jede/-r konnte in Ruhe zu Wort kommen. Bestimmt ein Gruppensprecher, der die interessantesten Gesichtspunkte eures Gesprächsblattes in der Klasse vorstellt.

# Die Entwicklung der Menschenrechte

Schon seit Jahrhunderten gibt es die Überzeugung, dass der Mensch von Beginn an eine unveräußerliche und überzeitliche Würde in sich trägt. Von dieser Menschenwürde werden Rechte
5 des Menschen abgeleitet, die der Mensch schon immer besaß und immer besitzen wird, unabhängig davon, in welchem Staat, unter welcher Regierung er lebt. Dieses Menschenbild beruht auf drei Quellen: der antiken Philosophie, dem Men-
10 schenbild des Christentums und der Aufklärung des 18. Jahrhunderts. Die „Unabhängigkeitserklärung der Vereinigten Staaten von Amerika" aus dem Jahr 1776 enthält die erste Formulierung der Menschenrechte. Auch während der Franzö-
15 sischen Revolution wurden die Menschen- und Bürgerrechte (Freiheit, Gleichheit, Brüderlichkeit!) ausgerufen. Wer sich heute auf die Geltung der Menschenrechte beruft, bezieht sich auf ein Dokument der Vereinten Nationen (UNO),

das 1948 von der Generalversammlung verab- 20
schiedet wurde. Die „Allgemeine Erklärung der Menschenrechte" erhebt universalen Geltungsanspruch.

Dennoch werden jeden Tag in den Staaten der Welt Menschenrechtsverletzungen begangen: 25
Folter, Krieg, Vertreibungen, Inhaftierung von Unschuldigen … viele Menschen können nicht in Sicherheit vor staatlicher Willkür leben. Für Friedensforscher ist jedoch die Wahrung der Menschenrechte, die Achtung rechtsstaatlicher 30
Prinzipien und demokratischer Grundsätze eine Grundvoraussetzung für eine friedliche Entwicklung der Staaten. Wo diese Grundpfeiler eines sicheren Lebens gegeben sind, sind gewalttätige innere und äußere Konflikte weniger 35
wahrscheinlich.

*Autorentext*

## Allgemeine Erklärung der Menschenrechte

Alle Menschen sind frei und gleich an Würde und Rechten geboren ▪ Jeder Mensch hat Anspruch auf die in dieser Erklärung verkündeten Rechte und Freiheiten ▪ Recht auf Leben, Freiheit und Sicherheit der Person ▪ Verbot der Sklaverei und des Menschenhandels ▪ Verbot der Folter, grausamer, unmenschlicher oder erniedrigender Strafen und Mißhandlungen ▪ Anspruch auf Anerkennung als Rechtsperson an allen Orten ▪ Gleichheit vor dem Gesetz ▪ Anspruch auf wirksamen Rechtsschutz vor innerstaatlichen Gerichten gegen Handlungen, die verfassungsmäßig zugestandene Grundrechte verletzen ▪ Schutz vor willkürlicher Festnahme, Inhaftierung oder Ausweisung ▪ Anspruch auf ein faires und öffentliches Gerichtsverfahren ▪ Unschuldsvermutung bis zum Schuldnachweis und keine Verurteilung ohne gesetzliche Grundlage ▪ Anspruch auf Schutz des Privatlebens ▪ Recht auf Freizügigkeit ▪ Recht auf Asyl im Falle der Verfolgung ▪ Anspruch auf eine Staatsangehörigkeit ▪ Recht zu heiraten und eine Familie zu gründen ▪ Recht auf Eigentum ▪ Anspruch auf Gedanken-, Gewissens- und Religionsfreiheit ▪ Recht auf freie Meinungsäußerung und Informationsfreiheit ▪ Recht auf Versammlungs- und Vereinigungsfreiheit zu friedlichen Zwecken ▪ Recht auf allgemeine und gleiche Wahlen, Zulassung zu öffentlichen Ämtern und demokratische Mitbestimmung ▪ Recht auf soziale Sicherheit und Anspruch auf die für die Würde und freie Entfaltung der Persönlichkeit unentbehrlichen wirtschaftlichen, sozialen und kulturellen Rechte ▪ Recht auf Arbeit; gleicher Lohn für gleiche Arbeit, angemessene Entlohnung; Recht auf gewerkschaftliche Organisation ▪ Anspruch auf Erholung und arbeitsfreie Zeit ▪ Anspruch auf eine Lebenshaltung, die ausreichend Gesundheit und Wohlbefinden gewährleistet; Anspruch auf Unterstützung während der Mutterschaft und Kindheit ▪ Recht auf Bildung ▪ Recht auf kulturelles Leben und Teilhabe am wissenschaftlichen Fortschritt; Recht auf Urheberschutz ▪ Anspruch auf eine freiheitliche Sozial- und Internationalordnung ▪ Verpflichtung des Individuums gegenüber der Gemeinschaft; die Rechte und Freiheiten eines Menschen sind beschränkt, um diejenigen der Anderen zu gewährleisten ▪ Eine Interpretation der vorliegenden Erklärung darf nicht auf die Mißachtung der darin enthaltenen Rechte und Freiheiten abzielen.

*Postkarte, Germanisches Nationalmuseum, Nürnberg*

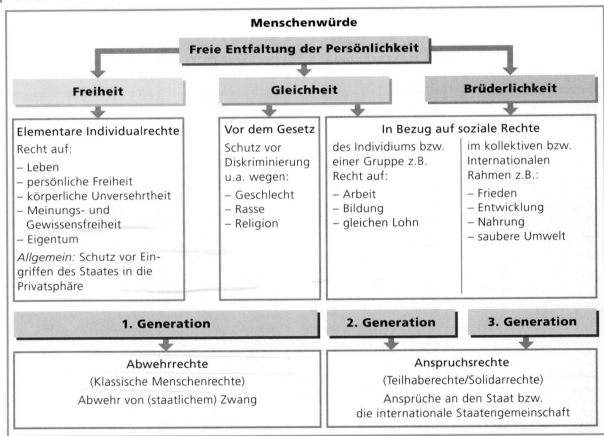

**M 4**

## Die Menschenrechte im Grundgesetz

### Die „Norm der Normen":

Artikel 1 Grundgesetz der Bundesrepublik Deutschland:

(1) Die Würde des Menschen ist unantastbar. Sie zu achten und zu schützen ist Verpflichtung aller staatlichen Gewalt.

(2) Das Deutsche Volk bekennt sich darum zu unverletzlichen und unveräußerlichen Menschenrechten als Grundlage jeder menschlichen Gemeinschaft, des Friedens und der Gerechtigkeit in der Welt.

(3) Die nachfolgenden Grundrechte binden Gesetzgebung, vollziehende Gewalt und Rechtsprechung als unmittelbar geltendes Recht.

**M 5**

## Drei Generationen von Menschenrechten

**Menschenwürde**

**Freie Entfaltung der Persönlichkeit**

| Freiheit | Gleichheit | Brüderlichkeit |
|---|---|---|

**Elementare Individualrechte**

Recht auf:
– Leben
– persönliche Freiheit
– körperliche Unversehrtheit
– Meinungs- und Gewissensfreiheit
– Eigentum

*Allgemein:* Schutz vor Eingriffen des Staates in die Privatsphäre

**Vor dem Gesetz**

Schutz vor Diskriminierung u.a. wegen:
– Geschlecht
– Rasse
– Religion

**In Bezug auf soziale Rechte**

des Individiums bzw. einer Gruppe z.B. Recht auf:
– Arbeit
– Bildung
– gleichen Lohn

im kollektiven bzw. Internationalen Rahmen z.B.:
– Frieden
– Entwicklung
– Nahrung
– saubere Umwelt

| 1. Generation | 2. Generation | 3. Generation |
|---|---|---|

**Abwehrrechte**
(Klassische Menschenrechte)
Abwehr von (staatlichem) Zwang

**Anspruchsrechte**
(Teilhaberechte/Solidarrechte)
Ansprüche an den Staat bzw. die internationale Staatengemeinschaft

*Axel Herrmann, Menschenwürde, Menschenrechte, Thema im Unterricht, Lehrerheft 11/1997, S. 7*

## Aufgaben zu M 1 – M 5

1. Begründet, welche Menschenrechte euch besonders wichtig erscheinen (M 3).

2. Erklärt die Aussage: „Menschenrechte sind unveräußerlich"

3. Erläutert, warum sich die Menschenrechte in unterschiedliche „Generationen" einteilen lassen (M 5).

4. Recherche: Vergleicht die Grundrechte unseres Grundgesetzes mit der Erklärung der Menschenrechte. Welche Unterschiede fallen euch auf? Diskutiert, ob man die deutschen Grundrechte ergänzen sollte.

# Die Rechtsstaatsgarantie im Grundgesetz

### Artikel 20 Abs. 3

(3) Die Gesetzgebung ist an die verfassungsmäßige Ordnung, die vollziehende Gewalt und die Rechtsprechung sind an Gesetz und Recht gebunden.

### Artikel 79 Abs. 3

(3) Eine Änderung dieses Grundgesetzes, durch welche ... die in den Artikeln 1 und 20 niedergelegten Grundsätze berührt werden, ist unzulässig.

### Artikel 103

(1) Vor Gericht hat jedermann Anspruch auf rechtliches Gehör.

(2) Eine Tat kann nur bestraft werden, wenn die Strafbarkeit gesetzlich bestimmt war, bevor die Tat begangen wurde.

(3) Niemand darf wegen derselben Tat auf Grund der allgemeinen Strafgesetze mehrmals bestraft werden

### Artikel 104

(1) Die Freiheit der Person kann nur auf Grund eines förmlichen Gesetzes und nur unter Beachtung der darin vorgeschriebenen Formen beschränkt werden. Festgehaltene Personen dürfen weder seelisch noch körperlich misshandelt werden.

(2) Über die Zulässigkeit und Fortdauer einer Freiheitsentziehung hat nur der Richter zu entscheiden. Bei jeder nicht auf richterlicher Anordnung beruhenden Freiheitsentziehung ist unverzüglich eine richterliche Entscheidung herbeizuführen. Die Polizei darf aus eigener Machtvollkommenheit niemanden länger als bis zum Ende des Tages nach dem Ergreifen in eigenem Gewahrsam halten. Das Nähere ist gesetzlich zu regeln.

(3) Jeder wegen des Verdachtes einer strafbaren Handlung vorläufig Festgenommene ist spätestens am Tage nach der Festnahme dem Richter vorzuführen, der ihm die Gründe der Festnahme mitzuteilen, ihn zu vernehmen und ihm Gelegenheit zu Einwendungen zu geben hat. Der Richter hat unverzüglich entweder einen mit Gründen versehenen schriftlichen Haftbefehl zu erlassen oder die Freilassung anzuordnen.

(4) Von jeder richterlichen Entscheidung über die Anordnung oder Fortdauer einer Freiheitsentziehung ist unverzüglich ein Angehöriger des Festgehaltenen oder eine Person seines Vertrauens zu benachrichtigen.

## M 7    **Wenn das Recht nicht gilt**

*Roland Freisler (li.) eröffnet eine Sitzung des Volksgerichtshofes in Berlin.*

### a) „Mein Führer!

Ihnen, mein Führer, bitte melden zu dürfen: Das Amt, das Sie mir verliehen haben, habe ich angetreten und mich inzwischen eingearbeitet.

5 Mein Dank für die Verantwortung, die Sie mir anvertraut haben, soll darin bestehen, dass ich treu und mit aller Kraft ... arbeite, stolz, Ihnen, mein Führer, dem obersten Gerichtsherrn und Richter des deutschen Volkes, für die Recht-
10 sprechung Ihres höchsten politischen Gerichts verantwortlich zu sein.
Der Volksgerichtshof wird sich stets bemühen, so zu urteilen, wie er glaubt, dass Sie, mein Führer, den Fall selbst beurteilen würden.
20 Heil mein Führer! In Treue, Ihr politischer Soldat Roland Freisler."

*Roland Freisler, Präsident des Volksgerichtshofs, am 15.10.1942, wenige Wochen nach seiner Ernennung*
*(zit. nach H.Ostendorf, Roland Freisler - Mörder im Dienste Hitlers, in: Zeitschrift für Rechtspolitik 5/1994, S. 169)*

### b) „Regimekritiker" in Haft

Sechs malaysische Regimekritiker sind seit April 2001 ohne Anklageerhebung in Haft, ihre Inhaftierung beruht auf dem Gesetz zur inneren 5 Sicherheit ..., das sehr oft dazu angewendet wird, um Kritiker mundtot zu machen. Tian Chua, Mohamad Ezam Mohd Nor, Haji Saari Sungib, Hishamuddin Rais, 10 Lokman Noor Adam und Badrul Amin Bahron wird vorgeworfen, die nationale Sicherheit bedroht zu haben, weil sie angeblich planten, die Regierung gewaltsam zu 15 stürzen. Eine Behauptung, die von den Behörden bislang nicht belegt werden konnte. ... Nach ihrer Festnahme kamen die sechs Männer in Einzelhaft. Zwei Monate lang 20 wurden sie intensiv ... verhört. ... Während dieser Zeit hatten sie keinen Kontakt zu ihren Anwälten und konnten ihre Familien nur selten unter Aufsicht sehen. ...
Im Juni 2001 ordnete der Innenminister von Malaysia an, die Politiker für weitere zwei Jahre ohne 25 Anklageerhebung im Straflager ... zu internieren. Diese Anordnung kann ohne richterliche Überprüfung immer wieder verlängert werden. Zwar wurde Badrul Amin Bahron Ende 2001 freigelas- 30 sen, kurze Zeit später jedoch erneut inhaftiert, weil er sich angeblich nicht an Auflagen gehalten hatte, die seine Bewegungs-, Vereinigungs- und Versammlungsfreiheit einschränkten.

*ai-Journal 5/2002, S. 22*

### Aufgaben zu M 6 und M 7

1. *Überprüfe mit Hilfe von M 6, welche rechtsstaatlichen Prinzipien in M 7 verletzt wurden.*

2. *Der Schutz gegen willkürliche Verhaftungen und das Recht auf ein rasches Verhör des Beschuldigten haben in der Geschichte der Menschenrechte schon eine recht lange Tradition. Informiere dich (im Internet) über die so genannte Habeas-Corpus-Akte (lateinisch: „du mögest den Körper haben"), ein englisches Gesetz aus dem Jahr 1679.*

## Aufgaben des Rechts

In der Bundesrepublik Deutschland leben die Menschen friedlich zusammen. Es herrschen Recht und Gesetz, wenn es auch keine perfekte Sicherheit vor dem Verbrechen gibt.

5 Das ist keineswegs selbstverständlich ... In einigen Staaten hat sich die Rechtsordnung förmlich aufgelöst. In sinnlosen Kriegen wird keine Rücksicht auf die wehrlose Zivilbevölkerung genommen. Frauen, Kinder und alte Menschen werden
10 vertrieben, terrorisiert oder getötet.

Das war in früheren Jahrhunderten in Europa nicht anders. Das ganze Mittelalter war gekennzeichnet durch Friedlosigkeit ... Die Erfahrungen der mörderischen Religionskriege des 16. und 17.
15 Jahrhunderts führten schließlich zu der Einsicht, dass die Wahrung des Friedens die wichtigste Aufgabe des Gemeinwesens sei und dass allein der Staat die Befugnis zur Gewaltausübung haben dürfe, das staatliche Gewaltmonopol ist
20 ein Wesensmerkmal des neuzeitlichen Staates. Später trat die Bindung der Staatsgewalt an das Gesetz hinzu. Beide zusammen begründen den Rechtsstaat.

*Das Bundesverfassungsgericht, das höchste deutsche Gericht, bei der Urteilsverkündung.*

### Das Recht sichert den Frieden

5 Die wichtigste Funktion des Rechts ist offenkundig die Sicherung des inneren Friedens. In einer Gesellschaft gibt es unterschiedliche Interessen, die unausweichlich zu Konflikten führen. Das Recht sorgt dafür, dass sie auf friedliche
0 Weise in einem geregelten Verfahren ausgetragen werden.

Die Rechtsordnung verbietet, privat Vergeltung zu üben oder das Recht auf eigene Faust durch-

zusetzen. Das Opfer einer Straftat darf an dem Täter keine Rache nehmen. Ein Gläubiger darf 35 nicht das Auto des säumigen Schuldners entwenden, um es bis zur Zahlung der Schuld als Pfand zu behalten. Der Bürger muss sich an die Gerichte wenden und sein Recht mit Hilfe der Staatsgewalt durchsetzen. ... 40

Der Gesetzgeber muss beim Erlass der Gesetze die unterschiedlichen Interessen und möglichen Konflikte vorwegnehmen. Das Recht dient so der Vorbeugung von Konflikten.

Das Mietrecht beispielsweise legt Rechte und 45 Pflichten von Mietern und Vermietern unter Abwägung ihrer Interessen genau fest. Es regelt Voraussetzungen und Fristen einer Kündigung, Fristen und Umfang einer Mieterhöhung, Höhe und Verzinsung einer Kaution und anderes 50 mehr.

Kommt es dennoch zum Streit, muss ein gerichtliches Verfahren eine Lösung des Konflikts herbeiführen. Sie soll möglichst von allen Beteiligten als gerecht empfunden werden. In jedem 55 Fall setzt sie dem Konflikt ein Ende und stellt den Rechtsfrieden wieder her.

### Das Recht gewährleistet die Freiheit

Das Recht sichert nicht nur den inneren Frieden, sondern gewährleistet auch die Freiheit des Einzelnen. Das erscheint auf den ersten Blick paradox, denn das Recht schränkt gerade die Freiheit auf vielfältige Weise ein.

In einer Gesellschaft, in der viele Menschen auf engem Raum zusammenleben, kann es aber 65 keine uneingeschränkte Freiheit geben. Freiheit endet dort, wo das Recht des anderen beginnt. ...

## Gewaltmonopol des Staates

Der Staat muss die Geltung des Rechts notfalls mit Gewalt erzwingen. Dafür hat er besondere Einrichtungen, wie z.B. die Gerichte, Polizei, Verwaltung. Da nur der Staat allein berechtigt ist, Gewalt auszuüben, spricht man von einem Gewaltmonopol. Es verhindert eine Herrschaft der Stärkeren und sichert so die Freiheit und das friedliche Zusammenleben der Bürger.

### Das Recht regelt die privaten Rechtsbeziehungen

70 Das Recht schützt nicht nur Frieden und Freiheit in der Gesellschaft, es stellt auch ein System von rechtlichen Regeln bereit, in dem der Einzelne seine Rechtsbeziehungen in eigener Verantwortung (autonom) gestalten kann. Die Juristen nen-
75 nen das Privatautonomie.

Wenn jemand beispielsweise ein Haus bauen will, erwirbt er per Kaufvertrag zunächst ein Grundstück. Er wird als neuer Eigentümer in das Grundbuch eingetragen, damit ist sein Eigentum gesichert.
80 Dann schließt er Verträge mit dem Architekten und den verschiedenen Handwerkern über die Bauausführung. Ihre Leistungen kann der Bauherr mit den Mitteln des Rechts einfordern, ebenso wie seine Vertragspartner ein Recht auf
85 die vereinbarte Bezahlung ihrer Leistungen haben. ...

### Das Recht gestaltet die Gesellschaft

Die Sicherung des Friedens und der Freiheit und die Gewährleistung der Privatautonomie sind
90 Kernbestandteile des liberalen Rechtsstaates. ...
Der soziale Rechtsstaat greift darüber hinaus aktiv in alle Bereiche des persönlichen, sozialen und wirtschaftlichen Lebens ein. Gesetzliche Regelungen schützen die Schwächeren und sorgen
95 für den Ausgleich sozialer Gegensätze.

*Horst Pötzsch, Die deutsche Demokratie, 4. Aufl., Bonn 2006, S. 104 f.*

## Aufgaben zu M 8

**1.** *„Das Recht gewährleistet die Freiheit". Erläutere diese Aussage anhand von Beispielen (M 8).*

# Öffentliches Recht und Privatrecht

**Öffentliches Recht**

**Staats- und Verfassungsrecht**

**Verwaltungsrecht**

· Polizeirecht        · Steuerrecht
· Beamtenrecht      · Sozialrecht
· Verkehrsrecht      · Wegerecht
· Wasserrecht        · Baurecht
und andere Rechtsgebiete

**Prozessrecht**        **Strafrecht**

**Völkerrecht**        **Kirchenrecht**

**Privatrecht**

**Bürgerliches Recht**

· Schuldrecht        · Sachenrecht
· Familienrecht      · Erbrecht

**Handelsrecht**

· Wechsel- und Schenkrecht
· Aktienrecht
· Gesellschaftsrecht

**Urheber- und Erfinderrecht**

**Teile der Gewerbeordnung**

**Arbeitsrecht**

**Wettbewerbsrecht**

Erich Schmidt Verlag, Zahlenbilder Nr. 128 020

Das Recht wird allgemein eingeteilt in die beiden großen Rechtsgebiete Privatrecht und öffentliches Recht. Das Privatrecht (oder Zivilrecht) regelt die Rechtsbeziehungen der einzelnen Bürger untereinander. Bei der Gestaltung ihrer Rechtsbeziehungen sind die Bürger gleichberechtigt. Kern des Privatrechts ist das bürgerliche Recht, das im Bürgerlichen Gesetzbuch niedergelegt ist. Es enthält Regelungen für den bürgerlichen Alltag, z.B. Kauf und Verkauf, Verträge, Leihe und Schenkung, Eheschließung und Scheidung usw. Das öffentliche Recht regelt die Beziehungen des Einzelnen zur öffentlichen Gewalt (Bund, Land, Gemeinde) und die Beziehung der öffentlichen Gewalten zueinander, z.B. zwischen Land und Gemeinde. Die Beziehung des einzelnen Bürgers zur öffentlichen Gewalt ist keine gleichrangige Beziehung wie im Privatrecht, sondern er ist der öffentlichen Gewalt untergeordnet (z.B. muss der Wehrdienst geleistet werden). Das heißt natürlich nicht, dass der Einzelne nicht gegen eine Maßnahme der öffentlichen Gewalt klagen kann, wenn er sich ungerecht behandelt fühlt.

*Autorentext*

## M 10 Organe der Rechtsprechung

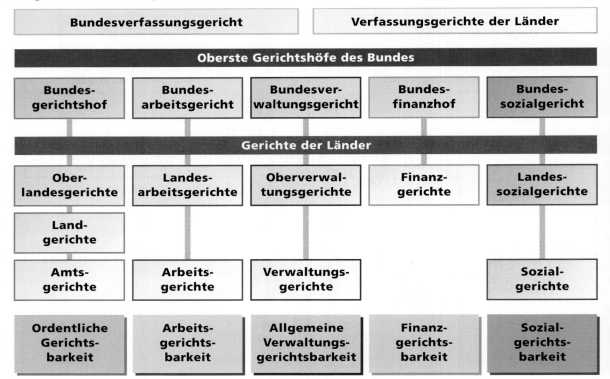

| Bundesverfassungsgericht | | Verfassungsgerichte der Länder | |

**Oberste Gerichtshöfe des Bundes**

| Bundes-gerichtshof | Bundes-arbeitsgericht | Bundesver-waltungsgericht | Bundes-finanzhof | Bundes-sozialgericht |

**Gerichte der Länder**

| Ober-landesgerichte | Landes-arbeitsgerichte | Oberverwal-tungsgerichte | Finanz-gerichte | Landes-sozialgerichte |
| Land-gerichte | | | | |
| Amts-gerichte | Arbeits-gerichte | Verwaltungs-gerichte | | Sozial-gerichte |

| Ordentliche Gerichts-barkeit | Arbeits-gerichts-barkeit | Allgemeine Verwaltungs-gerichtsbarkeit | Finanz-gerichts-barkeit | Sozial-gerichts-barkeit |

*Erich Schmidt Verlag, Zahlenbilder Nr. 128 010*

Beim Aufbau des Gerichtswesens lassen sich drei Bereiche unterscheiden: die Verfassungsgerichtsbarkeit, die ordentliche Gerichtsbarkeit und die besondere Gerichtsbarkeit.

5 Das Bundesverfassungsgericht ist das höchste Gericht des Bundes, die Landesverfassungsgerichte sind die höchsten Gerichte der Länder. Sie entscheiden über die Auslegung der Verfassung und die Verfassungsgemäßheit von Gesetzen, 10 d.h. ob rechtliche Regelungen mit dem Grundgesetz oder den Landesverfassungen vereinbar sind.

Zur ordentlichen Gerichtsbarkeit gehören die Straf- und Zivilgerichte. Zur besonderen Gerichtsbarkeit gehören spezielle Gerichte, denen 1 eine auf ihren Sachbereich beschränkte Gerichtsbarkeit übertragen wurde. Die Bezeichnung „ordentliche Gerichtsbarkeit" erklärt sich historisch daraus, dass früher nur die Gerichte der Justiz, die Zivil- und Strafgerichte, mit unabhängigen 2 Richtern besetzt waren. Dagegen wurde die Verwaltungs- und Finanzgerichtsbarkeit von weisungsgebundenen Beamten ausgeübt. Die Bezeichnung hat keinerlei Bedeutung im Hinblick auf den Rang der Gerichte. 2

*Autorentext*

### Aufgabe zu M 1 – M 10

**1.** *Entwirf eine Mind-Map, um das gedanklich zu sortieren, was du bisher zum Thema Recht gelernt hast. Beginne mit dem Hauptbegriff „Rechtsregeln" im Zentrum. Verzweige dann in „Funktionen des Rechts" bis hin zu den „Rechtsgebieten". Diese wiederum kannst du unterteilen in „Straf- und Zivilrecht". Fahre nun selbstständig fort.*

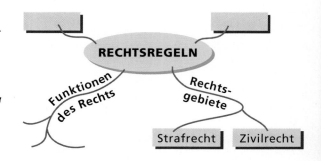

# Recht und Rechtsstaatlichkeit

Das Zusammenleben der Menschen in der Familie, in der Schule, im Betrieb, in einem Staat erfordert klare Verhaltensregeln für jeden Einzelnen. Ein Großteil dieser Regeln sind rechtliche Regeln, d. h. dass sie vom Staat (den Parlamenten) gesetzt sind und ihre Einhaltung nur vom Staat mit Hilfe von Polizei und Gerichten erzwungen werden kann (staatliches Gewaltmonopol).

*Recht*

Vier wichtige Aufgaben des Rechts lassen sich unterscheiden: Ordnungsfunktion, Gerechtigkeitsfunktion, Herrschaftsfunktion, Herrschaftskontrollfunktion.
Zum einen ist das Recht ein Ordnungselement, das das Zusammenleben der Menschen regelt. Beispiel dafür sind die Straßenverkehrsregeln, die einen reibungslosen Verkehr ermöglichen sollen. In einem größeren Zusammenhang sorgt das Recht durch die verbindliche Ordnung des Zusammenlebens für Frieden in der Gesellschaft. Außerdem dient das Recht der Durchsetzung von Gerechtigkeit. Durch rechtliche Regelungen kann die Gesellschaft nach bestimmten Prinzipien (z.B. Gerechtigkeit) gestaltet werden. Darüber hinaus hat das Recht auch die Aufgabe, Herrschaft aufrechtzuerhalten. Allerdings ist das Recht selbst auch ein Mechanismus zur Kontrolle der Herrschaft.

*Aufgaben des Rechts*
*M 8*

Als Rechtsstaat darf der Staat nämlich nicht alles. Wenn er neues Recht beschließt oder das Recht mit Hilfe staatlicher Gewalt durchsetzt, so muss er sich selbst immer an das bestehende Recht und das Grundgesetz halten. Fühlt sich der einzelne Bürger in seinen Rechten verletzt, so kann er vor dem Gericht dagegen klagen. Die Richter an den Gerichten sind zur Unabhängigkeit verpflichtet. Dadurch kann sich der Einzelne des Schutzes seiner Rechte sicher sein.

*Rechtsstaat*
*M 6*

Man unterscheidet das öffentliche Recht vom Privatrecht. Das öffentliche Recht regelt das Verhältnis des Staates zum Einzelnen, wobei ein Über- bzw. Unterordnungsverhältnis gilt. Im Privatrecht (oder Zivilrecht), das die Beziehungen der Menschen zueinander regelt, sind die einzelnen Bürgerinnen und Bürger gleichberechtigt.

*Rechtsgebiete*
*M 9*

Beim Aufbau des Gerichtswesens lassen sich Verfassungsgerichtsbarkeit (z.B. Bundesverfassungsgericht), ordentliche Gerichtsbarkeit (Zivil- und Strafgerichtsbarkeit) und besondere Gerichtsbarkeit (z.B. Finanz- oder Verwaltungsgerichtsbarkeit) unterscheiden.

*Gerichtswesen*
*M 10*

Besonders wichtige Rechte des Einzelnen sind die Menschenrechte. Sie gelten als „angeborene" Rechte, d.h., dass ihre Gültigkeit unabhängig ist von der Rechtssetzung durch den Staat (Naturrecht). Allen Menschenrechten zu Grunde liegt die Idee, dass die Würde des Menschen nicht verletzt werden darf. Zu ihnen gehören beispielsweise das Recht auf körperliche Unversehrtheit, die Meinungs- und Glaubensfreiheit und das Recht auf Eigentum. Als Grundrechte sind die Menschenrechte in der deutschen Verfassung, dem „Grundgesetz", verankert.

*Menschenrechte*
*M 1 – M 5*

Als Rechtspositivismus bezeichnet man die Auffassung, dass nur das vom Menschen gemachte, „positive" Recht gelten soll – unabhängig davon, ob es mit irgendwelchen ,höheren' Normen, z.B. den Menschenrechten, übereinstimmt oder nicht.

*Rechtspositivismus*

# 2. Die besondere Rechtsstellung von Kindern und Jugendlichen

**M 1**  **Zivil- und strafrechtliche Verantwortung Jugendlicher – ein Fallbeispiel**

## Wieder Graffiti-Schmierereien im Amalia-Gymnasium

Stuttgart. Zum zweiten Mal innerhalb eines Monats wurde das Amalia-Gymnasium in Stuttgart durch Graffiti verunstaltet. Die Sprayer besprühten die Wand vor einem Klassenzimmer. Bereits vor drei Wochen hatten die Sprayer eine große Fläche an der Außenwand des Gymnasiums mit Farbe beschmiert. Bislang ist noch nicht bekannt, wer die Täter sind. Die Stadt Stuttgart zahlte 2004 allein für die Behebung von Bauschäden (eingetretene Türen, Brandschäden, Zerstörungen, Graffiti etc.) an Schulen knapp 75.000 €, die Stadt Tübingen fast 10.000 €.

*Autorentext*

### Die rechtlichen Folgen der Zerstörung

Wenn man mutwillig einen Gegenstand zerstört, der einem anderen gehört, so hat dies juristisch zwei Folgen:

5 Erstens hat man eine Straftat begangen (Sachbeschädigung), die vom Staat (Gericht, Staatsanwaltschaft, Polizei) bei Anzeige verfolgt wird. Das *Strafrecht* dient nämlich dem Interesse der staatlichen Gemeinschaft an der Erhaltung

10 ihrer elementaren Grundwerte (Leben, Gesundheit, Vermögen ...) und an der Bewahrung des Rechtsfriedens innerhalb der Gesellschaft. Es verbietet bestimmte sozialschädliche Verhaltensweisen bei Strafe und 15 ahndet Rechtsverstöße entsprechend. Sein wichtigstes Gesetz ist das Strafgesetzbuch (StGB).

Zweitens muss man dem 20 Geschädigten gegenüber den Schaden wiedergutmachen (den zerstörten Gegenstand ersetzen, ihn reparieren lassen usw.); Juristen nennen dies 25 Schadensersatz. Schadensersatz wird nur zwischen dem Schädiger und dem Geschädigten geleistet, der Staat hat hiermit nichts zu tun (er hilft 30 allerhöchstens dem Geschädigten, mit Hilfe der Gerichte zu seinem „Recht" zu kommen). Das wird im *Zivilrecht* geregelt. Dieses ordnet also 35 die Rechtsbeziehungen zwischen Menschen oder Personengemeinschaften in den unterschiedlichen Lebensbereichen. Die wichtigsten Regeln sind im Bürgerlichen Gesetzbuch (BGB) niedergelegt (vgl. zur Einordnung der Rechtsgebiete 40 die Grafik M 9 in Kap. 1).

Außerdem wird nach dem Alter des Tatverdächtigen unterschieden. So entscheiden Jugendgerichte über die Verfehlungen Jugendlicher nach dem Jugendstrafrecht. 45

*Autorentext*

## Aufgaben zu M 1 und M 2

*Beantworte die folgenden Fragen mit Hilfe der Gesetzesauszüge in M 2.*

**1.** *Welche strafrechtlichen Folgen ergeben sich aus dem Strafgesetzbuch (StGB), wenn ein Schüler in der Schule mutwillig etwas zerstört? Lies hierzu die §§ 303 und 304 StGB.*

**2.** *Welche zivilrechtliche Folge ergibt sich? Lies § 823 BGB.*

**3.** Ist dies nun eine doppelte Bestrafung? Bedenke dabei den Zweck der Vorschriften des Strafgesetzbuches und derjenigen aus dem BGB.

**2.** Inwiefern ist das Alter eines Schülers, der etwas zerstört, von Bedeutung? Lies erst § 1 des Jugendgerichtsgesetzes (JGG), dann § 3 JGG und § 828 BGB.

**5.** Müssen auch die Eltern Schadensersatz leisten? Lies dazu § 832 BGB.

**6.** Fasse nun das Ergebnis deiner Untersuchungen zusammen.

**7.** Im Strafrecht und im Zivilrecht gelten unterschiedliche Altersgrenzen. Warum?

**8.** Lies noch einmal den § 823 BGB. Warum soll ein Schädiger in gleicher Weise nach dieser Vorschrift Schadensersatz zahlen, gleichgültig, ob er vorsätzlich (d. h. mutwillig) oder nur fahrlässig (d. h. versehentlich) einen Schaden angerichtet hat?

## Was steht im Gesetz?

M 2

### Strafgesetzbuch (StGB[1])

**§ 303 [Sachbeschädigung]**

(1) Wer rechtswidrig eine fremde Sache beschädigt oder zerstört, wird ... bestraft.

(2) Der Versuch ist strafbar.

**§ 303 e [Strafantrag]**

In den Fällen der §§ 303 ... wird die Tat nur auf Antrag verfolgt, es sei denn, dass die Strafverfolgungsbehörde wegen des besonderen öffentlichen Interesses an der Strafverfolgung ein Einschreiten ... für geboten hält.

**§ 304 [Gemeinschädliche Sachbeschädigung]**

(1) Wer rechtswidrig ... Gegenstände, welche zum öffentlichen Nutzen ... dienen, beschädigt oder zerstört, wird ... (schwerer als nach § 303 StGB) ... bestraft.

(2) Der Versuch ist strafbar.

[1] Anmerkung: Bei der Wiedergabe der Gesetzestexte wurden Freiheitsstrafen und Geldstrafen weggelassen, da diese Strafen nur bei Erwachsenen zur Anwendung kommen. Bei Jugendlichen und Heranwachsenden wird das Jugendrecht (§ 1 JGG) angewandt, das eine Reihe anderer Maßnahmen kennt.

### Bürgerliches Gesetzbuch (BGB)

**§ 823 [Schadensersatzpflicht]**

(1) Wer vorsätzlich oder fahrlässig ... das Eigentum ... eines anderen widerrechtlich verletzt, ist dem anderen zum Ersatze des daraus entstehenden Schadens verpflichtet.

(2) ...

**§ 828 [Verantwortlichkeit von Minderjährigen ...]**

(1) Wer nicht das siebente Lebensjahr vollendet hat, ist für einen Schaden, den er einem anderen zufügt, nicht verantwortlich.

(2) ...

(3) Wer das achtzehnte Lebensjahr noch nicht vollendet hat, ist, sofern seine Verantwortlichkeit nicht nach Absatz 1 oder 2 ausgeschlossen ist, für den Schaden, den er einem anderen zufügt, nicht verantwortlich, wenn er bei der Begehung der schädigenden Handlung nicht die zur Erkenntnis der Verantwortlichkeit erforderliche Einsicht hat.

**§ 832 [Haftung des Aufsichtspflichtigen]**

(1) Wer kraft Gesetzes zur Führung der Aufsicht über eine Person verpflichtet ist, die wegen Minderjährigkeit ... der Beaufsichtigung bedarf, ist zum Ersatze des Schadens verpflichtet, den diese Person einem Dritten widerrechtlich zufügt. Die Ersatzpflicht tritt nicht ein, wenn er seiner Aufsichtspflicht genügt oder wenn der Schaden auch bei gehöriger Aufsichtsführung entstanden sein würde.

(2) ...

### Jugendgerichtsgesetz (JGG)

**§ 1 [Persönlicher und sachlicher Anwendungsbereich]**

(1) Dieses Gesetz gilt, wenn ein Jugendlicher oder ein Heranwachsender eine Verfehlung begeht, die nach den allgemeinen Vorschriften mit Strafe bedroht ist.

(2) Jugendlicher ist, wer zur Zeit der Tat vierzehn, aber noch nicht achtzehn, Heranwachsender, wer zur Zeit der Tat achtzehn, aber noch nicht einundzwanzig Jahre alt ist.

**§ 3 [Verantwortlichkeit]**

Ein Jugendlicher ist strafrechtlich verantwortlich, wenn er zur Zeit der Tat nach seiner sittlichen und geistigen Entwicklung reif genug ist, das Unrecht der Tat einzusehen und nach dieser Einsicht zu handeln ...

## Rechtsfähigkeit

Rechtsfähigkeit ist die Fähigkeit einer Person, Rechte und Pflichten zu haben. (§ 1 BGB: „Die Rechtsfähigkeit des Menschen beginnt mit der Vollendung der Geburt") Tieren kommt eine solche Fähigkeit nicht zu ... Mit dem Tode endet die Rechtsfähigkeit.

## Geschäftsfähigkeit

Geschäftsfähigkeit ist die Fähigkeit, allgemein zulässige Rechtsgeschäfte selbstständig voll wirksam vorzunehmen.

## Deliktsfähigkeit

Deliktsfähigkeit ist die Fähigkeit einer Person, wegen einer unerlaubten Handlung, bei der ein Schaden entstanden ist, haftbarpflichtig (Pflicht zum Schadensersatz) gemacht werden zu können.

## Strafmündigkeit

Strafmündigkeit ist die strafrechtliche Verantwortlichkeit.

*Autorentext*

**M 3**

# Übersicht zu den rechtlichen Altersstufen

### Geschäftsfähigkeit

**I. Geschäftsunfähig:**
1. Minderjährige unter 7 Jahren
2. Dauerhaft geistig Gestörte
3. Wegen Geisteskrankeit entmündigte

**II. Beschränkt geschäftsfähig:**
1. Minderjährige zwischen 7 und 18 Jahren
2. Wegen Geistesschwäche, Verschwendung, Trunksucht oder Rauschgiftsucht Entmündigte

**III. Geschäftsfähig:**
Volljährige (ab 18 Jahren)

### Deliktsfähigkeit

**I. Deliktsunfähig:**
1. Minderjährige unter 7 Jahren
2. Personen, deren freie Willensbetätigung krankheitsbedingt ausgeschlossen ist

**II. Beschränkt deliktsfähig:**
1. Minderjährige zwischen 7 und 18 Jahren (Spezialfall zwischen 7 und 10: Minderjährigenhaftung bei vorsätzlich verursachtem Verkehrsunfall)
2. Taubstumme

**III. Deliktsfähig:**
Volljährige (ab 18 Jahren)

### Strafmündigkeit

**I. Strafunmündig:**
Strafrechtlich nicht verantwortlich sind Personen unter 14 Jahren

**II. Strafmündig nach JGG**
Personen mit Vollendung des 14. Lebensjahres sind bedingt verantwortlich, nämlich falls die 'Strafreife' vorhanden ist, also 'die Fähigkeit, das Unrecht der Tat einzusehen und nach dieser Einsicht zu Handeln' (§ 3 JGG)

**III. Strafmündig:**
wie IV, aber i.d.R. Behandlung nach II: 18- bis 21-Jährige

**IV. Volle Strafmündigkeit:**
Personen über 21 Jahren

*nach: Horst Becker/Jürgen Heß/Frank Wertheimer, Grundwissen Recht, Stuttgart 1999, S. 27 ff.*

# Wie das Recht Jugendliche schützt – Disko ab 14?

*Jugendliche in einer Diskothek: Welches Alter ist angemessen?*

Die Kids finden es gut, Lehrer- und Eltern-Verbände protestieren: Jugendliche ab 14 sollen nach Plänen des Bundesfamilienministeriums künftig ohne Begleitung Erwachsener bis 23 Uhr in Diskos abtanzen dürfen. Jetzt sieht es so aus, als ob die geplante Regelung im neuen Jugendschutzgesetz erst mal auf Eis gelegt wird.

Wie die Beiträge in unserem Diskussions-Forum im Internet zeigen, sind viele Eltern bereit, ihren 14-jährigen Töchtern und Söhnen einen Disko-Besuch bis 23 Uhr zu erlauben. „Im Sommer ist es um diese Zeit gerade mal langsam dunkel geworden", schreibt eine Teilnehmerin. Auch dass Disko-Besuche die Jugendlichen zum Drogenkonsum verführen, halten einige Forums-Teilnehmer für Quatsch.

Unterstützung für diese Positionen gibt es vom renommierten Jugendforscher Prof. Klaus Hurrelmann (Bielefeld). Mit 14 in die Disko – das entspreche der Lebensrealität vieler Jugendlicher, sagte Hurrelmann dem SWR-Fernsehmagazin „Ländersache Rheinland-Pfalz": „Das Jugendschutzgesetz muss widerspiegeln, wie die jungen Leute sind. Und ihre Entwicklung in den letzten Jahren hat sich beschleunigt. Sie werden heute so früh Jugendliche wie noch nie in der Geschichte."

Das sehen viele Deutsche aber ganz anders. ... Der baden-württembergische Sozialminister Friedhelm Repnik (CDU) erklärte in einem Interview, er habe die Sorge, dass im Fall einer Freigabe der Altersbeschränkung, 14 bis 16 Jahre alte Jugendliche im Umfeld von Diskotheken Zugang zu Alkohol und illegalen Drogen erhalten könnten. ... Dass Jugendliche heute reifer sind als früher, glaubt [ein] Vater nicht: „Kinder geben sich heute vielleicht cooler, aber das hat nichts mit Reife zu tun. Die Ratlosigkeit, die Ziellosigkeit, die Orientierungslosigkeit ist heute größer", so der Vater ...

Zu den Kritikern einer Gesetzesänderung gehört auch der Mainzer „Streetworker" Thomas Stock. Der Sozialarbeiter meint, dass es Eltern nach einer Gesetzesänderung noch schwerer haben werden, ihren 14-jährigen Kindern den Diskobesuch zu verbieten. ...

Der Deutsche Kinderschutzbund hingegen begrüßte das geplante neue Gesetz: „Eine liberale Haltung der Gesellschaft Jugendlichen gegenüber führt dazu, dass Jugendliche für sich selbst mehr Verantwortung übernehmen", sagte Geschäftsführer Walter Wilken. Es müsse allerdings „sichergestellt werden, dass die Grenzen des Jugendschutzgesetzes beim Alkohol-Ausschank eingehalten werden und dass es in der Disko keine Drogen gibt. Das heißt, wir brauchen eine vernünftige Kontrolle."

*David Biesinger/Martin Heuser, in: SWR-Fernsehmagazin Ländersache Rheinland-Pfalz, 14.3.2002*

## Aufgabe zu M 9

**1.** Führt in der Klasse eine Pro- und Kontra-Debatte zum Thema „Sollten Jugendliche mit 14 eine Disko besuchen dürfen?"

## M 5   Jugendschutz durch Gesetze

**Grundgesetz    Art. 1, 5 und 6**

**Kinder- und Jugendhilfe**

Sozialgesetzbuch
VIII. Buch

**Jugendschutz**

Gesetz zum Schutz
der Jugend in der
Öffentlichkeit

(Gaststätten- und Kinobesuch, Abgabe von Alkohol u.s.w.)

**Jugendmedienschutz**

Gesetz über die Ver-
breitung jugend-
gefährdender Schriften
und Medieninhalte
Strafgesetzbuch

**Jugendarbeitsschutz**

Jugendarbeits-
schutzgesetz

(Verbot der Kinderarbeit, Arbeitszeit,
Gesundheits- und Gefahrenschutz)

*Erich Schmidt Verlag, Zahlenbilder 141220*

## M 6   Bestimmungen des Jugendschutzgesetzes[1]

| | unter 16 Jahren ohne Erziehungs- berechtigten | unter 16 Jahren mit Erziehungs- berechtigten | 16 – 18 Jahre ohne Erziehungs- berechtigten | 16 – 18 Jahre mit Erziehungs- berechtigten |
|---|---|---|---|---|
| **Bier** | | Ausnahme 1 | | |
| **Schnaps** | | | | |
| **Gaststätte** | Ausnahme 2 | | bis 24 Uhr | |
| **Rauchen** | | | | |
| **Computerspiel** | | | | |
| **Glücksspiel** | Ausnahme 3 | Ausnahme 3 | Ausnahme 3 | Ausnahme 3 |
| **Disko** | Ausnahme 4 | | bis 24 Uhr | |

■ verboten   □ Ausnahmen   ☐ erlaubt

**Ausnahme 1**
Du bist über 14 Jahre und in Begleitung deiner Eltern.

**Ausnahme 2**
1. Du nimmst an einer Veranstaltung eines anerkannten Jugendhilfeträgers teil.
2. Du befindest dich auf Reisen.
3. Du nimmst eine Mahlzeit oder / und ein nicht-
alkoholisches Getränk ein.

**Ausnahme 3**
Die Spiele werden auf volksfestähnlichen Veranstaltungen durchgeführt und der Gewinn besteht aus
geringwertigen Waren.

**Ausnahme 4**
Die Veranstaltung wird von einem anerkannten Ju-
gendhilfeträger durchgeführt oder dient der künst-
lerischen Betätigung oder Brauchtumspflege. Dann
darfst du: • unter 14 Jahren bis 22.00 Uhr
• unter 16 Jahren bis 24.00 Uhr bleiben.

[1] Gesetz zum Schutze der Jugend in der Öffentlichkeit (JÖSchG)
*www.juz-united.de/body.php?site=p404 (12.5.2002)*

## Aufgaben zu M 4 – M 6

*1.* Warum ist Jugendschutz notwendig? Schreibe
drei wichtige Argumente auf.

*2.* Von Zeit zu Zeit erhebt sich die Frage, ob Gesetze mit ihren jeweiligen Bestimmungen noch
zeitgemäß sind. Diskutiert, welche Bestimmungen des JÖSchG ihr lockern oder verschär-
fen würdet (M 6).

# Übersicht: Altersstufen und -grenzen im deutschen Recht

| Geburt | Beginn der Rechtsfähigkeit (§ 1 BGB), Geschäftsunfähigkeit (bis 7. Lebensjahr, § 104 Nr. 1 BGB), Deliktsunfähigkeit (bis 7. Lebensjahr, § 828 BGB), Anspruch auf Pflege und Erziehung (Art. 6 GG) sowie auf persönlichen Umgang mit beiden Eltern (§ 1684 BGB) |
|---|---|
| **6. Lebensjahr** | Beginn der allgemeinen Schulpflicht |
| **7. Lebensjahr** | Eintritt der beschränkten Geschäftsfähigkeit (§§ 106 ff. BGB), beschränkte Deliktsfähigkeit (§ 828 Abs. 2 BGB) |
| **14. Lebensjahr** | Bedingte Strafmündigkeit (§ 3 JGG), volle Religionsmündigkeit (§ 5 RelKErzG) |
| **16. Lebensjahr** | Ehefähigkeit (Befreiung vom Eheverbot, § 1303 BGB), Testierfähigkeit (Recht ein Testament zu verfassen, § 2229 BGB); Pflicht zum Besitz eines Personalausweises (§ 1 Gesetz über Personalausweise) |
| **18. Lebensjahr** | Volljährigkeit, volle Geschäfts- und Deliktsfähigkeit (§§ 2; 828 Abs. 2 BGB); aktives und passives Wahlrecht (Art. 38 GG); Strafmündigkeit als Heranwachsender (§§ 1; 105; 106 JGG); Ende der Jugendschutzbestimmungen und der arbeitsrechtlichen Schutzbestimmungen für Jugendliche (§§ 2; 7 ff JArbSchG); Führerscheinerwerb PKW |
| **21. Lebensjahr** | Volle strafrechtliche Verantwortlichkeit als Erwachsener (§ 10 StGB) |

*Autorengrafik*

## Aufgabe zu M 7

**1.** Sicher kennt ihr aus dem Kunst- oder Deutschunterricht die Technik der Collage. Dabei werden ganz unterschiedliche Materialien (Ausschnitte aus Zeitungen, Jugendmagazinen, Fotos, Symbole, kleine Gegenstände, eigene oder fremde Zeichnungen usw.) zu einem bestimmten Thema zu einem „Gesamtkunstwerk" zusammengestellt. Ihr benötigt dazu Klebstoff, Schere, geeignetes Material (frühzeitig sammeln!) zum Aufkleben und einen möglichst großen Papierbogen. Gestaltet in Gruppen eine Collage zu den Altersstufen im deutschen Recht.

## Die besondere Rechtsstellung von Kindern und Jugendlichen

**Rechtsfähigkeit**

Jeder Mensch ist von Geburt an rechtsfähig, d.h. er kann Träger von Rechten und Pflichten sein. Ein Recht ist ein Anspruch, den man gegen jemand anderen hat. Eine Pflicht ist ein Anspruch, den jemand anders gegen einen selbst hat.

**Geschäftsfähigkeit**
**M 3**

Im Privatrecht haben Kinder und Jugendliche aber bis zur Erreichung der Volljährigkeit eingeschränkte Rechte. Kinder unter sieben Jahren sind geschäftsunfähig, d.h. sie können keine wirksamen Rechtsgeschäfte abschließen. Von der Vollendung des siebenten bis zur Vollendung des 18. Lebensjahres sind Jugendliche beschränkt geschäftsfähig. Sie dürfen dann nur unter bestimmten Bedingungen wirksame Rechtsgeschäfte abschließen (z.B. mit Taschengeld), weil man davon ausgeht, dass Jugendliche noch nicht immer die volle Tragweite ihres Handelns überblicken können. Erst mit der Vollendung des 18. Lebensjahres erlangt man die volle Geschäftsfähigkeit.

**Deliktsfähigkeit**
**von Jugendlichen**
**M 3**

Auch können Kinder unter sieben Jahren nicht zur Rechenschaft gezogen werden, wenn sie durch eine unerlaubte Handlung einen Schaden verursacht haben. Sie sind nicht deliktsfähig. Von der Vollendung des siebenten bis zur Vollendung des 18. Lebensjahres sind Jugendliche beschränkt deliktsfähig und können nur für ihr Handeln verantwortlich gemacht werden, wenn sie die erforderliche Reife und Einsicht besaßen, ihre Verantwortlichkeit zu erkennen. Erst mit der Vollendung des 18. Lebensjahrs ist man dann voll deliktsfähig.

**Strafmündigkeit**
**M 3**

Im Strafrecht, mit dessen Hilfe der Staat wichtige Rechtsgüter (Leben, Gesundheit, Eigentum) schützt, gilt dies ebenfalls. Bis zur Vollendung des 14. Lebensjahrs sind Jugendliche nicht schuldfähig und daher strafunmündig. Ab dem 14. Lebensjahr gilt die eingeschränkte Strafmündigkeit, weil man annimmt, dass Jugendliche nicht immer reif genug sind, um voll für eine Tat verantwortlich gemacht zu werden. Für Jugendliche gibt es ein gesondertes Jugendstrafrecht mit einem breiteren Strafkatalog. Der erzieherische Aspekt der Strafe steht hier im Vordergrund. Grundsätzlich gilt die volle Strafmündigkeit ab dem 18. Lebensjahr, doch wird das Jugendstrafrecht meist auch noch auf Heranwachsende bis zur Vollendung des 21. Lebensjahres angewendet.

**Jugendschutz**
**M 5, M 6**

Mit besonderen Gesetzen, z.B. dem Gesetz zum Schutz der Jugend in der Öffentlichkeit oder dem Jugendarbeitsschutzgesetz, sollen Jugendliche vor gesundheitlichen und sittlichen Gefahren geschützt werden. Diese Gesetze (und andere Bestimmungen) richten sich nicht in erster Linie an die Jugendlichen selbst, sondern z.B. an die Betreiber von Gaststätten, Kinos, Diskotheken usw.

# 3. Jugendkriminalität und Jugendstrafrecht

## Jugendliche als Straftäter: Schlagzeilen

SS-Runen an die Schulwand geschmiert

Blutige Attacke auf Schüler mit Steinen

Erpressung auf dem Pausenhof

Siebzehnjährige prügeln Obdachlosen zu Tode

Schüler traten Lehrer nieder

Jugendliche Bande hat 30 Autos aufgebrochen

### Aufgaben zu M 1

**1.** In unserer staatlichen Ordnung ist die Verletzung bestimmter Güter wie Leben, Gesundheit, Eigentum, persönliche Würde und Ehre, Freiheit, Selbstbestimmung, Sicherheit, staatliche Ordnung unter Strafe gestellt. Für je wichtiger ein Gut erachtet wird, desto schwerer die Bestrafung. Überprüfe die Zeitungsmeldungen daraufhin, welche Rechtsgüter jeweils verletzt wurden. Welche Rechtsverletzungen würdest du schwerer, welche leichter bestrafen?

**2.** Welche Motive könnten den erwähnten Straftaten zu Grunde liegen?

## Tatverdächtige[1] – Altersgruppen in Rheinland-Pfalz

| Straftat (-engruppe) | TV insgesamt | Kinder 8 – 14 J. | Jugendliche 14 – 18 J. | Heranwachsende 18 – 21 J. | Summe unter 21 J. | Erwachsene ab 21 J. |
|---|---|---|---|---|---|---|
| Tatverdächtige insgesamt | 118 063 | 6 108 | 13 564 | 11 873 | 31 545 | 86 518 |
| in % | 100,0 | 5,2 | 11,5 | 10,1 | 26,7 | 73,3 |
| Straftaten gg. d. Leben | 235 | 1 | 11 | 12 | 24 | 211 |
| Straftaten gg. d. sex. Selbstbestimmung | 2 219 | 55 | 230 | 136 | 421 | 1 798 |
| Rohheitsdelikte u. Straftaten gg. die persönl. Freiheit | 30 840 | 1 263 | 3 893 | 3 141 | 8 297 | 22 543 |
| Diebstahl | 28 485 | 3 201 | 5 448 | 2 737 | 11 386 | 17 099 |
| Vermögens- und Fälschungsdelikte | 27 600 | 208 | 1 647 | 2 513 | 4 368 | 23 232 |
| Sonst. Straftatbestände gemäß StGB | 28 708 | 1 938 | 3 840 | 2 644 | 8 422 | 20 286 |

| Straftat (-engruppe) | TV insgesamt | Kinder 8 – 14 J. | Jugendliche 14 – 18 J. | Heranwachsende 18 – 21 J. | Summe unter 21 J. | Erwachsene ab 21 J. |
|---|---|---|---|---|---|---|
| Strafrechtliche Nebengesetze | 21 640 | 182 | 2 237 | 3 882 | 6 301 | 15 339 |
| Gewaltkriminalität | 10 264 | 676 | 2 091 | 1 529 | 4 296 | 5 968 |
| Rauschgiftdel. einschl. direkte Beschaffungskriminalität | 14 293 | 103 | 1 795 | 3 258 | 5 156 | 9 137 |
| Wirtschaftskriminalität | 1 641 | – | – | 18 | 18 | 1 623 |
| Sexueller Missbrauch von Kindern insgesamt | 714 | 38 | 118 | 33 | 189 | 525 |
| Computerkriminalität | 788 | 25 | 89 | 97 | 211 | 577 |
| Umweltkriminalität | 2 830 | 20 | 47 | 71 | 138 | 2 692 |
| Straßenkriminalität | 11 457 | 1 165 | 3 216 | 19 696 | 6 350 | 5 107 |

*Polizeiliche Kriminalstatistik des Landes Rheinland-Pfalz 2004, S. 45*

[1] tatverdächtig ist jede Person, die nach dem polizeilichen Ermittlungsergebnis aufgrund zureichender tatsächlicher Anhaltspunkte verdächtig ist, eine rechtswidrige (Straf-)Tat als Täter oder Teilnehmer begangen zu haben. Dazu zählen auch Mittäter, Anstifter und Gehilfen.

## *Aufgaben zu M 2*

**1.** *Finde heraus, welche Straftaten man als „typische Straftaten" der unter 21-Jährigen und der Erwachsenen bezeichnen könnte.*

**2.** *Die Bevölkerung betrug im Land Rheinland-Pfalz 2004 (ohne Kinder unter 8 Jahren) 3 747 309. Davon waren 271 904 Kinder von 8 bis 14 Jahren, 190 844 Jugendliche von 14 bis 18 Jahren, 133 599 Heranwachsende von 18 bis 21 Jahren und 3 151 562 Erwachsene ab 21 Jahren. Berechne nun, welche Altersgruppe(n) überproportional viele Tatverdächtige stellt. Suche nach möglichen Begründungen für das Ergebnis.*

---

**M 3**

# Der Einfluss der Clique: schwere Gewaltdelikte in Duisburg 2003

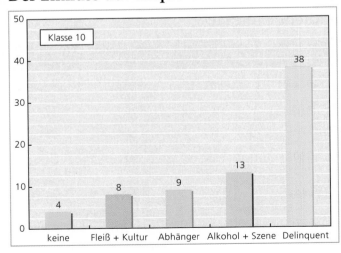

**Lesehilfe:** Die Grafik zeigt für die sechs Gruppen jeweils den Anteil (in %) derjenigen, die 2003 mindestens ein Gewaltdelikt verübt haben. Die Prozentzahl setzt die Zahl der Delikttäter in Beziehung zur Gesamtzahl der Mitglieder der jeweiligen Gruppe.

*Beispiel:* Die Zahl derjenigen, die ein Gewaltdelikt begangen haben und aus der Clique „Fleiß und Kultur" stammen, beträgt 8 %. D.h. von allen Mitgliedern der Clique „Fleiß und Kultur" haben 8 % ein Gewaltdelikt begangen.

## Cliquentypen und Mitglieder in Klasse 10

**„Keine"** (5 % aller Befragten)

Diese Schülerinnen und Schüler (von uns als keine Clique bezeichnet) haben keinen festen Freundeskreis, der sich regelmäßig trifft. Unterschiede zwischen den einzelnen Schultypen und Geschlechtern bestehen nicht.

**„Abhänger"** (43 % der Befragten)

Die Jugendlichen der fünften Gruppe werden in der Kriminologie[2] als „Streetcorner Society" bezeichnet. Sie treffen sich fast täglich und „hängen" nur „rum".

**„Alkohol und Szene"** (35 % der Befragten)

Diese Gruppe trifft sich regelmäßig, um miteinander auszugehen und konsumiert dabei viel Alkohol. Das Geschlechterverhältnis ist bei den beiden zuletzt genannten Gruppen ausgeglichen und auch hinsichtlich der Schulformen können keine nennenswerten Unterschiede festgestellt werden.

**„Fleiß und Kultur"** (8 % der Befragten)

In dieser Gruppe wird gemeinsam für die Schule gelernt, Theater gespielt und musiziert oder eine Zeitung herausgegeben. Mädchen sind hier deutlich überrepräsentiert.

**„Delinquent"** (9 % der Befragten)

Diese Gruppe besteht aus Jugendlichen, die mit anderen Gruppen richtig verfeindet sind und sich mit ihnen prügeln oder ihre Interessen auch mit Gewalt durchsetzen wollen. Männliche Jugendliche sind hier mit zwei Dritteln stärker vertreten als weibliche. Ihr Anteil an Gymnasien und Realschulen liegt etwas niedriger als an Haupt- und Sonderschulen und geht mit der 11. Jahrgangsstufe insgesamt zurück. Sie sind deshalb auch deutlich seltener unter Berufsschülern zu finden (3 %).

[1] normkonform = mit den Normen übereinstimmend
[2] Kriminologie = Wissenschaft vom Verbrechen, seinen Ursachen, seiner Aufklärung und Bekämpfung

## Aufgaben zu M 3

**1.** Formuliere möglichst präzise die Ergebnisse, die du dem Schaubild M 3 entnehmen kannst.

## Vorsicht Bildschirm

M 4

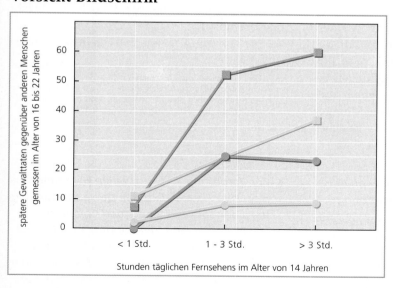

spätere Gewalttaten gegenüber anderen Menschen gemessen im Alter von 16 bis 22 Jahren

Stunden täglichen Fernsehens im Alter von 14 Jahren

*Quadrate:* Jungen; *Kreise:* Mädchen; *rote Symbole:* zuvor gewaltbereite Jugendliche; *blaue Symbole:* zuvor nicht gewaltbereite Jugendliche

*Manfred Spitzer, Vorsicht Bildschirm, Stuttgart u.a. 2005, S. 197*

**M 5**

## Senken Gewaltfilme die Hemmschwelle?

*Jo Groebel untersucht, welche Rolle die Medien bei Gewalttaten von Jugendlichen spielen. Tina Baier sprach mit dem Generaldirektor des Europäischen Medieninstituts.*

5  *SZ:* Nach [Littleton und Erfurt][1] fragt man sich, ob Jugendliche womöglich unter dem Einfluss der Medien schneller gewalttätig werden.

*Groebel:* In den letzten Jahren hat eine Veränderung stattgefunden. Früher dachte man beim
10  Thema Jugendgewalt als Erstes an Gruppen, zum Beispiel Rockergangs; heute gibt es auch bei Jugendlichen immer mehr Einzeltäter. Es gibt Hinweise darauf, dass das mit den Medien zusammenhängt. In vielen Filmen gibt es dieses
15  Muster des einsamen Außenseiters, der sich seinen Frust von der Seele schießt. Stimulierend ist auch, dass Gewalt oft als etwas gezeigt wird, das sich lohnt. Wir haben in Untersuchungen gefunden, dass gerade Jugendliche, die Einzelgänger
20  sind, versuchen, ihre Frustrationen durch Gewaltfilme zu verarbeiten. Einen Film anschauen oder ein Videospiel spielen ist ja etwas, das man oft allein tut. In allen Fällen, sei es in Erfurt oder in Littleton, waren die Täter Jugendliche, die in
25  irgendeiner Weise hochgradig frustriert waren. Das erklärt aber nicht allein, dass jemand tatsächlich zur Waffe greift.

*SZ:* Was muss hinzukommen?

*Groebel:* Versagen der Familie. Die Eltern sind
30  immer noch die erste Instanz, bei der Kinder Orientierung suchen, dann erst kommen die Medien. Eine neue weltweite Studie der Unesco, die ich geleitet habe, hat ergeben, dass etwa zehn Prozent der Kinder durch Gewaltdarstellungen be-
35  einflussbar sind. Außerdem gibt es offenbar auch eine genetisch bedingte Empfänglichkeit. Jungen und Männer fasziniert Gewalt mehr als Mädchen

und Frauen. Man kann das messen, etwa an der Ausschüttung von Endorphinen – Substanzen im Gehirn, die Glücksgefühle auslösen.

*SZ:* Was bewirken die Gewaltdarstellungen bei den Kindern?

*Groebel:* Die Sensibilität und das Mitleid mit den Opfern nehmen ab. Studien haben gezeigt, dass bei Menschen, die häufig Gewaltfilme sehen, die Hemmschwelle sinkt, Gewalt gutzuheißen. Kindern und Jugendlichen, die ohnehin psychisch einen Knacks haben, fällt es außerdem schwer, Realität und Fiktion zu unterscheiden. Die Unesco-Studie hat ergeben, dass Kinder und Jugendliche, die sehr viel Information über Medien bekommen, nicht ständig unterscheiden: das eine habe ich aus den Nachrichten, das andere aus fiktiven Sendungen. Wir haben zum Beispiel Kinder und Jugendliche danach gefragt, wie hoch sie die Mordziffer in New York einschätzen, und bekamen von den „Vielsehern" wahnsinnige Daten – manche waren überzeugt, dass bis zu 80 Prozent der Todesfälle in New York auf Mord zurückzuführen seien. „Wenigseher" schätzten die Situation dagegen realistischer ein.

*SZ:* Werden Kinder stärker durch Gewalt in den Medien beeinflusst als Erwachsene?

*Groebel:* Ja. Das ist ein psychologisches Phänomen. Die Realitätseinschätzung muss sich bei Kindern erst entwickeln. Das ist eine Frage von Erfahrung, und Medien sind auch ein Erfahrungsvermittler.

[1] Am 20. April 1999 ermordete der 17-jährige Dylan Klebold mit seinem 18-jährigen Freund Eric Harris zwölf Schüler und einen Lehrer an der Columbine High School in Littleton, Colorado. Anschließend erschossen die Täter sich selbst.
Bei einem Amoklauf im Erfurter Gutenberg-Gymnasium tötete der 19-jährige Schüler Robert Steinhäuser am 26. April 2002 17 Menschen und anschließend sich selbst. Aktualisierung durch den Bearbeiter.

*Süddeutsche Zeitung, 11.11.1999, S.2*

### Aufgaben zu M 4 und M 5

**1.** Formuliere eine Schlagzeile, die die inhaltliche Aussage von M 4 auf den Punkt bringt.

**2.** Erkläre den Zusammenhang zwischen gesehener („konsumierter") Gewalt und ausgeübter Gewalt (M 4, M 5).

**3.** Notiere drei weitere Fragen, die du als Zeitungsreporter Professor Groebel stellen würdest (M 5).

**4.** Zur Vertiefung: Entwerft einen Handlungsplan zum Thema „Extreme Gewaltdarstellung in Filmen sowie in Video- und Computerspielen – Was tun?" Ihr könntet zum Beispiel folgende Akteure auf ihre Handlungsmöglichkeiten hin untersuchen: die Fernsehsender bzw. Medienproduzenten, den Gesetzgeber, die Eltern und Erzieher und die Schule.

**M 6**

## Weitere Gründe für Jugendkriminalität

Die Situation der jungen Menschen, die mehrfach, über einen längeren Zeitraum und (auch) mit schwereren Delikten auffallen, ist typischerweise durch erhebliche soziale und individuelle
5 („Erziehungs"-) Defizite und Mängellagen gekennzeichnet.

Vor allem durch:

- familiäre Probleme, insbesondere auch durch erfahrene und beobachtete Gewalt in der Familie,
10 - materielle Notlagen bis hin zu sozialer Rand-
ständigkeit und dauerhafter sozialer Ausgrenzung,
- ungünstige Wohnsituationen,
- Schwierigkeiten in Schule und Ausbildung und dadurch bedingte – subjektive wie objektive 15
– Chancen- und Perspektivlosigkeit,
- Integrationsprobleme allgemein.

*Erich Elsner, Wiebke Steffen, Gerhard Stern, Kinder- und Jugendkriminalität in München, München: Bayerisches Landeskriminalamt 1998, S. 202-204*

## Besonderheiten der Jugendkriminalität

- Jugendkriminalität als altersspezifisches Phänomen ist allgemein verbreitet, d.h. nahezu jeder junge Mensch (genauer: junge Mann) begeht im Laufe seines Heranwachsens zumin-
5 dest eine strafrechtlich relevante Tat, vor allem aus dem Bereich der Eigentumsdelikte.
- Nur ein ganz geringer Teil der Taten dieser jungen Menschen wird ... überhaupt bekannt, d.h. die Mehrzahl der Taten und Täter bleiben im
10 Dunkelfeld („Nichtregistrierung").
- Für die ganz überwiegende Zahl dieser jungen Menschen ist das normabweichende Verhalten eine vorübergehende Auffälligkeit im Verlauf ihres Entwicklungs- und Reifeprozesses („Epi-
15 sodenhaftigkeit").
- Die weitaus meisten Jugendlichen hören von selbst wieder damit auf, Straftaten zu begehen, also ohne dass eine förmliche Reaktion durch Polizei oder Justiz erfolgt wäre („Spontanbe-
20 währung")[1].

[1]Das heißt allerdings nicht, dass nicht eine informelle Reaktion – etwa der Eltern, Lehrer oder des Freundeskreises – erfolgt ist.

*Erich Elsner, Wiebke Steffen, Gerhard Stern, Kinder- und Jugendkriminalität in München, München: Bayerisches Landeskriminalamt 1998, S. 202-204*

**M 7**

## Aufgaben zu M 3 – M 7

**1.** Fasse sämtliche Gründe für Jugendkriminalität aus den Materialien M 3 – M 7 zusammen. Welche Gründe hältst du für besonders gewichtig?

**2.** Befragt einen Experten im Unterricht zu Möglichkeiten der Bekämpfung von Jugendkriminalität (vgl. Methode).

*Methode*

# Expertenbefragung

Experten sind fachlich qualifizierte und meist wissenschaftlich ausgebildete Spezialisten, im weiteren Sinne aber auch alle, die in einem Problembereich Beteiligte, Betroffene, Partei sind. Es kann sehr interessant sein, Experten aus dem Bereich des Rechts in die Schule einzuladen und genau zu befragen. Menschen, die täglich mit dem Thema Jugendkriminalität zu tun haben, sind zum Beispiel Rechtsanwälte, Richter, Staatsanwälte, Jugendgerichtshelfer, Bewährungshelfer, Vertreter des „Weißen Rings", einer Opfervereinigung, usw. Auf eine „Expertenbefragung" solltest du dich aber gut vorbereiten. Die folgende „Checkliste" hilft dir dabei.

### 1. Vorinformationen sammeln und geben

- Zu welchem **Problemfeld/Thema** sollen Informationen/ Beurteilungen eingeholt werden.
- Welche Informationen besitzen wir schon?
- Welche Fragen haben wir zum Problemfeld?
- Welcher **Experte** ist geeignet? Was können wir von einem Experten zu unserem Thema erwarten?
- Wo liegen Schwerpunkte seiner Arbeit?
- Vertritt der Experte ein bestimmtes Interesse? (Auch andere Interessen anhören?)
- Den **Experten** über die Ziele und Erwartungen **informieren.**

### 2. Vorbereitung

- Wie soll die Befragung strukturiert werden? (Leitfaden erstellen: z.B Informationen, Einschätzungen, Bewertungen erfragen; vom Allgemeinen zum Besonderen, von offenen zu geschlossenen Fragen; Kontakt, Information, Ausklang)
- Konkrete Fragen formulieren.
- Wer stellt die Fragen?
- Wo wird die Befragung durchgeführt? Sitzordnung?
- Wie wird die Befragung aufgezeichnet? (Video, Tonband, Mitschrift)
- Testbefragung durchführen (simulieren)

### 3. Durchführung
### a) Kontaktphase

- **Kontakt** herstellen: begrüßen, sich vorstellen, Ziele und Ablauf erläutern, Gesprächspartner motivieren

### b) Informationsphase

- **Eröffnungsfragen:** „Wir interessieren uns für ... Können Sie uns sagen ...?"
- **Informationsfragen** (wer, wo, was, wann, wo, wieviel, ...?)
- **Sondierungsfragen:** „Das ist interessant. Können Sie das ein wenig ausführen?"

### c) Einschätzungsphase

- Einschätzungsfragen: „Was halten Sie von ...?" „Woran könnte das liegen?", „Welche Erfahrungen haben Sie damit gemacht?"
- offene Fragen: „Wie haben Sie das gemacht?" (warum, wozu?)

### d) Bewertungsphase

- Bewertungsfragen: „Wie beurteilen Sie?"
- rhetorische Fragen: „Sie sind davon wohl nicht überzeugt?"

### 4. Schriftliche Auswertung (Bericht)

Zielsetzung der Befragung, Leitfaden, Ergebnisse, und Beurteilung müssen zusammengefasst werden nach den Kriterien:

- **beschreiben:** Ziele, Leitfaden, Rahmenbedingungen, Inhalt
- **untersuchen:** Alle Sachverhalte beantwortet? Welche offen?
- **beurteilen:** Aussagewert der Expertenbefragung; welche Interessen vertritt der Experte? Andere Interessen hören?

*nach: Elisabeth Mehrmann, Vom Konzept zum Interview, Düsseldorf 1995*

Eine gute Vorübung für die Befragung ist, einen fertigen Text, z.B. einen Zeitungsbericht, in ein Interview umzuarbeiten. Versetze dich dabei in die Situation eines Journalisten, der einen Experten befragt. Reizvoll ist es, das Interview dann vor der Klasse vorzuspielen. Deine Mitschüler können so überprüfen, ob sinnvolle Interviewfragen zu den vorgegebenen Inhaltsbereichen formuliert worden sind.

## Zwölfjährige einsperren?

### Soll die Strafmündigkeit auf zwölf Jahre herabgesetzt werden?

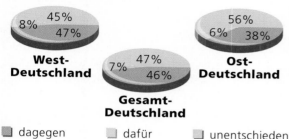

**West-Deutschland** 8% / 45% / 47%

**Gesamt-Deutschland** 7% / 47% / 46%

**Ost-Deutschland** 6% / 56% / 38%

◼ dagegen ◻ dafür ◻ unentschieden

*Die Woche, 30.5.1997, S. 2*

### Strafmündigkeitsalter in anderen europäischen Ländern

| Land | Strafmündigkeitsalter |
| --- | --- |
| Spanien | 6 Jahre |
| Niederlande | 12 Jahre |
| Frankreich | 10 Jahre |
| Schweden | 15 Jahre |
| Großbritannien | 10 Jahre |

M 8

## Welchen Zweck soll Strafe erfüllen?

M 9

**Straftheorien**

die **Strafe ist zweckfrei**; der Grund des Strafens liegt allein in der Straftat, die auszugleichen ist. Strafe ist Schuldausgleich, Vergeltung, Sühne des Täters

die **Strafe dient dem Zweck**, eine Wiederholung der Straftat zu verhindern

durch **Einwirkung** auf den **Täter**

durch **Einwirkung auf Täter und Opfer** mit dem Ziel des Ausgleichs (Täter-Opfer-Ausgleich)

durch **Einwirkung auf die Allgemeinheit**

Individuelle Abschreckung/ „**Denkzettel**"

**Resozialisierung/** Wiedereingliederung in die Gesellschaft

**Sicherung** des Täters auf Zeit (Freiheitsentziehung)

**Ab-schreckung** anderer

**Bestätigung** des **Rechts-bewusstseins** und Verarbeitung von **Rachegelüsten**

*Autorengrafik*

## Rechtsfolgen von Straftaten nach § 5 JGG (Jugendgerichtsgesetz)

M 10

In Abweichung vom allgemeinen Strafrahmen des Strafgesetzbuches kommen im Jugendstrafrecht besondere Sanktionen zur Anwendung.

| Maßnahmen | Art der Durchführung oder Wirkung | Gründe der Rechts-folgeanforderung |
| --- | --- | --- |
| **A. Erziehungs-maßregeln (§ 9)** <br> 1. Weisungen <br> 2. Erziehungs-beistandschaft <br> 3. Fürsorge-erziehung | • Gelten nicht als Strafen, kein Eintrag ins Strafregister <br> • Gebote und Verbote zur Regelung der Lebensführung, z.B. Arbeitsstelle annehmen, in einem Heim wohnen u.a.; durch gerichtlich bestellte Erziehungs-beistände, z.B. Helfer des Jugendamts, Verwandte, Lehrer u.a. <br> • In Erziehungsheimen oder in fremden Familien | • Einmalige Straftaten, die durch Umstände der Lebensführung wesentlich mitverursacht wurden <br> • Wenn mangelnde elterliche Erziehungs-möglichkeit als Tätermerkmal festgestellt wird <br> • Wenn bei einer 17-Jährigen die Familie eine drohende Verwahrlosung nicht aufhalten kann |

| **B. Zuchtmittel (§ 13)** 1. Verwarnung 2. Auflagen 3. Jugendarrest | • Gelten nicht als Strafen • Förmliche Zurechtweisung des Täters aufgrund eines Jugendstrafprozesses • Verpflichtungen, die dem Jugendlichen das Unrecht eindringlich in Erinnerung rufen, z.B. Dienst in gemeinnützigen Einrichtungen • Freizeitarrest bis zu 5 Freizeiten • Kurzarrest bis 6 Tage, Dauerarrest bis 4 Wochen | • Einmalige Straftaten, für die der Jugendliche in seiner Person selbst verantwortlich ist • Schäden aus Übermut – Wiedergutmachung und persönliche Entschuldigung • Delikte aus mangelnder Selbstkontrolle bei besonderer Gelegenheit, z.B. leichter Diebstahl, Körperverletzung u.a. |
|---|---|---|
| **C. Jugendstrafe (§ 17)** 1. Freiheitsentzug von bestimmter Dauer 2. Freiheitsentzug von unbestimm- ter Dauer | • Bei „schädlicher Neigung", d.h. wenn Erziehungsmaßregeln und Zuchtmittel nicht ausreichen • Mind. 6 Monate, höchstens 10 Jahre, Strafaussetzung und vorzeitige Entlas- sung möglich zur Bewährung • Mind. 6 Monate, höchstens 4 Jahre, wenn Erziehungserfolg nicht vorausschätzbar | • Schwere Straftaten mit hohem Schuldgehalt • Insbesondere bei Heranwachsenden und Feststellung „schädlicher Neigung" z.B. bei Wiederholungstätern |
| **D. Maßregeln der Besserung und Sicherung (§ 7)** | • Meist begleitend zu den Maßnahmen A bis C, z.B. Entziehungskur bei Drogen, Führungsaufsicht, Entziehung der Fahrerlaubnis | • Im Zusammenhang mit bestimmten Straftaten |

*Horst Becker, Stundenblätter Recht, Stuttgart 1990, Arbeitsblatt 10*

## Aufgaben zu M 9 und M 10

**1.** *Als Richter sollt ihr Maßnahmen nach dem Jugendstrafrecht (M 10) in folgenden Fällen verhängen. Begründet unter Zuhilfenahme von M 9, warum ihr euch für eine bestimmte Maßnahme entschieden habt.*

• *Anna, 16 Jahre, zerkratzt in leicht alkoholistiertem Zustand nach einer Party die Tür eines S-Klasse Mercedes, weil sie die „Bonzen" nicht leiden kann. Schaden: 2500 €*

• *Bert, 17 Jahre, schlägt zusammen mit Freunden einen türkischen Jungen zusammen, das Opfer wird dabei schwer verletzt.*

• *Chris, 14 Jahre, lässt in einem Kaufhaus die neueste CD der Gruppe „Natural" mitgehen und wird dabei erwischt.*

• *Dennis, 18 Jahre, dringt mit Freunden in ein Grafikbüro ein und entwendet PCs und weitere Geräte im Wert von 15000 €. Beim Versuch, die Waren zu verkaufen, wird er erwischt. Er ist schon mehrmals wegen Diebstahls beim Jugendrichter gelandet.*

• *Ellis und Felix, 15 Jahre, werfen „zum Spaß" Steine von einer Autobahnbrücke auf die Fahrbahn, eine Mutter von drei Kindern stirbt.*

## Alternativer Weg Teen Court: Schüler urteilen über Schüler

Mit dieser „Strafe" hatten die Missetäter nicht gerechnet. Sie könnten ein paar Stunden gemeinnützige Arbeit leisten, hatten die CD-Diebe, zwei 16-jährige Auszubildende, als Buße vorgeschlagen. Doch ihre Richter hatten anderes im Sinn. „Sozialstunden gelten bei manchen Jugendlichen schon als cool", erzählt die 19-jährige Christiane. „Und die beiden kamen so cool rüber, dass wir uns gedacht haben: Die müssen mal ein bisschen runterkommen." Also dachten sich die Gymnasiastin und ihre beiden Kollegen etwas anderes aus: Als Clowns verkleidet, so das Urteil, sollten sie je 100 Schokoküsse in der Fußgängerzone verteilen.

*Die Unterbringung in einer Jugendstrafanstalt ist das schwerste Sanktionsmittel im Jugendstrafrecht. Für leichtere Straftaten gewinnen alternative Strafmethoden zunehmend an Bedeutung.*

Dass Jugendliche über gleichaltrige Kleinkriminelle zu Gericht sitzen, gibt es hierzulande nur in Bayern. „Wellenbrecher" nennt sich das Aschaffenburger Modellprojekt, dessen Grundidee so einfach wie einleuchtend, ist: Wenn Heranwachsende ihren Altersgenossen die Grenzen aufzeigen, habe das in der Regel mehr Wirkung als der Urteilsspruch eines Erwachsenen; meinen die Initiatoren. „Gleichaltrigen-Erfahrung" heißt das Zauberwort der Fachleute, das die 17-jährige „Wellenbrecherin" Katharina so übersetzt: „Wir sagen nicht nur: ‚Das macht man nicht!' Wir gehen auf die Jugendlichen auch ein."

Vorbild des „Kriminalpädagogischen Schülerprojekts" sind die US-amerikanischen Jugendgerichte („teen courts"). Doch während sich jenseits des Atlantiks die Schüler in schmucke Roben kleiden und in großen Gerichtssälen urteilen, kommt die deutsche Variante unspektakulär daher. Richter seien sie keinesfalls, meint etwa der 17-jährige Sven – „eher Sozialarbeiter".

Und auch Verhandlungen gibt es hier nicht, sondern „Gremiumsgespräche" im Hinterzimmer des Vereins „Hilfe zur Selbsthilfe", bei dem das Vorzeigeprojekt des bayerischen Justizministeriums angesiedelt ist. Welche Fälle die für ihre Aufgabe speziell geschulten Schüler übernehen, entscheidet der Staatsanwalt und der Betroffene:

Die Teilnahme am Modellprojekt ist freiwillig. In der Regel sitzen den jeweils drei „Wellenbrechern" Diebe gegenüber, meist Ersttäter. Der Strafkatalog ist weit gefächert: Handy-Entzug können die jugendlichen Erzieher verhängen, aber auch gemeinnützige Arbeit oder Verkehrsunterricht.

149 Fälle haben die rund 20 Ehrenamtlichen in den ersten zweieinhalb Jahren bearbeitet, so die Bilanz einer Begleitstudie der Juristischen – Fakultät der Universität München. In 144 Fällen konnten die jugendlichen „Richter" das Verfahren erfolgreich zum Abschluss bringen.

Derweil bekommen die Aschaffenburger – Jung-Richter zunehmend härtere Nüsse zu knacken: Mehrfach-Straftäter, Fälle von Hehlerei und Betrug, auch Körperverletzungen einfacherer Art sind denkbar, so die dortige Staatsanwaltschaft. Bei den CD-Dieben hat das „Wellenbrecher"-Prinzip zumindest fürs Erste gewirkt: Schon bald nach der Verhandlung kamen die beiden Auszubildenden mit einer Videokassette beim Verein vorbei. Ein Freund hat das Filmdokument gedreht: Zwei coole Jungs, als Clowns verkleidet, die Schokoküsse in der Fußgängerzone verteilen.

*Ulrich Jonas, Verhandlungsmotto: Erziehen statt Abstrafen, in: Südwestpresse, 24.5.2004*

### Aufgaben zu M 11

**1.** Stelle in einer Tabelle gegenüber, was nach M 11 für, was gegen Schülergerichte spricht.

**2.** Welcher der in M 9 genannten Strafzwecke steht beim Teen Court wohl im Vordergrund?

**3.** Wie beurteilst du selbst die Idee von Schülergerichten?

## Zur Vertiefung:
## Erkundung vor Ort – wie Gerichte arbeiten

### 1. Vorbereitung

Gerichtsverhandlungen sind in der Regel öffentlich, sodass sie auch von Schulklassen besucht werden können. Bei einem solchen Besuch kann man einen guten Eindruck davon gewinnen, wie
5 ein Strafprozess abläuft und wie sich die einzelnen Beteiligten vor Gericht verhalten.
Bei der Auswahl der Gerichtsverhandlung solltet ihr allerdings darauf achten, dass die Verhandlung auch für einen Besuch geeignet ist. Sucht
10 euch am besten eine Verhandlung vor dem Jugendgericht aus. Bei einer günstigen Terminwahl ist der Jugendrichter sicher bereit, nach der Verhandlung auf eure Fragen zu antworten. Termin deshalb frühzeitig absprechen! Fragt auch beim Jugendrichter, wie lange die Verhandlung 15 voraussichtlich dauern wird und ob mit einem Urteilsspruch zu rechnen ist.
Überlegt, welche Punkte euch bei dem Besuch besonders interessieren. Der folgende Beobachtungsbogen kann euch dabei helfen. 20

### 2. Beobachtungsbogen für einen Gerichtsbesuch

**1. Aufruf der Sache durch den Vorsitzenden, dem die Verfahrensleitung obliegt.**
Worum geht es bei der Verhandlung?

**2. Vernehmung des Angeklagten**
Ergebnisse der Befragung notieren

**3. Verlesung des Anklagesatzes durch den Staatsanwalt**
Was wird dem Angeklagten zur Last gelegt?
Auf welche Vorschriften beruft sich der Staatsanwalt?

**4. Vernehmung des Angeklagten zur Sache**
Worüber wird der Angeklagte vom Vorsitzenden belehrt?

**5. Die Beweisaufnahme**
Mit welchen Hinweisen eröffnet der Vorsitzende die Beweisaufnahme?
Wie verläuft die Vernehmung der Zeugen ab?
Welche Fragen stellen andere Verfahrensbeteiligte?
Was sagen die Zeugen und Sachverständigen zur Sache aus?

**6. Plädoyer des Staatsanwalts oder Klägers**
Wie argumentiert dieser?

**7. Plädoyer des Verteidigers**
Wie argumentiert der Verteidiger?
Was spricht seines Erachtens zu Gunsten des Angeklagten?

**8. Letztes Wort hat der Angeklagte**
Was sagt der Angeklagte?

**9. Urteilsberatung**
Wie lange dauert diese?

**9. Verkündung des Urteils**
Wie fällt das Urteil aus?
Wie wird es begründet?

**11. Abschließende persönliche Stellungnahme des Beobachters**
Dauer der gesamten Verhandlung
Wie führt der Vorsitzende die Verhandlung?
Eindrücke und Gefühle bezüglich der Verhandlung
Verbleibende offene Fragen

### 3. Aufbau des Gerichtswesens: die Jugendgerichtsbarkeit

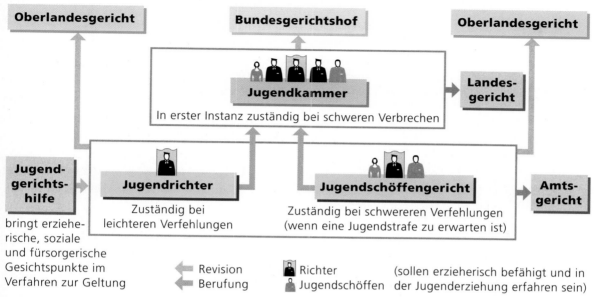

nach: *Erich Schmidt Verlag, Zahlenbilder 131300*

### 4. Wichtige Begriffe aus dem Gerichtsverfahren

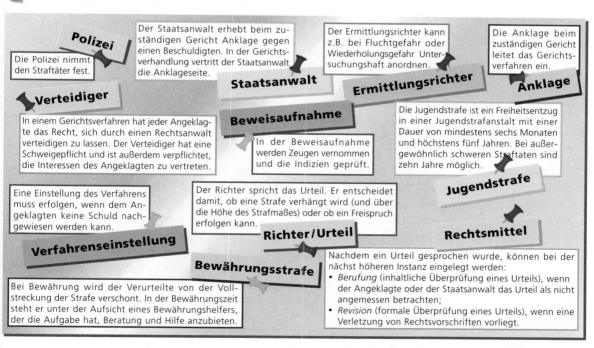

## Jugendkriminalität und Jugendstrafrecht

**Jugendkriminalität**
*M 2*

Unter Jugendkriminalität versteht man die strafbaren Handlungen, die von Jugendlichen und Heranwachsenden begangen werden. Meist fallen darunter minderschwere Delikte wie Ladendiebstahl, Sachbeschädigung, Verstoß gegen das Betäubungsmittelgesetz, aber auch schwere Delikte wie räuberische Erpressung, Bandenkriminalität und schwere Körperverletzung gehören dazu.

**Ursachen**
*M 3 – M 7*

Die Ursachen der Jugendkriminalität sind vielfältig. Konsumdruck, instabile soziale und familiäre Verhältnisse, Gruppenzwang, Gewalt in den Medien und die spezifischen Probleme von Heranwachsenden führen dazu, dass Jugendliche häufiger als Erwachsene gegen Gesetze verstoßen. Bei der überwiegenden Zahl junger Menschen ist die Jugendkriminalität aber eine vorübergehende Erscheinung im Verlauf ihres Entwicklungs- und Reifungsprozesses.

**Gerichtsverfahren/ Gerichtswesen**

Wird eine Straftat angezeigt, kommt es zu einem Strafverfahren und gegebenenfalls zur Verurteilung durch ein Gericht. Dabei gelten bestimmte Verfahrensregeln, die von den Gerichten beachtet werden müssen.

**Sinn und Zweck von Strafe**
*M 9*

Die verhängte Strafe richtet sich gemäß den Bestimmungen des Strafgesetzbuches (StGB) nach der Schwere der Tat und soll dabei neben der bloßen Vergeltung auch einen Zweck erfüllen. Sie soll den Täter zur Reue bewegen und darüber hinaus abschreckend wirken. Der Täter selbst soll durch die Bestrafung davon abgehalten werden, erneut eine Straftat zu begehen. Und auch die Gesellschaft soll sehen, dass eine Straftat nicht ohne massive Folgen für den Täter bleibt.

**Folgen einer Straftat**

Die Folgen einer Straftat sind weitreichend. Das Opfer leidet unter Umständen lebenslang unter der Rechtsverletzung. Für den Täter bedeutet eine Verurteilung den Verlust von Freiheit und Ehre. Die Kosten für einen Strafprozess, Haftunterbringung und eventuelle Folgekosten durch Arbeitslosigkeit etc. müssen vom Staat und damit letztlich von der Gesellschaft getragen werden.

**Jugendstrafrecht**
*M 10*

Jugendlichen (14 – 18 Jahre) begegnet der Staat bei einer Bestrafung mit größerer Nachsicht. Für sie muss, für Heranwachsende (18 – 21 Jahre) kann das Jugendstrafrecht (Jugendgerichtsgesetz, JGG) angewendet werden, das die Situation des Jugendlichen stärker berücksichtigt. Das Jugendstrafrecht misst der Erziehung zentrale Bedeutung bei und weist daher ein breiteres Spektrum an Strafmöglichkeiten auf als das Erwachsenenstrafrecht. Hauptzweck ist, den jugendlichen Straftäter wieder in die Gesellschaft einzugliedern (Resozialisierung). Bei besonders schweren Straftaten, die von Jugendlichen unter 14 Jahren begangen werden, wird gelegentlich die Frage nach einer Senkung des Strafmündigkeitsalters aufgeworfen.

**Alternative Strafmethoden**
*M 11*

Im Zusammenhang mit der Diskussion über die Wirkung einer Strafe auf den Straftäter werden immer wieder alternative Möglichkeiten des Strafens gesucht. Entsprechend breit ist die Palette an Lösungsvorschlägen. Sie reichen von extremer Kasernierung zwecks Umerziehung über die Einrichtung besonderer Schülergerichte bis hin zu Formen der Wiedergutmachung zwischen Täter und Opfer (Täter-Opfer-Ausgleich).

# Medien
# und Freizeit

# 1. Die Entwicklung und Bedeutung der Medien

## Stefanie 14 (1979)

Es ist 7:30. Der Wecker mit seinem hohen, endlosen Piepston reißt mich aus dem Tiefschlaf. Jetzt heißt es sich beeilen. Heute schreibe ich
10 die Mathearbeit in der 1. Stunde. Also anziehen, frühstücken und schnell aufs Fahrrad. – Glücklicherweise zeigt Herr Müller in der zweiten Stunde einen Film. Da kann ich etwas abschalten und mich vom Stress der doofen Rechnerei erho-
15 len. Aber, das darf doch nicht wahr sein, Müller kommt doch tatsächlich ohne Filmapparat in die Stunde. Das einzige Gerät in der Schule ist defekt. Toll!
Nach dem Mittagessen muss ich erst mal mit
20 Beate und Carmen telefonieren, um den Treff für den Nachmittag zu besprechen. Wie immer

telefoniert mein Bruder stundenlang mit seiner Freundin. Vielleicht schreibe ich so lange mal meinen Wunschzettel für meinen Geburtstag nächste Woche: 1. LP Cat Stevens „Morning has 2 broken", 2. Leerkassetten für meinen Kassettenrecorder ...
Wenn er jetzt dann nicht bald aufhört mit seinem Gequassel, muss ich womöglich noch in die Telefonzelle an der Ecke, um zu telefonieren. 3
Um 20:00 Uhr alle Hausaufgaben erledigt, mit den Freundinnen einen lustigen Nachmittag gehabt, jetzt freue ich mich richtig auf den Fortsetzungskrimi im Ersten. Das ist ja wirklich ärgerlich, jetzt kommt mal endlich ein spannender 3 Film in diesem öden Programm von ARD, ZDF und Dritten, und da will mein Vater natürlich die Nachrichten und dann Fußball anschauen. Na ja, dann rufe ich halt nochmals Beate an und schreibe dann einen Brief an Lukas. 4

*Autorentext*

## Stefan 14 (2005)

Glücklicherweise habe ich nicht vergessen, meinen CD-Player auf 7:30 Uhr zu programmieren. Wenn ich heute wieder zu spät komme, wird der Klassenlehrer ungemütlich. Er hat mich
5 ohnehin auf dem Kieker, weil vorgestern mein Handy während der Stunde klingelte. Martin glaubte mal wieder eine besonders witzige SMS versenden zu müssen. Super, dass ich gestern Abend noch die CD mit Titeln aus dem Internet
10 fertig brennen konnte; die kann ich mir jetzt auf dem Weg in die Schule reinziehen. – Im Medienraum zeigt uns heute der Mathelehrer, wie man Tabellen mit Excel anfertigen kann. Gar nicht so

einfach. Eine Übung müssen wir zu Hause fertig stellen. Hoffentlich habe ich dann noch Zeit für 1 das neue Videospiel, auf jeden Fall schaue ich heute Abend in meinem Zimmer „Gute Zeiten..." auf RTL und dann das Quiz an. Jetzt muss ich erst mal die neuen 2 e-mails beantworten. Peter will wissen, wann wir uns treffen, um seine neue DVD anzuschauen ...

*Autorentext*

**1.** Vergleiche den Tagesablauf von Stefanie und Stefan (M 1 und M 2). Was hat sich verändert?

**2.** Erstelle eine Liste von Medien, die du täglich nützt. Ordne die Medien nach persönlicher Wichtigkeit.

## Medienexplosion

Die Entwicklung der modernen Medien begann mit der Erfindung des Buchdrucks im Jahr 1450. Im vergangenen Jahrhundert setzte mit der Erfindung der Telegrafie, des Telefons und des Funks der erste technologische Schub ein. Seitdem sind die Abstände zwischen den Innovationen immer kürzer geworden. Der Triumpfzug der Personalcomputer seit Beginn der achtziger Jahre läutete eine weitere Medienrevolution ein. Online-Dienste und Multimedia reiten auf der Spitze dieser Woge.

Buchdruck **1450**

Zeitung **1609** — Zeitschrift **1665** — Telegramm **1843** — Fotografie **1839** —
Telefon **1876** — Plattenspieler **1877** — Film **1895** — Funk **1896** — Radio **1921** — Fernsehen **1935** — Tonbandgerät **1950** — Farbfernsehen **1954** — Satellitenfernsehen **1971** — Videosysteme **1978** — Btx **1980** — Personalcomputer **1981** — CD-Player **1982** — Kabelfernsehen **1984** — Digital Audio Tape **1987** — Foto-CD **1991** — GSM-Standard für digitalen Mobilfunk **1992** — Breitband-Informationsnetze **2000** — UMTS-Standard für Mobilfunk **2001**

1400   1500   1600   1700   1800   1900   2000

*Forbes, Heft 4, April 1995, S. 25*

## Freizeitaktivitäten

**Tätigkeiten Jugendlicher zwischen 14 und 19 Jahren mehrmals pro Woche 2004**

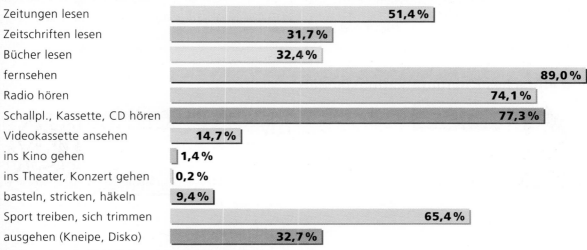

| Tätigkeit | Prozent |
|---|---|
| Zeitungen lesen | 51,4 % |
| Zeitschriften lesen | 31,7 % |
| Bücher lesen | 32,4 % |
| fernsehen | 89,0 % |
| Radio hören | 74,1 % |
| Schallpl., Kassette, CD hören | 77,3 % |
| Videokassette ansehen | 14,7 % |
| ins Kino gehen | 1,4 % |
| ins Theater, Konzert gehen | 0,2 % |
| basteln, stricken, häkeln | 9,4 % |
| Sport treiben, sich trimmen | 65,4 % |
| ausgehen (Kneipe, Disko) | 32,7 % |

*Media-Analyse 2004/II, Media Perspektiven, SWR Medienforschung*

### Aufgaben zu M 4

**1.** Ordne die in M 4 angegebenen Freizeitaktivitäten nach Wichtigkeit.

**2.** Entspricht diese Rangfolge auch deinen Freizeitaktivitäten?

**M 5**

## Viele Möglichkeiten zu kommunizieren

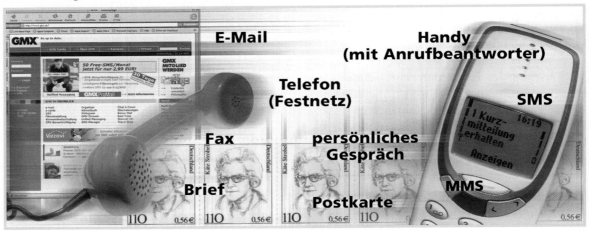

*Massenmedien*

Kommunikationsmittel, die es erlauben, Aussagen durch Bild, Schrift und/oder Ton öffentlich (d.h. allgemein zugänglich), indirekt und einseitig über technische Übertragungs- und Verbreitungsmittel an ein weit verstreutes (anonymes) Publikum zu verbreiten; unterschieden werden
- *auditive Medien* (z.B. Hörfunk, CD),
- *audiovisuelle Medien* (z.B. Film, Fernsehen, Video)
- und *Printmedien* (z.B. Buch, Presse).

Hinzu kommen die meist multimedialen neuen Medien wie das Internet (Multimedia).

Für die meisten Menschen bilden die Massenmedien als Hauptquelle politischer und gesellschaftlicher Information die Grundlage für die Meinungsbildung; sie können aber auch zum Zweck der Manipulation, Agitation und Propaganda missbraucht werden. Deshalb wird den Massenmedien eine große Bedeutung für die politische Kultur eines Landes beigemessen. Meinungsbildung über die Massenmedien ist als Gegenpol zu politischer Macht wichtig und unerlässlich für das Funktionieren demokratischer Entscheidungsprozesse.

*Schülerduden, Politik und Gesellschaft, 4. Aufl., Mannheim u.a. 2001, S. 257*

**M 6**

## Ein einfaches Kommunikationsmodell

# Das beste Kommunikationsmittel – wie es andere sehen

## Über den Brief

– „Außerdem hat es natürlich mehr Qualität, im Schatten eines Baumes einen Briefumschlag zu öffnen bzw. zu beschriften, als vor einer piepsenden, flimmernden und manchmal unwilligen Maschine zu hocken."

– „Einen Brief kann man aufbewahren, ein Telefonat ist irgendwann vergessen."

– „Ich benutze immer wertvolles Briefpapier und schreibe mit einem Füller. Der Mensch weiß dann, dass ich mir Zeit für ihn/sie genommen habe."

– „Zwei Tage Postweg sind manchmal eine viel zu lange Zeit."

– „Wenn die Antwort kommt, weiß man meist nicht mehr, was man geschrieben hatte."

## Über die E-mail

– „Ich liebe E-Mails, checke täglich, habe früher viele Briefe geschrieben, schreibe nur noch ganz selten Briefe."

– „E-Mails sind mir zu umständlich, da ich dafür immer erst den Computer anschmeißen und die entsprechenden Programme starten muss, dagegen ist ein Telefonat viel schneller."

– „Der Empfänger kann diese kurz ansehen und dann löschen oder speichern, ohne Papierkram zu haben oder Zeit mit dem Öffnen von Briefen zu vergeuden."

– „Dinge, die für einen Brief nicht wichtig genug sind, für einen Anruf aber nicht taugen, sind per E-Mail gut verschickt."

– „Die persönliche Handschrift fehlt. E-Mails sind flüchtig, werden wieder gelöscht."

## Über die SMS

– „Keine Kommunikationsform, fördert schlechtes Deutsch (Englisch etc.) und schlechtes Benehmen."

– „Es ist besser als das Morse-Alphabet, aber dennoch kaum zu gebrauchen."

– „SMS hat den Vorteil, eine Nachricht überbringen zu können, ohne dabei das ‚Risiko' eingehen zu müssen, in ein Gespräch verwickelt zu werden."

## Über das Handy

– „Handy verursacht mir, egal wer anruft, immer ein maßlos schlechtes Gewissen, weil es so teuer ist und dadurch der Druck, immer stärker zu komprimieren, noch wächst."

– „Das Handy erlaubt ungenaue Verabredungen, die dann, je näher der Zeitpunkt rückt, präzisiert werden bis hin zum Treffpunkt: ‚Hallo, ich steh' hier auf der anderen Straßenseite ...'"

– „Völlig überbewertet, da es oftmals nur noch dem Vertreiben der Langeweile dient."

*Ulrich Stock, Die Hitparade der Kommunikationsformen, in: Die Zeit 32/2001 (zusammengestellt durch den Bearbeiter)*

## Aufgaben zu M 5 – M 7

**1.** Erstelle deine persönliche Hitparade der Kommunikationsformen: Vergib die Plätze 1 bis 9 (M 5).

**2.** Das Kommunikationsmodell in M 6 stellt die Kommunikation unter Menschen allgemein dar. Übertrage ein alltägliches Gespräch (z.B. zwischen dir und deinen Eltern) in dieses Modell.

**3.** Wie verändert sich dieses Modell, wenn die Kommunikation über Massenmedien läuft? Die Infobox hilft dir bei der Beantwortung.

**4.** Bildet vier Gruppen. Stellt, ausgehend von den Zitaten in M 7, jeweils die Vorteile und Nachteile der vier Kommunikationsformen auf einer Folie/Wandzeitung zusammen und präsentiert die Ergebnisse der Klasse.

**5.** Vergleicht die vier Kommunikationsformen mit dem persönlichen Gespräch.

## Die Entwicklung und Bedeutung der Medien

**Informations-
gesellschaft**
M 3

Unsere Gesellschaft wird häufig als Informations- oder Wissensgesellschaft bezeichnet. Darin drückt sich die herausragende Bedeutung des Wissens bzw. der Übermittlung von Wissen durch Informationen für den Einzelnen und die Gesellschaft aus. Die *Informationsgesellschaft* gründet sich auf moderne, sich rasant entwickelnde, hoch technisierte Medien, wie Fernsehen, Handy und vor allem den Computer. Sie bestimmen unser Alltagsleben heute nachhaltig und führen zu einer Ausweitung und Beschleunigung der Kommunikation in allen Lebensbereichen.

**Massen-
kommunikation**
M 5, M 6

Als Massenmedien werden die technischen Mittel bezeichnet, die Massenkommunikation ermöglichen. Massenkommunikation ist eine besondere Form der zwischenmenschlichen Kommunikation, da sie öffentlich, indirekt und (in der Regel) einseitig abläuft. Sie richtet sich an ein sehr breites, räumlich nur durch die Reichweite des Mediums begrenztes Publikum.
Man kann folgende Massenmedien unterscheiden:
1. Druckmedien (Zeitungen, Bücher, Flugblätter, ...)
2. Elektronische Medien
   • auditive Medien (Hörfunk, CD, MP3)
   • audiovisuelle Medien (Fernsehen, Video, DVD, ...)

**Kommunikations-
formen**
M 7

Dabei entwickeln sich die elektronischen Medien besonders rasant. In zunehmendem Maße werden Texte, Daten, Grafiken, sowie Fest- und Bewegtbilder multimedial zusammengefügt und z.B. online übermittelt. Die klassischen Massenmedien Fernsehen, Hörfunk und Zeitungen erhalten dadurch immer stärkere Konkurrenz, auch wenn sie auf Dauer ihre Bedeutung nicht verlieren werden.
Die Kommunikationsmöglichkeiten, die Jugendliche nutzen, sind vielfältig. Trotz Handy, SMS und E-mail ist aber das persönliche Gespräch als Urform der Kommunikation nicht zu ersetzen. Es gilt immer noch als die wertvollste Form der Verständigung zwischen Menschen.

# 2. Die Zeitung und ihre Leser

## Zeitungslandschaft in Deutschland

## Zeitungsgattungen

### Tageszeitungen (lokale)

berichten über Politik, Wirtschaft, Kultur und Sport. Sie behandeln viele regionale Themen.

### Tageszeitungen (überregionale/nationale)

berichten ausführlich über Politik, Wirtschaft, Kultur und Sport. Überregionale Zeitungen werden in der Regel in ganz Deutschland gelesen.

### Nachrichtenmagazine

illustrieren lebendig geschriebene Berichte und Kommentare mit vielen Fotos.

### Boulevardzeitungen

sind auffällig bunt gestaltet. Sie berichten über Skandale, Klatsch, Tragödien.

### Sonntagszeitungen

erscheinen nur einmal in der Woche. Aktuelle Themen und Hintergründe.

### Wochenzeitungen

schreiben aufgrund des wöchentlichen Erscheinens mehr zu den Hintergründen und ordnen aktuelle Themen in größere Zusammenhänge ein.

*aus: Politik und Unterricht, Medien, hg. von der Landeszentrale für politische Bildung Baden-Württemberg 1/2002, S. 33*

## Aufgabe zu M 1 – M 2

**1.** Ordne die in M 1 dargestellten Zeitungen nach Möglichkeit den einzelnen Zeitungsgattungen (M 2) zu.

**M 3**

## Zeitungs-Lektüre

**Zeitungs-Lektüre**
Zeitungen in Deutschland im Jahr 2003

lokale und regionale
Abo-Zeitungen

331

Wochenzeitungen

25

**10** überregionale Zeitungen

**8** Straßenverkaufszeitungen

**7** Sonntagszeitungen

**Auflage in Mio.**

| | |
|---|---|
| lokale und regionale Abo-Zeitungen | **15,8** |
| Straßenverkaufszeitungen | **5,2** |
| Sonntagszeitungen | **4,3** |
| Wochenzeitungen | **1,9** |
| überregionale Zeitungen | **1,6** |

*Quelle: BDZV*   © **Globus** 8840

**M 4**

## Was interessiert in der Tageszeitung?

**Von je 100 Befragten lesen regelmäßig**

| Thema | 16- bis 29-jährige Leser | alle Leser |
|---|---|---|
| Lokales | 74 | 83 |
| Innenpolitik | 49 | 69 |
| Außenpolitik | 45 | 60 |
| Anzeigen | 41 | 43 |
| Leserbriefe | 28 | 43 |
| Leitartikel | 36 | 44 |
| Tatsachenberichte aus dem Alltag | 32 | 42 |
| Sport | 49 | 42 |
| Gerichte/Prozesse | 24 | 31 |
| Wirtschaft | 20 | 38 |
| Kultur | 31 | 31 |
| Frauen, Mode | 24 | 26 |
| Wissenschaft | 25 | 27 |

16- bis 29-jährige Leser
alle Leser

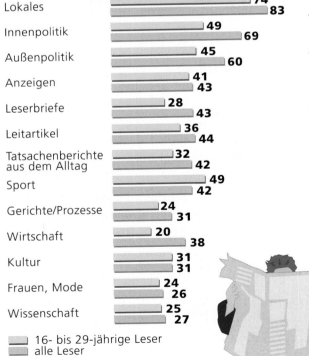

*Stand 2003, Quelle: BDZV/IfD Allensbach, dpa-Grafik 9681*

### Aufgaben zu M 4

**1.** Finde heraus, welche Zeitungen es in deiner Region gibt.

**2.** Werte das Schaubild M 4 aus und vergleiche die Ergebnisse mit deinen eigenen Leseerfahrungen.

**3.** Führt in der Klasse eine Umfrage zur Zeitungslektüre durch. Legt dazu eine kleine Tabelle mit folgenden Spalten an: Art der Zeitung, Häufigkeit der Lektüre, Themen.

# Aufbau einer Boulevardzeitung

**Deutschland – Brasilien 0:2**

# Kahn, unser tragischer Held

## Hand kaputt!
## Hielt er deshalb den Ball nicht fest?

*Oliver Kahn vor Schmerzen am Boden. Gerade hat er den Tritt gegen seine rechte Hand kassiert*

**Montag,** 150/27
1. Juli 2002, 0,40 €

# Bild

**UNABHÄNGIG · ÜBERPARTEILICH**

www.bild.de

SUPER-BINGO, 4. Spiel
157 192 246 264 317 320 485   Goldene Zahl 97221018

# Hier tröstet ihn seine Mutter

*Kopf hoch, Junge, du bleibst trotzdem mein Held. Mutter Monika tröstet ihren berühmten Sohn nach dem Finale*

Oliver Kahn (33) ging als WM-Held ins Finale. Aber ausgerechnet sein tragischer Fehler leitete dort die deutsche 0:2-Niederlage ein: Kahn hielt einen Ball nicht fest. Ronaldo schoss ein. Das Drama dabei: Seine rechte Hand war verletzt. Konnte er sich darum die Kugel nicht schnappen? Ein einziger Fehler! Und er so grausam bestraft. Da konnte ihn selbst Mutter Monika kaum trösten. Das große Finale auf den Seiten 9 bis 16.

# Juhnke
# Auch noch Lungenentzündung

Harald Juhnke (73) geht es immer schlechter. Der Schauspieler, der vergangene Woche ins Koma fiel, hat jetzt auch noch eine Lungenentzündung. Seite 4

## Bei der WM Vize, im Feiern Weltmeister!

Deutschland hat das Finale verloren – aber gewonnen! Noch nie wurde ein WM-Finale so fröhlich und ausgelassen gefeiert! Christine (19) aus Stuttgart schwenkte ihren BH als Fahne, andere Fans verbrüdern sich mit Brasilianern und tanzten Samba. Wie Deutschland feierte – Seiten 2 und 3.

# Alfred Dregger
# Tod im Pflegeheim

Er wurde "Django" genannt und "Haudegen". Aber gegen Alter und Tod konnte er nicht länger kämpfen: Alfred Dregger (81) ist tot. Friedlich eingeschlafen in einem Pflegeheim in Fulda, in dem er seit Jahren lebte. Im Alter war der große, alte Mann der CDU so einsam – kaum jemand besuchte ihn. Und die, die es taten, wie sein früherer Mitarbeiter Georg Vetter, erkannte er nicht mehr. Noch 1998 hatte Dregger erneut für den Bundestag kandidieren wollen – doch in der Folgezeit nagten Alter und Krankheit immer schwerer an ihm. Freitag soll Dregger in seiner Heimatstadt Fulda beigesetzt werden. Mehr – Seite 6.

## NACHRICHTEN

Leserbriefe Seite 6

**Richtfest in Berlin**
Berlin – Der Axel Springer Verlag feiert heute Richtfest für seinen Neubau in Berlin-Kreuzberg. 600 Gäste aus Politik, Wirtschaft und Medien werden erwartet.

**Darmspiegelung bei Bush**
Washington – US-Präsident Bush hat sich gestern einer Darmspiegelung unterzogen. Die Untersuchung habe keine Hinweise auf Krankheiten ergeben, so das Weiße Haus.

**Auto-Bande geschnappt**
Warschau – In Polen wurde eine der größten Verbrechersyndikate des Landes zerschlagen. Die "Gnom"-Bande hatte 800 Fahrzeuge in Deutschland und Tschechien gestohlen und nach Osteuropa weiterverkauft.

**Papst tritt nicht zurück**
Rom – Der schwer kranke Papst (82) hat seinen Rücktritt kategorisch ausgeschlossen: "Die Kraft zum Weitermachen ist nicht mein Problem, sondern das von Christus."

**Feuer in Mallorca-Hotels**
Palma de Mallorca – Feuer in zwei Urlauberhotels auf Mallorca. Vier Touristen erlitten Rauchvergiftungen.

**Kinder im Auto erstickt**
Southfield – Im US-Staat Michigan sind zwei Kleinkinder ums Leben gekommen. Ihre Mutter hatte sie drei Stunden lang bei brütender Hitze im Auto gelassen.

**GEWINNER**
An Schiedsrichter-Legende Pierluigi Collina (42) aus Italien lag es nicht, dass wir nicht Weltmeister geworden sind: Der Charakterkopf pfiff gestern souverän, wie immer, tröstete sogar die deutschen Verlierer. Schade, dass es sein letztes WM-Spiel als Referee war, weil er die Schal-Altersgrenze erreicht hat.
**BILD meint:** Dieser Mann muss weiter pfeifen!

**VERLIERER**
ZDF-Sportreporter Michael Palme (58) blamierte sich nach dem verlorenen WM-Finale mit peinlichen Interviews und seiner Frage an Kahn ("Was wollen Sie denjenigen sagen, die Sie liebenweise mit Banantjen bewerfen?"), statt behutsam den Gründen für den Patzer des Torwart-Tränen zu ergründen.
**BILD meint:** Diese unsensible Fragerei bringt die Fans zu Recht auf die Palme!

**M 6**

# Aufbau einer Tageszeitung

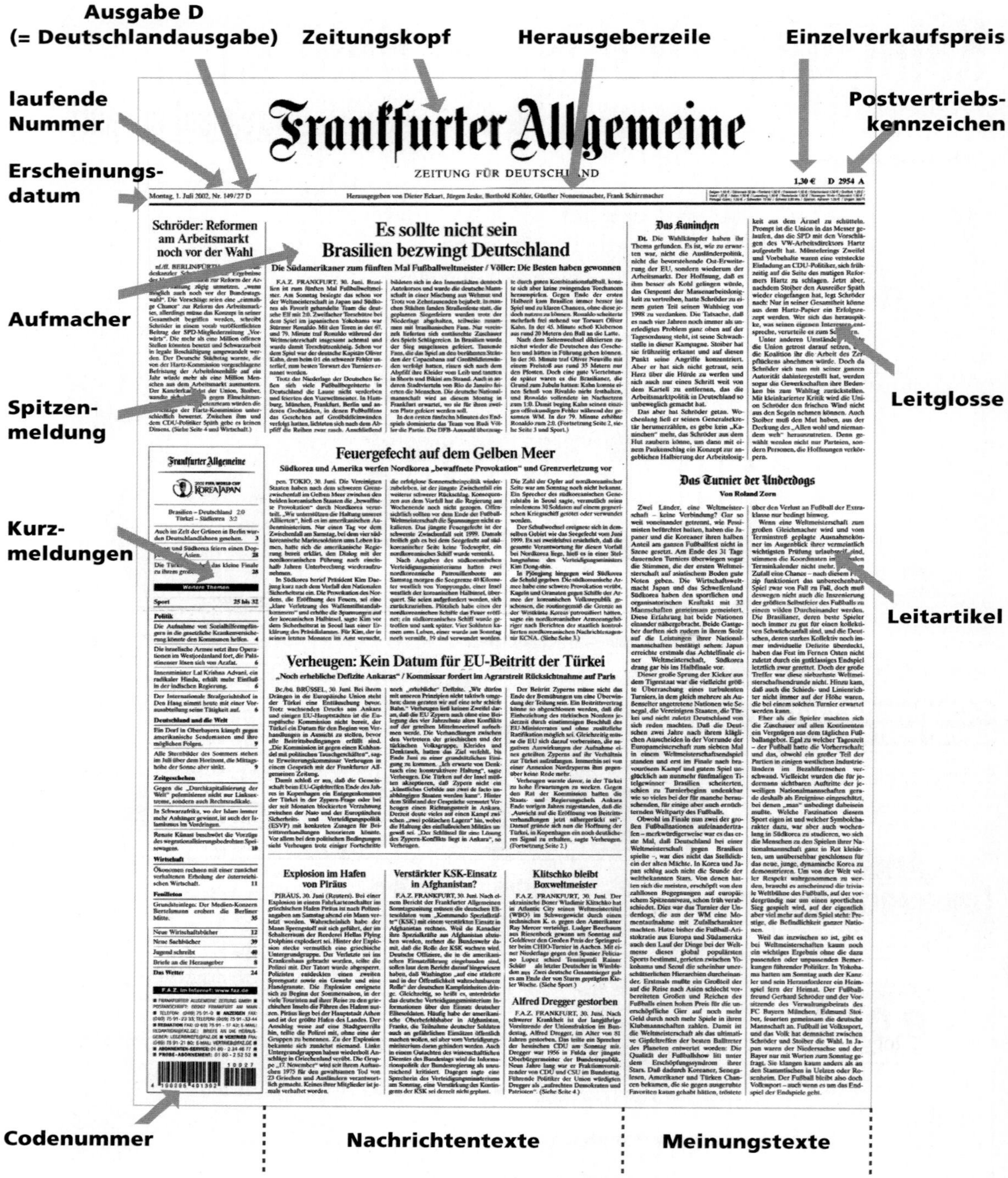

Ausgabe D
(= Deutschlandausgabe)  Zeitungskopf  Herausgeberzeile  Einzelverkaufspreis

laufende
Nummer  Postvertriebs-
kennzeichen

Erscheinungs-
datum

Aufmacher

Spitzen-
meldung

Kurz-
meldungen

Leitglosse

Leitartikel

Codenummer  Nachrichtentexte  Meinungstexte

## Aufgaben zu M 5 – M 6

*1.* *Vergleiche die Titelseiten der BILD-Zeitung und der Frankfurter Allgemeinen Zeitung (M 5 und M 6). Notiere dabei Auffälligkeiten,* *Unterschiede, Gemeinsamkeiten. Achte auf die Gestaltungsmerkmale der Seiten: Aufbau, Fotos, Schriftgröße usw.*

# Wie Wirkung erzielt wird

Die BILD-Zeitung feierte im Juni 2002 ihren 50. Geburtstag. Sie sollte eine „Tagesillustrierte" werden, d.h. eine Zeitung mit möglichst vielen Bildern. Bilder prägen sich im Gehirn des Men-
5 schen schneller ein und transportieren Nachrichten besser als Wörter. Nach eigenen Angaben erreicht die BILD-Zeitung täglich mittlerweile mehr als 11,5 Mio. Menschen und ist damit die Zeitung, die in Deutschland am meisten gelesen
10 wird. Aber nicht nur mit Bildern will die BILD-Zeitung die Aufmerksamkeit ihrer Leserinnen und Leser gewinnen. Auch mit der Auswahl der Themen soll Wirkung erzielt werden, so der ehemalige BILD-Reporter Hans Schulte-Willekes:
15 „... Tiere sind was ,fürs Herz' und dienen vielen Lesern als Schmuse- und Liebesobjekt. Sie gehorchen, man kann sie beherrschen. Außerdem lenken Tiere auf bequeme Weise von den menschlichen Problemen ab. Das ,soziale Gewissen' vieler
20 Leser schlägt eher bei Tieren als bei Menschen. Ein hungernder Pudel rührt viele Leser mehr als Tausende von hungernden Kindern in Indien.

... Tiere sind für die BILD-Zeitung immer ein Thema, weil sie nämlich Leser rühren, aufregen, zum Lachen und zum Weinen bringen. In die 25 ,Mischung' einer Zeitung passen sie immer. Von der ,brutalen' Tierquälerei bis zur tränenrührigen Tierrettung. ...
Prominente sind vielseitig verwendbar. Man kann sie hochjubeln und runterreißen. In jedem Promi- 30 nenten steckt etwas, das viele Leser auch bei sich entdecken können. ... Die Leser erfahren, was sie anziehen, was sie essen, welche Probleme und Ansichten sie haben, was für einen Lebensstil, wie ihre Wohnungen aussehen und vieles mehr. 35 Die Orientierung des Lesers an den Leitbildern befreit ihn von seinen Entscheidungsschwierigkeiten. ... Zugleich reißen die Prominentenstorys den Leser aus dem Alltag und führen ihn in die erträumte Welt der Leitbilder. ... Und außerdem: 40 Prominente befriedigen die Neugierde und das Bedürfnis nach Klatsch."

*aus: Hans Schulte-Willekes, Schlagzeile. Ein „Bild"-Reporter berichtet, Reinbek 1982, S. 92 f.*

## Aufgaben zu M 5 – M 7

**1.** Arbeite aus dem Text M 7 die Ziele der BILD-Redakteure heraus.

**2.** Überprüfe, inwieweit die Gestaltung der abgedruckten Titelseite (M 5) dieser Zielsetzung entspricht. Bedenke dabei, dass am Kiosk nur die obere Hälfte zu sehen ist.

**3.** Macht in der Klasse eine Leseprobe der BILD-Zeitung. Besorgt euch dazu eine aktuelle Ausgabe. Welche Themen werden in der Zeitung in welcher Rangfolge behandelt? Vergleicht diese mit einer anderen Tageszeitung.

# Wo steht was?

Tageszeitungen werden selten ganz gelesen. Der Leser wählt in der Regel das aus, was ihn besonders interessiert. Das für ihn Unwichtige wird nur überflogen oder bei der Lektüre ganz ausgelassen. Alle Tageszeitungen sind in der Regel ähnlich aufgebaut. Das erleichtert die Auswahl beim Lesen.
Eine Zeitung ist in die fünf klassischen Sparten, man spricht auch von Ressorts, eingeteilt:

*Autorentext*

**M 9**

## Textarten in der Zeitung

**In einer Zeitung gibt es verschiedene Textarten:**

*Nachricht:* (oder Zeitungsmeldung) kurze, sachliche Form der Information

*Bericht:* ausführlich, sachlich, enthält sich der Stellungnahme

*Interview:* Befragung von Personen in einem Gespräch zu ihren Ansichten oder Erlebnissen

*Reportage:* durch persönliche Eindrücke geprägte Berichterstattung zu einem Thema, enthält Befragungen, Augenzeugenberichte, Situationsbeschreibungen

*Leitartikel:* nimmt an hervorgehobener Stelle zu wichtigen politischen, gesellschaftlichen oder kulturellen Vorgängen kritisch-abwägend Stellung

*Kommentar:* ergänzt Nachricht oder Bericht durch Bewertung und Deutung

*Kritik:* Beurteilung künstlerischer Leistung (z.B. Theater-, Musik-, Fernsehkritik) im Kulturteil der Zeitung (Feuilleton)

*Leserbrief:* kritische Äußerungen von Lesern zu einem in der Zeitung behandelten Thema in einem Brief an die Redaktion

*Glosse:* (auch „Streiflicht") meist ironisch-satirisch gehaltene Gedanken zu einem Thema

*Autorentext*

**M 10**

## Wie setzt sich eine Zeitungsnachricht zusammen?

Aus dem Deutschunterricht weißt du bestimmt, dass beim Schreiben einer Nachricht immer die W-Fragen beantwortet werden sollen.

*Fuldaer Zeitung, 12.7.2002*

**W-Fragen:**

- *Was* ist geschehen?
- *Wer* war daran beteiligt?
- *Wann* ist es geschehen?
- *Wo* ist es geschehen?
- *Wie* ist es geschehen?
- *Warum* ist es geschehen?

### Aufgaben zu M 8 – M 10

**1.** Vergleiche den Aufbau deiner lokalen Tageszeitung mit dem einer überregionalen Tageszeitung. Welche Ressorts gibt es? Welche Reihenfolge haben die Ressorts? Wie ist der Umfang (M 8)?

**2.** Bestimme mit Hilfe von M 9 die Textarten einzelner Artikel.

**3.** Überprüfe den Aufbau einer Nachricht an einem ausgewählten Textbeispiel (M 10). Welche Funktionen kommen wohl den einzelnen Elementen zu?

# Beförderung von Nachrichten in der Geschichte

*Beförderung von Nachrichten in der Vergangenheit:*
*Szene vor dem Reichsposthaus in Augsburg.*
*Kupferstich von Kilian, 1616*

# Blick in die Zentralredaktion einer Presse-Agentur

*Blick in die Redaktion der Nachrichtenagentur AP (Associated Press) in Frankfurt. Weltweit besteht die AP aus einem globalen Netz von ca. 3500 Reportern, Redakteuren, Fotografen, Technikern und anderen Fachleuten. Die Agentur beliefert mehr als 15000 Medienunternehmen in 112 Ländern mit aktuellen Informationen.*

# Die Rolle der Nachrichtenagenturen

Die Redakteure einer Tageszeitung oder eines Fernsehsenders können nicht an allen Orten der Welt gleichzeitig sein, wo das geschieht, was wir in den Fernsehnachrichten sehen oder am ande-
5 ren Tag in unserer Tageszeitung lesen. Wenn die Zeitungen oder Sender keine eigenen Redakteure vor Ort (Auslandskorrespondenten) haben, erhalten sie die Neuigkeiten aus aller Welt von *Nachrichtenagenturen*, die in vielen Ländern der
10 Welt ihre Korrespondenten beschäftigen. Diese berichten über die Ereignisse vor Ort und geben dann ihre Meldung an die Nachrichtenagentur weiter. Die Agenturmeldung wird von den Redaktionen der Zeitungen und Rundfunk- und Fernsehanstalten gekauft und meist noch im 15 Hause redaktionell bearbeitet.

In Deutschland bieten viele große Nachrichtenagenturen ihre Dienste an. Am bekanntesten sind die Deutsche Presseagentur (dpa), Associated Press (AP) und Reuters (rtr). Die Kürzel der 20 Agenturen finden sich immer am Beginn einer Meldung als Quellenangabe.

*Autorentext*

**M 14**

# Der Weg einer Nachricht

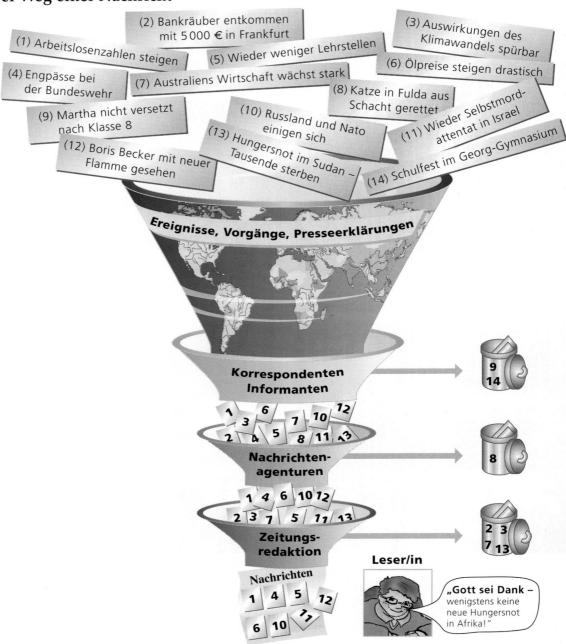

(2) Bankräuber entkommen mit 5 000 € in Frankfurt

(1) Arbeitslosenzahlen steigen

(3) Auswirkungen des Klimawandels spürbar

(5) Wieder weniger Lehrstellen

(4) Engpässe bei der Bundeswehr

(6) Ölpreise steigen drastisch

(7) Australiens Wirtschaft wächst stark

(8) Katze in Fulda aus Schacht gerettet

(9) Martha nicht versetzt nach Klasse 8

(10) Russland und Nato einigen sich

(11) Wieder Selbstmord-attentat in Israel

(12) Boris Becker mit neuer Flamme gesehen

(13) Hungersnot im Sudan – Tausende sterben

(14) Schulfest im Georg-Gymnasium

**Ereignisse, Vorgänge, Presseerklärungen**

**Korrespondenten Informanten**

9
14

1 6 12
3 7 10
2 4 5 8 11 13

**Nachrichten-agenturen**

8

1 4 6 10 12
2 3 7 5 11 13

**Zeitungs-redaktion**

2 3
7 13

**Leser/in**

**Nachrichten**

1 4 5 12
6 10 11

„**Gott sei Dank** – wenigstens keine neue Hungersnot in Afrika!"

## Aufgaben zu M 13 – M 14

1. Verdeutliche mit Hilfe der Materialien M 13 und M 14 die Rolle, die die Nachrichtenagenturen bei der Übermittlung von Nachrichten spielen.

2. Nachrichtenagenturen und Zeitungsredaktionen werden auch als „Nachrichtenschleusen" bezeichnet. Ist diese Bezeichnung deiner Meinung nach berechtigt?

3. Versucht, mit eurer Klasse einen Zeitungsverlag in der Nähe zu besuchen oder einen Redakteur zur Befragung in die Klasse einzuladen.

## Meinungs- und Pressefreiheit

M 15

Schon immer versuchten die Herrschenden, Druck auf die Presse auszuüben, denn sie wussten, dass die Wahrheit manchmal auch gefährlich für sie sein konnte: Sie übten Zensur
5 aus, das heißt sie bestimmten, was in einer Zeitung gemeldet werden durfte und was nicht. In den vergangenen Jahrhunderten war das sehr einfach. Der Landesherr konnte eine Zeitung sogar verbieten, wenn sie ihm nicht passte. Auch
10 heute noch werden in Diktaturen die täglichen Meldungen zensiert oder im Sinne der Politiker manipuliert, das heißt verfälscht.
Bei uns ist die Meinungs- und Pressefreiheit im Grundgesetz garantiert. In Artikel 5 heißt es: „Je-
15 der hat das Recht, seine Meinung in Wort, Schrift und Bild frei zu äußern und zu verbreiten und sich aus allgemein zugänglichen Quellen ungehindert zu unterrichten. ... Die Freiheit der Berichterstattung durch Rundfunk und Film wird

gewährleistet. Eine Zensur findet nicht statt."
Man nennt die Medien manchmal „die vierte 20 Macht" im Staat (neben Regierung, Parlament und Rechtsprechung). Denn sie deckten in der Vergangenheit eine ganze Reihe von politischen Skandalen auf: Regierungsbeschlüsse, die gegen die Verfassung verstießen, Minister, die sich aus 25 der Staatskasse bedienten, oder Parteien, die unrechtmäßig Millionenbeiträge einstrichen.
Zeitungen und Zeitschriften, Hörfunk und Fernsehen sind also auch Kontrollorgane der Politiker. Deshalb fürchten Politiker, aber auch 30 die Parteien, es könnte über Dinge berichtet werden, die unangenehm für sie sind oder die in der Öffentlichkeit eine negative Meinung fördern könnten.

*Friedemann Bedürftig u.a. (Hg.), Das Politikbuch, Ravensburg 1994, S. 72 f.*

## Kein Kommentar

M 16

*United Feature Syndicate, Inc. / kipkakomiks.de*

## ZiSch – Zeitung in der Schule

M 17

ZiSch – Zeitung in der Schule ist ein Projekt des Instituts zur Objektivierung von Lern- und Prüfungsverfahren (IZOP), das in Zusammenarbeit mit lokalen, regionalen und überregionalen Zei-
5 tungen im gesamten Bundesgebiet durchgeführt wird. Es findet als Unterrichtsprojekt in den Jahrgangsstufen 8 bis 10 statt. Dabei beschäftigen sich die Schülerinnen und Schüler nicht nur intensiv mit der jeweiligen Zeitung, sondern
10 werden auch selbst journalistisch aktiv. Die Produkte dieser Arbeit werden dann in der Zeitung veröffentlicht.

Bestelladressen:

**IZOP-Institut**
Heidchenberg 11
52076 Aachen-Hahn
Tel. 0 24 08 - 5 88 90
Fax 0 24 08 - 58 89 27
www.izop@izop.de
oder

**Stiftung Lesen**
Abteilung Versand
Fischtorplatz 23
55116 Mainz
Tel. 0 61 31 - 2 88 90 32
Fax 0 61 31 - 23 03 33

## Die Zeitung und ihre Leser

**Aufgaben der Zeitung**
*M 7, M 15*

Trotz der großen Konkurrenz, die die Zeitung in den letzten Jahren durch andere Medien wie Hörfunk, Fernsehen und vor allem das Internet bekommen hat, erfreut sie sich nach wie vor großer Beliebtheit. „Wer Zeitung liest, weiß mehr", dieser Überzeugung ist eine Vielzahl der Bundesbürger. Die Aufgaben der Zeitung sind Aufklärung, Analyse von Hintergründen und Zusammenhängen, Orientierung. Daneben hilft sie uns bei der Ausbildung unserer Urteilsfähigkeit und nicht zuletzt unterhält sie uns. Nach Japan, der Schweiz und Großbritannien herrscht in Deutschland die weltweit größte Zeitungsdichte.

**Zeitungsarten**
*M 2*

Das Angebot an Zeitungen ist äußerst vielfältig. So unterscheidet man Zeitungen nach der Erscheinungsweise in *Tages-*, *Wochen-* und *Sonntagszeitungen*, nach der Vertriebsart in Abonnement- und Straßenverkaufszeitungen (Boulevardzeitung) oder nach ihrem Verbreitungsgebiet in überregionale, regionale oder lokale Zeitungen.

**Aufbau einer Zeitung**
*M 5 – M 10*

Der Aufbau der Tageszeitungen folgt in der Regel einer einheitlichen Gliederung in die Ressorts oder Sparten Politik, Wirtschaft, Kultur, Sport und Lokales. Daneben gibt es in jeder Zeitung Spezialressorts wie zum Beispiel „Zeitgeschehen", „Familie und Freizeit" oder „Auto und Verkehr". Die Zeitung vereint viele verschiedene Textsorten, die der Nachrichtenübermittlung, der Meinungsbildung aber auch der Unterhaltung dienen, wobei zwischen Meinung und Nachricht scharf getrennt werden sollte. Diese Trennung wird aber auch in der Praxis oft nicht vollzogen, häufig steckt in einer Nachricht auch eine Meinung.

**Zeitung als Nachrichtenfilter**
*M 13, M 14*

Nur ein kleiner Bruchteil dessen, was täglich weltweit passiert, kommt auch tatsächlich beim Leser einer Zeitung oder beim Zuschauer bzw. Zuhörer einer Nachrichtensendung an. Die tägliche Nachrichtenflut wird von den Nachrichtenagenturen und den Redaktionen „gefiltert", „gesiebt" und schließlich bearbeitet. Deshalb bezeichnet man die Nachrichtenagenturen und Redaktionen als „Nachrichtenschleusen". So nimmt allein die Deutsche Presseagentur (dpa) täglich ca. 500.000 Wörter in Meldungen entgegen, sie gibt aber nur 100.000 an ihre Kunden weiter. Die Redaktionen wiederum geben nur einen Bruchteil der Informationen, die sie erhalten, an den Leser, Hörer oder Zuschauer weiter.

# 3. Das Fernsehen

## Fernsehtagebuch

Das Fernsehtagebuch soll dir Aufschluss über deine Fernsehgewohnheiten geben. Wann siehst du fern? Wie lange siehst du fern? Was schaust du im Fernsehen an?

Führe eine Woche lang ein Fensehtagebuch. Notiere möglichst genau, wann und wie lange du dir was anschaust. Lege dazu eine Tabelle nach folgendem Muster an:

| Wochentag | Dauer in Minuten | Titel der Sendung | Art der Sendung | Sender |
|-----------|------------------|-------------------|-----------------|--------|
| | | | | |
| | | | | |
| | | | | |

### Unterscheide dabei folgende Arten von Sendungen:

1. Information/Bildung
2. Filme
3. Shows (Talkshows/Spielshows)
4. Musiksendungen (z.B. Videoclips)
5. Sport (z.B. Fußballübertragungen)
6. Sonstiges

### Beachte folgende Sendereinstellungen:

ARD, ZDF, 3. Programme, RTL, SAT 1, PRO 7, RTL 2, VOX, Kabel 1, Musiksender, Sportsender.

### Deine Angaben kannst du folgendermaßen auswerten:

**1.** nach Wochentagen

| Tag | Minuten | Prozentsatz |
|-----|---------|-------------|
| Montag | | % |
| Dienstag | | % |
| Mittwoch | | % |
| **Summe** | | **100%** |

$$\% = \frac{100 \text{ x Minuten/ Wochentag}}{\text{Summe}}$$

**2.** Art der Sendung

| Art der Sendung | Minuten | Prozentsatz |
|-----------------|---------|-------------|
| Information | | % |
| Filme | | % |
| Shows | | % |
| **Summe** | | **100%** |

$$\% = \frac{100 \text{ x Minuten/Art/Sendung}}{\text{Summe}}$$

**3.** Auswahl der Sender

| Sender | Minuten | Prozentsatz |
|--------|---------|-------------|
| ARD | | % |
| ZDF | | % |
| 3. PRO | | % |
| **Summe** | | **100%** |

$$\% = \frac{100 \text{ x Minuten/ Sender}}{\text{Summe}}$$

*nach: Sparkassen SchulService, Schülerheft Medien, Stuttgart 1997/2002, S. 31 ff.*

## M 1  Fernsehkonsum im Vergleich

| Zielgruppen | 2004 |
| --- | --- |
| Zuschauer gesamt | 210 |
| Erwachsene ab 14 J. | 225 |
| Erwachsene 14 – 49 J. | 185 |
| Erwachsene 14 – 29 J. | 142 |
| Erwachsene ab 50 J. | 274 |
| Erwachsene 3 – 13 J. | 93 |
| Abi/Hochsch./Studium | 162 |

Quelle: Sevenonemedia.de

### Aufgabe zu M 1

**1.** Überlege, wie sich die unterschiedliche Sehdauer in den verschiedenen Altersgruppen erklären lässt (M 1).

## M 2  Der duale Rundfunk

Rundfunk – darunter verstehen die Experten Hörfunk und Fernsehen – wurde in der Bundesrepublik Deutschland bis Mitte der 80er Jahre ausschließlich von den öffentlich-rechtlichen
5 Veranstaltern ARD und ZDF angeboten. Neue Entwicklungen in der Kabel- und Satellitentechnologie eröffneten privaten Anbietern Möglichkeiten eigener Übertragungen. Das Gesetz lässt seit 1986 ein Nebeneinander von öffentlich-recht-
10 lichen und privaten Anbietern zu.

1. Der *öffentlich-rechtliche Rundfunk*, zu dem die 11 zur ARD zusammengeschlossenen Landesrundfunkanstalten, das Zweite Deutsche Fernsehen (ZDF), das Deutschland Radio, die
15 Kulturprogramme 3sat und Arte sowie der Auslandssender Deutsche Welle gehören, ist der Kontrolle der Rundfunkräte der einzelnen Länder unterworfen. Dieser Rundfunkrat setzt sich aus Mitgliedern des Landtages und gewähl-
20 ten Vertretern verschiedener gesellschaftlicher Gruppen zusammen. Kirchen, Gewerkschaften, Arbeitgeberverbände sind genauso vertreten wie der Jugendring oder der Deutsche Sportbund. Öffentlich-rechtliche Anstalten haben den Auf-
25 trag für Information, Kultur und Bildung, aber auch für Unterhaltung. Die Sicherung dieser Grundversorgung geschieht durch die Gebühren - etwa 2,5 Mrd. Euro pro Jahr -, die der Zuhörer bzw. Zuschauer zahlt. Die Werbung als weitere
30 Geldquelle verliert für diese Sender aufgrund zeitlicher Beschränkungen immer mehr an Bedeutung.

2. *Private Sender* befinden sich im Gegensatz zu den öffentlich-rechtlichen Anstalten im privaten
35 Besitz, d. h., sie gehören verschiedenen Personen, Personengruppen oder Gesellschaften. Der Privatsender Radio Luxemburg (RTL) begann am 1.1.1984, täglich 4 Stunden Fernsehprogramm für die Deutschen zwischen Saarland und Mainz auszustrahlen. Ein neuerrichteter Sendeturm mit 40 einer größeren Reichweite hatte das ermöglicht. In Deutschland entbrannte daraufhin eine bis heute noch nicht abgeschlossene Diskussion um die Privatsender, deren Besitzverhältnisse, ihre Marktstellung usw. Zwei Gruppierungen 45 beherrschten bisher den privaten Fernsehmarkt in Deutschland: die Kirch- und die Bertelsmann-Gruppe. Dem Filmhändler Leo Kirch gehörten bis 2002 zusammen mit seinem Sohn und dem Springer Verlag SAT 1, DFS, Pro 7 und Kabel- 50 kanal. Die Bertelsmann-Gruppe und die luxemburgische Ctl beherrschen RTL und RTL 2. Die geplante Übernahme der SAT 1/Pro 7-Gruppe durch den Springer-Verlag wurde Anfang 2006 von den Kartellbehörden untersagt. Befürchtet 55 wurde eine marktbeherrschende Stellung des Springer-Verlags. Während die öffentlich-rechtlichen Anstalten eine Grundversorgung der Bevölkerung in allen Bereichen sichern, entwickelt sich bei den privaten Anbietern eine Spezialisierung 60 in Form von Spartenprogrammen. Da sich private Anbieter nur über die Werbung – etwa 4,5 Mrd. Euro pro Jahr – finanzieren, ist ein harter Kampf um die Gunst der Zuschauer entbrannt.

65

*Sparkassen SchulService, Schülerheft Medien, Stuttgart 1997/2002, S. 39 (aktualisiert durch den Bearbeiter)*

# Der Kampf um die „Quoten"

**Zuschauer und Marktanteile von Unterhaltungssendungen nach der Größe ihres Publikums 2003[1]**

| Rangplatz/Sendung | Programm | Zuschauer in Mio. | Marktanteile in % |
|---|---|---|---|
| **1.** Wetten, dass ...? | ZDF | 14,72 | 47,4 |
| **2.** Wer wird Millionär? | RTL | 8,44 | 27,0 |
| **3.** Deutschland sucht den Superstar | RTL | 6,51 | 22,8 |
| **4.** Feste der Volksmusik | Das Erste | 6,10 | 21,9 |
| **5.** Starquiz mit J. Pilawa | Das Erste | 5,79 | 19,4 |
| **6.** Melodien für Millionen | ZDF | 5,68 | 17,5 |
| **7.** Die 70er Show | RTL | 5,77 | 20,3 |
| **8.** Musikantenstadl | Das Erste | 5,34 | 18,8 |
| **9.** Die 5 Millionen-SKL-Show | RTL | 5,31 | 18,3 |
| **10.** Verstehen Sie Spaß | Das Erste | 4,84 | 16,6 |

Zuschauer ab 3 Jahren

[1] ohne Karnevalsübertragungen und andere einmalige Programmereignisse.

*Quelle: Darschin, Wolfgang/ Kayser, Susanne, Tendenzen im Zuschauerverhalten. Fernsehgewohnheiten und Fernsehreichweiten im Jahr 2003, in: Media Perspektiven 4/2004.*

# Wie werden die Einschaltquoten ermittelt und wie zuverlässig ist die Messung?

Die Gesellschaft für Konsumforschung GfK misst die Einschaltquoten im Auftrag der Arbeitsgemeinschaft Fernsehforschung AGF. ... Die GfK weiß zwar nicht, was die rund 80 Millionen Men
5 schen in Deutschland gesehen haben, sie weiß aber sekundengenau, was rund 13.000 von ihr ausgewählte Personen in 5640 Haushalten gesehen haben. In diesen repräsentativen Haushalten steht jeweils ein Gerät, das registriert, welches Programm
10 eingeschaltet ist. Jeder Bewohner meldet sich per Knopfdruck an, wenn er zusieht. Er meldet sich ab, wenn er das Zimmer verlässt.

### Mängel in der Messung

Es ist davon auszugehen, dass sich nicht jedes Fa
15 milienmitglied an- bzw. abmeldet, wenn es in den Raum kommt oder ihn verlässt. Die Menschen, die sich vergessen abzumelden, vergessen auch sich anzumelden, so dass sich das ausgleicht. In den Werbepausen sinkt die Quote bei der GfK nur
20 um 20%, obwohl diese Zahl erheblich höher sein sollte. Die GfK prüft die Testpersonen durch Kontrollanrufe und prüft, was sie gerade machen und vergleicht das Ergebnis mit der Meldung. Andere Institute befragen ebenfalls die Testpersonen nach
25 ihren Fernsehgewohnheiten. Die Ergebnisse weichen kaum voneinander ab. Von den Testergebnissen ausgehend rechnet die GfK die Zuschauerzahlen von einzelnen Sendungen hoch. Eigentlich handelt es sich dabei um eine Schätzung und nicht um eine genaue Quote ...
30

### Die Bewertung der Quoten-Messung

Auch wenn den Quoten ungenaue Messungen zu Grunde liegen, so ist die Quote doch eine wichtige Orientierung. Für die Privatsender ist sie die einzige Messgröße für ihren Erfolg. Wenn
35 die Quote gut war, dann war auch die Sendung gut. Die üblichen Kritiken in den Printmedien oder Preise wie der Oskar sind zwar hilfreich, aber wenig ausschlaggebend. Für alle Fernsehschaffenden beginnt der Arbeitstag mit einem
40 Blick auf die Quoten. ... Wenn sich zu wenig eingeschaltet oder zu viele wieder abgeschaltet haben, dann muss der Programmdirektor eine Entscheidung treffen, vielleicht nicht sofort, aber auf jeden Fall später. Für die Privaten ist die Quote
45 die Messlatte für die Werbepreise, aus denen sie sich finanzieren. Eigentlich sind die Abnehmer des Fernsehens damit die Werbekunden. Die Zuschauer des Privatfernsehens müssen dann nur noch angelockt werden, damit sie die produzierte
50 Sendung auch sehen. In diesem Zusammenhang spricht man von Nachfrage-Fernsehen.

*Politik Aktuell, Nr. 3/2001, S. 11*

## M 5  Die Gier nach Sensation

*Politik und Unterricht, Medien, hg. von der Landeszentrale für politische Bildung Baden-Württemberg, 1/2002, S. 45*

## M 6  Wie werden Nachrichten ausgewählt?

Jeden Tag passieren auf der Welt unendlich viele Dinge. In keiner Zeitung oder Nachrichtensendung kann über alles berichtet werden. Selbst wenn das technisch möglich wäre, so wäre doch
5 niemand in der Lage, so viel zur Kenntnis zu nehmen. Also ist es die Aufgabe der Medien, schon vorher auszuwählen, was überhaupt berichtet werden soll.

Welche Ereignisse verdienen es, zur Nachricht
10 zu werden? Journalisten sortieren Informationen nach so genannten Nachrichtenfaktoren. Entscheidend ist das Besondere an einem Ereignis, das es von den vielen anderen Ereignissen, die sonst noch an einem Tag passieren, als etwas
15 Außergewöhnliches hervorhebt. Je nach Medium können die Nachrichtenfaktoren unterschiedlich sein. Das Grundprinzip der Auswahl ist die Frage: Was interessiert die Leser, Hörer oder Zuschauer? Interessant ist immer das, was die
20 Leser, Hörer oder Zuschauer unmittelbar betrifft. Ein gängiges Auswahlschema ist das so genannte GUN-Prinzip.

**Das GUN-Prinzip**

*G = Gesprächswert*
Gesprächswert hat ein Ereignis, über das man 25 spricht, diskutiert, sich ärgert oder sich freut. Beispiele für einen hohen Nachrichtenwert sind
• *Außergewöhnlichkeiten*: „Hund beißt Mann" ist keine Nachricht, „Mann beißt Hund" ist eine Nachricht! 30
• *Personenbezug*: Über bekannte Personen wird häufiger berichtet. Wenn Joschka Fischer mit dem Jogging anfängt oder aufhört, ist das eine Nachricht; wenn der nur wenigen bekannte Nachbar das Gleiche tut, interessiert das kaum 35 jemand, ist also keine Nachricht.
• *Negativität*: „Schlechte Nachrichten sind gute Nachrichten." Je schlimmer ein Ereignis ist, desto eher wird darüber berichtet. Unfälle sind alltäglich und nur dann eine Nachricht, wenn 40 es besonders viele, besonders junge Opfer oder im Ausland deutsche Opfer gegeben hat.

• **Nähe, vor allem geographische Nähe**: Was in der eigenen Stadt passiert, interessiert die meisten mehr als ein Ereignis in Usbekistan.

### U = Unterhaltung

Ein Ereignis, das in Verbindung mit der eigenen Lebenswelt steht, das verblüfft oder amüsiert, hat ebenfalls einen hohen Nachrichtenwert. Ausschlaggebend ist die Nähe zur eigenen Lebenssituation, den eigenen Wünschen und Sehnsüchten. So genannte Boulevardthemen, wie „sex and crime", verkaufen sich besonders gut und sind deshalb für Zeitungen wichtig, die in erster Linie am Kiosk verkauft werden.

### N = Neuigkeit (oder Überraschung)

Je unerwarteter ein Ereignis eintritt, desto eher wird es zur Nachricht. Der Rücktritt der Gesundheitsministerin hat einen höheren Nachrichtenwert als die wöchentliche Pressekonferenz des Verteidigungsministers.

*Politik und Unterricht, Medien, hg. von der Landeszentrale für politische Bildung Baden-Württemberg, 1/2002, S. 15*

## Information oder Unterhaltung
### Programmangebote im Fernsehen

M 7

Legende:
- Information
- Filme, Serien
- Talkshows, Shows
- Kinderprogramme
- Sport, Musik u.a.
- Werbung

*nach: Schmidt Zahlenbilder 538 102*

## Aufgaben zu M 4 – M 7

**1.** Beschreibe, wie die Einschaltquoten ermittelt werden (M 4).

**2.** Überlege, welche Bedeutung die „Quote" für die Privatsender und die öffentlich-rechtlichen Sender hat (M 4).

**3.** Überprüfe das „GUN-Prinzip". Untersuche dazu Nachrichtensendungen (M 6).

**4.** Vergleiche den Informations- und Unterhaltungsanteil des Programmangebots der öffentlich-rechtlichen und der privaten Sender (M 7).

**5.** Zur Vertiefung: Vergleiche den Unterhaltungswert von Nachrichtensendungen bei ARD oder ZDF mit denen von Privatsendern. Wie lassen sich die Unterschiede erklären?

**M 8**  # Was Bilder sagen ...

„Fast täglich fallen hier Menschen den grausamen Stahlsplittern explodierender Landminen zum Opfer."

*Bildunterschrift in: Das Parlament, 21.2.1997 (zu einem Artikel über die Landminenproblematik in Angola)*

„Gashoho / Burundi, 1. April 1995: Große Löcher in den Sohlen eines jungen Hutus, der auf einem Drei-Tage-Marsch vom Ngozi-Camp nach Gashoho rund 35 km zurückgelegt hat."

*dpa, Original-Bildunterschrift*

**M 9**  # Die Manipulation von Bildern

Die Bilder zeigen die Neckarinsel in Tübingen. Trotz des Hinweises „Fotomontage" führte das Bild rechts zu Irritationen. Viele Leser riefen empört und entsetzt in der Redaktion der lokalen Zeitung an. Weil die Fotografie – im Unterschied zur Malerei – als präzise Reproduktion des Wirklichen gilt, eignet sie sich besonders zur Manipulation. Durch die Digitalisierung ist es kaum mehr möglich, den
5 Wahrheitsgehalt einzelner Bilder zu überprüfen, die Grenzen zwischen Original und Fälschung sind fließend.

*Bild und Montage: Metz, Tübingen*

**M 10**  # Manipulationstechniken im Fernsehen

- Hinzufügen von Bildern
- gezielte Auswahl von Bildern oder Bildausschnitten (Beispiel: nur Kriegszerstörungen; intakte Straßen werden ignoriert)
5 - Veränderung des Bildmaterials (Manipulation)
- Weglassen von Bildern
- betont schnelle oder langsame Schnittfolge
- Kommentar und Bild stimmen nicht überein
- Überfrachtung durch Informationen
10 - Unterschlagung von Informationen
- tendenziöser Kommentar zum Bild

- falsche Original-Töne, die nicht zum Bildmaterial gehören
- „propagandistische" Musik
- tendenziöse oder gar falsche Übersetzung
- Vorzensur oder Nachzensur durch den Sender
- Monopol der Bildbeschaffung (z. B. Presseoffiziere beim Militär)

*nach: Christian Hörburger, Krieg im Fernsehen. Didaktische Materialien und Analysen für die Medienerziehung, Tübingen 1996 (Verein für Friedenspädagogik e.V.), S. 47*

## Aufgaben zu M 8 – M 10

**1.** Nennt Gründe dafür, warum wir von den Medien eine objektive Berichterstattung erwarten.

**2.** Überlegt, welche Gefahren mit Manipulationen im Fernsehen verbunden sind (M 8 – M 10).

# Vorbereitung einer Pro- und Kontra-Diskussion zum Thema Massenmedien

### Das Ampelspiel

Ziel des Ampelspiels ist es, gerade durch provozierende Thesen eine Diskussion zu einem Thema in Gang zu bringen. Hier soll die Diskussion darüber angestoßen werden, ob Fernsehen dumm macht und ob es glaubwürdig ist. Alle Schüler und Schülerinnen bekommen je eine rote, eine gelbe und eine grüne Abstimmungskarte. Mit diesen Karten zeigen sie ihre Zustimmung (grün) oder Ablehnung (rot) zu den folgenden Thesen. Wenn sie keine eindeutige Meinung zur These haben, zeigen sie gelb.

### Die Thesen

1. Erwachsene denken viel mehr über ihre Fernsehgewohnheiten nach als Kinder und Jugendliche.
2. Fernsehen ist vor allem zur Unterhaltung da.
3. Die Menschen, die in Talkshows auftreten, zeigen sich dort so, wie sie in Wirklichkeit sind.
4. In den Nachrichten wird die Welt gezeigt, wie sie ist.
5. Zeitungsnachrichten sind glaubwürdiger als Nachrichten im Fernsehen.
6. Wer brutale Sendungen im Fernsehen ansieht, wird selbst gewalttätig.
7. Das Fernsehen bildet die Wirklichkeit nicht ab, sondern nur eine künstliche Welt.
8. Je mehr Sex in Filmen vorkommt, desto höher sind die Einschaltquoten.
9. Fernsehen macht schlau.
10. Privatsender sind einfach besser als die öffentlich-rechtlichen.
11. ARD und ZDF sollten abgeschafft werden.

*Politik und Unterricht, Medien, hg. von der Landeszentrale für politische Bildung Baden-Württemberg, S. 14*

Wählt die Thesen aus, die besonders kontrovers (= gegensätzlich) in eurer Klasse sind.

Dann sollten sich die in Gruppen zusammenfinden, die gleiche Meinungen vertreten. Entwickelt dann in Pro- und Kontragruppen eine möglichst stichhaltige Argumentation für eure Position. Bestimmt jeweils einen Sprecher, der die Argumente vorträgt.

Am Schluss könnt ihr erneut mit grünen, roten und gelben Abstimmungskarten ein Meinungsbild in der Klasse erstellen. Interessant ist dabei, ob sich aufgrund der Argumentationen in der Klasse eure Meinungen geändert haben oder nicht.

### Wie entwirfst du eine stichhaltige Argumentation?

Die Meinungen zu Massenmedien, wie z. B. dem Fernsehen, sind sehr unterschiedlich. Überlege genau, warum du dich für oder gegen eine These bei der Abstimmung entschieden hast. Das Warum führt dich zu Begründungen. Begründungen erkennst du an den Konjunktionen „weil", „denn" oder „da". Argumentieren heißt begründen. Je besser deine Begründungen sind, desto schwieriger ist es, sie zu widerlegen. Zur Stützung deiner Argumente ist es notwendig, anschauliche Beispiele zu nennen.

| These | Argument | Beispiel |
|---|---|---|
| Die häufige Nutzung des Fernsehens und des Internets durch Jugendliche ist schädlich, … | …, weil Jugendliche das Dargestellte mit der Wirklichkeit verwechseln und nur noch in virtuellen Welten leben, in denen sie keine Hilfe für ihre persönlichen Probleme erhalten können. | Immer wieder kommt es vor, dass Jugendliche Gewalt im Fernsehen nachahmen. So sind z. B. in einem Erfurter Gymnasium im April 2002 17 Menschen einem jugendlichen Mörder zum Opfer gefallen. |

## Das Fernsehen

**Fernsehen an erster Stelle**

In der Mediennutzung Jugendlicher nimmt das Fernsehen nach wie vor eine herausragende Stellung ein. Die durchschnittliche Sehdauer Jugendlicher pro Tag beträgt fast zwei Stunden und laut Umfragen können Jugendliche auf das Fernsehen am wenigsten verzichten. In der Bundesrepublik Deutschland unterscheiden wir den öffentlich-rechtlichen Rundfunk von den privaten Sendern.

**Öffentlich-rechtlicher Rundfunk und private Sender**
**M 2**

Der öffentlich-rechtliche Rundfunk finanziert sich hauptsächlich durch Rundfunk- und Fernsehgebühren, während sich private Sender ausschließlich durch Werbeeinnahmen finanzieren. Die öffentlich-rechtlichen Sender haben den Auftrag, den Bürgern eine Grundversorgung an Information, Kultur und Unterhaltung zu bieten. Sie werden durch Rundfunkräte kontrolliert.

**Einschaltquoten**
**M 4**

Der Erfolg oder Misserfolg von Sendungen wird durch regelmäßige Ermittlung der Einschaltquoten gemessen. Sie bestimmen indirekt auch die Höhe der Werbeeinnahmen: So kostet z. B. ein Werbespot während des Endspiels zur Fußballweltmeisterschaft ein Vielfaches dessen, was ein Spot im Vorabendprogramm der Sender kostet. Da die privaten Sender allein auf Werbeeinnahmen angewiesen sind, ist die Steigerung der Einschaltquoten oberstes Ziel der Programmmacher.

**Nachrichtenauswahl**
**M 6**

Deshalb spielt der Unterhaltungsgesichtspunkt auch bei Nachrichtensendungen von z.B. SAT 1 oder RTL eine größere Rolle als bei ARD oder ZDF. Ereignisse über die man spricht (Gesprächswert einer Nachricht), die unterhalten (Unterhaltungswert von Nachrichten) und die überraschen (Neuigkeitswert von Nachrichten) bestimmen die Nachrichtenauswahl vor allem der Privatsender.

**Manipulation von Bildern**
**M 8 – M 10**

Darüber hinaus können vor allem die visuellen Medien durch moderne Bildbearbeitungstechniken Bilder manipulieren und die Wahrnehmung von Informationen in ihrem Sinne steuern. Damit wird die freie Meinungsbildung als Grundlage der Demokratie in Frage gestellt.

**Internet**

Die Internetnutzung Jugendlicher tritt zunehmend in Konkurrenz zum Fernsehen. Multimediale Anwendungsmöglichkeiten, die Schnelligkeit und Aktualität des Internets machen die Attraktivität dieses Mediums aus. Andererseits überflutet uns das Internet mit Informationen, sodass die Unterscheidung von wichtigen und unwichtigen, richtigen und falschen Informationen immer schwieriger wird.

# Wirtschaft und Umwelt

Besuchen Sie
das letzte Stückchen
UNBERÜHRTE
NATUR
5oo Meter

Kaufvertrag
Schulden
Taschengeld

Konsum

Nachhaltigkeit
Werbung

Bedürfnisse

Verbraucherschutz

Markenterror
Sparen

Kunde

# 1. Jugendliche als Konsumenten

## 1.1 Warum wir wirtschaften – alles hängt am Geld

**M 1**

### Das Leben auf dem Planeten Schlaraffia

*Pieter Brueghel, Das Schlaraffenland (1567)*

Stellt euch vor, Millionen von Lichtjahren von der Erde entfernt befindet sich der Planet Schlaraffia. Die Menschen im Schlaraffenland kennen keine Arbeit, alles, was sie brauchen, ist im Überfluss vorhanden. Wenn sie hungrig sind, öffnen sie ihre Münder und schon fliegt die leckerste Speise in ihren Rachen. Sind sie durstig, fließt das köstlichste Getränk ihre Kehle hinunter. Das Klima ist so ausgeglichen, dass die Menschen weder Bekleidung noch Behausung benötigen. Da es keine gefährlichen Tiere gibt, benötigen sie auch keinen Schutz vor ihnen. Das Faulenzen ist im Schlaraffenland eine Tugend, deshalb sieht man viele Schlaraffianer unter schönen Bäumen liegen.

*Autorentext*

**M 2**

### Warum wir wirtschaften

Um leben zu können, braucht der Mensch ausreichend Nahrung, Kleidung, Behausung und Ausbildung. Zur Befriedigung solcher Grundbedürfnisse benötigt der Mensch Güter bzw. Mittel,
5 die ihm von der Natur in der Regel nicht frei, d.h. ausreichend und konsumreif zur Verfügung gestellt werden. Man spricht deshalb von knappen Gütern. Im Mittelpunkt des Lebens steht deshalb die Aufgabe, sich Güter zur Bedürfnisbefrie-
10 digung zu beschaffen. Grundlage dafür ist die menschliche Arbeit. Da die Güter zur Bedürfnisbefriedigung knapp sind, muss der Mensch sich die vorhandenen Mittel einteilen. Wirtschaften heißt deshalb, die begrenzten Güter so optimal
15 zu verwenden, dass damit möglichst viele Bedürfnisse befriedigt werden können. Dann handelt man nach dem *„ökonomischen Prinzip"*.

In unserer heutigen Gesellschaft spielt neben der Befriedigung der Grund- oder Existenzbedürfnisse eine Vielzahl weiterer Bedürfnisse eine immer wichtigere Rolle. Denken wir an den Wunsch nach modischer Kleidung, schönen Einrichtungsgegenständen, besonderem Essen, Musik zu hören, Konzerte zu besuchen, Urlaubsreisen zu machen etc. Wenn diese Wünsche nicht erfüllt werden, empfinden wir dies als Mangel. Unser Bestreben ist es, diesen Mangel zu beseitigen, indem wir das Bedürfnis befriedigen. Grundsätzlich empfindet jeder Mensch Bedürfnisse unterschiedlich dringlich. So verwendet ein Jugendlicher sein Taschengeld hauptsächlich für CDs, während ein anderer einen Großteil seiner Mittel für seinen Lieblingssport ausgibt.

*Autorentext*

# Unbegrenzte Bedürfnisse – knappe Güter

**Knappheit**

**Bedürfnisse des Menschen**

Existenz-, Kultur-, Luxusbedürfnisse (theoretisch unbegrenzt)

**Das ökonomische Prinzip**

Notwendigkeit zu wirtschaften, Mittel möglichst effizient (wirksam) einsetzen

**Verfügbare Güter**

Mittel auf der Erde sind begrenzt, endlich

*Autorengrafik*

## Güter

*Infobox*

Die Mittel, mit denen Bedürfnisse befriedigt werden können, heißen Güter. Sie können entweder Sachgüter (materielle Güter, Waren) oder Dienstleistungen (immaterielle Güter) sein. Nicht jeder Gegenstand und nicht jede Tätigkeit an sich ist schon ein Gut. Güter werden sie erst, wenn sie vom Menschen nachgefragt werden, das heißt, wenn sie einen Nutzen bringen. Nur die wenigsten Güter stellt uns die Natur in unbegrenzter Menge und ohne Gegenleistung zur Verfügung, z.B. Luft und Sonnenlicht. Man spricht in diesem Fall von freien Gütern. Ihr Vorrat ist in genügender Menge vorhanden, wenn auch die Reinheit, z.B. der Luft, verständlicherweise zu einem erstrebenswerten Gut wird. Die nur beschränkt vorhandenen Güter heißen knappe oder wirtschaftliche Güter. Wir unterscheiden dabei Sachgüter und immaterielle Güter, die wiederum zu untergliedern sind in Dienstleistungen und Rechte wie Patente und Lizenzen. Güter, die wir als Verbraucher verwenden, werden als Konsumgüter bezeichnet. Dienen Güter jedoch dazu, wieder andere Güter zu produzieren, so spricht man von Produktionsgütern. Es handelt sich hierbei also um Güter, die bei der Güterherstellung (Produktion) oder der Güterverteilung (Distribution) eingesetzt werden. Sowohl die Konsumgüter als auch die Produktionsgüter können Gebrauchs- oder Verbrauchsgüter sein. Gebrauchsgüter können über mehrere Zeitabschnitte (z.B. Jahre) hinweg „gebraucht" werden. Verbrauchsgüter werden in einem einmaligen Verbrauchvorgang vernichtet. Der Mantel wird über mehrere Jahre hinweg getragen, genauso wird das Messer über längere Zeit gebraucht, dagegen werden die Papierservietten, das Streichholz und die Tageszeitung nur einmalig verwendet.

*Günther Schnürch, in: Geno Schul-Info, Grundlagen der Wirtschaft – Teil 2. Lehrerbegleitheft A2, hg. vom Württ. Genossenschaftsverband Raiffeisen/Schulze-Delitzsch e.V., Stuttgart o.J u. S.*

## Aufgaben zu M 1 – M 3

**1.** *Würdest du gerne auf Schlaraffia leben? Begründe deine Meinung (M 1).*

**2.** *Überlege, warum auf der Erde ein solches Leben nicht möglich ist, berücksichtige dazu Text M 2.*

**3.** *Knappe Güter, freie Güter, Sachgüter, Dienstleistungen, Konsumgüter, Produktionsgüter – Stelle die Güter in einer übersichtlichen Grafik, z.B. einem Baumdiagramm, zusammen (Infobox).*

**M 4** ## Geld ist schön (danke)

Geld ist lustig
Geld macht fröhlich
Geld ist sehr, sehr nützlich
Denn das Leben ist leider
ziemlich teuer
Geld macht Freude
Geld macht Spaß
Geld gibt so viel Kraft
Und manche geben damit
Feuer
Geld ist schön
Es ist so praktisch, kann
so viel dafür kaufen
Geld ist schön
Es ist zwar nicht das
schönste,
das schönste
auf der Welt
Doch es ist schön –
auf jeden Fall schöner als kein Geld
Geld ist käuflich, Geld macht so reich

Geld ist sehr, sehr lecker
Nur nicht süchtig werden
Geld macht sexy
Geld macht so frei
Geld macht alles, alles, alles,
alles
Nur ganz selten mal Be-
schwerden
Geld ist schön ...
Es macht so mächtig
es macht so satt
Geld ist schön
Und doch so nebensächlich
wenn man viel hat
Geld ist schön
Es ist zwar nicht das schönste
das schönste auf der Welt
Doch es ist schön,
auf jeden Fall schöner als kein Geld

*Sebastian Krumbiegel („Die Prinzen"), Moderato Musikproduktion GmbH/
George Glueck Musik GmbH, Berlin 1995*

**M 5** ## Eine kleine Geschichte des Geldes

Der Tausch „Ware gegen Ware" war in den früheren Zeiten nicht immer ganz einfach. Oft musste um mehrere Ecken herum getauscht werden, bis jeder das hatte, was er brauchte. Ein anderes Pro
5 blem lag darin, dass viele der Tauschgegenstände nicht teilbar waren. Was geschah, wenn ein Brot eigentlich 2 $\frac{1}{2}$ Eier kosten sollte? Außerdem war es nicht besonders praktisch, mit Eiern zum Einkaufen zu gehen. Was machte ein Bauer, der eine
10 Ziege gegen ein Schwein tauschen wollte, wenn das Schwein aber wertvoller war? Dann musste er dem Schweinebesitzer zusätzlich noch ein Zicklein oder vielleicht nur einen Krug Wein anbieten, damit beide mit dem Tausch einverstan
15 den waren. Wäre das Geld nicht schon erfunden worden, müsste man es heute allein aus praktischen Gründen schnellstens erfinden!
Den Menschen damals wurde allmählich klar, dass es einfacher war, sich auf einen bestimmten
20 Gegenstand als Zahlungsmittel zu einigen, gegen den immer getauscht wurde. Damit war das Geld erfunden, obwohl es noch keine Ähnlichkeit mit unserem heutigen Geld hatte und auch noch

nicht so hieß. Das Geld wurde nicht von einer bestimmten Person erfunden. Es war eine Entwicklung über etwa 4.000 Jahre hinweg. Überall dort, wo die Menschen auf Tausch angewiesen waren, entstand zu unterschiedlichen Zeiten Geld.
Woraus bestand das erste Geld? In den verschiedenen Teilen der Erde benutzten die Menschen ganz unterschiedliche Dinge als Geld, z.B. Salz oder Tee. In anderen Gegenden hat man sich auf Tierfelle oder Muscheln als Tauschgegenstände geeinigt. Meist waren es seltene und damit kostbare Produkte aus der Natur. Daher nennt man diese frühe Form des Geldes auch „Naturalgeld". Damals wie heute war das allerwichtigste bei Geld, dass sich die Menschen alle einig darüber waren, es als Tauschgegenstand anzunehmen. Heute spricht man von der Zahlungsmittelfunktion bestimmter Gegenstände. Geld ist, was gilt – egal, woraus es besteht.
Angenommen, Max lebt in einer Gegend, in der man sich auf Muscheln als Zahlungsmittel geeinigt hat. Wenn ein Bauer dort zum Markt geht, bekommt er für den Verkauf seiner Ziege

vielleicht 10 Muscheln. Damit geht er zum Bäcker und kauft sich für 1 Muschel ein Brot. Beim Tuchmacher kauft er sich für 3 Muscheln Stoff und bezahlt mit 6 Muscheln einen Landarbeiter, der ihm am nächsten Tag bei der Ernte hilft. Geld vereinfacht das Leben! Sonst hätte er sich alles für eine Ziege bei vier Leuten ertauschen müssen. Das wäre nur gegangen, wenn er die Ziege geschlachtet und in mehrere Teile geteilt hätte.

Das Geld war nicht nur Tauschmittel, sondern gleichzeitig eine Recheneinheit. Wenn alle dasselbe Tauschmittel zum Bezahlen benutzen, lassen sich die Preise besser berechnen und vergleichen. Beim Tausch ohne Geld hätte Max nur schwer feststellen können, ob eine Ziege, die 3 Hühner kostet, billiger oder teurer war als eine Ziege, die 2 Meter gewebtes Tuch kostete. Mit Geld dagegen war es schnell klar, dass eine Ziege für 10 Muscheln günstiger war als eine für 12 Muscheln.

Die Menschen merkten immer mehr, dass das Geld aber noch eine andere Aufgabe erfüllt: Man konnte das Geld und damit seinen Wert aufbewahren und sparen. Wenn man Geld verdiente, konnte man es zur Seite legen und später auch noch verwenden. Die Muscheln aus dem Verkauf der Ziege konnte der Bauer erst einmal mit nach Hause nehmen und sich irgendwann zu einem späteren Zeitpunkt etwas dafür kaufen.

Mit dem Naturalgeld wurde das Einkaufen und Verkaufen sehr viel einfacher und schneller. Vielleicht bekamen die Kinder damals das erste Taschengeld der Geschichte, z. B. eine Muschel im Monat, die sie in einem Tongefäß aufbewahrten. Dafür konnten sie sich Zuckerrohrstangen zum Auslutschen oder Schnitzwerkzeug für Pfeil und Bogen kaufen. Aus heutiger Sicht wären Muscheln ein merkwürdiges Taschengeld, aber die Kinder von früher würden sich genauso darüber wundern, dass man heute mit Metallstücken oder bunt bedruckten Papierstreifen bezahlen kann. Eigentlich ist die Entwicklung des Geldes auch

*Tauschmittel aus der Frühgeschichte: Kauri-Muscheln (rechts), Oliv-Muscheln (links oben), Kegelschneckenhäuschen (links unten)*

heute längst noch nicht abgeschlossen. Münzen und Scheine sind nicht mehr die einzigen heute gültigen Zahlungsmittel. Die Eltern von Max zahlen auch mit Plastikkarten, Banküberweisungen oder sogar elektronisch per Computer. Wer weiß schon, womit die Kinder und Kindeskinder von Max in hundert Jahren zahlen werden?

*Birgit Neiser, Ralf Butschkow, Max macht Mäuse, Kempen 2000, S. 13 - 15*

## Aufgaben zu M 5

**1.** „Die Erfindung des Geldes"– Halte zu diesem Thema einen Kurzvortrag vor deiner Klasse. Gehe dabei besonders darauf ein, warum die Geldwirtschaft der Tauschwirtschaft überlegen ist (vgl. Methode folgende Seite).

**2.** Erläutere die grundlegenden Funktionen des Geldes.

## Wie halte ich einen Kurzvortrag?

Wenn du deine Klasse über die Entwicklung des Geldes informieren willst, musst du dir zuerst klar machen, welche Informationen wichtig und welche eher unwichtig sind. Dein Vortrag soll wesentlich kürzer sein als die Zeit, die du zum Lesen des Textes benötigst. Vermeide bei deiner Zusammenfassung, die Formulierungen der Textvorlage wörtlich zu übernehmen. Beachte die Regeln zur Erstellung einer Inhaltsangabe, wie du sie im Fach Deutsch gelernt hast.

Gliedere die Inhaltsangabe in zusammenhängende Sinnabschnitte und schreibe für jeden Abschnitt Stichwörter auf einen Zettel. Versuche deinen Vortrag frei zu halten und benütze deinen Stichwortzettel als Gedächtnisstütze.

Für einen gelungenen Vortrag solltest du weitere Tipps beachten:

| Sprechen |
|---|
| • mittlere Lautstärke |
| • deutliche Aussprache |
| • angemessene Sprechgeschwindigkeit (nicht zu schnell und nicht zu langsam) |
| • Sprechgeschwindigkeit variieren (Pausen machen) |
| • Wichtiges betonen |

| Körpersprache |
|---|
| • Körper zu den Zuhörern drehen |
| • während des Vortrags die Zuhörer möglichst oft anblicken |

*Autorentext*

## M 6   Geldvermögen der Kids und Teens

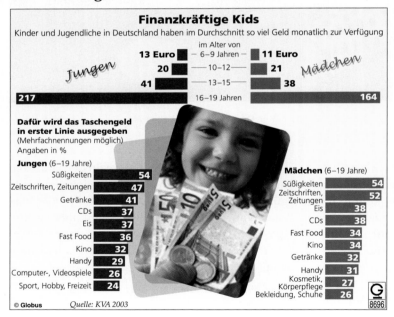

*Nach der Kids-Verbraucheranalyse 2003 (KVA) verfügen Kinder und Jugendliche einschließlich ihrer Sparguthaben über eine Kaufkraft von fast 20,5 Mrd. Euro, 24% mehr als noch vor 2 Jahren.*

## Aufgabe zu M 6 und M 7

**1.** Vergleiche die Angaben in der Grafik M 6 mit deiner eigenen Taschengeldverwendung. Übertrage dazu die Tabelle in M 7 in dein Heft und erstelle deinen eigenen Haushaltsplan.

## Einen Haushaltsplan aufstellen

M 7

| Einnahmen (Monat) | Euro | Ausgaben (Monat) | Euro |
|---|---|---|---|
| Taschengeld | | Kleidung | |
| Nebenjob | | Essen, Getränke | |
| Geldgeschenke | | Zeitschriften | |
| ... | | Wochenende (Kino, Disco ...) | |
| ... | | Sonstiges | |
| **Gesamteinnahmen** | | **Gesamtausgaben** | |
| | | **Einnahmen – Ausgaben = [1]** | |

*Autorengrafik*

[1]Saldo:

a) **Einnahmen = Ausgaben**
   bedeutet ausgeglichener Haushalt

b) **Einnahmen > Ausgaben**
   > Einnahmenüberschuss
   (Haben = Guthaben)

c) **Einnahmen < Ausgaben**
   bedeutet Ausgabenüberschuss
   und Verschuldung (Soll)

## Schulden Jugendlicher

M 8

Obwohl keine genauen Zahlen verfügbar sind, gehen vorsichtige Schätzungen davon aus, dass deutschlandweit über 850.000 Jugendliche zwischen 15 und 20 Jahren Schulden haben. Eine Viertel-Million Jugendlicher soll gar überschuldet, also bereits zahlungsunfähig sein. Dabei spielen zunächst Handy-Schulden und mit zunehmendem Alter auch Kreditverbindlichkeiten eine große Rolle. Nach einer Studie zur Finanzkraft der 13- bis 25-Jährigen des Instituts für Jugendforschung in München von Mai 2001 hatten von 1147 Befragten 11% der 13- bis 17-Jährigen bereits Schulden. Noch mehr waren es bei den 18- bis 25-Jährigen, bei denen auch der Umfang der Verschuldung mit Summen zwischen durchschnittlich 750 Euro bis 3100 Euro deutlich zunahm. [15] Nach der Münchener Untersuchung stehen die Jugendlichen zwischen 13 und 25 Jahren am häufigsten bei ihren Eltern „in der Kreide", gefolgt von Banken. Damit zeigt sich deutlich auch eine [20] familienpolitische Dimension dieses Themas. Gerade Kinder und Jugendliche sehen sich zunehmend Mithalte- und Ausgrenzungssituationen ausgesetzt. Wer nicht „Marken-Klamotten" oder das gerade „angesagte" Handy hat, ist [25] „out". (vgl. Kap. 1.2)

*Behörde für Soziales und Familie der Stadt Hamburg, Pressemeldung, 25.11.2002*

### Verschuldung und Überschuldung

Grundsätzlich gilt es, zwischen einer Verschuldung und einer Überschuldung zu unterscheiden. Eine Verschuldung bedeutet, dass man alle Forderungen in absehbarer Zeit tilgen kann. Die Aufnahme eines Kredites und damit eine Verschuldung ist ein normaler wirtschaftlicher Vorgang und sagt noch nichts über die Zahlungsfähigkeit an sich aus.
Anders bei einer Überschuldung: Sind die monatlichen Gesamtausgaben beständig höher als die Summe der Einnahmen, dann lassen sich die Forderungen unmöglich begleichen.
Sich zu verschulden, führt nicht automatisch zu einer eingeschränkten Lebensqualität. Eine Überschuldung hingegen bedeutet eine Ausnahmesituation, die meist eine starke psychische Belastung zur Folge hat.

*Autorentext*

### Kredite

Im Kreditgeschäft übergibt der Kreditgeber (Gläubiger), meist eine Bank, dem Kreditnehmer (Schuldner) befristet Geld unter der Voraussetzung, dass das Empfangene in der Zukunft mit Zinsen zurückerstattet werden muss.

### Zins/Zinseszins

Der Zins ist der Preis für die Überlassung von Geld oder Sachwerten über einen bestimmten Zeitraum. Als Sollzinsen bezeichnet man aus der Sicht der Banken die Zinsen, die der Kreditnehmer für einen erhaltenen Kredit zahlen muss. Als Habenzinsen werden die Zinsen bezeichnet, welche die Bank den Sparern für ihr angelegtes Geld bezahlt. Zinseszinsen werden nicht abgetragen oder ausbezahlt, sondern auf die Schuld oder das Kapital aufgeschlagen und mitverzinst.

*Infobox*

## M 9 — Die Schuldnerberatung hilft weiter

Schuldnerberatungsstellen sind die beste Anlaufstelle bei finanziellen Problemen. Die Beratung ist kostenlos, allerdings muss man mit einer mehrwöchigen Wartezeit für einen Termin
5 rechnen. In dringenden Fällen wird aber auch kurzfristig geholfen. Bei einem Gespräch wird zunächst die allgemeine Lebenssituation analy-

siert, um so mögliche Lösungswege erarbeiten zu können. Das setzt die aktive und zuverlässige Mitarbeit des Betroffenen voraus. Der Berater hilft auch dabei, die Finanzen einzuteilen und einen Haushaltsplan zu erstellen.

*Autorentext*

## M 10 — Sparverhalten Jugendlicher

**Sparverhalten**

Kind / Jugendlicher spart von seinem Geld:

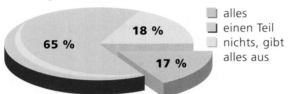

alles
einen Teil
nichts, gibt alles aus

18 %
65 %
17 %

**Sparform**

Kind / Jugendlicher besitzt:

Sparbuch          Taschengeldkonto          Girokonto

85 %          15 %          21 %

*Bauer Media, 2003*

## M 11 — Ohne Banken keine Zinsen

Ohne Banken könnten wir nicht sparen. Wir könnten unser gespartes Geld zwar in den Sparstrumpf stecken, doch würde es sich dadurch nicht vermehren. Erst wenn wir unser Geld auf
5 einer Bank anlegen, erhalten wir Zinsen dafür. Genausowenig könnten wir übrigens einen Kredit aufnehmen, um zum Beispiel einen Hauskauf vorzufinanzieren.

Die Höhe des allgemeinen Zinsniveaus hängt ab
10 von der Zinspolitik der Europäischen Zentral-

bank. Der genaue Zinssatz für eine Geldanlage oder einen Kredit ergibt sich aus dem allgemeinen Zinsniveau sowie der Zinspolitik der einzelnen Banken.

Maßgeblich sind hierbei die Laufzeit, die Höhe der Sparanlage oder des Kredites und das Risiko, das ein Sparer mit einer bestimmten Anlage eingeht oder die Bank bei der Vergabe eines Kredites.

*Autorentext*

| BANKDIENSTLEISTUNGEN | | | |
|---|---|---|---|
| Abwicklung von Zahlungsvorgängen | Angebote für Geldanlagen, Vermögensbildung | Finanzierung der Produktion und des Konsums | Sonstige Dienstleistungen |
| *Bargeldloses Zahlen (Buchgeld), Überweisungen, Daueraufträge* | *Sparbuch, Sparbrief, Aktien, ...* | *Vergabe von kurz- oder langfristigen Krediten* | *z.B. Vermögensverwaltung* |

### Aufgaben zu M 6 – M 11

**1.** Überlege, was es für dich bedeuten würde, überschuldet zu sein. Entwirf dazu eine Situationsbeschreibung (M 8 – M 9).

**2.** Frank zahlt am 1. Januar 500 Euro auf sein Sparkonto ein. Er legt das Geld für drei Jahre fest bei der Bank an. Im 1. Jahr erhält er 2%,

im 2. Jahr 2,5% und im 3. Jahr 3% Zinsen. Wie hoch ist sein Guthaben inkl. Zinseszinsen am Ende der Laufzeit (vgl. Infobox zu M 8).

**3.** Du hast die Aufgabe, deine Mitschüler vom Nutzen des Sparens zu überzeugen – halte dazu eine Rede (M 10, M 11).

# Eine Befragung durchführen, auswerten und darstellen

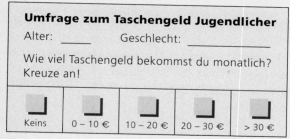

**Umfrage zum Taschengeld Jugendlicher**

Alter: _____     Geschlecht: _____

Wie viel Taschengeld bekommst du monatlich?
Kreuze an!

☐ Keins  ☐ 0 – 10 €  ☐ 10 – 20 €  ☐ 20 – 30 €  ☐ > 30 €

Wie viel Taschengeld bekommen eigentlich 14-Jährige? – Wer bezahlt das Taschengeld? – Wer bessert sein Taschengeld durch einen Job auf? – Wofür wird überwiegend das Taschengeld ausgegeben?

Diese Fragen kannst du sicher für dich und deine nächsten Freunde beantworten. Welche Antworten auf diese Fragen geben aber andere Jugendliche in deinem Alter? Wenn du dies genau herausbekommen wolltest, dann müsstest du alle Jugendliche in deinem Alter befragen. Da dies nicht möglich ist, kannst du eine Gruppe von Jugendlichen auswählen, die möglichst für alle Jugendlichen stellvertretend (repräsentativ) ist. Wenn Meinungsforschungsinstitute Auskunft über die gesamte deutsche Bevölkerung haben wollen, genügt es schon, etwa 2000 Personen zu befragen. Diese müssen allerdings bestimmte Merkmale aufweisen, wenn sie ein Spiegelbild der Gesamtbevölkerung

sein sollen. Da wir z.B. fast genau so viele Frauen wie Männer haben, müssen in der Stichprobe auch Männer wie Frauen gleich repräsentiert sein.

Die Auswahl der befragten Personen kann auch nach dem Zufallsprinzip erfolgen. Du kannst z.B. bei einer Befragung aller Klassen 7 und 8 deiner Schule jeden vierten oder fünften aus den Klassenlisten auswählen. Grundsätzlich sind die Befragungen anonym. Bevor eine Befragung außerhalb des Klassenzimmers durchgeführt wird, solltest du die Schulleitung darüber informieren.

### Entwurf eines Fragebogens

Je einfacher die Fragen sind, desto leichter ist auch die Auswertung der Umfrage. Um zu erfragen, wie viel Taschengeld Jugendliche bekommen, kannst du beispielsweise so vorgehen, wie das nebenstehende Beispiel zeigt.

### Die Auswertung

Zunächst wirst du zählen, wie viele Personen du befragt hast und wie viele z.B.: „Taschengeld 0 – 10 Euro" angekreuzt haben. Angenommen, es wurden 20 Personen befragt und davon hätten vier dieses Kästchen angekreuzt, dann hätten 20% der Befragten ein Taschengeld von 0 – 10 Euro zur Verfügung.

### Darstellung

Zur Darstellung relativer Zahlen sind folgende Diagrammtypen geeignet:

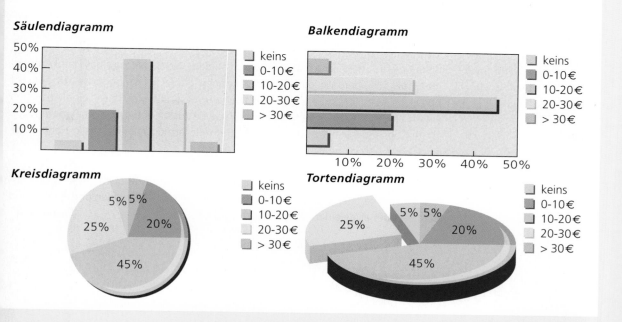

**Säulendiagramm**

**Balkendiagramm**

**Kreisdiagramm**

**Tortendiagramm**

## Warum wir wirtschaften – alles hängt am Geld

**Ökonomisches Prinzip**
M 2

Das Leben auf der Erde unterscheidet sich von dem Leben auf dem Planeten Schlaraffia. Auf der Erde stehen die Bedürfnisse der Menschen in einem Spannungsverhältnis zu den Gütern und Mitteln. Es herrscht Knappheit an Gütern angesichts einer unbegrenzten Zahl von Bedürfnissen. Deshalb muss der Einzelne wirtschaftlich handeln. Wirtschaften heißt also allgemein, die vorhandenen Mittel zur Bedürfnisbefriedigung möglichst wirksam (effizient) einzusetzen.

**Funktionen des Geldes**
M 5

Ohne Geld könnten wir heute nicht wirtschaften. Das Geld in Form von Bargeld, also Banknoten oder Münzen, ist Tausch- und Zahlungsmittel, es kann gespart werden und als Wertaufbewahrungsmittel dienen; schließlich ist es eine Recheneinheit, die als Maßstab für den Wert von Waren und Dienstleistungen benutzt wird. Das Geld stand nicht am Anfang des Wirtschaftens. Die ersten Formen des Wirtschaftens waren durch den Tauschhandel mit Naturalien bestimmt.

**Naturaltausch**
M 5

Der Naturaltausch hatte gegenüber dem Geld den Nachteil, dass die Tauschgegenstände in der Regel nicht länger aufbewahrt werden konnten und als allgemeiner Wertmaßstab ungeeignet waren.

**Haushaltsplan**
M 7

In einem Haushaltsplan oder Budget werden die Einnahmen und die Ausgaben gegenübergestellt. Er dient dazu, sich einen Überblick über die finanzielle Lage zu verschaffen. Jugendliche verfügen über Taschengeldeinnahmen, die als Konsumausgaben einen wichtigen wirtschaftlichen Beitrag leisten. Deshalb werden Jugendliche von Unternehmen umworben.

**Schulden und Kredit**
M 8, Infobox

Wer seine Ausgaben nicht mit den Einnahmen bestreiten kann, hat die Möglichkeit, z.B. bei einer Bank, einen Kredit aufzunehmen. Ein Kredit ist „geliehenes Geld", das man nach einer vereinbarten Frist wieder zurückzahlen muss. Außerdem muss man für einen Kredit meist teuer bezahlen. So fallen beispielsweise bei einer Überziehung des Girokontos zwischen 10 und 20% Zinsen an. Problematisch ist, wenn die Einnahmen dauerhaft nicht ausreichen, die Schulden zurückzuzahlen. Dann droht die Überschuldung.

**Verschuldung Jugendlicher**

Immer mehr Jugendliche haben bereits Schulden. Dabei stellt sich das Handy zunehmend als Schuldenfalle dar. Schulden können große Belastungen für die Zukunft bedeuten, weil Sie in der Regel dazu führen, dass der Schuldner seine Ausgaben einschränken muss oder seine Einnahmen durch zusätzliche Arbeit steigern muss.

**Sparen**

Sparen bedeutet auf Konsum zu verzichten und ermöglicht finanzielle Handlungsspielräume und mehr Sicherheit für die Zukunft.

**Aufgaben der Banken**
M 11

Banken übernehmen im Wirtschaftsgeschehen wichtige Aufgaben: Sie wickeln Zahlungsvorgänge über Konten ab, machen Angebote für Geldanlagen und Kredite und beraten über alle Geldangelegenheiten.

# 1.2 Was das Konsumverhalten beeinflusst

## Die Marke zählt

M 12

### Markenbewusstsein und Erfüllung Markenwunsch

■ (Marke wichtig)          ▢ (wird meistens/wurde erfüllt)

**Mädchen 13 – 19 Jahre**

| | Marke wichtig | wird erfüllt |
|---|---|---|
| Handy | 78% | 58% |
| Jeans | 77% | 76% |
| Sportschuhe | 73% | 69% |
| Bekleidung | 72% | 75% |
| Haarshampoo | 62% | 61% |
| Taschen, Ranzen, Rucksäcke | 57% | 53% |
| sonstige Schuhe | 56% | 49% |
| Armbanduhren | 52% | 43% |

**Jungen 13 – 19 Jahre**

| | Marke wichtig | wird erfüllt |
|---|---|---|
| Handy | 84% | 57% |
| Sportschuhe | 79% | 78% |
| Jeans | 77% | 74% |
| Bekleidung | 71% | 70% |
| Taschen, Ranzen, Rucksäcke | 55% | 50% |
| Computer | 53% | 28% |
| Stereo-Anlage | 50% | 34% |
| Armbanduhren | 46% | 36% |

*Bauer Media, 2003*

## Markenjeans oder Schuluniform?

M 13

Wenn die Schüler des Hamburger Gymnasiums Oberalster in diesen Tagen wieder in ihren Klassen sitzen, wird eine kleine Überraschung auf sie warten. Ein Fragebogen, sofort auszufüllen, damit kein Meinungsführer die spontanen Äußerungen beeinflussen kann: Bist du für Schuluniformen? Welche Farben? Fein oder sportlich? Welche Klassenstufen sollen sie tragen?

Hinter der Aktion stehen die beiden Schülersprecher Thomas Scheffle und Frederik Lau. Während einer Schülerratstagung waren sie auf die Idee gekommen, etwas gegen den unter Schülern grassierenden Markenwahn und für mehr „school spirit" zu tun, wie sie sagen. Sollte sich bei der Umfrage eine Mehrheit finden, könnten die Gymnasiasten bald in dunkelblauen Blazern herumlaufen – oder vielleicht in roten Sweatshirts – je nach Wunsch der Schüler. ... Schuluniformen sind plötzlich

so anziehend, weil sie zwei Trends verbinden. Zum einen die Forderung nach mehr traditionellen Werten in der Erziehung, nach Regeln, Ordnung und Autorität. ... Zum andern soll die Kleidung den Markenwahn vom Schulgelände fern halten. Ungeschriebene Kleidervorschriften gab es allerdings schon immer – jede Generation hatte ihre eigenen. In den zwanziger Jahren mussten die Knickerbocker besonders tief schlappen, in den Siebzigern trug man auf den Schulhöfen 25 30

*Schüler einer Privatschule in England*

35 Armeeparkas, grün und möglichst gebraucht. Heute muss es darüber hinaus das richtige La- bel sein, und zwar meist das teuerste. „Billig!" ist die abfälligste Bemerkung unter Teenagern, nicht nur, wenn es um Kleidung geht. Der Mar-
40 kenwahn – subtile[1] Uniformierung via Gruppen- zwang – geht buchstäblich bis auf die Haut. „Die Unterwäsche sollte von Calvin Klein oder DKNY sein", sagt Charlotte, 12, vom Johanneum, einem humanistischen Gymnasium in Hamburg. Ein
45 Aldi-Kid will keiner sein.

Glaube niemand, das sieht doch keiner: „Die Jeans, zum Beispiel von Ralph Lauren, müssen so tief sitzen, dass man das Label der Unterhose sehen kann. Dafür darf das bauchfreie Top von
50 Fishbone oder H&M sein." Dazu kommen New- Balance- oder Nike-Turnschuhe mit Luftpolster für 150 Euro. Selbst wer das alles kauft, kann dumm dastehen, wenn der Meinungsführer der Klasse beschließt, jetzt seien andere Mar-
55 ken dran. Besonnene Mütter wagen nicht mehr, günstige Angebote auszunutzen. Ihr Kind wird sonst als „Aldi-Kid" beschimpft – oder lässt die Sachen im Schrank.

Kein Wunder, dass geplagte Eltern und auch
60 manche Lehrer vom richtigen Einheitslook für Kinder und Jugendliche träumen: Schluss mit der modischen Rüstungsspirale, das Budget wird geschont. Geklaut und geraubt („abgezogen") würde unter Schülern auch weniger – was will
65 man schon mit einem Schulpullover?! Die Eltern der Jungen erhoffen sich mehr Disziplin und eine bessere Arbeitsatmosphäre, die der Mädchen weniger „Und damit soll ich losgehen!"– Auf- schreie. Die gleiche Kleidung stärkt die Iden-
70 tifikation mit der Schule: Wer sich als Teil des Ganzen fühlt, wird pfleglicher mit dem Inventar umgehen. Corporate Identity – der Traum vom großen Miteinander auch hier. … Allen Gegnern

gemeinsam ist das Hauptargument gegen Schul- uniformen: Nie wieder sollten wir Kinder und Jugendliche in Uniformen stecken – und seien es auch nur Schuluniformen. Vielmehr sollen die Kinder und Jugendlichen das Recht haben, ihre Persönlichkeit durch selbst gewählte Kleidung frei auszudrücken. Dabei hat es in Deutschland wirkliche Schuluniformen niemals gegeben, auch nicht bei den Nazis oder in der DDR, nur Schü- lermützen, die Auskunft gaben über Schule und Klassenstufe.

Gewichtiger scheinen die Argumente aus der Praxis: Schuluniformen beenden den Markenter- ror nicht, sondern verlagern ihn nur. Wenn man sich nicht durch die Kleidung abheben kann, dann muss es eben das krasseste Handy, die coolste Taucheruhr oder der teuerste Füller sein. Deshalb gibt Bildungsforscher Klaus Klemm von der Uni Essen den Schuluniformen in Deutsch- land kaum eine Chance: „Das ist nicht durchsetz- bar bei Jugendlichen in der heutigen Zeit, in der ja die ganze Umgebung der Schüler ihren Wert über Äußerliches definiert." Wer selbst einmal eine Schuluniform getragen hat, weiß zudem von subtilen Unterschieden zu berichten. So erin- nert sich Elisabeth Reif, die ein Austauschjahr in einem britischen Internat verbrachte, dass es dort den gleichen Pullover wahlweise in Polyester, Lambswool oder Kaschmir gab.

Was sollen Kinder tun, die besonders dick oder dünn, klein oder groß sind? In den Einheitsfal- tenrock oder -blazer gesteckt, sind sie dem Spott der Mitschüler viel eher preisgegeben, als wenn sie ihre Kleidung selbst aussuchen dürfen.

*Christine Brasch, Kleiderordnung im Klassenzimmer, in:*
*Die Zeit 36/2001*

[1] subtil = unterschwellig

## Aufgaben zu M 13

**1.** Stelle gegenüber, welche Gründe in M 13 für, welche gegen Schuluniformen sprechen.

**2.** Bilde dir eine eigene Meinung zum Thema Schuluniformen und begründe sie (M 13).

## Das eigene Handy – Statussymbol und Schuldenfalle

**M 14**

Kinder und Jugendliche sind auf Dauerempfang: Jedes zweite Kind zwischen 11 und 12 Jahren und 84 Prozent der 13- bis 22-Jährigen haben nach Angaben des Instituts für Jugendforschung (München) ein eigenes Handy.

Fotos verschicken und im Internet surfen – kein problem für ein modernes Mobiltelefon. Diese oft teuren Zusatzangebote haben nach Ansicht der Experten vor allem eine Zielgruppe: „Da werden Produkte auf den Markt geworfen, die speziell auf Kinder und Jugendliche abzielen", sagt Werner Sanio vom Schuldnerfachberatungszentrum Mainz. Er stellt bei der Überschuldung wegen Handys generell eine steigende Tendenz und teilweise dramatische Ausmaße fest. „Ich kenne Einzelfälle, da betrugen die Handy-Schulden mehrere tausend Euro." Laut Bundesverband der Deutschen Inkasso-Unternehmen haben 12 Prozent der 13- bis 24-Jährigen Schulden – im Durchschnitt sogar rund 1 800 Euro. Mobiltelefon-Rechnungen sind eine Ursache: „Handys haben immer anspruchsvollere Funktionen, häufig verbunden mit für Kinder kaum durchschaubaren Gebühren", teilt der Verband mit.

Neben Gesprächen und Textmitteilungen sind es vor allem die Extras, die Geld kosten. Doch mit bis zu zehn Euro kann das einmalige Herunterladen von Klingeltönen nach Angaben des Magazins „FINANZtest" zu Buche schlagen. Als Statussymbol und festen Bestandteil der Jugendkultur beschreibt Karl Schreiber-Herschel das Mobiltelefon auf seiner Homepage www.schuldenfallehandy.de. Der Sozialarbeiter aus Köln spricht bei Kindern und Jugendlichen von einer „steigenden Abhängigkeit" vom Handy sowie von Medien- und Kommunikationssucht: „Medien werden von vielen jungen Leuten bereits nicht mehr nur zu einem Zwecke, sondern um ihrer selbst Willen genutzt."

Dass Kinder und Jugendliche gar nicht erst in Versuchung kommen, will die Bundesministerin für Verbraucherschutz erreichen – Renate Künast (Grüne) fordert so genannte „Kids-Tarife": Eltern schließen einen speziellen Handy-Vertrag für ihre Kinder ab, in dem teure Nummern wie 0190 oder 0900 zum Herunterladen von Klingeltönen oder Logos nicht angewählt werden können. Auch der Deutsche Kinderschutzbund empfiehlt die im Voraus aufladbaren Guthaben. Ist die Karte vor der verabredeten Zeit leer, sollten Eltern sie nicht gleich wieder aufladen. „Schließlich müssen Kinder früh lernen, dass das einem zur Verfügung stehende Geld begrenzt ist", sagt Bundesgeschäftsführerin Gabriele Wichert.

*Thomas Stollberger, www.vervox.de, 24.8.2004 (umgestellt)*

## Was beim Kauf wichtig ist

**M 15**

| 1. Das persönliche Gefallen | 2. Die Preise | 3. Die Qualität der Güter | 4. Die Prestigeträchtigkeit |
|---|---|---|---|
| Die Orientierung am individuellen Geschmack oder den Vorlieben für ein Gut | Die Orientierung an den niedrigsten Preisen für ein Gut | Die Orientierung an der Beschaffenheit und Ausstattung von Gütern | Die Orientierung am Prestigewert der Güter, also an ihrer Fähigkeit, das eigene Ansehen zu heben oder zu senken |

*Autorentext*

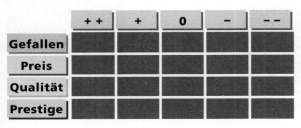

| | ++ | + | 0 | – | – – |
|---|---|---|---|---|---|
| **Gefallen** | | | | | |
| **Preis** | | | | | |
| **Qualität** | | | | | |
| **Prestige** | | | | | |

### *Aufgabe zu M 15*

**1.** *Nach welchen Kriterien gehst du beim Kauf eines Handys vor? Vergib für jedes Entscheidungskriterium Punkte von ++ (sehr wichtig) bis - - (unwichtig), und trage die Werte in eine Tabelle ein. Vergleicht die Ergebnisse.*

**M 16**

# Wie handle ich als Konsument wirtschaftlich?

Konsum bezeichnet den Erwerb von Sachgütern oder Dienstleistungen zur Befriedigung von Bedürfnissen mit Hilfe des Einsatzes von Geldmitteln (Einkommen, Ersparnisse, Kredite).

5 Vernünftiges oder rationales wirtschaftliches

Handeln bedeutet, diejenigen Güter und Dienstleistungen nach Quantität und Qualität auszuwählen, welche die ökonomischen Bedürfnisse optimal zu befriedigen versprechen, wobei die Geldmittel effizient eingesetzt werden sollen. 10

| **Maximalprinzip** | ← **Das ökonomische Prinzip** → | **Minimalprinzip** |

Wer seine verfügbaren Mittel so einsetzt, dass er möglichst viel erreicht, handelt nach dem Maximalprinzip.

Wer sein gegebenes Ziel mit möglichst geringem Einsatz von verfügbaren Mitteln erreicht, handelt nach dem Minimalprinzip.

### Beispiele für problematisches Konsumverhalten:

- Den Kauf von Gütern, die keine ökonomischen Bedürfnisse befriedigen, ohne Rücksicht auf ihre Kosten und die eigenen Mittel, nennt man
15 kompensatorischen Konsum bzw. *Kaufsucht.* Dieser Kauf zielt nicht auf die Nutzung der Güter zu ihrem Gebrauch, sondern auf die Befriedigung, die sich aus dem Kaufakt selbst ergibt.

- Der Kauf von Gütern, die man eigentlich nicht
20 braucht, wird üblicherweise als *Verschwendung* bezeichnet.

- Der Kauf von Gütern, die Bedürfnisse nach sozialer Anerkennung (Prestige) befriedigen, wird als *demonstrativer Konsum* bezeichnet.

*Autorentext*

## Aufgabe zu M 16

**1.** *Welche Folgen hat es, wenn ein Konsument das ökonomische Prinzip nicht beachtet (M 16)?*

**M 17**

# Wirkt Werbung?

## Werbung – zwei Meinungen

**a)** Werbung informiert einen darüber, was gerade „hip" und „cool" ist. Damit können wir uns einen guten Überblick über das Marktangebot verschaffen. Werbung fördert den Wettbewerb der Anbieter. Sie ist oft schön und originell gemacht und die Sprüche sind manchmal sehr lustig, so dass wir gut unterhalten werden. Die Werbebranche bietet zahlreiche interessante Arbeitsplätze und durch die Einnahmen aus Werbung finanzieren sich zahlreiche Medien. Viele Arbeitsplätze können deshalb erhalten werden oder neu geschaffen werden.

**b)** Werbung setzt einen unter Druck, weil sie einem das Gefühl gibt, blöd zu sein, wenn man ihr nicht folgt. Sie will einem vorschreiben, was 15 schön oder gut für einen ist. Werbung wurde erfunden, um Menschen Dinge anzudrehen, die sie eigentlich nicht brauchen oder wollen. Werbung versucht uns also zu manipulieren. Die Werbung gaukelt uns eine heile Welt vor und 20 weckt bei uns Illusionen. Unternehmen schlagen die Kosten für Werbung auf die Produktpreise drauf, sodass die Produkte teurer werden.

*www.kidlane.de, ergänzt durch den Bearbeiter (17.3.2002)*

## Aufgaben zu M 17 und M 18

**1.** Vervollständige die Werbesprüche in M 17. Haben die Werbemacher bei denen, die die Sprüche kannten, ihre Werbeziele erreicht?

**2.** Formuliere ausgehend von M 18 Argumente pro und kontra Werbung und entwirf dazu eine Rede.

## Many Maneri der Trendscout

Man sieht es ihm nicht an, aber Many arbeitet. Diesmal auf einer Rave-Party in der Charterhalle des alten Münchner Flughafens. Den Pulk der Tanzhungrigen checkt er ab von oben bis unten, nach Kleidung, nach Outfit und schrillen Kombinationen.

Many Maneri ist 23 und Trendscout. Ein Szenespion, der sich im Auftrag der Trendagentur Häberlein & Maurer im Münchner Nachtleben herumtreibt und dabei erschnüffeln soll, was in ein paar Monaten „mega-in" und „giga-out" ist. „Was ich in meinem Revier orte, darüber schreib' ich einmal im Monat einen Bericht für die Trendagentur", erzählt Many. „Sie gibt die Trendsignale weiter an große Firmen, zum Beispiel an adidas, damit die Marketing-Bosse dort eine Ahnung davon bekommen, wie sie ihre Schuhe stylen und bewerben müssen, damit junge, modebewusste Leute sie ‚trendy' finden und kaufen."

250 Euro Belohnung kassiert er dafür pro Monat. Die kann Many gut gebrauchen, denn tagsüber verdient er nichts, da studiert er Betriebswirtschaft. So wie der 23-Jährige kundschaftet in jeder wichtigen deutschen Stadt ein Scout für adidas. Wenn viele Scouts dieselben Signale funken, dann werden die Marketingbosse hellhörig. Wie zum Beispiel 1992, da hieß es plötzlich aus London und Tokio: Viele Mädchen kaufen ihre Kleidung nur noch in Kinderabteilungen – das waren erste Signale für den Trend der so genann- 30 ten Girlie-Mode. ...

Trendscouts schnüffeln noch nicht lange durch die deutschen Metropolen, denn die Manager großer Firmen haben erst vor rund vier Jahren gemerkt, dass sie selbst die Fährte der Jugend- 35 szene völlig verloren haben. Sie verstehen nur Bahnhof, wenn 15-Jährige von „Talla 2XLC" (ein Szene-Diskjockey), „Lowrider" (tiefergelegtes Fahrrad) und „Low Spirit" (eine Techno-Platten-firma) reden. Junge Leute wechseln ihre Trends 40 und In-Wörter heute fast so schnell wie die Manager ihre Krawatten.

Früher musste man nur wissen, dass „groovy" so was ähnliches wie „gut" bedeutet und „high" einfach „Guten Tag" heißt, und nicht, dass man 45 gerade einen Joint geraucht hat. Damals kauften 12-Jährige ihre erste Jeans, und wenn die saß, blieben sie jahrelang derselben Marke treu. Undenkbar für heutige Kids. Wer diesen Trend-jüngern etwas verkaufen will, muss also genauso 50 schnell sein wie sie, muss Events schaffen und muss die jungen Leute vor allem verstehen.

*in: PZ Nr. 90, Werbung, hg. von der Bundeszentrale für politische Bildung, Juni 1997, S. 10 f.*

**M 20** ## Marktmacht Techno

Auf dem Höhepunkt der Techno-Welle wurde mit Trend-Produkten jährlich ca. 1 Milliarde Euro Umsatz gemacht.

| Getränke | Drogen | Kommunikation | Musik |
|---|---|---|---|
| Energiedrinks (Red Bull, Purdey's, Flying Horse) | LSD, Ecstasy, Speed (wie Amphetamine), Kräuterdrogen, Cannabis | Zeitschriften (Frontpage, Groove, Raveline), Werbezettel („Flyer"), Datennetze | Über 1000 Speziallabels, darunter „Low Spirit" und „Motor Music" (Polygram), „Eye Q" (WEA) und „Dancepool" (SONY); Stars: Westbam, Marusha, Mark Oh, Sven Väth, Aphex Twin, Moby, U 96 |
| **Kleidung** | | | |
| Markensportswear (Adidas, Puma) Clubwear (Shoof, Groupie de Luxe, Mecca, Björdi, Liquid Sky, Stüssy), Designermode unter anderem von Versace, Dolce & Gabbana und Jean Paul Gaultier | | | **Events** Straßenpartys (Love Parade, Berlin) Hallenpartys („Mayday", Dortmund, Köln, Berlin, Frankfurt), Raves in Flugzeugen („Airave") oder auf Schiffen, Techno Feriendörfer („Summer of Love", Italien; „Ravers Beach", Kroatien) |
| **Sponsoren** | | | |
| Hersteller von Getränken, Tabakwaren und Bekleidung | | | |

*nach: Der Spiegel 27/1995*

**M 21** ## Die Schleichwege der Werbung

*James Bond rettet die Welt mit edlen Marken. Szene aus „Die Welt ist nicht genug" (1999)*

International ist es gang und gäbe, Filme als Werbeträger zur Verfügung zu stellen. Der James-Bond-Film „Tomorrow Never Dies" erhielt 1998 sogar den „Promotion of the Year Award" der US-
5 Werbewirtschaft, weil James Bond so meisterhaft mit Produkten von BMW, Nokia, Visa, Omega und anderen jonglierte. Dass 007 anlässlich der Ausstrahlung im Fernsehen die Argusaugen der Medienwächter ohne Widerspruch passierte, ist ein Indiz dafür, dass die Landesmedienanstalten 10 keine Windmühlenflügelkämpfe gegen die Realität der Filmwirtschaft ausfechten wollen. Ohnehin wird der Markt erweisen, wie viel Penetranz im Werbeverhalten dem Publikum zuzumuten ist, bevor es wegschaltet. 1

*Tom Mustroph, Sonntag Aktuell, 5.8.2001, S. 23*

### Aufgaben zu M 19 – M 21

**1.** Warum werden gerade Jugendliche so stark umworben?

**2.** Was hältst du von der Vorgehensweise der Marktforschung (M 19)?

**3.** Wie beurteilst du die Situation des Konsumenten angesichts der Vorgehensweise der Werbemacher (M 21)?

## Was das Konsumverhalten beeinflusst

Beim Kauf eines bestimmten Produkts kommen unterschiedliche Kaufmotive (individuelle Vorlieben, Preise, Qualität und Prestige) zum Tragen. Die Orientierung an Marken, die bei Jugendlichen ausgeprägt ist, wird vor allem durch die Anerkennung und das Ansehen in der Peergroup bestimmt.
Markenprodukte sind somit Statussymbole. Die Nutzung der Güter zu ihrem Gebrauch tritt in den Hintergrund zugunsten des Nutzen, welcher z.B. aus der Anerkennung in der Gruppe gewonnen wird. Zu beobachten ist bisweilen ein Konsum über die eigenen Verhältnisse, der in die Verschuldung führen kann.

*Kaufmotive*
*M 12 – M 16*

Werbung ist fester Bestandteil unseres täglichen Lebens und hat gerade bei Jugendlichen einen großen Einfluss auf die Kaufentscheidung. Jugendliche stehen also als Zielgruppe der Werbestrategen immer mehr im Mittelpunkt, nicht zuletzt wegen ihrer Kaufkraft von ca. 15 Mrd. Euro jährlich. Jugendliche sprechen gut auf Werbung an, weil sie u.a. noch keine festen Kaufgewohnheiten haben, spontaner handeln und sich gegenüber Neuem oft unkritischer verhalten.

*Einfluss der*
*Werbung*
*M 17 – M 21*

Werbung erfüllt unterschiedliche Funktionen: Ziel jeder Werbung ist, wie der Name schon sagt, für ein Produkt zu werben, so dass es vom Kunden gekauft wird und Umsatz und Ertrag der Unternehmen steigen. Einerseits informiert Werbung darüber, welche Güter angeboten werden und welche Eigenschaften diese haben. Damit verschafft sie dem Konsumenten einen Überblick über die Vielzahl der angebotenen Produkte (Markttransparenz). Werbung ist auch ein Wirtschaftsfaktor, der Arbeitsplätze in der Werbewirtschaft schafft, und viele Medien könnten ohne die Werbeeinnahmen nicht bestehen. Außerdem hat gute Werbung auch einen Unterhaltungswert, sie gefällt dem Konsumenten.
Andererseits wendet die Werbung nicht nur faire Mittel an, um den Konsumenten zum Kauf zu bringen. Über ausgefeilte Manipulationsstrategien werden Bedürfnisse erzeugt (z.B. Schleichwerbung), Preise verschleiert und die negativen Seiten eines Produkts werden verheimlicht. Der Konsument bezahlt die Werbung letztlich über höhere Produktpreise.

*Beurteilung von*
*Werbung*
*M 18*

# 1.3 Das Problem der Nachhaltigkeit – ökologisches Verbraucherverhalten

**M 22**

## Die Natur als Konsumgut?

„How much ist enough?"

Die Navajo-Indianer kamen mit 263 Gegenständen in ihrem Leben aus; wir haben heute 10.000 in unseren Haushalten, 100.000 im Warenangebot und dieses Angebot nimmt ständig zu.

*Alan During (1992) über die Konsumgesellschaft der USA und die Zukunft der Erde*

„Handle so, dass die Wirkungen deiner Handlungen verträglich sind mit der Permanenz echten menschlichen Lebens auf Erden."

*(Hans Jonas, deutscher Philosoph)*

„Es ist genug da zur Befriedigung jedermanns Bedürfnisse, nicht jedoch zur Befriedigung jedermanns Gier"

*(Mahatma Gandhi)*

„Wir wissen, dass der Weiße Mann unsere Art nicht versteht. Er behandelt seine Mutter, die Erde, und seinen Bruder, den Himmel, wie Dinge zum Kaufen und Plündern, zum Verkaufen wie Schafe oder glänzende Perlen. Sein Hunger wird die Erde verschlingen und nichts zurücklassen als eine Wüste."

*Antwort des Indianer-Häuptlings Seattle (1855) an den amerikanischen Präsidenten, der den Indianern ihr Land abkaufen wollte*

Besuchen Sie das letzte Stückchen UNBERÜHRTE NATUR 500 Meter

*Matthias Schwoerer (Baaske Cartoons)*

„Viele kleine Leute an vielen kleinen Orten, die viele kleine Schritte tun, können das Gesicht der Erde verändern"

*(afrikanisches Sprichwort)*

### Aufgabe zu M 22

**1.** Zeige auf, inwieweit die Aussagen als Kritik an der Konsumgesellschaft zu verstehen sind (M 22).

# Mensch und Umwelt

| 1.000 Menschen belasten die Umwelt jährlich | in Deutschland | im Entwicklungsland |
|---|---:|---|
| Energieverbrauch (TJ) | 158 | 22 Ägypten |
| Treibhausgas (t) | 13.700 | 1.300 Ägypten |
| Straßen (km) | 8 | 0,7 Ägypten |
| Gütertransporte (t/km) | 4.391.000 | 776.000 Ägypten |
| Personentransporte (p/km) | 8.126.000 | 904.000 Ägypten |
| PKWs (Anzahl) | 443 | 6 Phillippinen |
| Aluminiumverbrauch (t) | 28 | 2 Argentinien |
| Zementverbrauch (t) | 413 | 56 Ägypten |
| Stahlverbrauch (t) | 666 | 5 Ägypten |
| Hausmüll (t) | 400 | ca. 120 Durchschnitt |
| Sondermüll (t) | 487 | ca. 2 Durchschnitt |

*aus: Günter Gugel/Uli Jäger, Gut leben statt viel haben, hg. von EKD/Brot für die Welt, Stuttgart 1996, S. 11*

## Wie umweltfreundlich ist ein Personalcomputer?

Die Produkte, die man mit einem Personalcomputer herstellen kann, sind „Informationen" und „Daten" – äußerst umweltfreundliche Dinge, denn sie brauchen weder Energie noch hinterlassen sie Abfälle. Anders dagegen sieht es mit dem Computer selbst aus. Bis aus Eisen, Aluminium, Kupfer, verschiedenen Kunststoffen, Gold und 700 weiteren Materialien sowie großen Mengen von Energie und den dazu nötigen Brennstoffen ein rund 22 Kilogramm schwerer Personalcomputer geworden ist, müssen zwischen 16 und 19 Tonnen „Umwelt" bewegt werden. Jürgen Malley, der diese Zahlen für eine Studie in der Abteilung „Stoffströme" des Wuppertaler Instituts für Klima, Umwelt, Energie zusammen mit anderen Wissenschaftlern errechnet hat, nennt die ermittelten Zahlen selbst „spektakulär oder auch erschreckend, je nachdem, wie man es sehen will".

*Der PC als Umweltsünder. Zwischen 16 und 19 Tonnen „Umwelt" müssen für einen PC bewegt werden.*

Auf jeden Fall bedeuten sie, dass ein weltweit viele hundert Millionen Mal verkauftes Produkt, das seine größte Verbreitung sicher noch nicht erreicht hat, zu den schlimmsten Umweltsünden der Technik überhaupt gehört. Selbst das so oft gescholtene Auto ist (pro Kilo Eigengewicht) besser: Die Herstellung eines Mittelklasse-PKW „verbraucht" zwar rund 26 Tonnen Umwelt, aber immerhin wiegt es am Ende auch 1100 Kilogramm und wird obendrein meist länger benutzt als ein PC. Allerdings, so betont Malley, gilt auch für das Auto: Der Trend zu immer mehr Elektronik verschlechtert die Ökobilanz drastisch, und zwar oft auch dann, wenn die Elektronik zum Spritsparen eingesetzt wird.

Wie bei vielen anderen technischen Produkten entsteht auch beim PC die größte Umweltbelastung nicht beim Gebrauch, sondern bei der Herstellung. Das haben auch andere Umweltbilanzen des PC bereits gezeigt, für die nur der Energieverbrauch untersucht worden war. Die neue Wuppertaler Untersuchung berücksichtigt nun, dass der PC eine Unzahl sehr anspruchsvoller Materialien enthält, die nur unter hohem Aufwand gewonnen werden können.

Zu diesem „ökologischen Rucksack" der Roh-

45 stoffe, wie es die Wuppertaler nennen, kommt der Energieverbrauch für die Herstellung des PC. 67 Prozent des gesamten Rohstoffverbrauchs eines PC macht der Energieverbrauch in der Herstellung aus. Abbau der Rohstoffe, Transport
50 und erste Verarbeitungsschritte tragen weitere 21

Prozent bei. Der Energieverbrauch bei der Nutzung des Gerätes daheim oder im Büro und die Entsorgung summieren sich in der Wuppertaler Bilanz auf lediglich 12 Prozent.

*Rainer Klüting, Der Personalcomputer – eine der schlimmsten Umweltsünden, in: Stuttgarter Zeitung, 22.4.1997, S. 13*

## M 25    Eine Hose geht auf Reisen

Der Baumwollanbau in Ägypten (und anderswo) ist zunächst mit einem hohen Pestizideinsatz verbunden, weil Baumwolle stark von Schädlingsbefall bedroht ist. Die beständig erhöhten und in
5 der Wirkkombination veränderten Pestizidgaben belasten vor allem das Wasser. Vielfach werden auch Entlaubungsmittel eingesetzt, um eine maschinelle Ernte der Baumwolle zu ermöglichen. Baumwollanbau in der Bewässerungslandwirt-
10 schaft hat zudem einen hohen Wasserverbrauch zur Folge.
Ein Großteil unserer Kleidung besteht heute aus Mischgewebe. Zur Baumwolle (ca. 50% aller Naturfasern) kommt also meist eine Chemiefa-
15 ser (Polyester, Polyamid, Polyacryl) hinzu. Zur Herstellung dieser Chemiefasern wird in hohem Maße Erdöl (genauer: das Teilprodukt Naphtha) benötigt. Außerdem ist dieser Produktionsschritt mit hohem Energieaufwand (Treibhauseffekt)
20 verbunden. Die Abwässer werden durch eine Reihe toxischer Stoffe erheblich belastet.
Natur und Chemiefasern werden dann – in unserem Beispiel in einer Spinnerei in Belgien – versponnen und verwebt, wobei in geringerem
25 Maße erneut Chemikalien eingesetzt werden. Die wahrscheinlich größten ökologischen Belastungen treten aber im Prozess der Textilveredelung

(Behandlung der Stoffe, chemische Präparierung der Oberfläche, Beeinflussung der Weichheit der Stoffe, Imprägnierung, Aufnahmefähigkeit für 30 die Farben, Färben, Bedrucken) auf, die überwiegend in Deutschland stattfindet. Mit Hunderten von Chemikalien werden die Kleidungsstücke knitterfest, wasserfest, tiefenweiß, schäfchenweich und mottenfrei gemacht. Die Grundstoffe 35 und Textilhilfsmittel belasten unser Abwasser und stellen die kommunalen Kläranlagen vor erhebliche Probleme. Die Textilveredelung ist darüber hinaus der mit Abstand energieintensivste Fertigungsabschnitt. 40
Nach der Veredelung in Deutschland werden die Stoffe zur endgültigen Konfektionierung in die Türkei gebracht. Ihre knapp 10.000 Kilometer (davon 2/3 per LKW) lange Reise endet dann in Deutschland, wo das Endprodukt Hose auf die 45 Käuferinnen wartet. Diese erfreuen sich an modischen und bunten Textilien, und leiden doch gleichzeitig häufig an allergischen Reaktionen, die durch die chemischen Beigaben ausgelöst werden. Ein nicht unerhebliches ökologisches 50 Problem stellt schließlich auch die Entsorgung unserer „Altkleider" dar.

*Dritte Welt Haus Bielefeld, S. 52 f.*

Baumwollanbau in Ägypten / Polyesterherstellung in Deutschland → Spinnen u. Weben der Fasern in Belgien → Veredelung der Textilien in Deutschland → Konfektionierung in der Türkei → Verkauf bei uns

## *Aufgaben zu M 24 und M 25*

**1.** *Fasse die Umweltprobleme, wie sie in den Materialien M 24 – M 25 dargestellt werden, zusammen.*

**2.** *Diskutiert den Einfluss eures Konsums auf die Belastung der Umwelt anhand der Beispiele PC (M 24) und Jeans (M 25).*

## Was kann man ändern?

*Am Thema Umweltschutz kommt niemand vorbei. Wie informiert Kinder sind und wie ernst sie es damit meinen, zeigt eine Umfrage der Zeitschrift ELTERN bei 2.220 Schülern und Schülerinnen im Alter* *zwischen 7 und 16 Jahren.*
*Auf die Frage „Wenn du Umweltminister wärst – was würdest du als Erstes durchsetzen?" entstand eine Liste mit folgenden Maßnahmen:*

1. Strafen für Energieverschwendung
2. Schutz des Regenwaldes (auch durch Finanzausgleich für die Bewohner)
3. Kampf dem Ozonloch
4. Fahrverbot für Riesen-Tanker
5. Förderung von Alternativ-Energien
6. Vermeidung von Asbest in Bauten
7. Einbau von Schadstoff-Filtern auch in Haushaltskaminen
8. Radikale Verminderung des Verpackungsmaterials
9. Mehr Naturschutzgebiete

**Einige Antworten im Originalton:**

„In jedem öffentlichen Schwimmbad kommt ein Stoff ins Wasser, der Urin sofort rot färbt. Wenn einer beim Schwimmen ins Becken pinkelt, sieht man sofort, wer er ist. Und er wird sofort bestraft."

„Ich würde jedes Wochenende als Vorbild aktiv für die Umwelt ganz praktisch arbeiten, z.B. Aufräumarbeiten im Wald, Bäche reinigen, Fußgängerzonen von Hundekot befreien."

„Alle Förster bekommen das Recht, jeden zu verhaften, der mit dem Auto durch den Wald fährt. Nicht nur, weil das Auspuffgas die Bäume und Pilze vergiftet, das Motorengeheul verscheucht auch die Tiere, Spaziergänger und Liebespaare."

„Ich lasse sofort das Ozonloch zumachen. Egal, was es kostet."

„An jedem Haus lasse ich einen großen, gut sichtbaren Energiemesser anbringen. Jeder, der vorbeikommt, kann immer exakt sehen, wie viel Strom, Gas, Wasser, Öl die Menschen da drin verbrauchen. Je höher der Verbrauch, desto geringer das Ansehen."

„Alle Frauen, die mit Pelzen herumlaufen, werden öffentlich ausgelacht."

## Grundregeln für zukünftiges Wirtschaften

*Die Enquete-Kommission "Schutz des Menschen und der Umwelt" des Deutschen Bundestages präzisierte 1997 vier Grundregeln für zukünftiges Wirtschaften:*

1. Die Abbaurate erneuerbarer Ressourcen[1] soll nicht größer sein als ihre Regenerationsrate.
2. Nicht erneuerbare Ressourcen sollen fortan nur in einem bestimmten, begrenzten Umfang genutzt werden. Es soll beachtet werden, ob für diese Ressourcen entweder ein physisch und funktioneller gleichwertiger Ersatz in Form erneuerbarer Ressourcen bereitsteht oder zumindest die Produktivität aller Ressourcen verbessert wird.
3. Stoffeinträge in die Umwelt sollen sich an der Belastbarkeit der Umweltmedien (Wasser, Luft, ...) orientieren.
4. Das Zeitmaß menschlicher Einträge bzw. Eingriffe in die Umwelt muss in ausgewogenem Verhältnis der natürlichen Prozesse stehen.

[1]Ressourcen: sind alle Bestandteile an Produktionsfaktoren (Hilfsmittel), die der Mensch zum Wirtschaften braucht. Im engeren Sinne werden darunter Rohstoffe und Energieträger verstanden, im weiteren Sinne umfasst dieser Begriff auch die natürlichen Lebensgrundlagen des Menschen, wie Luft, Wasser, Boden.

*Autorentext*

## Aufgaben zu M 26 und M 27

*1.* *Überlege, welche der in M 26 vorgeschlagenen Maßnahmen du vor dem Hintergrund von M 27 für am wichtigsten erachtest.*

## *Das Problem der Nachhaltigkeit – ökologisches Verbraucherverhalten*

*Nachhaltigkeit*
*M 27*

Im 18. Jahrhundert wurde der Begriff der Nachhaltigkeit geprägt. In der Forstwirt-schaft galt der Leitsatz: Schlage nur so viel Holz ein, wie der Wald verkraften kann, so viel Holz, wie nachwachsen kann! Damit werden nur die Erträge des Kapitals Wald verbraucht, das Naturkapital bleibt unangetastet und steht auch kommenden Generationen zur Verfügung.

*„Ökologischer Rucksack" von Produkten*
*M 24, M 25*

Besonders die Menschen in den Industrienationen haben seit der Industrialisierung diesen Grundsatz der Nachhaltigkeit missachtet und Naturkapital (z. B. Ölvorräte) zu Lasten künftiger Generationen verbraucht. Zur Erkenntnis, dass jegliche Produktion und damit jeglicher Konsum Auswirkungen auf die Umwelt hat, ist man erst in den letzten Jahrzehnten gekommen. Stoffe müssen bewegt und umgewandelt werden (Stoffverbrauch), um ein Produkt zu schaffen. So wurde ermittelt, dass ein Jogurtglas von der Herstellung bis zum Verbraucher mehrere tausend Kilometer auf der Straße zurücklegt. Auch eine Jeans legt auf ihrem Weg bis zum Verkauf tausende von Ki-lometern zurück. Dies hat einen immensen Ressourcenverbrauch (Energieverbrauch) zur Folge. Diese Umweltbelastungen werden auch als ökologischer Rucksack eines Produktes bezeichnet. Umweltbilanzen einzelner Produkte zeigen die Belastungen für das Ökosystem auf. Für einen Personal Computer fällt diese Bilanz beispielsweise besonders schlecht aus.

*Verbesserte Nutzung der Ressourcen (Effizienzstrategie)*

Ziel nachhaltigen Wirtschaftens ist es, die eingesetzten Ressourcen effizienter zu ver-werten, also z.B. aus einem Fass Rohöl viermal so viel Wohlstand (Effizienzstrategie) zu erzeugen, indem z.B. mehr Produkte daraus hergestellt werden können.

*Verantwortung des Konsumenten*

Was kann der Konsument zum nachhaltigen Wirtschaften beitragen?
Die Konsumenten können durch ihren Kauf oder Nichtkauf letztlich darüber ent-scheiden, was produziert wird. Entschließen sie sich zum Kauf ökologisch vertretba-rer Produkte, werden auch solche produziert (Kauf als „Stimmabgabe").

*Grenzen ökologischen Verbraucher-verhaltens*

In der Realität ist der Einfluss der Konsumenten aber eher gering, weil zahlreiche Konsumenten nur ein schwach ausgeprägtes Bewusstsein ökologischer Zusammen-hänge haben und der niedrige Preis oder das Prestige beim Kauf von Produkten häufig Vorrang hat. Ferner ist es auch für den ökologisch aufgeklärten Konsumenten heute schwierig, genügend zuverlässige Informationen über die Umweltverträglich-keit von Produkten zu erhalten. Allein die Frage, aus welchen Ländern Lebensmittel stammen bzw. welchen Weg sie bis zum Lebensmittelgeschäft zurückgelegt haben, lässt sich heute kaum noch beantworten. Andererseits kann jeder in seinem Alltag ohne große Mühen einen kleinen Beitrag zum Schutz unserer Umwelt leisten, z. B. durch die Vermeidung von Müll oder unnötigem Energieverbrauch.

# 2. Die Soziale Marktwirtschaft

## 2.1 Grundlagen: Wirtschaftskreislauf und Markt

### Das Einkommen der Familie Muster

M 1

Vater Muster arbeitet in der Produktion eines großen Automobilherstellers und bezieht daraus Lohneinkünfte. Außerdem hat er Aktien seiner Firma und erhält daraus einen Anteil an dem erwirtschafteten Gewinn, den man Dividende nennt. Aus seinen Sparguthaben bei seiner Bank bezieht er jedes Jahr Zinseinkünfte.

Mutter Muster arbeitet stundenweise in einem Lebensmittelgeschäft und bezieht daraus Lohneinkünfte. Sie hat von ihren Eltern ein Haus vererbt bekommen, welches sie als Geschäfts-haus vermietet hat. Daraus bezieht sie jährliche Mieteinkünfte.

Sohn Markus steht kurz vor dem Abitur und jobbt in einem Getränkehandel, Tochter Marion geht in die 9. Klasse und gibt Mitschülern Nachhilfe-unterricht. 15

Familie Muster bezieht also Einkünfte aus allen drei volkswirtschaftlichen Produktionsfaktoren: dem Faktor Arbeit, dem Faktor Boden und dem Faktor Kapital. 20

*Autorentext*

### a) Faktor Arbeit

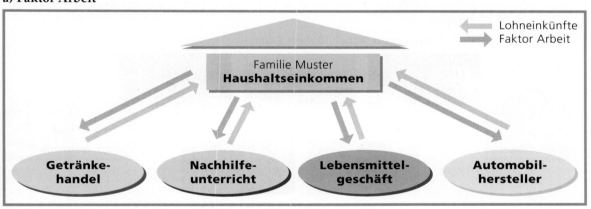

### b) Faktor Boden

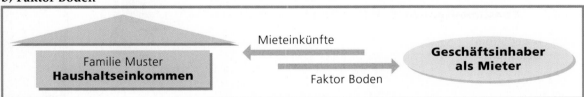

### c) Faktor Kapital

135

## Der Wirtschaftskreislauf

Um die Vielzahl der wirtschaftlichen Verflechtungen in einer Volkswirtschaft überschaubar darzustellen, fasst man die Akteure in einer Wirtschaft zu Sektoren zusammen. Weil z.B. alle Angehörigen der Familie Muster in einem Haushalt leben, wird Familie Muster in einem Sektor private Haushalte zusammengefasst. Unternehmen, wie der Automobilproduzent oder das Lebensmittelgeschäft werden im Sektor Unternehmen zusammengefasst. Sowohl Haushalte als auch Unternehmen haben Einnahmen und Ausgaben. Die Einkommen der privaten Haushalte fließen in Konsumausgaben oder werden gespart. Neben den Wirtschaftssektoren private Haushalte und Unternehmen fasst man noch den Staat, die Banken und das Ausland zu Wirtschaftseinheiten oder Sektoren zusammen.

Familie Muster gibt einen Teil ihres Haushaltseinkommens für die Beschaffung von Waren und Dienstleistungen aus (Konsumausgaben). Diese Ausgaben sind gleichzeitig Einnahmen der Unternehmen, die Waren und Dienstleistungen auf den Märkten anbieten.

*Autorentext*

**Einfaches Kreislaufmodell einer Volkswirtschaft**

**Löhne und Gehälter** (Einkommen der Haushalte)

**Faktorleistungen** (Arbeit, Boden, Kapital)

**private Haushalte**

**Unternehmen**

**Waren- und Dienstleistungen** (Konsumgüter)

**Konsumausgaben** (Einkommen der Unternehmen)

⬅ realer Strom
➡ Geldstrom

## Aufgabe zu M 2

**1.** Im einfachen Kreislaufmodell (M 2) wird davon ausgegangen, dass die Haushalte ihre Einkünfte vollständig für den Konsum ausgeben und die Unternehmen ihren Gewinn für Löhne und Gehälter. Überlege, inwiefern das Modell hier von der Wirklichkeit abweicht und in welcher Beziehung z.B. die Banken oder der Staat zu den Sektoren Haushalt und Unternehmen stehen.

# Märkte

Obst- & Gemüsemarkt

Virtueller Marktplatz

Börse

Hamburger Fischmarkt

Jeden Sonntagmorgen um 5 Uhr erwartet die Frühaufsteher der Freien Hansestadt Hamburg ein eigenartiges Schauspiel ... Attraktion für Einheimische und Besucher, für übriggebliebene Nachtschwärmer und Hausfrauen: der Fischmarkt! Für wenige Stunden erwachen die Straßen und Gassen nahe des Fischereihafens zu geschäftiger Betriebsamkeit: Buden und Stände schießen wie Pilze nach einem warmen Sommerregen aus dem Boden; Bauern aus den benachbarten Vierlanden türmen Äpfel und Kohlköpfe zu appetitlichen Pyramiden, öffnen Butterfässer und Körbe mit nestwarmen Hühnereiern; Aalhändler in silbergeschmückten Joppen, einen schwarzen Zylinderhut auf dem Kopfe, richten die fettglänzenden Delikatessen ordentlich auf ihren Tischen aus. Stände, die spitzenbesetzte Damenwäsche und fein bestickte Taschentücher anbieten, wechseln mit einfachen Holzverschlägen, in denen rosige Ferkelchen grunzen. Mit rasantem Tempo wechseln Waren verschiedenster Art und Herkunft den Besitzer, untermalt durch die phantasievollen Anpreisungen der Marktschreier.

Alte Mütterchen drehen das Portemonnaie in den 25 Händen, wählen sorgsam zwischen Bananen und Orangen, zwischen Eiern der Klasse A und B, zwischen Kabeljau und Butt.

Der Hamburger Fischmarkt findet zu ganz bestimmten Stunden an einem ganz bestimmten 30 Ort statt. Dasselbe gilt für alle Wochenmärkte. Ebenso trifft es auf die Börsen zu: Auch hier treffen sich Käufer und Verkäufer zu festen Zeiten an festen Plätzen, um Wertpapiere oder Waren (die freilich meistens dort nicht konkret vorhanden 35 sind) zu kaufen oder zu verkaufen. Genannt seien etwa die Wertpapierbörse in Düsseldorf und die Goldbörse in Frankfurt. Die dort ausgehandelten oder festgesetzten Kurse und Notierungen kann man in Wirtschaftszeitungen, aber auch in 40 den Wirtschaftsteilen größerer Tageszeitungen, nachlesen. Die technischen Möglichkeiten des Computerzeitalters erlauben es inzwischen sogar, so genannte virtuelle Warenhäuser mit Hilfe des Internets aufzubauen, in denen die Güter auf 45 elektronischem Wege angeboten und verkauft werden.

*Autorentext*

## M 4   Was ist ein Markt?

Jeder Markt ist definiert als der Ort, an dem die Nachfrage und das Angebot von Gütern aufeinander treffen.

will zum hohen Preis verkaufen → **Interessengegensatz** ← will zum niedrigen Preis kaufen

**Anbieter**

**Güterangebot**

**Nachfrager**

**Güternachfrage**

**Angebot und Nachfrage**

Als Markt bezeichnet man das Zusammentreffen von Angebot und Nachfrage, d. h., es muss jemand vorhanden sein, der etwas kaufen (= Nachfrage), und jemand, der etwas verkaufen
5 (= Angebot) will. Käufer und Verkäufer müssen sich dabei nicht unmittelbar gegenüberstehen, sondern es genügt auch eine telefonische oder schriftliche Verbindung, um von einem Markt sprechen zu können.
10 Vollständige Konkurrenz (als Idealmodell) bezeichnet nun eine Marktform, bei der
- es eine unendliche Zahl von Anbietern und Nachfragen gibt, weshalb der Marktanteil jedes einzelnen Anbieters und die nachgefragte Men-
15 ge jedes einzelnen Nachfragers unendlich klein sind;
- ein homogenes Produkt angeboten wird; d.h. ein Gut, das egal wer es anbietet, keinerlei Qualitätsunterschiede aufweist;
20 - die Käufer eine vollkommene Übersicht über das am Markt vorhandene Angebot haben (= vollkommene Markttransparenz) ...

Angenommen, einer der Anbieter würde den Preis erhöhen. Alle Nachfrager würden dann
25 sofort feststellen, dass das Angebot dieses einen Anbieters im Vergleich zu den anderen ungünstiger ist. Denn es wird ja vorausgesetzt, dass die Käufer eine vollkommene Marktübersicht haben.

Das Produkt des Anbieters, der den Preis erhöht hat, würde dann von niemanden mehr gekauft. Da der Marktanteil eines Anbieters unendlich klein ist, könnten die Käufer ihren Bedarf ohne weiteres bei anderen Anbietern decken. Und da die angebotenen Produkte völlig gleichwertig (homogen) sind, würde sich auch kein Verkäufer schlechter stellen.

Auch der umgekehrte Fall lässt sich gedanklich durchspielen. Angenommen, ein Anbieter senkt seinen Preis. Alle Nachfrager würden dann sofort die Produkte dieses Anbieters kaufen wollen, weil sie von gleicher Qualität wie die Produkte der übrigen Anbieter sind, aber einen günstigeren Preis haben. Der Anbieter sähe sich dann einer großen Nachfrage nach seinem Produkt gegenüber, könnte diese Nachfrage aber nur begrenzt befriedigen, weil sein Marktanteil, also sein Angebot im Verhältnis zu dem aller Anbieter zusammen, unendlich klein ist. Er würde ökonomisch unvernünftig handeln, gäbe er seine Produkte zu einem niedrigeren Preis ab und verzichtete damit auf Erlöse, die er erzielen könnte. Er wird also seinen Verkaufspreis wieder auf das ursprüngliche Niveau anheben, und der Gleichgewichtspreis wäre wieder erreicht.

*Hermann Adam, Wirtschaftspolitik und Regierungssystem der Bundesrepublik Deutschland. Eine Einführung, Bonn 1992, S. 44*

# Die Abhängigkeit der Nachfrage vom Preis

In der Stadt Aiern mit 15 000 Einwohnern lassen sich hinsichtlich ihrer Nachfrage nach Eiern vier Haushaltstypen (4-Personen-Haushalte) unterscheiden, die je nach Höhe des Preises unterschiedlich bereit sind, Eier zu kaufen.

Wöchentliche Nachfrage nach Eiern in Stück:

| Preis in Cent | A 300 Haushalte | B 400 Haushalte | C 800 Haushalte | D 100 Haushalte | Summe 1600 H. |
|---|---|---|---|---|---|
| 30 | 0 | 4 000 | 8 200 | 2 800 | 15 000 |
| 25 | 1 800 | 4 400 | 9 000 | 2 800 | 18 000 |
| 20 | 2 800 | 5 400 | 10 000 | 2 800 | 21 000 |
| 15 | 3 200 | 7 000 | 11 000 | 2 800 | 24 000 |
| 10 | 4 200 | 9 000 | 11 000 | 2 800 | 27 000 |

## Aufgaben zu M 3 – M 5

**1.** Von welchen Modellvorstellungen geht man bei der freien Preisbildung durch Angebot und Nachfrage aus (M 4)?

**2.** Überlege, für welche Märkte diese Voraussetzungen heute gelten.

**3.** Trage Summen und Preise in ein Koordinatensystem ein, und zeichne die Nachfragekurve.

# Die Abhängigkeit des Angebots vom Preis

Vier Bauernhöfe / Hühnerfarmen beliefern die Verbraucher in Aiern mit Eiern. Sie sind bereit, bei unterschiedlichen Preisen folgende Mengen anzubieten.

Wöchentliches Angebot an Eiern in Stück:

| Preis in Cent | Bauer Hans | Bauer Peter | Bauer Fritz | Bauer Otto | Summe |
|---|---|---|---|---|---|
| 30 | 16 000 | 5 000 | 3 000 | 3 000 | 27 000 |
| 25 | 16 000 | 5 000 | 3 000 | 0 | 24 000 |
| 20 | 16 000 | 3 000 | 2 000 | 0 | 21 000 |
| 15 | 16 000 | 2 000 | 0 | 0 | 18 000 |
| 10 | 15 000 | 0 | 0 | 0 | 15 000 |
| 5 | 0 | 0 | 0 | 0 | 0 |

## M 7  Exkurs: Ertrag, Kosten und Gewinn

| Preis (1) | Absatzmenge (2) | Ertrag (3) (1) x (2) | Gesamtkosten (4) 9 Cent x (2) | Gewinn (5) (3) – (4) |
|---|---|---|---|---|
| 30 | 16 000 | | | |
| 25 | 16 000 | | | |
| 20 | 16 000 | | | |
| 15 | 16 000 | | | |
| 10 | 15 000 | | | |

## M 8  Die Funktionen des Preises

Der unter der Kontrolle des Wettbewerbs gebildete Marktpreis zeigt in der Regel die Knappheit von Gütern an (Knappheitsfunktion). Außerdem ist der Preis ein Lenkungsinstrument, welches den Interessenausgleich bzw. Interessengegensatz zwischen Anbietern und Nachfragern regelt, indem er festlegt, *welche* Güter, in *welchen* Mengen, *wo* zu einem bestimmten Zeitpunkt angeboten werden.

Durch den Anreiz Gewinne zu erzielen, werden die Produktionsfaktoren auf die Märkte gelenkt, wo die größten Gewinnmöglichkeiten bestehen. Ausgeschlossen werden die Nachfrager, die den Marktpreis nicht bezahlen können oder wollen.

*Autorentext*

### Aufgaben zu M 6 und M 7

1. Trage wiederum Preis und Summen in ein Koordinatensystem ein, und zeichne die Angebotskurve (M 6).

2. Vergleiche den Verlauf beider Kurven. Der Schnittpunkt beider Kurven wird als Gleichgewichtspreis bezeichnet. Erkläre, worin dabei das Gleichgewicht besteht (M 6).

3. Wie lässt sich in der grafischen Darstellung ein Angebotsüberhang und ein Nachfrageüberhang kennzeichnen (M 6)?

4. Wie erklärt es sich, dass Bauer Hans zu fast jedem Preis große Mengen anbieten kann, Bauer Otto hingegen nur zum Preis von 30 Cent (M 6)?

5. Bauer Hans rechnet für ein Ei mit Herstellungskosten von 9 Cent. Berechne Ertrag, Gesamtkosten und Gewinn bei unterschiedlichen Preisen (M 7).

## Wirtschaftskreislauf und Markt

Um sich einen Überblick über die vielschichtigen und komplizierten Vorgänge einer Volkswirtschaft zu verschaffen, fasst man die wirtschaftlich Handelnden modellhaft zu Wirtschaftseinheiten oder Wirtschaftsektoren zusammen. Einzeln oder zusammen lebende Menschen, die eine Wirtschaftsgemeinschaft bilden, werden als private Haushalte bezeichnet. Sie werden im Wirtschaftssektor private Haushalte zusammengefasst. Ihnen gegenüber stehen die Produzenten von Gütern, die Unternehmen, die im Sektor Unternehmen zusammengefasst werden.

*Wirtschaftssektoren*
*M 1*

Die wirtschaftlichen Handlungen von privaten Haushalten und Unternehmen lassen sich in einem einfachen Modell darstellen, das aber nicht der viel komplizierteren Wirklichkeit entspricht. Zwischen Haushalten und Unternehmen fließen Geld- und (im weiteren Sinne) Güterströme. Die Haushalte beziehen Ihr Einkommen dadurch, dass sie den Unternehmen Produktionsfaktoren (Arbeit, Boden, Kapital) zur Verfügung stellen. Dafür erhalten sie Lohn-, Miet- und Zinseinkünfte. Die Unternehmen beziehen Einkünfte, weil die Haushalte ihre Einkommen in Form von Konsumausgaben wieder an die Unternehmen zurückgeben. Dafür produzieren die Unternehmen, durch Kombination der Produktionsfaktoren, Güter, die von den Haushalten gekauft werden.

*Wirtschaftskreislauf*
*M 2*

Der Markt ist der „Ort" des Tausches von Gütern. Sowohl Verbraucher als auch Verkäufer befriedigen auf den Märkten ihre Bedürfnisse. Dabei treffen Anbieter und Nachfrager, die beide das Ziel der Nutzenmaximierung verfolgen, mit gegensätzlichen Interessen aufeinander.

*Markt*
*M 3, M 4*

Der Interessengegensatz äußert sich in unterschiedlichen Preisvorstellungen. Anbieter wollen zum höchsten Preis verkaufen, Nachfrager zum geringsten Preis kaufen. Unter den Voraussetzungen der vollständigen Konkurrenz (Vielzahl von Anbietern und Nachfragern), der Homogenität der Güter (Güter mit gleicher Qualität) und der Markttransparenz (vollkommener Überblick über das Angebot) bilden Angebot und Nachfrage den Preis. Ist die angebotene Menge größer als die nachgefragte, dann sinkt der Preis. Der sinkende Preis führt zu einer Erhöhung der Nachfrage und Verminderung des Angebots. Ist die nachgefragte Menge größer als die angebotene, steigt der Preis. Der steigende Preis führt zu einem Rückgang der Nachfrage und einem steigenden Angebot. Der Gleichgewichtspreis, der grafisch der Schnittpunkt der Nachfrage- und Angebotskurve ist, ist der Preis, zu dem der größte Güterumsatz erfolgt. Neben dem Preis als Faktor für Kauf- und Verkaufsentscheidungen haben für den Konsumenten das Einkommen und der Bedarf, für den Produzenten die Produktionskosten und die Konkurrenzsituation entscheidende Bedeutung.

*Preisbildung*
*M 5 – M 8*

## 2.2  Die Soziale Marktwirtschaft

### Das Leitbild der Sozialen Marktwirtschaft

Das Leitbild der Sozialen Marktwirtschaft entstand gegen Ende des Zweiten Weltkriegs und griff Elemente des Neoliberalismus und der christlichen Soziallehre auf. Geistige Väter des
5 Konzepts waren Walter Eucken (1891-1950), Professor für Volkswirtschaftslehre, und Alfred Müller-Armack (1901-1978), späterer Abteilungsleiter im Bundesministerium für Wirtschaft. Diese Wirtschaftsordnung wurde in der Bundesrepublik
10 Deutschland insbesondere durch den Bundeswirtschaftsminister und späteren Bundeskanzler Ludwig Erhard (1897-1977) politisch durchgesetzt. In ihr kommt dem Staat die Aufgabe zu, die sozial unerwünschten Auswirkungen der Marktwirt-
15 schaft zu verhindern oder wenigstens abzumildern. „Sozial" steht für soziale Gerechtigkeit und Sicherheit, „Marktwirtschaft" steht für wirtschaftliche Freiheit.

Wirtschaftliche Freiheit bedeutet, dass Verbrau-
20 cher frei entscheiden können, welche Güter sie kaufen (Konsumfreiheit). Der Eigentümer an Produktionsmitteln kann frei wählen, ob er seine Arbeitskraft, Sachgüter oder unternehmerischen Fähigkeiten zur Verfügung stellt (Gewerbefrei-
25 heit, Berufsfreiheit und Freiheit der Eigentumsnutzung). Unternehmer haben die Freiheit, Güter nach ihrer Wahl zu produzieren und abzusetzen. Käufer und Verkäufer von Güter oder Dienstleistungen besitzen die Freiheit, sich neben anderen
30 um das gleiche Ziel zu bemühen (Wettbewerbsfreiheit). Nur mittels eines funktionsfähigen Wettbewerbs werden über Angebot und Nachfrage die Wirtschaftspläne so aufeinander abgestimmt, dass die Wirtschaft quasi wie von selbst ihren bestmög-
35 lichen Zustand erreicht. Zu diesem Zweck setzte Erhard das Gesetz gegen Wettbewerbsbeschränkungen (1957) durch.

Die Marktfreiheit soll durch den Staat dort beschränkt werden, wo sie die soziale Gerechtigkeit
40 und die soziale Sicherheit gefährdet. Der Wirtschaftspolitik kommt z. B. die Aufgabe zu, die negativen Folgen von Konjunkturschwankungen (Arbeitslosigkeit, Inflation) zu dämpfen. Die Einkommens- und Vermögensverteilung soll vor
45 allem im Interesse der nicht am Wirtschaftsprozess beteiligten Gruppen staatlich korrigiert werden; es findet eine Umverteilung (Distribution) statt. Instrumente solcher wirtschaftspolitischen Maßnahmen sind beispielsweise progressive Einkommen- und Vermögenssteuern, Sparprämien und lohnpolitische Maßnahmen. Gewerkschaften und Arbeitgeberverbände stellen dabei als Sozialpartner (Tarifpartner) eine wichtige Einflussgröße in den Strukturen der Sozialen Marktwirtschaft dar. Sozial Schwächere werden durch ein soziales Netz (z.B. durch Arbeitslosenversicherung, Kinder- und Erziehungsgeld, Wohngeld, Sozialhilfe) abgesichert. Der Staat übernimmt Aufgaben, die über den Markt nicht oder nur sehr eingeschränkt angeboten werden können (Marktversagen), wie etwa struktur- und bildungspolitische Aufgaben.
…

Die Soziale Marktwirtschaft hält grundsätzlich am Ideengut des Individualprinzips fest. Die Handlungsfreiheit des Einzelnen sollte allerdings dort aufhören, wo fundamentale Rechte und Lebensinteressen anderer eingeschränkt werden. Das Grundziel dieser Wirtschaftsordnung heißt entsprechend: „So viel Freiheit wie möglich, so viel staatlicher Zwang wie notwendig." Die Aufgabe der Sozialen Marktwirtschaft ist es, auf Grundlage der Marktwirtschaft das Prinzip der Freiheit mit dem des sozialen Ausgleichs und der sozialen Gerechtigkeit zu verknüpfen. Der Mensch wird also sowohl als Individual- als auch als Kollektivwesen betrachtet. Damit liegt die Wirtschaftsordnung der Sozialen Marktwirtschaft zwischen den beiden Extremen der auf dem Individualprinzip aufgebauten Marktwirtschaft und der auf dem Kollektivprinzip aufgebauten Planwirtschaft.

Soziale Sicherheit soll im Rahmen des Leitbilds auch dadurch herbeigeführt werden, dass Anpassungen an Änderungen der Wirtschaftsstruktur erleichtert werden. Staatliche Eingriffe sind hier allerdings oft umstritten. So wird etwa die Unterstützung des deutschen Steinkohlebergbaus durch Subventionen seit langem kontrovers diskutiert. Grundsätzlich ist der Staat verpflichtet, seine Subventionsleistungen regelmäßig zu überdenken, damit sie sich nicht verstetigen, sondern lediglich Übergangshilfen bleiben.

*Bundeszentrale für politische Bildung, Wirtschaft heute, Bonn 2003, S. 30*

# Das Sozialstaatsgebot – Kernelement der Sozialen Marktwirtschaft

Neben den im Stabilitätsgesetz (s. M 14) formulierten Zielen sind die Soziale Sicherung und die Sicherung des Wettbewerbs die wichtigsten Aufgaben der Sozialen Marktwirtschaft in der
5 Bundesrepublik Deutschland. Das Sozialstaatsgebot im Grundgesetz (Art. 20 Abs. 1 GG) verpflichtet den Staat dazu, jedem Bürger, der trotz eigener Anstrengungen nicht in der Lage ist seine Existenz zu sichern, staatliche Unterstützung zu
10 gewähren. Außerdem findet eine gewisse Um-

verteilung der Einkommen und Vermögen statt, indem z.B. die Bezieher niedrigerer Einkommen steuerlich weniger stark belastet werden als die Bezieher hoher Einkommen. Wie hoch jedoch die Existenzsicherung oder das Maß der Umver-
15 teilung genau sein soll, ist eine politische Frage und deshalb regelmäßig Gegenstand politischer Auseinandersetzungen.

*Autorentext*

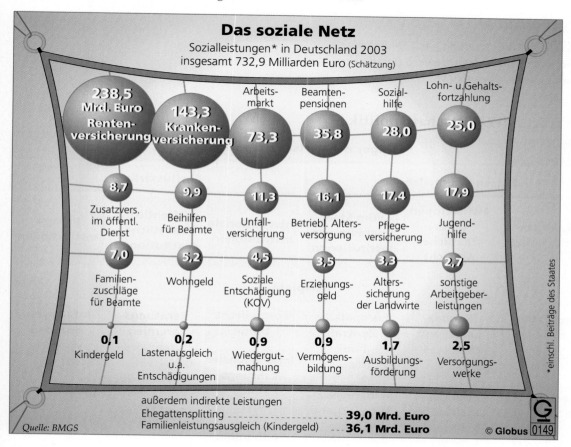

**Das soziale Netz**
Sozialleistungen* in Deutschland 2003
insgesamt 732,9 Milliarden Euro (Schätzung)

**238,5 Mrd. Euro Rentenversicherung**

**143,3 Krankenversicherung**

Arbeitsmarkt **73,3**

Beamtenpensionen **35,8**

Sozialhilfe **28,0**

Lohn- u. Gehaltsfortzahlung **25,0**

Zusatzvers. im öffentl. Dienst **8,7**

Beihilfen für Beamte **9,9**

Unfallversicherung **11,3**

Betriebl. Altersversorgung **16,1**

Pflegeversicherung **17,4**

Jugendhilfe **17,9**

Familienzuschläge für Beamte **7,0**

Wohngeld **5,2**

Soziale Entschädigung (KOV) **4,5**

Erziehungsgeld **3,5**

Alterssicherung der Landwirte **3,3**

sonstige Arbeitgeberleistungen **2,7**

Kindergeld **0,1**

Lastenausgleich u.a. Entschädigungen **0,2**

Wiedergutmachung **0,9**

Vermögensbildung **0,9**

Ausbildungsförderung **1,7**

Versorgungswerke **2,5**

*einschl. Beiträge des Staates

außerdem indirekte Leistungen
Ehegattensplitting ............................ **39,0 Mrd. Euro**
Familienleistungsausgleich (Kindergeld) ---- **36,1 Mrd. Euro**

*Quelle: BMGS*

© Globus 0149

## Aufgaben zu M 10 und M 11

**1.** Stelle den Grundgedanken der Sozialen Marktwirtschaft in einem Bild dar (M 9, M 10).

**2.** Vor allem die Rentenversicherung in Deutschland steckt in der Krise. Recherchiert, welche

Ursachen es dafür gibt und welche Lösungsansätze diskutiert werden. Gestaltet dazu z.B. ein wissenschaftliches Poster, das die zentralen Ergebnisse übersichtlich präsentiert (M 10).

**M 11**

## Ohne Wettbewerb kein Markt

Ziel der Wettbewerbspolitik ist es, den freien Wettbewerb der Wirtschaftsteilnehmer auf den Märkten zu garantieren. Nur so führt der Markt zur bestmöglichen Verwendung der knappen Produktionsfaktoren. Ist der Wett-
5 bewerb z.B. durch die Monopolstellung eines Unternehmens oder unlautere Preisabsprachen zwischen Unternehmen gefährdet, so kann der Staat auf der Grundlage von Gesetzen in das Wirtschaftsgeschehen eingreifen, um die Funktionsfähigkeit des Marktes wieder herzustellen. Wichtigste Gesetze sind das „Gesetz gegen Wettbewerbsbeschränkungen" und das „Gesetz gegen unlauteren Wettbewerb". Zuständig für die Wettbewerbskontrolle in Deutschland ist das Bundeskartellamt, auf europäischer Ebene ist es die Europäische Kommission.

*Autorentext*

### Aufgaben zu M 11

**1.** Werte die Tageszeitung nach Fallbeispielen aus, wo der freie Wettbewerb unzulässig eingeschränkt wurde (M 11).

**M 12**

## Die Träger der Wirtschaftspolitik

| Träger der Wirtschaftspolitik | | | | | |
|---|---|---|---|---|---|
| **Entscheidungsträger** | | | **Einflussträger** | | |
| **Staatliche Institutionen** | **Institutionen unter staatlicher Aufsicht** | **Vom Staat unabhängige Institutionen** | **Internationale Institutionen** | **Öffentlich-rechtliche Institutionen** | **Private Institutionen** |
| **Beispiele** | | | | | |
| **Legislative** Parlamente (Bund, Länder, Kommunen) | **Bundes-kartellamt** (Wettbewerbs-politik) | **Europäische Zentral-bank** (Geldpolitik) | **Europäische Union** / **Internationaler Währungs-fonds** (IWF) | **Beratungs-gremien** Sachverständi-genrat, wissen-schaftliche Bei-träge, Mono-polkommission | **Interessen-gruppen** Verbände, Parteien |
| **Exekutive** Regierungen (Bund, Länder, Verwaltungen, Behörden) | **Bundes-agentur für Arbeit** (Arbeitsmarkt-politik) | **Selbstverwal-tungsorgane** (Industrie- und Handels-kammmern) | **Welthandels-organisation** (WTO) | | |
| **Judikative** u.a. Bundes-verfassungsge-richt, Arbeits- und Sozialge-richte | | **Tarifparteien** Gewerkschaften und Arbeitgeber-verbände (Lohnpolitik) | | | |

*Viktor Lüpetz, Problemorientierte Einführung in die Volkswirtschaftslehre, 4. Aufl., Darmstadt 2005, S. 286*

# Wirtschaftspolitische Zielsetzungen in der Sozialen Marktwirtschaft: das Stabilitäts- und Wachstumsgesetz

Das 1967 verabschiedete Gesetz zur Förderung der Stabilität und des Wachstums der Wirtschaft („**Stabilitätsgesetz**", StabG) verpflichtet den Bund und die Länder zu einer an den „Erfordernissen des gesamtwirtschaftlichen Gleichgewichts" orientierten Wirtschafts- und Finanzpolitik:

„Bund und Länder haben bei ihren wirtschafts- und finanzpolitischen Maßnahmen die Erfordernisse des gesamtwirtschaftlichen Gleichgewichts zu beachten. Die Maßnahmen sind so zutreffen, dass sie im Rahmen der marktwirtschaftlichen Ordnung gleichzeitig zur Stabilität des Preisniveaus, zu einem hohen Beschäftigungsgrad und außenwirtschaftlichen Gleichgewicht bei stetigem und angemessenem Wirtschaftswachstum beitragen" (§ 1 des StabG).

Die im Stabilitätsgesetz formulierten Ziele werden auch als **„magisches Viereck"** bezeichnet. Zwischen den einzelnen Stabilitätszielen bestehen wechselseitige Abhängigkeiten und Zielkonflikte, die eine gleichzeitige vollständige Erfüllbarkeit aller Ziele unter Umständen verhindern.

## Hoher Beschäftigungsgrad

*Wirtschaftspolitische Bedeutung:*

- Ausschöpfung des gesamtwirtschaftlichen Produktionspotenzials zum Zwecke der allgemeinen Güterversorgung
- Vermeidung sozialer Härten infolge unfreiwilliger Arbeits- und Erwerbslosigkeit

## Preisniveaustabiliät

*Wirtschaftspolitische Bedeutung:*

- Erleichterung der Erwartungsbildung der Wirtschaftssubjekte bezüglich der allgemeinen Preisentwicklung
- Förderung der Koordinationsfähigkeit des freien Preisbildungsmechanismus

## Stetiges und angemessenes Wirtschaftswachstum

*Wirtschaftspolitische Bedeutung:*

- der Stetigkeit: Vermeidung oder Dämpfung der konjunkturellen Schwankungen von Wachstum und Beschäftigung
- der Angemessenheit: Notwendigkeit eines ausreichenden Wachstums für die Erreichung eines hohen Beschäftigungsgrades in der Zukunft

## Außenwirtschaftliches Gleichgewicht

*Wirtschaftspolitische Bedeutung:*

- Erreichung einer langfristigen ausgeglichenen Zahlungsbilanz (Devisenzuflüsse = Devisenabflüsse)
- Vermeidung eines dauerhaften Netto-Abflusses inländischer Ressourcen ins Ausland, Vermeidung einer dauerhaft ansteigenden Nettoverschuldung des Inlands gegenüber dem Ausland

*Duden Basiswissen Schule, Politik, Berlin/Mannheim 2004, S. 160 f.*

## Aufgabe zu M 13

**1.** Diskutiert, ob die in M 13 genannten wirtschaftspolitischen Ziele ergänzt werden sollten.

## M 14    Das magische Viereck – Ziele erreicht?

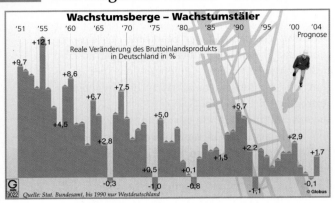

**Wachstumsberge – Wachstumstäler**

Reale Veränderung des Bruttoinlandsprodukts in Deutschland in %

'51 '55 '60 '65 '70 '75 '80 '85 '90 '95 '00 '04 Prognose

+12,1 +9,7 +8,6 +6,7 +7,5 +4,5 +5,0 +5,7 +2,8 +2,2 +2,9 +1,5 +1,7 +0,5 +0,1 -0,3 -1,0 -0,8 -1,1 -0,1

Quelle: Stat. Bundesamt, bis 1990 nur Westdeutschland © Globus

**Die Entwicklung der Verbraucherpreise in Deutschlan**

Die Inflationsrate in %

1949 1952 1955 1958 1961 1964 1967 1970 1973 1976 1979 1982 1985 1988 1991 1994 1997 2000 2003

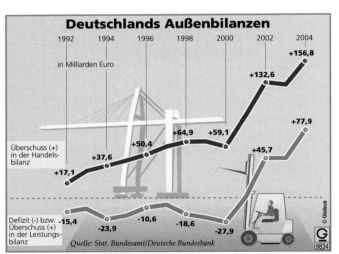

**Deutschlands Außenbilanzen**

in Milliarden Euro

1992 1994 1996 1998 2000 2002 2004

Überschuss (+) in der Handelsbilanz
+17,1 +37,6 +50,4 +64,9 +59,1 +45,7 +77,9 +132,6 +156,8

Defizit (-) bzw. Überschuss (+) in der Leistungsbilanz
-15,4 -23,9 -10,6 -18,6 -27,9

Quelle: Stat. Bundesamt/Deutsche Bundesbank

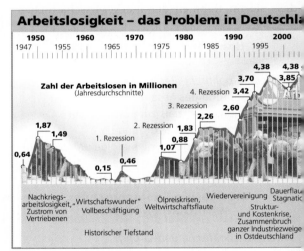

**Arbeitslosigkeit – das Problem in Deutschla**

1950 1960 1970 1980 1990 2000
1947 1955 1965 1975 1985 1995

**Zahl der Arbeitslosen in Millionen** (Jahresdurchschnitte)

0,64 1,87 1,49 0,15 0,46 1,07 0,88 1,83 2,26 2,60 3,42 3,70 4,38 3,85 4,38

1. Rezession   2. Rezession   3. Rezession   4. Rezession

Nachkriegsarbeitslosigkeit, Zustrom von Vertriebenen — „Wirtschaftswunder" Vollbeschäftigung — Ölpreiskrisen, Weltwirtschaftsflaute — Wiedervereinigung — Dauerflau Stagnatic Struktur- und Kostenkrise, Zusammenbruch ganzer Industriezweige in Ostdeutschland

Historischer Tiefstand

## M 15    Wir brauchen ihn nicht mehr

*Aufgaben zu M 12 – M 14*

**1.** Prüfe, inwieweit die Ziele des Stabilitätsgesetzes (vgl. M 13) erreicht wurden.

**2.** Welche der in M 12 genannten Träger der Wirtschaftspolitik sind in erster Linie für die Erfüllung der in M 13 genannten Ziele verantwortlich?

**3.** Vergleiche die Grafiken zu Wachstum und Arbeitslosigkeit. Welcher Zusammenhang besteht zwischen den beiden Entwicklungen (M 14)?

# Arbeitslosigkeit – ein Einzelschicksal

Der ehemalige Geschäftsführer eines Kölner Verlages sitzt in hellen Slippern im weißen Sofa in Bergisch Gladbach: „Mein Chef hat mich in einen kahlen Raum gerufen", erinnert er sich. „Da hat er dann gesagt: Tja, tut mir leid, wir schließen Ihren Bereich. Kein Glas Wasser, kein „Wollen Sie den Rest des Tages freihaben?", nichts. Das war ein merkwürdiges Gefühl. Als würde man von Tempo 200 auf null gestoppt. Man war ja hoch motiviert. Immer kreativ. Und dann von einem Moment auf den anderen das Aus. Das war ein Schock. Schlicht ein Schock. Ein anderes Wort fällt mir dazu nicht ein." „Nach dem ersten Schreck kam die Wut", sagt er, „wie kann der nur, so ein Arschloch, und ich bin nun wirklich nicht der Mensch für Kraftausdrücke. Dann kam Erleichterung, na bitte, mach ich eben was Neues, habe ich ja schon oft gemacht. Und dann aber doch wieder die Wut. Und die Angst. Ich bin 48, und als Lektor ist es im Moment sehr schwierig. Auf einmal fehlt bei allem der Sinn. Das war ja nicht nur irgendein Job für mich. Das war meine Leidenschaft, meine Berufung. Ich habe mich erst mal noch mehr in meine Kirchenarbeit gestürzt und im Haushalt nützlich gemacht. Aber man muss dabei aufpassen. Für meine Söhne ist das komisch. Früher ist der Vater morgens um sieben zum Job gefahren und abends um zehn nach Hause gekommen. Immer im Anzug, immer zu tun. Und jetzt steht er am Bügelbrett. Das verunsichert die Jungs doch." „Mit der Kündigung verliert man seine bisher gewohnte Rolle – im Freundeskreis, in der Partnerschaft, in der Familie", sagt Sabine Blecher, Familientherapeutin in Frankfurt am Main. Ihre Patienten erzählen, dass sie pausenlos mit dem Partner streiten, dass sie sich einsam und unverstanden fühlen. Erst nach vielen Sitzungen erkennen sie, dass all diese Probleme mit dem Verlust ihrer Arbeit begonnen haben. Glücksforscher sagen: Ohne Job zu sein macht so unglücklich wie ein Minus von 34 500 Euro auf dem Konto. Noch unglücklicher macht nur Krankheit. Arbeit bringt Geld. Arbeit bringt Achtung. Wer nicht arbeitet, der lebt nicht. Wer die Arbeit verliert, der hat versagt. Und auch wenn Millionen Menschen wissen, dass Kündigung schon lange alltäglich ist – dieser Glaube gehört zur hiesigen Kultur.

In den ersten Monaten nach dem Jobverlust erleben die Betroffenen die Kündigungssituation in immer wiederkehrenden Bildern. Verbeißen sich in diesen einen Moment, erzählen wieder und wieder von jedem Detail, klagen sich an, suchen nach eigenen Fehlern, die zur Katastrophe geführt haben. Die, die ahnten, dass sie ihren Job verlieren, empfinden zunächst Erleichterung, dass die Bedrohung endlich Gewissheit ist. Doch auch bei ihnen folgen Depression, Verzweiflung und Erschöpfung bis hin zu Apathie.

*Franziska Reich, Stern, Heft 20/8.5.2003*

**Die wahren Kosten der Arbeitslosigkeit**

Staatliche Ausgaben bzw. Mindereinnahmen je Arbeitslosen im Jahr 2003:

**18 900 Euro**
davon

Ausgaben
**10 078 Euro**

Mindereinnahmen
**8 822 Euro**

| | Ausgaben | Mindereinnahmen | |
|---|---|---|---|
| Arbeitslosengeld/-hilfe | 5 965 | 3 634 | Steuern (Einkommen- und Verbrauchsteuern) |
| Beiträge Rentenversicherung | 1 691 | 2 194 | Beiträge Rentenversicherung |
| Beiträge Kranken- und Pflegeversicherung | 1 508 | 1 691 | Beiträge Kranken- und Pflegeversicherung |
| Sozialhilfe | 731 | 1 303 | Bundesagentur für Arbeit |
| Wohngeld | 183 | | |

*Quelle: IAB*

© Globus 9278

**M 18**  # Formen der Arbeitslosigkeit und Lösungsansätze zu ihrer Bekämpfung

| Ursachen | Mögliche Lösungsansätze |
| --- | --- |
| **Friktionelle Arbeitslosigkeit**<br>Die Ursache dieses Typus sind Friktionen (= Hemmnisse, Widerstände) auf dem Arbeitsmarkt. Wegen dieser Friktionen kommt es zu Verzögerungen bei der Besetzung vorhandener offener Stellen durch Arbeitslose: Passende Stellen müssen erst gefunden werden, dann müssen sich die Arbeitslosen bewerben, gegebenenfalls müssen sie umziehen, wenn die Stelle in einer anderen Stadt liegt usw. | Gegen friktionelle Arbeitslosigkeit können die Arbeitsämter arbeitsmarktpolitische Maßnahmen einsetzen, um die Vermittlung geeigneter Arbeitsloser auf vorhandene offene Stellen zu fördern. Zu diesen Maßnahmen gehören u.a.:<br>• die rasche Information der Arbeitslosen über das Angebot an Stellen<br>• Unterstützung bei Bewerbung, Vorstellungsgespräch usw.<br>• Mobilitäts- und Umzugsbeihilfen, falls die neue Stelle weiter entfernt liegt |
| **Merkmalsstrukturelle Arbeitslosigkeit**<br>Ursächlich sind hier die Unterschiede zwischen den Merkmalen der Arbeitslosen und den Anforderungen der offenen Stelle; viele Arbeitslose können die Qualifikationsanforderungen nicht erfüllen. Bei dieser merkmalsbedingten Arbeitslosigkeit gibt es also sowohl Arbeitslose als auch offene Stellen, aber beide passen nicht zusammen. | Gegen merkmalsstrukturelle Arbeitslosigkeit können Arbeitsämter Maßnahmen der Qualifizierung, Weiterbildung und Umschulung von Arbeitslosen einsetzen. Meist sind es ja unzureichende Qualifikationen der Arbeitslosen, die eine Vermittlung behindern – also Ursache des Weiterbestehens von Arbeitslosigkeit sind. |
| **Konjunkturelle Arbeitslosigkeit**<br>Dieser Typus ist durch einen konjunkturellen Abschwung oder eine Rezession verursacht. Vorhandene Stellen in den Unternehmen können nicht besetzt werden, weil die Produktionskapazitäten schlecht ausgelastet sind. Es fehlt an Nachfrage, also wird weniger produziert, also benötigen die Unternehmen auch weniger Arbeitskräfte: Sie stellen keine neuen Mitarbeiter ein oder entlassen Arbeitskräfte. | Gegen konjunkturelle Arbeitslosigkeit hilft nun nicht mehr die Arbeitsmarktpolitik der Bundesagentur für Arbeit, sondern jetzt ist die Konjunktur- und Beschäftigungspolitik von Regierung und Zentralbank gefordert. Zur Ankurbelung der Konjunktur kann die Regierung z.B. Steuerentlastungen beschließen oder die Staatsausgaben erhöhen. Das schafft mehr Nachfrage und regt Wachstum und Beschäftigung an. Allerdings erhöhen solche Maßnahmen das Haushaltsdefizit – und damit die Staatsverschuldung. Die Zentralbank kann zur Anregung der Konjunktur die Zinsen senken. |
| **Strukturelle Arbeitslosigkeit**<br>Allgemein liegt hier eine mangelnde Anpassungsfähigkeit der Volkswirtschaft vor. Strukturwandel, veränderte Produktions- und Konsumbedingungen stellen hohe Anforderungen an die Flexibilität der Wirtschaftssubjekte. So führt z.B. der technische Fortschritt dazu, dass immer mehr Arbeit von Maschinen verrichtet werden kann (Rationalisierung). Entstehen nun keine neuen Stellen in neu gegründeten Unternehmen oder expandierenden Sektoren, weil z.B. im Ausland kostengünstiger produziert werden kann, dann entsteht strukturelle Arbeitslosigkeit. | Gegen strukturelle Arbeitslosigkeit kann die Regierung Maßnahmen der Standortpolitik und der Verbesserung der Angebotsbedingungen ergreifen. Die „Arbeitsplatzlücke" ist ja Folge einer unzureichenden Investitionsneigung der Unternehmen, also müsste diese gestärkt werden. Dies kann z.B. dadurch geschehen, dass die (Kosten-) Belastung der Unternehmen verringert wird (Senkung von Steuern und Abgaben; Abbau kostenwirksamer Regulierungen, Flexibilisierung u.s.w.). Außerdem kann der Staat Wachstum fördern, indem er durch eine gezielte Bildungs- und Forschungspolitik Zukunftsbranchen fördert. |

*nach: Gerhard Willke/Lothar Schächterle, Thema im Unterricht Nr. 30/2003, Arbeitslosigkeit, Bundeszentrale für politische Bildung*

# Zwei Strategien der Wachstums- und Beschäftigungspolitik

**Nachfragesteuerung**
Grundüberlegung: Die Gesamtnachfrage bestimmt das Volkseinkommen und die Höhe der Beschäftigung

**Angebotssteuerung**
Grundüberlegung: Die Rentabilität der Produktion bestimmt die Höhe des Einkommens und der Beschäftigung

| Nachfrage nach Konsum- und Investitionsgütern | Nachfrage des Auslands |
|---|---|

| Arbeitskräfte-Angebot | Geldmarkt |
|---|---|

**Nachfrage des Staates**

**Produktionsapparat/ Produktionsstruktur**

| Wirtschaftspolitische Instrumente: Antizyklische Finanz- und Steuerpolitik | → | Initialzündung: Höhere Staatsinvestitionen |
|---|---|---|

| Initialzündung: Steuererleichterungen z.B. Abschreibungen bzw. Innovations- förderung | ← | Wirtschaftspolitische Instrumente: Potentialorientierte Geldpolitik Angebotsorientierte Finanzpolitik Produktivitätsorientierte Lohnpolitik |
|---|---|---|

Mehr Beschäftigung in den betroffenen Branchen (Bau, Zulieferer)

Höheres Volkseinkommen in diesen Branchen

Ertragskraft der Unternehmen wird verstärkt

Mehr Konsumnachfrage

Mehr private Investitionsgüterindustrie, darunter innovative Investitionen

Mehr Beschäftigung in der Konsumgüterindustrie

Mehr Beschäftigung in der Investitionsgüter- industrie, Modernisierung des Produktionsapparates

Mehr private Investitionen

Hauptziel: Kurzfristiges gesamtwirtschaftliches Gleichgewicht

Hauptziel: Mittelfristiges gesamtwirtschaftliches Gleichgewicht Stärkung der internationalen Wettbewerbs- position durch Senkung der Produktionskosten

*Heinrich Köppen, Konjunkturpolitik. Schülerheft, 7. Aufl., Stuttgart 1998, S. 47*

# Zurück zur 40-Stunden-Woche?

## a) Eine Arbeitszeitverlängerung wird längerfristig Arbeitsplätze schaffen.

Bei einer Verlängerung ohne Lohnausgleich wird Arbeit billiger. Damit sinken die Kosten der Unternehmen, ohne dass der einzelne Beschäftigte dies in seinem Portemonnaie merken würde.
5 Dies ist die verträglichere Art der Arbeitskostensenkung. Als Folge dürften Unternehmer auf längere Sicht wieder mehr Leute einstellen. Wenn mehr Menschen über Einkommen verfügen, wird wiederum mehr ausgegeben, was längerfristig,
10 also in den nächsten drei bis vier Jahren, die Wirtschaft mit ankurbelt.
Doch nicht jedes Unternehmen braucht eine solche Kostensenkung. Ich plädiere deshalb nicht für eine generelle Arbeitszeitverlängerung auf eine 40-Stunden-Woche, sondern bin für eine flexiblere Handhabung. So könnte in den Tarifverträgen zum Beispiel ein Arbeitszeitkorridor zwischen 35 und 40 Stunden festgelegt werden. Arbeitszeitverlängerung wäre insbesondere bei solchen Unternehmen, die sich in wirtschaftlichen Schwierigkeiten befinden oder sich mit Abwanderungsgedanken tragen, eine Möglichkeit, die Betriebe in Deutschland weiterhin zu er- und behalten und vor allem, um Arbeitsplätze zu sichern. Längere Arbeitszeit wäre ein notwendiger Tribut für die Arbeitsplatzsicherung.

*Eckhardt Wohlers, Konjunkturchef des Hamburgischen Welt-Wirtschafts-Archivs (HWWA), Hamburger Abendblatt, 6.7.2004*

## b) Eine generelle Arbeitszeitverlängerung auf 40 Stunden pro Woche wäre gesamtwirtschaftlich eine Katastrophe.

Wenn die Arbeitszeit ohne Lohnausgleich verlängert wird, sinken zwar die Arbeitskosten pro Stunde. Dies freut jeden Unternehmer, weil er glaubt, dadurch mehr Gewinne zu erzielen. Wird
5 aber das zusätzliche Angebot nicht nachgefragt, geht die Rechnung nicht auf. Es entsteht kein neuer Arbeitsplatz. Im Gegenteil, Jobs werden abgebaut. Was betriebswirtschaftlich rentabel erscheint, geht gesamtwirtschaftlich nicht auf.
10 Hinzu kommt: Das vorrangige Problem der deutschen Wirtschaft liegt derzeit nicht bei den Lohnstückkosten. Hier stehen die Unternehmen international gut da, wie der florierende Export zeigt. Das Hauptproblem ist, dass die Binnennachfrage fehlt. Wegen der Angst vor dem Jobverlust sparen die Beschäftigten, statt Geld auszugeben. Sollte dann noch das Urlaubs- oder Weihnachtsgeld gestrichen werden, bricht weitere Kaufkraft weg. Doch vier Fünftel unserer Volkswirtschaft lebt von der Binnenwirtschaft. Hier wären eine expansive Lohnpolitik und höhere Nettoeinkommen durch Abgabenentlastung am Ende für alle sinnvoller. Löhne sind eben nicht nur Kosten, sondern auch Nachfrage. Längere Arbeitszeiten führen nicht zu mehr Arbeit, sondern dazu, dass weniger Menschen mehr arbeiten.

*Rudolf Hickel, Direktor des Instituts Arbeit und Wirtschaft, Bremen, Hamburger Abendblatt, 6.7.2004*

## Aufgaben zu M 15 – M 20

**1.** Stelle in einer Mindmap die Folgen der Arbeitslosigkeit für den Einzelnen und die Gesellschaft dar (M 15 – M 17).

**2.** Welche konkreten Maßnahmen müsste der Staat deiner Meinung nach zur Bekämpfung der Arbeitslosigkeit ergreifen? Erstelle dazu einen Maßnahmenkatalog (M 18, M 19).

**3.** Erläutere, welche Vorsorge du selbst treffen könntest, um später nicht von Arbeitslosigkeit betroffen zu sein (M 15 – M 20).

**4.** Ordne die beiden Stellungnahmen in M 20 den Grundkonzeptionen in M 19 zu und begründe deine Entscheidung.

**5.** Findet zunächst weitere Argumente für und gegen eine Verlängerung der Arbeitszeit und gestaltet anschließend eine Debatte zu dem Thema (M 20).

## Die Soziale Marktwirtschaft

Der Begriff Soziale Marktwirtschaft beschreibt die Wirtschaftsordnung der Bundesrepublik Deutschland. Ihr wesentliches Merkmal ist die Verbindung „des Prinzips der Freiheit auf dem Markt mit dem des sozialen Ausgleichs".

Die Konzeption der Sozialen Marktwirtschaft wurde für den Wiederaufbau der Bundesrepublik Deutschland nach dem Zweiten Weltkrieg als Alternative zu einer staatlich gelenkten Wirtschaft entwickelt. Ihre politische Durchsetzung in den Jahren 1947 bis 1949 ist mit dem ersten Wirtschaftsminister der Bundesrepublik, Ludwig Erhard, verbunden.

*Konzept der Sozialen Marktwirtschaft*
*M 9*

Die wichtigsten Merkmale in der Konzeption der Sozialen Marktwirtschaft sind:

*Merkmale*

• Privateigentum an Produktionsmitteln und freie Preisbildung
• Herstellung einer Wettbewerbsordnung und Sicherung des Wettbewerbs (z.B. durch das Kartellgesetz, Gesetz gegen unlauteren Wettbewerb)
• Soziale Sicherheit, soziale Gerechtigkeit und sozialer Fortschritt (durch staatliche Umverteilungsmaßnahmen in Form von Sozialhilfeleistungen, Sozialrenten und Ausgleichszahlungen, Subventionen, Zuschüssen, progressiver Einkommensteuer usw.; durch die Systeme der Sozialen Sicherung: Renten-, Kranken- Arbeitslosen und Pflegeversicherung, Unfallversicherung; durch eine Arbeits- und Sozialordnung)

Um eine stabile Wirtschaftsentwicklung zu garantieren, wurde 1967 das Stabilitätsgesetz verabschiedet. Es formuliert die wichtigsten Ziele der Wirtschaftspolitik:

*Stabilitätsgesetz*
*M 10, M 14*

• ein stetiges und angemessenes Wirtschaftswachstum
• eine ausgeglichene Zahlungsbilanz
• Preisniveaustabilität
• hoher Beschäftigungsgrad.

Zentrales Problem der derzeitigen Ausprägung der Sozialen Marktwirtschaft ist die anhaltend hohe Arbeitslosigkeit. Man unterscheidet vier Formen der Arbeitslosigkeit: Friktionelle und merkmalsstrukturelle Arbeitslosigkeit können durch Maßnahmen der Arbeitsmarktpolitik (z.B. schnellere Vermittlung, bessere Qualifizierung) bekämpft werden. Konjunkturelle und strukturelle Arbeitslosigkeit lassen sich nur durch wirtschaftspolitische Maßnahmen bekämpfen.

*Arbeitslosigkeit*
*M 16 – M 17*

Vertreter der Nachfragetheorie sehen eine mangelnde Binnennachfrage als Ursache für die hohe Arbeitslosigkeit. Unternehmen können durch die Kaufzurückhaltung der Konsumenten weniger Produkte absetzen und erwirtschaften demnach weniger Gewinne. Die Unternehmen investieren weniger, die Wirtschaft wächst langsamer. Im Zentrum des Lösungsansatzes der Nachfragetheorie steht deshalb die Erhöhung der gesamtwirtschaftlichen Nachfrage z.B. durch höhere Lohnabschlüsse und zusätzliche Ausgabenprogramme des Staates.

*Nachfragetheorie*
*M 19*

Vertreter der Angebotstheorie sehen die Arbeitslosigkeit dagegen durch unzureichende Bedingungen auf der Angebotsseite und eine mangelnde Flexibilität des Arbeitsmarktes verursacht. Erst wenn die Produktionsbedingungen für Unternehmen (z.B. durch niedrige Steuern, moderate Lohnabschlüsse, gelockerten Kündigungsschutz) verbessert werden, werden auch wieder die Gewinne der Unternehmen und infolgedessen die Investitionen steigen und mehr Arbeitsplätze geschaffen.
Aus Sicht der beiden Grundkonzeptionen lässt sich auch die Forderung nach einer Verlängerung der Arbeitszeit unterschiedlich beurteilen.

*Angebotstheorie*
*M 19*

## 2.3 Interessenausgleich zwischen Arbeitgebern und Arbeitnehmern

**M 21**  **Einigung im Tarifstreit in der Metallindustrie**

*Dortmund* – Die 85.000 Stahlkocher in Niedersachsen, Nordrhein-Westfalen und Bremen dürfen sich auf 3,5 Prozent mehr Lohn freuen. Am frühen Mittwochmorgen einigten sich Arbeit-
5 geber und die Gewerkschaft IG Metall in Dortmund nach über sechsstündigen Verhandlungen auf diese Gehaltssteigerung. Damit verhinderten sie quasi in letzter Minute den ersten Tarifstreik in der Stahlindustrie seit rund 26 Jahren. Am
10 Freitag hätte die IG Metall ansonsten mit der Urabstimmung über einen Streik begonnen.

Für die Monate April bis August erhalten die Beschäftigten 500 Euro als Einmalzahlung. Ab September gibt es dann für 12 Monate 3,5 Prozent
15 mehr Lohn. Außerdem sollen Auszubildende einmalig 100 Euro erhalten.

„Wir sind sehr zufrieden", sagte der Verhandlungsführer der IG Metall, Detlef Wetzel. Dies sei ein „außerordentlich gutes Ergebnis" und ein
20 „fairer Kompromiss". „Es gibt keine Branche, die auch nur annähernd ein so gutes Ergebnis erzielt hat", meinte er. Mit dem Ergebnis sei eine Beteiligung an der Produktivität der Branche erzielt worden. Die Verhandlungen seien allerdings sehr
25 hart gewesen.

„Vernünftigerweise hätten wir uns einen anderen Kompromiss gewünscht", sagte der Vorsitzende des Arbeitgeberverbandes Stahl, Helmut Koch. „Leider haben wir unsere Vorstellungen nicht so
30 umsetzen können."

Dennoch könne man damit leben. „Entscheidend ist, dass wir einen Arbeitskampf in unserer Industrie vermieden haben", so Koch.

Die Tarifpartner hatten ihre Verhandlungen vor
35 einer Woche ergebnislos abgebrochen. Die IG

*2005 konnte die Urabstimmung über einen Streik in der Stahlindustrie abgewendet werden. Die Urabstimmung ist eine geheime Abstimmung von Gewerkschaftsmitgliedern darüber, ob es zu einem Streik kommt oder nicht. In der Regel müssen 75 % der Gewerkschaftsmitglieder zustimmen.*

Metall war mit einer Forderung von 6,5 Prozent bei einer Laufzeit von 12 Monaten in die Tarifrunde gegangen und hatte dies mit der guten Ertragslage der Unternehmen begründet. Die Arbeitgeber hatten zuletzt ein Angebot von 2,4 Prozent mit einer Laufzeit von 19 Monaten und einer Einmalzahlung von 800 Euro vorgelegt.

*Die Welt, 11.5.2005*

### Aufgabe zu M 21

**1.** *Erkläre, mit welchen Argumenten die Tarifpartner ihre Forderungen begründen. Wie wird der gefundene Kompromiss bewertet?*

# Die Tarifpartner: Arbeitgeberverbände und ...

M 22

Die Arbeitgeber sind heute in einer Vielzahl von Verbänden und Vereinigungen organisiert. Solche Vereinigungen sind z.B. die Bundesvereinigung der Deutschen Arbeitgeberverbände, der Bundesverband der deutschen Industrie, Zentralverbände der übrigen Wirtschaftszweige, Industrie und Handelskammern und Berufsgenossenschaften. Als Tarifpartei gegenüber den Gewerkschaften treten einzelne Arbeitgeber oder die Fachverbände der Bundesvereinigung der Deutschen Arbeitgeberverbände auf.

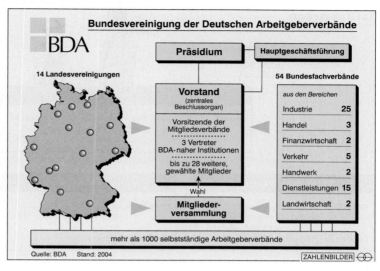

*Erich Schmidt Verlag, Zahlenbilder Nr. 236150*

# ... Arbeitnehmerorganisationen in Deutschland

M 23

In der heutigen pluralistischen Gesellschaft haben **Gewerkschaften** als Wortführer eines großen Teils der arbeitenden Bevölkerung erheblichen Einfluss auf die Gestaltung der staatlichen Arbeits- und Sozialpolitik. Gleichzeitig vertreten sie die Ansprüche der Arbeitnehmer in der direkten Auseinandersetzung mit den Arbeitgeberverbänden. Sie sehen ihre Aufgabe vor allem darin, in

Tarifverträgen bessere Lohn- und Arbeitsbedingungen zu verankern, die Mitbestimmungsrechte der Arbeitnehmer zu sichern und zu erweitern und den Arbeitsschutz zu verbessern. Mit der deutschen Einigung konnten ab 1990 auch in Ostdeutschland freie, unabhängige Gewerkschaften tätig werden. Die frühere DDR-Einheitsgewerkschaft FDGB löste sich auf.

25

*Erich Schmidt Verlag, Zahlenbilder Nr. 240110*

153

## M 24   Die Gestaltung der Arbeitswelt durch Tarifverträge

**Tarifverträge**

| **Arbeitgeberverbände** einzelne Arbeitgeber | | **Gewerkschaften** (Arbeitnehmerverbände) |

**Tarifvertrag**

**regelt:** Rechte und Pflichten der Tarifvertragsparteien, Inhalt, Abschluss und Beendigung von Arbeitsverhältnissen, betriebliche und betriebsverfassungsrechtliche Fragen

| **Manteltarifvertrag** | **Rahmentarifvertrag** | **Lohntarifvertrag** |
|---|---|---|
| **regelt:** allgemeine Arbeitsbedingungen wie Arbeit, Urlaub, Kündigungsfristen, Akkord<br>**Laufzeit:** mehrere Jahre | **regelt:** Lohngruppeneinteilung nach Tätigkeitsmerkmalen<br>**Laufzeit:** mehrere Jahre | **regelt:** Löhne und Gehälter, Akkordlöhne, Zulagen und Zuschläge<br>**Laufzeit:** meist ein Jahr |

*Erich Schmidt Verlag, Zahlenbilder Nr. 240021*

Die Tarifautonomie überantwortet die Lohnfindung, aber auch die Gestaltung vieler Details der Arbeitswelt den Tarifvertragsparteien. Die Tarifautonomie ist in Art. 9, Abs. 3 Grundgesetz ga-
5 rantiert. Darin heißt es: „Das Recht, zur Wahrung und Förderung der Arbeits- und Wirtschaftsbedingungen Vereinigungen zu bilden, ist für jedermann und für alle Berufe gewährleistet. Abreden, die dieses Recht einschränken oder zu behindern
10 suchen, sind nichtig, hierauf gerichtete Maßnahmen sind rechtswidrig." Tarifvertragsparteien sind Gewerkschaften, einzelne Arbeitgeber sowie Vereinigungen von Arbeitgebern. Der Staat schafft den rechtlichen Rahmen, darf sich aber in die konkreten Auseinandersetzungen der Tarifpartner nicht einmischen. Die Mitglieder der Tarifpartner sind zur Einhaltung der ausgehandelten Tarifverträge verpflichtet.

*Autorentext*

## M 25   Argumente in der Lohnpolitik

Die Forderungen in den Tarifverhandlungen gehen von faktischen „Nullrunden" bei den Löhnen bis zur Umverteilung, um den Anteil der Arbeitnehmer am Volkseinkommen zu erhöhen.
5 Dabei lassen sich sowohl bei den Gewerkschaften wie bei den Arbeitgebern unterschiedliche Argumentationslinien feststellen.

### Die gewerkschaftliche Position
Im Vordergrund der gewerkschaftlichen Posi-
10 tion steht die Erhaltung bzw. Steigerung der Kaufkraft. Die Lohnerhöhungen in der Gesamtwirtschaft sollten mindestens so groß sein wie die Produktivitätsfortschritte plus der zu erwartenden Preissteigerungsrate. Eine noch weiter-
15 gehende Forderung vertritt die Gewerkschaftslinke: durch Lohnerhöhungen, die über den Verteilungsspielraum hinausgehen („Umvertei-

lungskomponente"), werden die Gewinne der Unternehmen geschmälert und der Anteil der Arbeitnehmer-Einkommen am Volkseinkommen wird verbessert.

### Die Arbeitgeber-Position
Ziel der Arbeitgeber ist es, die Lohnerhöhung höchstens am Produktivitätszuwachs auszurichten, um die Lohnkosten zu „stabilisieren". Das heißt: Die Arbeitnehmer sollen nur soviel mehr bekommen, wie sie auch statistisch gesehen pro Stunde mehr leisten (steigende Wertschöpfung). ... Da die Arbeitgeber auf für sie zu hohe Lohnkosten damit reagieren, dass sie die Preise auf die Kunden abwälzen (Lohn-Preise-Spirale) oder Arbeitnehmer entlassen, fordern die Arbeitgeber im Interesse der Gesamtwirtschaft von den Gewerkschaften „moderate" Lohnforderungen.

35 Noch weiter geht die durch das Kieler Institut für Weltwirtschaft mittlerweile weit verbreiteten These, dass eine produktivitätsorientierte Tarifpolitik lediglich in Vollbeschäftigungszeiten akzeptabel sei.

*http://www.learn-line.nrw.de/angebote/tarifpolitik/ (20.7.2005)*

## *Arbeitsproduktivität*

Als volkswirtschaftliche Größe zeigt die Arbeitsproduktivität an, wie groß der produktive Beitrag eines jeden Beschäftigten ist. Ein Anstieg der Arbeitsproduktivität bedeutet, dass sich die Wertschöpfung in Bezug auf den Arbeitseinsatz erhöht hat bzw. das angestrebte Produktionsergebnis mit einer geringeren Menge von Arbeitsstunden erreicht wurde. Einfluss auf die Arbeitsproduktivität haben vor allem technischer Fortschritt und Arbeitsintensität.

$$\text{Produktivität} = \frac{\text{Arbeitsergebnis}}{\text{Arbeitseinsatz}}$$

*Autorentext*

*Infobox*

# Spielregeln für den Arbeitskampf

**Grundlage: Tarifautonomie (Art. 9,3 GG und § 2,1 Tarifvertragsgesetz)**

M 26

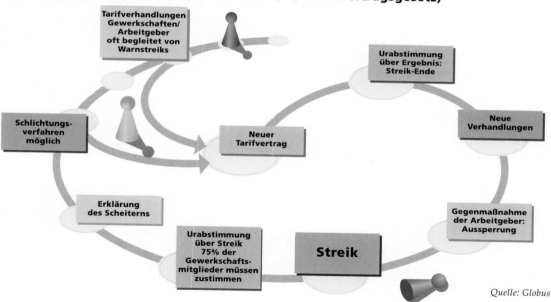

Quelle: Globus

## *Aufgabe zu M 19 – M 26*

**1.** Spielt in einem Rollenspiel eine Tarifauseinandersetzung zwischen Gewerkschaften und Arbeitgebern nach. Teilt die Klasse dazu in zwei Gruppen. Geht davon aus, dass die Produktivität und die Preise um durchschnittlich 2,5 % gestiegen sind. Begründet euren Standpunkt mit Hilfe von M 19 und M 26.

## M 27  Wozu noch Gewerkschaften? – Ein Kommentar

Wozu noch Gewerkschaften? Welche politische Rolle sollen sie künftig überhaupt spielen? „Die Hauptaufgabe der Gewerkvereine besteht darin, die gesetzliche Freiheit des Arbeitsvertrags für

5 die mittellosen Arbeiter zur Wahrheit zu machen, indem dieselben durch ihre Vereinigung befähigt werden, mit den Arbeitgebern auf gleichem Fuße zu unterhandeln", so steht es im Brockhaus von 1898.

10 So grundlegend sich die Arbeitswelt gewandelt hat, so wahr ist dies im Grunde noch immer: Der Einzelne ist zu schwach. Auch Arbeitnehmer in PR-Agenturen und IT-Firmen merken das – wenn der Chef die allein erziehende Mutter

15 feuert und der Dachkonzern eine unsinnig hohe Rendite fordert. Trotzdem laufen die Massen den Gewerkschaften weg: ... Ihre Angebote decken sich nicht mehr mit den Bedürfnissen der Beschäftigten und oft auch nicht mit den ökonomi-

20 schen Realitäten. ...
Früher konnten Tarifverträge die Arbeitskosten in einer Branche für alle festlegen, die Löhne waren kein Wettbewerbsfaktor. Das ist zumindest

für die Industrie in der entgrenzten Welt Vergangenheit. Einige wenige, kluge Gewerkschafter fordern deshalb bereits eine tarifpolitische Wende: von quantitativen zu qualitativen Forderungen.

Dann ginge es um Ansprüche auf Weiterbildung, auf Arbeitszeitgestaltung und altersgerechte Arbeitsplätze – und das ganz individuell. So etwas könnte auch jene Beschäftigten in IT- und PR-Berufen interessieren, die über Stechuhr und 35-Stunden-Woche nur müde lächeln. Hierfür müssten die Gewerkschaften jedoch die Vorstellung aufgeben, Tarifpolitik sei nur Umverteilung – und ihren auf Gleichheit fixierten Gerechtigkeitsbegriff verändern.

Sie lassen zwar heute schon weit mehr Differenzierung innerhalb von Betrieben und zwischen verschiedenen Firmen zu, als es dem öffentlichen Bild von den „Blockierern" entspricht. Aber sie müssten dies von der Not zur Tugend erheben.

*Jonas Viering, Süddeutsche Zeitung, 1.9.2003*

### Aufgabe zu M 27

**1.** Brauchen wir noch Gewerkschaften? Diskutiert diese Frage in einer Pro-Kontra-Debatte (M 27).

## Interessenausgleich zwischen Arbeitgebern und Arbeitnehmern

In der breiten Öffentlichkeit werden die unterschiedlichen Interessen und Konflikte, die es in der Arbeitswelt gibt, am offensichtlichsten in den Tarifkonflikten ausgefochten. Hier geht es um Fragen der Lohngestaltung. Sie werden oberhalb der betrieblichen Ebene durch die Tarifvertragsparteien ausgehandelt, zu denen die Gewerkschaften, einzelne Arbeitgeber sowie Vereinigungen von Arbeitgebern gehören.
Das Recht der Tarifvertragsparteien, ohne staatliche Einmischung Tarifverträge auszuhandeln oder zu kündigen, wird als Tarifautonomie bezeichnet. Sie ist in Artikel 9, Absatz 3 Grundgesetz geregelt. Ergänzend treten Bestimmungen des Tarifvertragsgesetzes (TVG) hinzu. Bis es zum Tarifabschluss kommt, gibt es in der Regel eine komplizierte Abfolge zahlreicher Schritte, die eine unbedachte Eskalation solcher Konflikte zum Schaden aller verhindern sollen.
Das Ergebnis der Tarifverhandlungen besteht in Tarifverträgen. Dies sind Arbeitsverträge, die einheitliche Mindestlöhne und Mindestarbeitsbedingungen für die Arbeitnehmer und Arbeitnehmerinnen ganzer Wirtschaftszweige regeln.

**Tarifkonflikte**
M 22 – M 25

Als Tarifpartner vertreten die Gewerkschaften die arbeits- und sozialrechtlichen Interessen der Arbeitnehmer gegenüber Arbeitgebern, Öffentlichkeit und Staat. Durch den Zusammenschluss der Arbeitnehmer in einer Gewerkschaft soll deren Verhandlungsposition gestärkt werden. Die Mitgliedschaft in einer Gewerkschaft ist freiwillig. Gewerkschaften in Deutschland sind nach dem Industrieverbandsprinzip organisiert, d.h. „ein Betrieb – eine Gewerkschaft".
Zu den Hauptaufgaben der Gewerkschaften gehört die Verbesserung der Lohn- und Arbeitsbedingungen durch den Abschluss von Tarifverträgen. Darüber hinaus nehmen die Gewerkschaften aber auch für sich in Anspruch, die allgemeinen Lebens- und Arbeitsverhältnisse in Deutschland mitzugestalten.
Seit längerer Zeit leiden die Gewerkschaften jedoch unter einem massiven Mitgliederverlust.

**Rolle der Gewerkschaften**
M 27

In den Tarifauseinandersetzungen argumentieren die Gewerkschaften nachfrageorientiert. Lohnerhöhungen bedeuten zusätzliches Einkommen (Kaufkraft), das für Konsumausgaben zur Verfügung steht. Mehr Konsum bedeutet mehr Aufträge für die Unternehmen, eine bessere Auslastung der Produktionskapazitäten, steigende Gewinne und Investitionen. Darüber hinaus dienen Lohnerhöhungen dazu, dass die Arbeitnehmer einen gerechten Anteil am Wirtschaftswachstum und einen Ausgleich für Preissteigerungen (Inflation) erhalten.

**Kaufkraftargument der Gewerkschaften**
M 25

Arbeitgeber argumentieren hingegen angebotsorientiert. Sie gehen davon aus, dass nur ein geringer Anteil der Lohnerhöhungen überhaupt konsumwirksam wird. Lohnerhöhungen sind für sie in erster Linie zusätzliche Kosten und bedeuten sinkende Gewinne. Deshalb sind Lohnerhöhungen nur in Höhe der Produktivitätssteigerung (Steigerung des Arbeitsergebnisses pro eingesetzer Arbeitskraft) akzeptabel. Auf zu große Lohnsteigerungen reagieren sie mit Preiserhöhungen, Rationalisierung oder Abwanderung ins Ausland.

**Kostenargument der Arbeitgeber**
M 25

# 2.4 Umweltpolitik in der Sozialen Marktwirtschaft

**M 27**

## Klimawandel: Golfstrom droht abzureißen

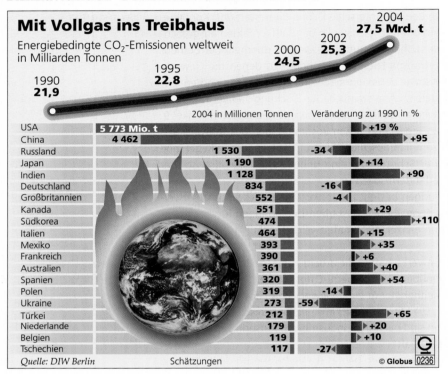

**Mit Vollgas ins Treibhaus**

Energiebedingte $CO_2$-Emissionen weltweit
in Milliarden Tonnen

- 1990: **21,9**
- 1995: **22,8**
- 2000: **24,5**
- 2002: **25,3**
- 2004: **27,5 Mrd. t**

| | 2004 in Millionen Tonnen | Veränderung zu 1990 in % |
|---|---|---|
| USA | 5 773 Mio. t | +19 % |
| China | 4 462 | +95 |
| Russland | 1 530 | -34 |
| Japan | 1 190 | +14 |
| Indien | 1 128 | +90 |
| Deutschland | 834 | -16 |
| Großbritannien | 552 | -4 |
| Kanada | 551 | +29 |
| Südkorea | 474 | +110 |
| Italien | 464 | +15 |
| Mexiko | 393 | +35 |
| Frankreich | 390 | +6 |
| Australien | 361 | +40 |
| Spanien | 320 | +54 |
| Polen | 319 | -14 |
| Ukraine | 273 | -59 |
| Türkei | 212 | +65 |
| Niederlande | 179 | +20 |
| Belgien | 119 | +10 |
| Tschechien | 117 | -27 |

*Quelle: DIW Berlin*  Schätzungen  © Globus 0236

Wenn man Detlef Quadfasel von der Universität Hamburg fragt, was passiert, wenn der Golfstrom im Nordatlantik seine Arbeit einstellt, antwortet er hanseatisch-lakonisch. „Dann wird's hier
5 kalt." ... Die Zirkulation habe „sich zwischen 1957 und 2004 um etwa 30 Prozent verlangsamt", berichtet Harry Bryden vom National Oceanography Centre in Southampton ... . 30 Prozent in knapp 50 Jahren – „das ist eine ganze Menge",
10 findet Quadfasel.
Der Ozeanograph hat für „Nature" einen kommentierenden Begleitartikel geschrieben, um die Ergebnisse von Brydens Arbeitsgruppe einzuordnen. Sein Fazit: „Zunehmender Süßwas-
15 serzufluss [durch abtauendes Eis] in die nördlichen Meere wird die Zirkulation zunächst nur langsam schwächen. Wenn aber eine bestimmte Schwelle erreicht wird, könnte die Zirkulation abrupt zu einem neuen Status wechseln, in dem es kaum oder keinen Wärmezufluss mehr nach Norden gibt." Kein Wärmezufluss nach Norden – das würde für ganz Nordeuropa „verheerende Auswirkungen auf die sozioökonomischen Bedingungen haben", schreibt Quadfasel. Im Gespräch mit Spiegel Online mahnt er aber, nun nicht in Verzweiflung zu verfallen: „Wir müssen nicht mit der Eiszeit rechnen." Die Ungenauigkeit der jetzt veröffentlichten Abschätzungen sei „relativ groß" und die von Bryden und Kollegen errechnete Verringerung um 30 Prozent ein Mittelwert. Der Golfstrom könnte also entweder nicht ganz so stark ins Stocken gekommen sein – oder aber noch stärker. Und: Der Klimawandel bremst nicht nur den Golfstrom, er lässt auch die globalen Temperaturen steigen.

*Christian Stöcker, Spiegel Online, 30.11.2005*

# Die Folgen wirtschaftlichen Handelns – öffentliche Güter und externe Effekte

## a) Private und öffentliche Güter

Wir gehen im Marktmodell davon aus, das der Konsum eines Gutes nur dem Käufer zugute kommt.

Wenn ein Konsument einen Apfel kauft (und isst), dann kommt nur er in den Genuss des Apfels; kein anderer Konsument hat einen Vorteil aus dem Konsum dieses Apfels. Diese Eigenschaft eines Gutes bezeichnet man als Rivalität: „Ein Gut besitzt die Eigenschaft der Rivalität (im Konsum), wenn der Konsum des Gutes durch die gleichzeitige Nutzung dieses Gutes durch einen anderen Konsumenten beeinträchtigt wird." Dies ist nicht bei allen Gütern so.

Viele Güter weisen Nicht-Rivalität im Konsum auf. Wenn ein Deich gebaut wird, können alle Haushalte hinter dem Deich das Gut „Schutz vor Überschwemmungen" gleichermaßen kon-

sumieren. Kommt ein Haushalt hinzu, mindert das nicht den Konsum des Gutes der anderen Haushalte. Neben dem Kriterium der Rivalität verwendet man das Kriterium der Ausschließ- [20] barkeit zur Klassifizierung von Gütern. „Ein Gut besitzt die Eigenschaft der Ausschließbarkeit (im Konsum), wenn ein potentieller Nutzer von dem Konsum des Gutes ausgeschlossen werden [25] kann." Der Preis ist ein Ausschluss-Mechanismus. Nur wer den Preis für einen Apfel bezahlt, kann das Gut „Apfel" konsumieren. – Bei einigen Gütern wird kein Ausschluss praktiziert. Das kann daran liegen, dass der Ausschluss nicht [30] möglich, bzw. zu teuer wäre (z.B. saubere Luft, Landesverteidigung, Schutz vor Wasser durch einen Deich) oder dass ein Ausschluss einfach nicht durchgesetzt wird (kunsthistorisch interessante Kirchen). [35]

## b) Externe Effekte

Der Individualverkehr in Ballungsgebieten verursacht Beeinträchtigungen für die Allgemeinheit, sog. externe Kosten, in Form von z. B. Lärm, Luftverschmutzung, Landschaftsverbrauch, Erkrankungen.

Man bezeichnet diese Auswirkungen als extern, da sie außerhalb des zugehörigen Handelns stattfinden und die indirekt Betroffenen (z. B. Anwohner) keinen Einfluss auf die Entscheidung haben, ob die Handlung (z. B. die Fahrt mit dem PKW) getätigt wird oder nicht.

Als intern sind alle Geldströme zu bezeichnen, die mit den Fahrtkosten entstehen (z. B. Kosten für die Anschaffung, Treibstoffkosten).

Bei Fahrten mit dem PKW entstehen Umweltkosten, für die der Autofahrer nicht bezahlt, sondern

die Allgemeinheit. Da es sich in diesen Fällen um Wohlfahrtsverluste handelt, spricht man von negativen externen Effekten. Für Mitfahrer, die für die Annehmlichkeiten der Autofahrt nichts [20] bezahlen, entstehen positive externe Nutzen (positive externe Effekte).

Das ökonomische Problem der externen Effekte liegt darin, dass die Verursacher der externen Effekte diese nicht in Ihrem wirtschaftlichen [25] Kalkül beachten müssen. Gerade bei externen Kosten wird dies nicht freiwillig geschehen, da es höhere Kosten für den Einzelnen verursachen würde. Hier bedarf es u. U. staatlicher Eingriffe, um den Verursacher die Kosten ihres Handelns [30] zu berechnen und damit Leidtragende des Verkehrs zu entschädigen. Man spricht dann von der Internalisierung externer Effekte.

*nach Wikipedia, http://de.wikipedia.org/wiki/Externe_Effekte und http://de.wikipedia.org/wiki/Öffentliche_Güter (12.5.2005)*

# Staatliche Maßnahmen zum Schutz der Umwelt in der Übersicht

| Ordnungsrechtliche Instrumente | Marktwirtschaftliche Instrumente | Informationspolitik |
|---|---|---|
| – Ge- und Verbote<br>– Grenzwerte<br>– Produktstandards<br>– Genehmigungen<br>– Umweltstrafrecht | – Ökosteuern<br>– Subventionen<br>– Lizenzen, Zertifikate | – Aufklärung durch staatliche Institutionen<br>– Umweltzeichen<br>– Umweltbildung<br>– Verhaltensappelle |

*Autorengrafik*

**M 30** **Der Handel mit der Luftverschmutzung**

---

# Handel mit „dreckiger Luft"

In der EU werden Unternehmen mit Emissionsrechten (Berechtigungen zum
Kohlendioxid-Ausstoß) handeln können. Das Ziel ist, den Kohlendioxidausstoß in
der EU gemäß dem Kyoto-Protokoll zu möglichst geringen Kosten zu verringern.

**● Was ist ein Emissionsrecht?**
Ein handelbares Zertifikat in Tonnen
$CO_2$-Äquivalent; dieses Dokument legt
die erlaubte $CO_2$-Menge fest.

**● Wer erhält Emissionsrechte?**
Kraftwerke mit Verbrennungsanlagen
Mineralölraffinerien
Kokereien
Stahlwerke
Zement- und Kalkwerke
Glas- und Keramikwerke
Zellstoff-, Papier- und Pappehersteller

**● Bis 31. März 2004**
stellt die Bundesregierung einen nationalen Zuteilungs-
plan auf.

**● Bis 30. September 2004**
werden die Berechtigungen den einzelnen Unternehmen zugeteilt; Grundlage ist der $CO_2$-Ausstoß der
Jahre 2000 – 2002. Mind. 95 Prozent der Rechte werden
kostenlos abgegeben.

**● 2005 – 2007**
erste Handelsphase (Testphase), ab 2008 können auch
andere Treibhausgase miteinbezogen werden.

**● Handel-Beispiel**

| Papierfabrik | |
| --- | --- |
| Zuteilung Emissionsrechte | **900 000 t** |
| Produktionsbedingte Emission (Die Produktion wurde gegenüber 2000 ausgeweitet) | **1 000 000 t** |
| Zukauf von Emissionsrechten | **100 000 t** |

| Kohlekraftwerk | |
| --- | --- |
| Zuteilung Emissionsrechte | **500 000 t** |
| Produktionsbedingte Emission | **400 000 t** |
| Verkauf von Emissionsrechten | **100 000 t** |

**+ 100 000 t**
**900 000 t**

1 t $CO_2$-Äquivalent
kostet z. Bsp. 8 Euro;
Kaufpreis 800 000 Euro

**Geld**

**- 100 000 t**
**400 000 t**

**Emissionsrechte**

© Globus 8784

---

In Europa können seit dem 1. Januar 2005 Emissionsrechte für das Klimagas Kohlendioxid gekauft und verkauft werden. Stromerzeuger und energieintensive Industrieanlagen wie Stahl
5 werke, Zementhersteller, Papieranlagen oder Eisenhütten sowie Raffinerien erhielten vor dem Start Emissionszertifikate. Diese Emissionsrechte können sie für die Produktion nutzen oder aber, wenn ihre Kohlendioxid-Emissionen geringer
10 sind, an andere Produzenten verkaufen. Die Käufer können wiederum im zugekauften Umfang mehr Kohlendioxid ausstoßen. Die meisten

Zertifikate wurden in das Industrieland Nordrhein-Westfalen vergeben. Dort erhielten 441 Anlagen insgesamt 655 Millionen Rechte für die nächsten drei Jahre. Das einzelne Emissionsrecht, das einen Ausstoß von einer Tonne Kohlendioxid erlaubt, kann für schätzungsweise acht bis neun Euro gehandelt werden. Insgesamt wurden in Deutschland 1 485 Millionen Zertifikate von je einer Tonne Kohlendioxid für die Jahre 2005 bis 2007 zugeteilt; das entspricht einem Budget von jährlich 495 Millionen Tonnen Kohlendioxid.

*Globus Infografik*

# Auswirkungen staatlicher Umweltpolitik

Die umweltpolitischen Anforderungen können Kosten für die Industrie verursachen. Wenn diese Kosten nur bei den heimischen Standorten und nicht im Ausland anfallen, können Standortnachteile entstehen. Daher wird in der umweltpolitischen Debatte immer wieder argumentiert, das Ziel einer Verbesserung des Umweltschutzes sei zwar unstreitig, aber es müsse international einheitlich vorgegangen werden, um Wettbewerbsnachteile für die eigene Industrie oder eine Standortverlagerung in Länder mit weniger strengen Regelungen zu vermeiden.

Nachteile für einzelne Betriebe und Branchen können aber ausgeglichen werden, indem andere Wirtschaftszweige von der Umweltpolitik begünstigt werden. Aus volkswirtschaftlicher Sicht kann so ein positiver Nettonutzen entstehen. So geht eine Energiepolitik zugunsten von erneuerbaren Energien zwar zu Lasten von Kohle- oder Nuklearkraftwerken und führt dort auch zu Arbeitsplatzverlusten. Diese werden aber ausgeglichen und teilweise übertroffen durch Zugewinne bei der Windkraft, in der es im Jahr 2003 rund 50.000 Beschäftigte gab (gegenüber circa 130.000 Beschäftigten in der gesamten Elektrizitätswirtschaft). Umweltpolitik, die die Energieeinsparung bei Hauswärme fördert, führt zu Investitionen in der Bauwirtschaft. In Deutschland gab es im Jahr 2002 knapp 1,5 Millionen Arbeitsplätze in umweltschutzbezogenen Bereichen (im Vergleich zu knapp 800.000 in der Automobilindustrie oder 470.000 in der Chemischen Industrie). Mit der Entwicklung von umweltfreundlichen Technolo-

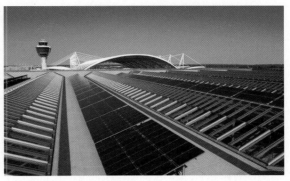

*Solaranlage auf dem Dach des Münchner Flughafens. Deutschland gehört im Bereich der Solarenergie zu den Weltmarktführern.*

gien können auch neue internationale Märkte erschlossen werden. Die Beispiele der Entwicklung von Windkraftanlagen, von Ersatzstoffen für FCKW, von Katalysatoren für Autos oder der gegenwärtige Wettbewerb um die Einführung von Brennstoffzellen zeigen, dass umweltfreundliche Produkte oft von Lead-Märkten[1] ausgehen. Dies sind regionale Märkte, die in der Entwicklung und der Vermarktung, aber auch hinsichtlich umweltpolitischer Standards eine Vorreiterrolle spielen und in anderen Ländern nachgeahmt werden. 45

Eine anspruchsvolle Umweltpolitik hat in vielen Fällen nicht etwa wie befürchtet zu wirtschaftlichen Nachteilen geführt, sondern hat die Entwicklung von Technologien stimuliert, die die Standards einhalten können. 50

*Klaus Jacob, in: Informationen zur politischen Bildung Nr. 287, Umweltpolitik, Bonn 2/2005, S. 35*

[1] lead (engl.) = Führung

## Aufgaben zu M 27 – M 31

**1.** Informiere dich über die Ursachen und Auswirkungen des Klimawandels (M 27).

**2.** Finde weitere Beispiele für öffentliche Güter und externe Effekte (M 28).

**3.** Welche Vorteile hat der Emissionshandel mit Lizenzen gegenüber zum Beispiel einer Emissionssteuer oder ordnungsrechtlichen Maßnahmen (M 29, M 30)?

**4.** Erläutere die möglichen Auswirkungen staatlicher Umweltpolitik (M 31).

## Umweltpolitik in der Sozialen Marktwirtschaft

**Bedeutung der Umweltpolitik**

Die Bedeutung des Umweltschutzes und damit der Umweltpolitik ist in Deutschland seit Ende der 70er-Jahre stetig gewachsen. Das Ziel einer ökologisch ausgerichteten Sozialen Marktwirtschaft ist kurzfristig vor allem die Verminderung der Emission von Schadstoffen in Böden, Wasser und Luft; langfristig das nachhaltige Wirtschaften, also die Vereinbarung von wirtschaftlichen und ökologischen Interessen und deren Aufnahme in die ökonomischen Zielvorstellungen der Wirtschaft, um die Erhaltung der Umwelt und damit eine hohe Lebensqualität zu gewährleisten.

**Grundkonflikt Ökonomie – Ökologie**
**M 28**

Der Grundkonflikt zwischen Wirtschaft und Umwelt besteht darin, dass das individuelle Handeln der einzelnen Wirtschaftsteilnehmer für die Gemeinschaft zu unerwünschten Ergebnissen in Form einer Übernutzung der Natur und damit zu einer Verschlechterung der Lebensbedingungen führt. Dies gilt insbesondere für öffentliche Güter (wie z.B. Luft, Wasser, Wald etc.), deren Konsum kostenfrei ist. Sie sind darüber hinaus dadurch definiert, dass ihr Konsum (zunächst) nicht den gleichzeitigen Konsum durch einen anderen beeinträchtigt (Nicht-Rivalität) und niemand von dessen Nutzung ausgeschlossen werden kann (Nicht-Ausschließbarkeit).

**Externe Effekte**

Aus der Perspektive des Individuums spricht man von negativen bzw. positiven externen Effekten wirtschaftlichen Handelns. Wer zum Beispiel mit seinem Auto zur Arbeit fährt, verursacht Kosten (negative externe Effekte: Abnutzung der Straße, Luftverschmutzung), die er selbst nicht zu tragen hat. Die Allgemeinheit muss für die Kosten der Luftreinhaltung und Straßensanierung aufkommen. Wer ein denkmalgeschütztes Haus saniert, verursacht einen positiven externen Effekt. Andere können sich an der Schönheit des Stadtbildes erfreuen, ohne dafür bezahlen zu müssen.

**Ziele staatlicher Umweltpolitik**

Ziel staatlicher Umweltpolitik ist es, die Verursacher der Umweltschäden dazu zu bringen, die Umwelt nicht als kostenloses Gut zu betrachten, in die sie z.B. Luftschadstoffe oder Gewässer gefährdende Flüssigkeiten kostenlos entsorgen können. Der Preis für die externen Effekte sollte im Preis für ein Produkt oder wirtschaftliches Handeln enthalten sein (Internalisierung externer Effekte). Der Produzent erhält dadurch den Anreiz, umweltfreundlichere, schadstoffärmere Produktionsverfahren einzusetzen oder sich umweltfreundlich zu verhalten.

**Instrumente staatlicher Umweltpolitik**
**M 29, M 30**

Der Schutz der natürlichen Umwelt durch die Wirtschaftspolitik kann auf unterschiedliche Weise verbessert werden. Durch ordnungspolitische Instrumente (z.B. Auflagen, Verbote) kann der Staat schnell ein gewünschtes Verhalten erreichen. Der Verwaltungsaufwand ist allerdings sehr hoch. Effizienter sind marktkonforme Instrumente, die über wirtschaftliche Anreize ein bestimmtes Verhalten bewirken möchten (z.B. Ökosteuern, Lizenzen, …). Auch durch Aufklärung, Information und Verhaltensappelle kann der Staat versuchen, umweltverträgliche Verhaltensweisen zu befördern.

**Auswirkungen**
**M 31**

Die Wirkungen staatlicher Umweltpolitik sind umstritten. Durch hohe Auflagen und Öko-Steuern sinkt die Wettbewerbsfähigkeit einzelner Unternehmen oder Branchen. Andererseits entsteht mit der Umwelttechnik ein neuer Industriezweig im Hochtechnologiebereich, der heute schon zahlreiche Arbeitsplätze schafft.

# Parlamentarische Demokratie und politisches System

Medien

Bundeskanzler

Demokratie

Parlament

Opposition

Föderalismus

Wahlen

Grundgesetz

Bundesrat

# 1. Grundwerte und Grundgesetz

## 1.1 Die Demokratie des Grundgesetzes

**Methode**

### Entscheidungsspiel: Festlegen einer (Rechts)Ordnung

William Goldings Roman „Herr der Fliegen" handelt von einer Gruppe Jugendlicher, die sich nach dem Absturz ihres Flugzeuges auf eine einsame Insel retten kann. Die Insel ist unbewohnt, aber es gibt genügend Trinkwasser und Nahrung, um zu überleben. Mit dem Holz des Waldes können Unterkünfte gebaut und Feuer gemacht werden.

**Arbeitsauftrag:**

Stellt euch nun vor, eure ganze Klasse befände sich in genau dieser Situation. Bildet dann Gruppen mit jeweils fünf Personen, plant aber für die ganze Klasse.

Zunächst müsst ihr existenzielle Entscheidungen fällen. Berücksichtigt dabei die Geografie der Insel. Haltet das Ergebnis eurer Entscheidungen schriftlich fest.

1. Wo soll eine Unterkunft errichtet werden?
   Wer soll für folgende Aufgaben verantwortlich sein:
2. Unterkunft bauen
3. Unterkunft bewachen
4. Nahrung beschaffen
5. Nahrung zubereiten und Unterkunft pflegen
6. Insel und Rettungsmöglichkeiten erkunden?

- Versucht, eine allgemeine Regel zu formulieren, wie zukünftig Entscheidungen in der Gruppe getroffen werden sollen. Ihr könnt dabei auch überlegen, ob für bestimmte Entscheidungen andere Entscheidungsregeln gelten sollen oder ob euch eine Regel reicht.

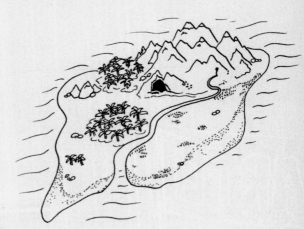

- Schreibt fünf weitere Regeln auf, von denen ihr annehmt, dass sie wichtig für das Zusammenleben auf der Insel und die Lösung von Konflikten sind.

Vergleicht am Ende die Ergebnisse der Gruppen und diskutiert, welche Vorschläge eure Zustimmung finden würden und welche euch problematisch erscheinen.

---

**M 1** | **Aus dem Grundgesetz**

**Art. 20 [Staatsstrukturprinzipien; Widerstandsrecht]**

(1) Die Bundesrepublik Deutschland ist ein demokratischer und sozialer Bundesstaat.

(2) Alle Staatsgewalt geht vom Volke aus. Sie wird vom Volke in Wahlen und Abstimmungen und durch besondere Organe der Gesetzgebung, der vollziehenden Gewalt und der Rechtsprechung ausgeübt.

(3) Die Gesetzgebung ist an die verfassungsmäßige Ordnung, die vollziehende Gewalt und die Rechtsprechung sind an Gesetz und Recht gebunden.

(4) Gegen jeden, der es unternimmt, diese Ordnung zu beseitigen, haben alle Deutschen das Recht zum Widerstand, wenn andere Abhilfe nicht möglich ist.

# Was bedeutet Demokratie?

Demokratie [griech. „Herrschaft des Volkes"]: Form der politischen Gesellschaftsordnung, die von der Gleichheit und Freiheit aller Bürger ausgeht und bei welcher der Staat seine Macht vom Willen des gesamten Volkes ableitet (Abraham Lincoln (1809-65): „Regierung des Volkes durch das Volk für das Volk"). Zu diesem Zweck ist das Volk berechtigt, seinen Willen in Mehrheitsentscheidungen (Wahlen) kundzutun.

Ausformungen: In einer direkten Demokratie ist das Volk unmittelbar an politischen Entscheidungsprozessen beteiligt. Da diese Regierungsform nur in kleineren politischen Einheiten zu verwirklichen ist (Rätedemokratie), überträgt das Volk in der mittelbaren oder repräsentativen Demokratie (Repräsentativsystem) seine Entscheidungsbefugnisse durch die Wahl von Abgeordneten an eine Volksvertretung. Die Volksvertretung beschließt im Auftrag des Volkes die Gesetze und ist zumeist an der Bildung der Regierung beteiligt. 20 Die Regierung bedarf in einer parlamentarischen Demokratie des Vertrauens der Volksvertretung und wird durch diese kontrolliert. ... Die Verbindung mehrerer Millionen Wähler mit einigen Hundert Abgeordneten im Parlament und mit der 25 Regierung wird in modernen Staaten meist über Parteien hergestellt (Parteiendemokratie). Die Demokratie ist dabei durch den Wettbewerb mehrerer Parteien um die Wählerstimmen gekennzeichnet.

*Schülerduden Politik und Gesellschaft, 5. Aufl., Mannheim 2005, S. 85*

## Der höchste Wert der Verfassung: die Menschenwürde

*„Die Würde des Menschen ist unantastbar. Sie zu achten und zu schützen ist Verpflichtung aller staatlichen Gewalt."* Art. 1 Abs. 1 Grundgesetz

- Die Würde des Menschen ist in unserer Rechts- und Wertordnung oberster Verfassungsgrundsatz, an dem sich alles staatliche Handeln zu orientieren hat. Folglich hat der Mensch im Mittelpunkt staatlichen Geschehens zu stehen. ...
- Träger der Menschenwürde ist jeder Mensch von der Geburt bis zum Tode, wobei es unerheblich ist, ob sich der Einzelne seiner Würde bewusst ist oder dieses Bewusstsein nicht hat (etwa der Geisteskranke).
- Die Würde kommt dem Menschen deshalb zu, weil er als einziges Wesen die Fähigkeit besitzt, sich in Freiheit zu entscheiden und sich selbst zu bestimmen.
- Die Menschenwürde ist Ursprung und Quelle aller weiteren Freiheits-, Gleichheits- und Unverletzlichkeitsrechte. Demnach sind es Ansprüche und Berechtigungen, die die Einmaligkeit des Mensch-Seins kennzeichnen und die Würde des Menschen verkörpern.

Aus der absoluten Verpflichtung der gesamten Staatsgewalt, die Würde des Menschen zu achten und zu schützen, folgt,
- dass jeder Träger staatlicher Gewalt bei der Begegnung mit dem Einzelnen dessen Würde nicht antasten oder gar verletzen darf (achten) und
- dass er (z.B. der Polizeibeamte) gleichermaßen abwehrend eingreifen muss, wenn die Würde des Menschen von dritter Seite verletzt zu werden droht bzw. verletzt wird (schützen). ... 30

Wann ist die Menschenwürde verletzt?
Die Würde des Menschen ist allgemein immer dann verletzt, wenn
- er zum reinen Objekt staatlicher Maßnahmen gemacht, 35
- die innere Freiheit des Menschen angetastet oder
- seine Personenwertgleichheit geleugnet wird.

*Hans-Joachim Hitschold, Staatskunde. Grundlagen für die politische Bildung, 12. Aufl., Stuttgart u. a. 2003, S. 139 – 141*

## Aufgabe zu M 3

*1.* Die Achtung vor der Würde des Menschen wird häufig als „Norm der Normen" bezeichnet. Das heißt, dass sie der höchste Wert der Verfassung ist. Erkläre, warum.

*2.* Zur Vertiefung: Auf der Seite der Menschenrechtsorganisation amnesty international *findest du Berichte über Menschenrechtsverletzungen in einzelnen Ländern. Entscheide dich für ein Land und berichte über die Situation in dem Land.* (**www.amnesty.de**)

M 4

## Positionen im Kopftuchstreit

*Die baden-württembergische Kultusministerin Annette Schavan bestätigte am 3.7.1998 auf einer Pressekonferenz in Stuttgart, dass die muslimische Lehrerin Fereshta Ludin, die im Unterricht ein Kopftuch tragen wollte, nicht in den Schuldienst übernommen wird.*

### a) Dr. Annette Schavan, Ministerin für Kultus, Jugend und Sport in Baden-Württemberg

Und jetzt spielt eine Rolle, dass nicht allein in Deutschland, sondern weltweit das Kopftuch eben nicht allein als religiöses Symbol gilt, das Tragen des Kopftuchs nicht zu den religiösen Pflichten einer muslimischen Frau gehört, sondern dieses Kopftuch zwischenzeitlich auch – nicht nur, aber auch – zu einem Zeichen für kulturelle, für zivilisatorische Abgrenzung eingesetzt wird. ...

Damit sind wir am Punkt: Wenn dann ein Symbol nicht mehr allein als religiöses Symbol eingesetzt wird, sondern eben auch als erzwungenes, ..., und wenn es nicht nur als religiöses Symbol, sondern auch als ein politisches Zeichen eingesetzt wird, dann muss eine junge Frau, der das Tragen des Kopftuches wichtig ist ..., auch wissen, dass in dem Moment, in dem sie ein öffentliches Amt übernimmt ... nicht nur persönliche Motive Berücksichtigung finden, sondern davon auch eine öffentliche Wirkung ausgehen kann und ausgeht.

*Landtagsdrucksache 12/2931, 9.6.1998*

### b) Fereshta Ludin, muslimische Lehrerin

*Spiegel:* Was bedeutet für Sie das Kopftuch?

*Ludin:* Das Kopftuch ist ein Teil der islamischen Kleidung einer muslimischen Frau. Damit werden die Reize bedeckt, und zu den Reizen der Frau gehören auch die Haare. ...

*Spiegel:* Die Rigorosität, mit der beispielsweise die Mullahs in Iran oder die Taliban in Afghanistan auf der Einhaltung der Kleiderordnung bestehen, kann man aber auch als Zeichen der mangelnden Toleranz und der Unterdrückung sehen.

*Ludin:* Die Haltung der Mullahs und der Taliban in diesen Ländern verstößt gegen das Prinzip der Glaubensfreiheit und gegen die Vielfalt im Islam. Nach dem Koran soll niemand zum Glauben oder zu einer Kleiderordnung gezwungen werden. Ja, da handelt es sich eindeutig um eine Einschränkung der Glaubensfreiheit. Ich habe mich sicherlich nicht wenig mit dem Islam beschäftigt und kann insofern überhaupt nicht bestätigen, dass es ein Symbol für die Unterdrückung der Frau ist. Zur Situation in Deutschland, denn hier lebe ich ja: Es gibt bestimmt hier und da unterdrückte Frauen, die auch ein Kopftuch tragen. Aber ich würde nicht ihre Unterdrückung mit dem Kopftuch gleichsetzen.

*Spiegel:* Auch wenn Ihr Kopftuch ein Glaubensbekenntnis ist, könnten Sie doch als Lehrerin in einem Staat, der sich als säkular[1] definiert, darauf verzichten?

*Ludin:* Man kann dieses nicht vergleichen mit dem Ablegen eines Mantels. Hier geht es um meine Würde als muslimische Frau, um meine grundsätzliche menschliche Würde. Das Tuch abzulegen, hieße für mich, mich zu entblößen.

*Der Spiegel Nr. 30/1998, S. 59*

1 säkular: (lat.) weltlich

## Hintergrund: die Bedeutung des Kopftuches

Viele Musliminnen tragen nach der Geschlechtsreife ein Kopftuch oder einen Schleier. Im Koran selbst gibt es kein Verschleierungsgebot, aber den Hinweis, dass Frauen ihre körperlichen Reize
5 nicht offen zur Schau stellen sollen (Sure 24:31) und daher in der Öffentlichkeit einen Überwurf tragen sollten (Sure 33:56). Außerhalb des Hauses oder in Anwesenheit fremder Männer verschleiern sich viele Musliminnen daher. Insgesamt gibt
10 es drei verschiedene Arten der Verschleierung: den Gesichtsschleier (er verdeckt das ganze Gesicht oder nur die untere Gesichtshälfte), den Kopfschleier (Kopftuch) und den Körperschleier (Tschador genannt). Vermutlich wurde die Ver-
15 schleierung seit dem 9. Jahrhundert mehr und mehr üblich. Im 16. Jahrhundert erreichte der Gebrauch des Schleiers seinen Höhepunkt. Heute

hängt es vom jeweiligen Land und der jeweiligen religiösen Überzeugung ab, ob sich eine Muslimin verschleiert oder nicht.
20 Gemäßigte Vertreterinnen und Vertreter des Islam sehen keine Verschleierungspflicht. Sie stützen sich auf den Koran und betonen, dass es dort kein ausdrückliches Verschleierungsgebot gibt. Für sie ist der Schleier ein Symbol für die Un-
25 terdrückung der Frau. Die Befürworter der Verschleierung betonen dagegen, der Schleier sei ein Zeichen für Bescheidenheit und Anstand der Frau. Durch den Schleier werde ihre persönliche Würde geschützt. Außerdem sei der Schleier ein
30 Zeichen der kulturellen Eigenständigkeit der muslimischen Welt.

*Michael Bornkessel, (http://www.lehrer-online.de/dyn/383396.htm, 22.1.2004)*

## Glaubensfreiheit und staatliche Neutralität

Die Glaubensfreiheit nach Art. 4 GG kann nur durch die Grundrechte Dritter oder Gemeinschaftswerte von Verfassungsrang begrenzt werden. Zu den Grundrechten Dritter gehört in der
5 Schule die Glaubensfreiheit der Schüler, insbesondere in ihrer Ausprägung als so genannte negative Glaubensfreiheit, also dem Anspruch, keinem Zwang zur Teilnahme an religiösen Veranstaltungen oder einer intensiven religiösen Beeinflussung
10 ausgesetzt zu werden. Grundrecht Dritter ist auch das elterliche Erziehungsrecht, das den Eltern den Vorrang vor dem Staat bei der Bestimmung der religiösen Erziehung der Kinder einräumt.

Die Glaubensfreiheit begrenzender Gemeinschaftswert von Verfassungsrang ist der staatli-
15 che Erziehungsauftrag (Art. 7 Abs. 1 GG) mit der Verpflichtung zu religiöser, weltanschaulicher und politischer Neutralität ... In der Praxis der Schulen umgesetzt wird die Verpflichtung des Staates zur Neutralität durch die verfassungs-
20 und beamtenrechtliche Verpflichtung der Lehrer zu Mäßigung und Neutralität.

*aus: www.schulrechtrecht-informationsdienst.de (3.2.2004)*

## Letzte Runde im Kopftuchstreit?

### Der Weg durch die Instanzen

*Juli 1998:* Das Oberschulamt Stuttgart verweigert Ludin nach Abschluss ihres Referendariats die Übernahme in den Schuldienst von Baden-Württemberg.

*August 1998:* Ludin legt Widerspruch gegen die
5 Entscheidung beim Oberschulamt in Stuttgart ein.

*Februar 1999:* Die Lehrerin erhebt beim Verwaltungsgericht Stuttgart Klage gegen den Bescheid vom Juli 1998. Das Oberschulamt weist den Widerspruch zurück. Begründung: Die Pflicht
10 des Staates zur Neutralität, das Grundrecht der

Schüler auf „negative Religionsfreiheit" und das Erziehungsrecht der Eltern werde verletzt.

*März 2000:* Das Verwaltungsgericht Stuttgart lehnt die Klage der Lehrerin ab.

*Juli 2000:* Der Verwaltungsgerichtshof Baden-
15 Württemberg (VGH) in Mannheim lässt die Berufung gegen das Stuttgarter Urteil zu.

*Juni 2001:* Der VGH bestätigt das Urteil des Verwaltungsgerichts Stuttgart.

20 **Juli 2002:** Das Bundesverwaltungsgericht in Berlin bestätigt die ablehnenden Entscheidungen des VGH und des Stuttgarter Verwaltungsgerichts. In der Begründung heißt es, die Pflicht zu strikter Neutralität in der staatlichen Schule
25 werde verletzt, wenn eine Lehrerin im Unterricht ein Kopftuch trage. Wegen ihrer Vorbildfunktion dürfe sie den noch nicht gefestigten Schülern keine bestimmte Glaubensüberzeugung „ständig und unübersehbar" vor Augen führen. Das Kopf-
30 tuch sei ein deutliches religiöses Symbol.

**24. September 2003:** Das Bundesverfassungsgericht gibt der Klage der Lehrerin statt. Nach dem Richterspruch kann das Land einer muslimischen Lehrerin das Tragen eines Kopftuchs
35 nur dann verbieten, wenn es ein entsprechendes Gesetz verabschiedet. In Baden-Württemberg ist diese Rechtslage nicht gegeben. Damit heben die Karlsruher Richter das Urteil des Bundesverwaltungsgerichts auf und verweisen den Fall dorthin zurück.

*Astrid Beer, 25.9.2003 (www.tagesschau.de)*

**Oktober 2003:** Wie die Kultusministerkonferenz 40 mitteilte, wollen Baden-Württemberg, Bayern, Berlin, Brandenburg, Hessen, Niedersachsen und das Saarland gesetzgeberisch tätig werden, um ein Kopftuch-Verbot zu ermöglichen und sich dabei untereinander abstimmen. 45

**Stand Juli 2005:** Baden-Württemberg, Hessen, Bayern, Niedersachsen, Saarland, Bremen und Berlin haben Gesetze verabschiedet, die das Tragen eines Kopftuches während des Unterrichts untersagen, weil es gegen das Neutrali- 50 tätsgebot des Staates verstoße. In Brandenburg, Nordrhein-Westfalen, Schleswig-Holstein und Rheinland-Pfalz werden Initiativen für die Einführung eines Kopftuchverbotes diskutiert. Kein Verbot planen voraussichtlich Hamburg, Meck- 55 lenburg-Vorpommern, Sachsen, Sachsen-Anhalt und Thüringen.

## Aufgaben zu M 4 – M 7

**1.** Diskutiert, ob es muslimischen Lehrerinnen erlaubt sein sollte, in der Schule mit Kopftuch zu unterrichten. Berücksichtigt dabei M 4 – M 7 und die Grundgesetzartikel 1, 3, 4, 7 und 33.

**2.** Ermittle, welche der staatlichen Gewalten (Exekutive, Legislative, Judikative, siehe M 9) am „Fall Ludin" beteiligt waren und erläutere, welche Rolle sie spielten (M 4 – M 7).

## Das Bundesverfassungsgericht

Das höchste Gericht der Verfassungsgerichtsbarkeit in Deutschland ist ein mit den Garantien richterlicher Unabhängigkeit ausgestatteter Gerichtshof (Sitz: Karlsruhe) und zugleich ein oberstes Verfassungsorgan. Seine Entscheidungen binden die Verfassungsorgane des Bundes und der Länder sowie alle Gerichte und Behörden. Erklärt das BVerfG ein Gesetz (oder Teile daraus) für nichtig, so hat dieser Spruch selbst Gesetzeskraft.

Die weitreichenden Befugnisse des BVerfG erklären sich aus den Erfahrungen mit dem nationalsozialistischen Unrechtsstaat. Sie führten zur Schaffung eines lückenlosen verfassungsgerichtlichen Rechtsschutzsystems auch gegenüber dem Gesetzgeber, dessen Gesetzesabschlüsse das BVerfG auf ihre Verfassungsmäßigkeit kontrollieren kann. Befugnisse: Das BVerfG entscheidet letztverbindlich alle Streitigkeiten zwischen den obersten Staatsorganen sowie zwischen Bund und Ländern über deren verfassungsmäßige Kompetenzen (Organstreit). Es schützt den Bürger gegen alle Eingriffe der öffentlichen Gewalt in seine Grundrechte (Verfassungsbeschwerde) und kontrolliert die Übereinstimmung der Bundes- und Landesgesetze mit dem Grundgesetz (Normenkontrollverfahren). Ferner sind dem BVerfG weitere Aufgaben übertragen, die der Bewahrung und dem Schutz der demokratischen Ordnung dienen, z. B. das Parteiverbot und das Wahlprüfungsverfahren.

*Schülerduden Politik und Gesellschaft, 5. Aufl., Mannheim u.a. 2005, S. 73.*

# Rechtsstaat contra Willkürstaat

*Verstoß gegen rechtsstaatliche Prinzipen: Seit Ende 2001 befinden sich ca. 660 mutmaßliche Terroristen in einem rechtsfreien Raum auf dem Stützpunkt Guantanamo auf Kuba. Sie stammen überwiegend aus Afghanistan und werden von den USA unter fragwürdigen Haftbedingungen auf unbestimmte Zeit festgehalten, ohne juristische Beratung, Anklage, Beweisaufnahme, Zugang zu ihren Familien und die Möglichkeit, ihre Unschuld zu beweisen.*

Der Rechtsstaat stellt den radikalen Gegensatz zum Polizei- und Willkürstaat dar. Dort lebt der Einzelne, ständig von „oben" überwacht, unter der steten Drohung des plötzlichen Zugriffs
5 durch den allgegenwärtigen Apparat der Staatssicherheit. In allem fühlt er sich kontrolliert und misstrauisch beobachtet, wodurch das gesamte menschliche Zusammenleben vergiftet wird. Trotz aller Tarnung und Vorsicht können sich die Bürge-
10 rinnen und Bürger niemals dem Arm des Staates entziehen. Wer das Missfallen der Machthaber erregt, dem droht Verhaftung, Schikane, Verlust des Arbeitsplatzes oder Verbringung in Lager, ohne dass er seinen Anspruch auf ein ordentliches
15 Gerichtsverfahren durchsetzen könnte. Wird er aber vor einen Richter gestellt, dann tritt ihm auch dieser als Funktionär der politischen Führung gegenüber, da es eine prinzipielle Unabhängigkeit der Justiz nicht gibt. ...
20 Im demokratischen Rechtsstaat dagegen sind auch die Inhaber öffentlicher Ämter an Recht und Gesetz gebunden. Vor diesen sind alle gleich. Jeder kann auch gegenüber den politisch Mächtigen

sein Recht durchset-
25 zen, selbst wenn ihm politische Instanzen dies versagen wollen. Das gilt insbesondere für das Recht auf freie
30 Entfaltung der eigenen Persönlichkeit. Dass dieses gewahrt und gesichert bleibe, ist der vornehmliche Sinn des
35 Rechtsstaates. Darum begrenzt er alle staatliche Tätigkeit zugunsten der Freiheit der Bürger. Die Behörden
40 dürfen nur handeln, wenn ihnen dafür die Zuständigkeit verliehen ist. Diese können sie sich nicht einfach
45 aus eigener Kraft zusprechen. Verfassung oder Gesetze müssen

sie ihnen übertragen. Insofern ist der Rechtsstaat auch Gesetz- und Verfassungsstaat. Die Bindung der staatlichen Autorität an das Recht sichert den
50 Freiheitsraum des Bürgers, in den nur aufgrund gesetzlicher Ermächtigung eingegriffen werden darf. Eine solche aber kann nur die Volksvertretung in einem verfassungsmäßig festgelegten, förmlichen Verfahren erlassen. Über ihre Einhal-
55 tung wacht eine unabhängige Justiz. So gehören Gewaltenteilung und Rechtsstaat untrennbar zusammen. (Vergleiche dazu auch das Kapitel Recht und Rechtsstaat in der Bundesrepublik Deutschland.)

*Waldemar Besson / Gotthard Jasper, Das Leitbild der modernen Demokratie. Bausteine einer freiheitlichen Staatsordnung, Bonn 1991, S. 119 f.*

**M 9**

# Merkmal von Demokratie und Rechtsstaatlichkeit: die Gewaltenteilung

| | Grundgesetz | |
|---|---|---|
| **Gesetzgebende Gewalt (Legislative)** | **Vollziehende Gewalt (Exekutive)** | **Rechtsprechende Gewalt (Judikative)** |
| **Bundesebene** | **Bundesebene** | **Bundesebene** |
| Art. 38–49　　Art. 50–53 | Art. 62–69 | Art. 92–104 |
| **Bundestag**　**Bundesrat** | **Bundeskanzler** | **Bundes-verfassungsgericht** |
| Volks-vertretung　Länder-vertretung | **Bundesregierung** | **Oberste Gerichtshöfe** |
| Art. 71, 73 Ausschließl. Gesetzgebung | Art. 86, 87 Bundeseigene Verwaltung | |
| **Länderebene** | **Länderebene** | **Länderebene** |
| Art. 72, 74 **Konkurrierende Gesetzgebung** | Art. 85 **Auftragsverwaltung** | |
| **Parlamente der Länder** | **Länderregierungen** | **Gerichte der Länder** |
| **Gesetzgebung der Länder** | **Länderverwaltung Kreisverwaltung Gemeindeverwaltung** | |

**Alle Staatsgewalt geht vom Volke aus**

*Erich Schmidt Verlag, Zahlenbild 61110*

Durch die Gewaltenteilung soll nicht nur eine rein organisatorische „Aufteilung der Gewalten" auf verschiedene Staatsorgane erreicht werden; ihr eigentlicher Sinn liegt in der Verhinderung oder
5 doch der Erschwerung einer Willkürherrschaft. … Die Gewaltenteilung bezweckt, die Ausübung staatlicher Gewalt in ihren Grundfunktionen organisatorisch und personell zu trennen, auf verschiedene Mächte zu verteilen und in ein
10 System gegenseitiger Hemmung zu bringen. … Die Gewaltenteilung wird dadurch erreicht, dass die drei staatlichen Grundfunktionen ver-schiedenen Organen zugewiesen werden, so dass keines dieser Organe legal über die gesamte Staatsgewalt verfügen kann (organisatorische 1 Gewaltenteilung) und die Amtsträger der einen Gewalt nicht zugleich Amtsträger der anderen Gewalt sein dürfen (personelle Gewaltenteilung; sog. Inkompatibilität). So darf beispielsweise ein amtierender Richter nicht zugleich Abgeordneter 2 oder Minister sein.

*Dieter Hesselberger, Das Grundgesetz, Kommentar für die politische Bildung, 11. Aufl., Bonn 1999, S. 178 ff.*

## Aufgabe zu M 8 – M 9

**1.** Erläutere die Merkmale des Rechtsstaates und grenze ihn gegenüber dem Willkürstaat ab.

## Rechtsstaat und Sozialstaat

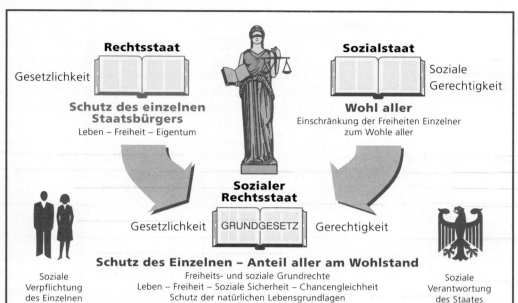

| | | |
|---|---|---|
| **Rechtsstaat** | | **Sozialstaat** |
| Gesetzlichkeit | | Soziale Gerechtigkeit |
| **Schutz des einzelnen Staatsbürgers**<br>Leben – Freiheit – Eigentum | | **Wohl aller**<br>Einschränkung der Freiheiten Einzelner zum Wohle aller |

**Sozialer Rechtsstaat**

Gesetzlichkeit GRUNDGESETZ Gerechtigkeit

**Schutz des Einzelnen – Anteil aller am Wohlstand**
Freiheits- und soziale Grundrechte
Leben – Freiheit – Soziale Sicherheit – Chancengleichheit
Schutz der natürlichen Lebensgrundlagen

Soziale Verpflichtung des Einzelnen

Soziale Verantwortung des Staates

*Erich Schmidt Verlag, Zahlenbilder 60050*

## Die besondere Aufgabe des Artikel 79 Abs. 3 GG

St. Weiger '88

*Politik und Unterricht Nr. 1/1989, Das Grundgesetz, hg. von der Landeszentrale für politische Bildung Baden-Württemberg, S. 20*

## *Aufgaben zu M 10 – M 11*

**1.** *Erkläre mit Hilfe der Grafik, wie sich Rechtsstaat und Sozialstaat ergänzen (M 10).*

**2.** *Interpretiere die Aussage der Karikatur in M 11. Lies dazu den Wortlaut des Artikels 79 Abs. 3 im Grundgesetz.*

# Die Demokratie des Grundgesetzes

**Das Grundgesetz**

**Grundrechte**
*M 3*

**Verfassungskern**
*M 1*

Das Grundgesetz ist die Verfassung unseres Staates. Es regelt den Aufbau, die Aufgaben und das Zusammenwirken der Staatsorgane und enthält Aussagen über die Geltung der Grundrechte (z.B. Menschenwürde, Glaubensfreiheit, Meinungsfreiheit). Im Grundgesetz haben die Grundrechte einen besonderen Stellenwert. Man geht nämlich davon aus, dass die Menschenrechte gleichsam angeborene Naturrechte jedes Menschen sind. Sie sind deshalb in einem Grundrechtskatalog dem eigentlichen Verfassungstext vorangestellt. Die Grundrechte geben eine Wertordnung vor, an der sich staatliches Handeln immer orientieren muss. Deshalb dürfen sie auch in ihrem Wesensgehalt nicht verändert werden. Art. 20 GG enthält die zentralen Verfassungsprinzipien in Kurzform: Demokratieprinzip, Rechtsstaatsprinzip, Sozialstaatsprinzip und Bundesstaatsprinzip. Diese Prinzipien dürfen gemäß Art. 79 Abs. 3 (Ewigkeitsklausel) auch nicht im Wege der Verfassungsänderung beseitigt werden.

**Demokratieprinzip**
*M 2*

**Gewaltenteilung**
*M 9*

In der Demokratie muss sich die staatliche Machtausübung auf den Willen des Volkes zurückführen lassen. In Art. 20 Abs. 2 GG heißt es demnach: „Alle Staatsgewalt geht vom Volke aus." Da es in einem großen, modernen Industriestaat aber kaum möglich ist, direkt über alle Gesetzesvorhaben abzustimmen (wie im Modell der direkten Demokratie), wird die Volksherrschaft in der Bundesrepublik Deutschland mittelbar ausgeübt, und zwar durch das Parlament mit seinen vom Volk gewählten Vertretern (Modell der repräsentativen Demokratie). Zentrales Merkmal der Demokratie ist außerdem die Gewaltenteilung. Sie gewährleistet die Trennung und gegenseitige Kontrolle der staatlichen Gewalten, der vollziehenden Gewalt (Regierung und Verwaltung), der gesetzgebenden Gewalt (Parlament) und der richterlichen Gewalt (Gerichte).

**Wehrhafte Demokratie**

Wirken Einzelne oder ganze Gruppen darauf hin, die Prinzipien der Demokratie zu gefährden oder gar abzuschaffen, so kann das Bundesverfassungsgericht auf Antrag verfassungswidrige Parteien verbieten oder die in Art. 18 GG aufgezählten Grundrechte von Einzelnen verwirken. Auch können Vereinigungen, die sich gegen die verfassungsmäßige Ordnung richten, verboten werden.

**Rechtsstaatsprinzip**
*M 8, Infobox*

Das Rechtsstaatsprinzip stärkt die Stellung des Einzelnen gegenüber der staatlichen Gewalt. Wesentliches Merkmal des Rechtsstaates ist, dass alle staatlichen Organe (Regierung und Verwaltung, Parlamente, Gerichte) an die Verfassung und an die Gesetze gebunden sind. Vor dem Gesetz müssen alle Bürger gleich behandelt werden und jeder hat das Recht, sich gegen eine staatliche Maßnahme zu wehren (z.B. durch Klage vor Gericht), wenn er sich ungerecht behandelt fühlt. Die Richter können nur auf der Grundlage eines Gesetzes urteilen und dürfen keine politischen Weisungen befolgen. Die Existenz des Bundesverfassungsgerichts als Hüter der Verfassung und der Grundrechte zeigt, welch große Bedeutung das Rechtsstaatsprinzip in Deutschland hat.

**Sozialstaatsprinzip**
*M 10*

Das Sozialstaatsprinzip ergänzt den Rechtsstaat. Aus der Achtung der Menschenwürde und der Forderung nach Gerechtigkeit ergibt sich eine soziale Verantwortung des Staates, für in Not geratene Bürger zu sorgen und einen gewissen Ausgleich zwischen Arm und Reich herbeizuführen. Die genaue Ausgestaltung des Sozialstaatsprinzips wurde dabei aber bewusst offen gelassen und ist Gegenstand politischer Auseinandersetzungen.

# 1.2 Deutschland – ein Bundesstaat

## Die bundesstaatliche Ordnung

M 12

16 Länder
1 Bundesstaat

Das Grundgesetz hat die bundesstaatliche Ordnung, die Gliederung des Staates in Bund und Länder, zwingend vorgeschrieben. Die Entscheidung für den Bundesstaat bedeutet nicht, dass der Bestand des gegenwärtigen Landes in den bestehenden Grenzen garantiert ist. Eine Neugliederung der Länder und eine Verringerung der Zahl der Länder sind nach Art. 29 und 118a zulässig.
In einem Bundesstaat sind die Länder Staaten, nicht nur Selbstverwaltungskörperschaften wie die Gemeinden. Sie haben eigene Verfassungen und verfügen über die Institutionen des parlamentarisch-demokratischen Regierungssystems.

*Autorentext*

### Aufgabe zu M 12

**1.** Benenne die Bundesländer und die dazugehörigen Landeshauptstädte. Wie heißt der jeweils dort regierende Ministerpräsident oder die Ministerpräsidentin (M 12)?

## Aus den Ergebnissen der PISA-E-Studie 2000

M 13

### Bundesländer im Vergleich

Die Durchschnittsleistungen der 15-Jährigen aller Schulen nach PISA: Texte verstehen, nutzen und bewerten

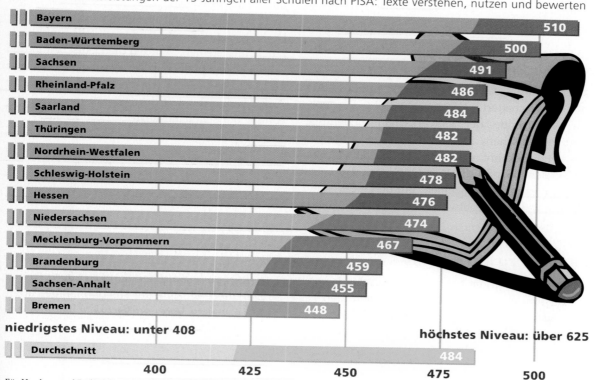

| Bundesland | Wert |
|---|---|
| Bayern | 510 |
| Baden-Württemberg | 500 |
| Sachsen | 491 |
| Rheinland-Pfalz | 486 |
| Saarland | 484 |
| Thüringen | 482 |
| Nordrhein-Westfalen | 482 |
| Schleswig-Holstein | 478 |
| Hessen | 476 |
| Niedersachsen | 474 |
| Mecklenburg-Vorpommern | 467 |
| Brandenburg | 459 |
| Sachsen-Anhalt | 455 |
| Bremen | 448 |

niedrigstes Niveau: unter 408          höchstes Niveau: über 625

Durchschnitt 484

400    425    450    475    500

*Für Hamburg und Berlin keine Angaben, Quelle: OECD, KMK, Stat. Bundesamt*

| M 14 |
|------|

# Brauchen wir 2 500 Lehrpläne in Deutschland?

*Nach dem „Pisa-Schock" haben die Bildungsminister der Bundesländer einen Bildungsbericht erstellen lassen, der 2003 zu dem Ergebnis kam, dass es in Deutschland mehr als 2500 gültige Lehrpläne gibt. Die Bildungsminister der Länder wollen aber auch künftig keine Kompetenzen an den Bund abtreten. Stattdessen sollen die Länder bundesweite Bildungsstandards vereinbaren und die Ergebnisse kontrollieren. Der Bundeskanzler, Bundeselternrat und Gewerkschaften hingegen fordern, dass künftig auch der Bund in ganz Deutschland für gleiche Bildungschancen sorgt.*

## Dazu einige Stellungnahmen:

### a) Föderalismus[1] gehört auf jeden Fall beendet

Warum kann man in einigen Ländern so wichtige Kernfächer wie Mathe oder Deutsch abwählen? Warum werden westdeutsche Schüler beim Um-
5 zug nach Sachsen prinzipiell eine Klassenstufe tiefer eingestuft? Der Bildungsföderalismus ist überholt: Eingeführt in den 40ern ist er heute nur noch eine sinnentleerte Institution um die 16 Kultusministerien am Leben zu erhalten und den
10 Ministern saftige Pensionen zu sichern.

[1] Föderalismus = bundesstaatliche Organisation eines Staates
*Beitrag im Chat-Forum des MDR (14.2.2003)*

### b) Einsetzung eines bildungspolitischen Sachverständigenrates gefordert

„Der Bildungsföderalismus in der Bundesrepublik ist gescheitert." Diese Schlussfolgerung zog
15 die Vorsitzende der Gewerkschaft Erziehung und Wissenschaft, Eva-Maria Stange, aufgrund der jetzt bekannt gewordenen Ergebnisse der nationalen PISA-Studie. Wenn zwischen den Leistungsniveaus der einzelnen Bundesländer eine
20 Differenz liege wie etwa zwischen Deutschland

und Mexiko, „dann kann von gleichen Bildungs- und Lebenschancen in der Republik keine Rede mehr sein", erklärte Stange.

*GEW-Presseerklärung, 22.6.2002*

### c) Föderalismus ist ein Motor des Wettbewerbs

Der Föderalismus ist ein Motor des Wettbewerbs um die besten Ideen. Deshalb ist er in einer solchen Situation nicht Hindernis, sondern am ehesten geeignet, dass sich gute Ideen durchsetzen. Im Übrigen gibt es keinen Anhaltspunkt dafür, dass auf Bundesebene Vorschläge oder Ideen da wären, die über Länderinitiativen hinausgehen – das zeigt das Forum Bildung. Die Ergebnisse der Studie müssen aber in allen 16 Ländern ernst genommen werden.

*Annette Schavan, Kultusministerin Baden-Württemberg, in: Stuttgarter Nachrichten, 11.1.2002*

### d) Föderalismus erhält Vielfalt der Schullandschaft

Die Schulhoheit der deutschen Länder ist Kern ihrer Eigenstaatlichkeit. Sie ist per Grundgesetz garantiert, und für eine Abschaffung dieser Garantie wird es nie eine Mehrheit geben. Das ist gut so, denn der Föderalismus garantiert Wettbewerb. Deshalb gibt es Bundesländer mit leistungsfähigeren Schulsystemen. Würden die Deutschen in den Schulleistungen überall so abschneiden wie die Süddeutschen, hätten wir die Pisa-Schlappe nicht. Außerdem verhindert der Föderalismus eine Einebnung der Schullandschaft.

*Statement von Josef Kraus, Präsident des Deutschen Lehrerverbandes, Die Woche, 14.12.2001*

## Aufgabe zu M 13 – M 14

**1.** Die PISA-E-Studie hat starke Unterschiede im Leistungsstand der deutschen Schülerinnen und Schüler offenbart. Dies hat zu Forderungen geführt, die Bildungspolitik zu vereinheitlichen und auf den Bund zu übertragen. Diskutiert mit Hilfe der Stellungnahmen aus M 14, welche Vor- und Nachteile damit verbunden wären.

## Die bundesstaatliche Ordnung in der Schieflage?

In den vergangenen fünf Jahrzehnten ist es Zug um Zug zu einer Verlagerung von Zuständigkeiten, insbesondere bei den Gesetzgebungskompetenzen, auf den Bund gekommen. Dabei ging es meist um einheitliche Regelungen in allen Ländern oder – sagen wir es ehrlich – auch um Geld. Es ging um Geld, das der Bund hatte und das er für sinnvolle Zwecke, zum Beispiel für den Hochschulbau, einsetzen wollte, ohne dafür die Kompetenz zu haben. Per Verfassungsänderung sind dafür quasi zum Ausgleich die Rechte der Länder zur Mitwirkung an der Gesetzgebung ausgebaut worden. Das hat ... dazu geführt, dass heute über 60 Prozent der Gesetze zustimmungspflichtig sind. Es waren einmal viel, viel weniger.

So haben es sich die Mütter und Väter unserer Verfassung damals jedenfalls nicht vorgestellt. Sie gingen im Jahr 1949 davon aus, dass die Länder nur dann an der Bundesgesetzgebung entschei- dend mitwirken, wenn die Länderinteressen 20 besonders stark – besonders stark! – berührt werden. ... Die massive Verflechtung und Unübersichtlichkeit hat einen gefährlichen Nebeneffekt: Die Bürgerinnen und Bürger sehen nicht mehr, wer für was zuständig und verantwortlich ist. 25 Hier ist auch eine der Ursachen für die wachsende Entfremdung zwischen der Bevölkerung und der handelnden Politik. Es muss klar sein, wofür der Bund zuständig ist und wofür jedes einzelne Land zuständig ist. Wahlen verlieren ihren Reiz 30 und sogar teilweise ihren Sinn, wenn auch nach Wahlen nicht klar ist, wer Verantwortung bekommen hat und sie wahrnehmen kann und muss. Das Problem ist klar: Es muss entwirrt werden, bei den Zuständigkeiten, den Gesetzgebungskompe- 35 tenzen und den Gesetzgebungsmodalitäten.

*Franz Müntefering (SPD) in einer Debatte im Deutschen Bundestag, aus: Das Parlament, 20.10.2003*

## Föderalismusreform kommt

Nach Abschluss der Koalitionsverhandlungen hatte es in Sachen Föderalismusreform noch ein kurzes Grummeln aus den Ländern gegeben, doch auch das ist verstummt: Die Ministerpräsidenten haben bei ihrem Treffen in Berlin einstimmig der Reform der bundesstaatlichen Ordnung zugestimmt, um die gegenseitigen Blockademöglichkeiten zwischen Bundestag und Bundesrat zu beseitigen. Die Umgestaltung der Machtverteilung zwischen Bund und Ländern soll das erste große Reformprojekt der neuen Bundesregierung werden und Bundeskanzlerin Angela Merkel klang nach dem Treffen mit den Ministerpräsidenten im Kanzleramt entsprechend zuversichtlich: Die Wahrscheinlichkeit eines positiven Abschlusses der Reform sei „sehr, sehr hoch".

Wegen der notwendigen Änderung des Grundgesetzes ist auch die Zustimmung der Länderregierungen nötig, an denen die FDP beteiligt ist. Dies ist erforderlich, weil Union und SPD sonst im Bundesrat nicht die erforderliche Zwei-Drittel-Mehrheit haben. Grundsätzlich haben die Liberalen Zustimmung signalisiert. ...

Die Föderalismusreform soll Verantwortlichkeiten zwischen Bund und Ländern klarer regeln und die Zahl der Gesetze, bei denen der Bundesrat zustim- men muss, von etwa 60 auf 35 Prozent reduzieren. Die komplizierten Finanzverflechtungen zwischen Bund und Ländern blieben zunächst ausgenommen, sollen aber in einem zweiten Schritt 30 ebenfalls neu geregelt werden. Verzichtet wurde auch auf eine Neuordnung der Bundesländer.

Außerdem überträgt die Reform dem Bundesinnenministerium unterstellten Bundeskriminalamt mehr Kompetenzen zur Terrorabwehr. Für 35 Gesetze zu Kernenergie und Waffen- und Sprengstoffrecht ist künftig ausschließlich der Bund zuständig. Die Länder erhalten im Gegenzug unter anderem deutlich mehr Rechte in den Bereichen Bildung, Umwelt und Beamtenbesoldung. Für 40 Versammlungsrecht und Ladenschluss sind sie künftig allein zuständig.

*www.tagesschau.de, 15.12.2005*

### Aufgaben zu M 15 und M 16

1. Fasse zusammen, welche Fehlentwicklungen des bundesdeutschen Föderalismus in M 15 kritisiert werden.

2. Informiere dich über den Stand der Föderalismusreform und stelle die Kernelemente der Reform übersichtlich dar (M 16).

## Deutschland – ein Bundesstaat

**Bundesstaatsprinzip**
**M 12**

Im Grundgesetz ist auch das Bundesstaatsprinzip verankert. Von einem Bundesstaat spricht man, wenn mehrer Teilstaaten oder Länder in einem Gesamtstaat zusammengeschlossen sind. Dieses Aufbauprinzip bezeichnet man auch als Föderalismus.

| Bundesstaatliche Ordnung | GG Artikel | Was dazu im Grundgesetz steht |
|---|---|---|
| | 20 | „Die Bundesrepublik Deutschland ist ein demokratischer und sozialer Bundesstaat" |
| | 79 | Das bundesstaatliche Prinzip darf nicht aufgehoben werden. |
| | 30 | Eigenstaatlichkeit der Länder |
| **16 Länder** | 50 | Mitwirkung der Länder an der Gesetzgebung des Bundes und der |
| **1 Bundesstaat** | 23 | Angelegenheiten der Europäischen Union durch den Bundesrat. |
| | 70–75 | Gesetzgebung: Aufteilung der Zuständigkeiten zwischen Bund und den Ländern |
| | 83–87 | Zuordnung der staatlichen Verwaltungsaufgaben |
| | 104 a 107 | Finanzhoheit, Verteilung des Steueraufkommens zwischen Bund und den Ländern |

*Erich Schmidt Verlag, Zahlenbild 60060*

**Machtverteilung durch Föderalismus**

Durch den Föderalismus wird die Macht im Staate zusätzlich zwischen Bund und Ländern geteilt (vertikale Gewaltenteilung) und der Bürger hat zusätzliche Möglichkeiten der politischen Mitbestimmung auf der Ebene der Länder. Die Teilstaaten, in Deutschland die einzelnen Bundesländer, haben dabei selbst Staatscharakter. Dies sieht man daran, dass die Bundesländer eigene Verfassungen, eigene Regierungen und eigene Parlamente haben und in ihrem Zuständigkeitsbereich eigene Gesetze verabschieden können. Sie sind also mehr als nur eine verwaltungsmäßige Untergliederung. Sie sind jedoch auch keine völlig selbstständigen Staaten. Dies wird daran deutlich, dass die Länder keine eigene Außenpolitik machen können.

**Zuständigkeiten**

Die Zuständigkeiten von Bund und Ländern sind in der Verfassung genau festgelegt. Zwar sind den Ländern nur noch wenige Bereiche mit eigener Zuständigkeit in der Gesetzgebung geblieben (z.B. Bildungswesen, Kultur, Polizeiwesen), doch wirken sie über den Bundesrat auch an der Gesetzgebung des Bundes mit. Dieser „Beteiligungsföderalismus" ist allerdings zunehmend in die Kritik geraten, weil er die Verantwortung zwischen Bund und Ländern verwischt und sich beide Ebenen gegenseitig blockieren können.

**Föderalismus in der Kritik**
**M 15, M 16**

Die wichtigsten Argumente für bzw. gegen den Föderalismus sind:

**Pro:**
- Verhinderung zu großer Machtkonzentration beim Bund
- Stärkere Berücksichtigung regionaler Interessen
- Mehr Mitwirkungsmöglichkeiten für die Bürger
- Wettbewerb um die besten Lösungen (z.B. im Bildungswesen)

**Kontra:**
- Ungleiche Bildungs- und Lebenschancen in den einzelnen Ländern
- Hoher Kosten- und Arbeitsaufwand durch Doppelung der staatlichen Organe
- Unklare Verantwortlichkeiten
- Blockade von Reformen durch unterschiedliche politische Kräfteverhältnisse und Dauerwahlkampf

# 2. Politische Willensbildung in der Demokratie

## 2.1 Interessenverbände

### Wie und wo Jugendliche gesellschaftlich aktiv sind

M 1

**Jugendliche im Alter von 12 bis 25 Jahren (Angaben in %)**

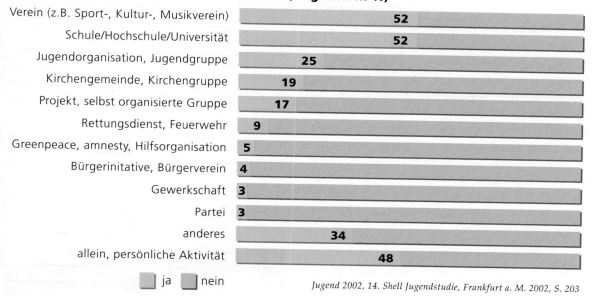

| | % |
|---|---|
| Verein (z.B. Sport-, Kultur-, Musikverein) | 52 |
| Schule/Hochschule/Universität | 52 |
| Jugendorganisation, Jugendgruppe | 25 |
| Kirchengemeinde, Kirchengruppe | 19 |
| Projekt, selbst organisierte Gruppe | 17 |
| Rettungsdienst, Feuerwehr | 9 |
| Greenpeace, amnesty, Hilfsorganisation | 5 |
| Bürgerinitiative, Bürgerverein | 4 |
| Gewerkschaft | 3 |
| Partei | 3 |
| anderes | 34 |
| allein, persönliche Aktivität | 48 |

◻ ja ◻ nein

*Jugend 2002, 14. Shell Jugendstudie, Frankfurt a. M. 2002, S. 203*

## Interessenverband

Freiwilliger Zusammenschluss von Personen, die sich zur Vertretung gemeinsamer politischer, wirtschaftlicher oder sozialer Interessen eine feste Organisationsform geben. Sofern die Interessengruppen versuchen, direkt auf die Gesetzgebung Einfluss zu nehmen, werden sie auch als pressure groups bezeichnet.

## Bürgerinitiative

Spontane, zeitlich meist begrenzte, organisatorisch eher lockere Zusammenschlüsse einzelner Bürger, die sich außerhalb der etablierten Beteiligungsformen (Wahlen, Parteien, Interessenverbände) meist als konkret Betroffene zu Wort melden. Durch Ausübung politischen Drucks oder Beeinflussung der öffentlichen Meinung versuchen sie ihr Anliegen durchzusetzen.
*Autorentext*

*Infobox*

### Aufgabe zu M 1

**1.** Diskutiert, was für, was gegen das Engagement in den aufgeführten Gruppen spricht.

**M 2**

# Der Streit um das Dosenpfand

## Die Geschichte des Dosenpfands

*Die Pfandregelung war schon in der Verpackungsord-
nung 1991 enthalten und wurde 1998 nochmals von
Bundesregierung, Bundestag und Bundesrat bestätigt.
5 Die Regelung sieht eine Pfandpflicht für alle Einweg-
Getränkeverpackungen vor, wenn die Mehrwegquote
von 72 Prozent nicht erreicht wird. Im Januar 1999
wurde festgestellt, dass die Mehrwegquote von 72*

*Prozent für das Jahr 1997 unterschritten worden war.
So genannte Nacherhebungen ergaben eine Quote 10
von 63,8 Prozent für den Zeitraum von Mai 2000 bis
April 2001. Im März 2002 wurde bekannt, dass zum
1. Januar 2003 die Pfandpflicht bei Bier, Mineralwas-
ser und kohlensäurehaltigen Erfrischungsgetränken
in Kraft treten werde.* 15

## Die Reaktion der Verbände

### a) Klagewelle wegen Dosenpfand

Der juristische Streit um das Dosenpfand geht
in eine neue Runde. Am Montag (25.3.2002)
gingen bei den Verwaltungsgerichten aller 16
5 Bundesländer Klagen ein. 30 Unternehmen der
Getränkewirtschaft wollen damit gemeinsam
das Pflichtpfand auf Dosen und Einwegfla-
schen doch noch verhindern. Man müsse gegen
die Länder vorgehen, weil allein diese für den
10 Vollzug der Verpackungsverordnung zuständig
seien, sagte ein Verfahrensbevollmächtigter der
Getränkebranche.

*WDR, 25.3.2002*

### b) Handel sträubt sich gegen Dosenpfand

Die umstrittene Pflichtabgabe wird nach Ein-
15 schätzung des Handels hohe Kosten auch für
Verbraucher mit sich bringen. Allein der Aufbau
der notwendigen Rücknahmesysteme werde zunächst die Firmen „wahnsinnig viel Geld" kosten, sagte der Hauptgeschäftsführer der Bundes-
20 vereinigung Deutscher Handelsverbände BDH,
Holger Wenzel. „Das wird dann der Verbraucher
zahlen müssen." Dem BDH zufolge müsste der
Handel bis zu zwei Milliarden Euro in Rücknah-
meautomaten für das Leergut investieren. Hinzu
25 kämen nochmals jährliche Kosten für den Unter-
halt des Rücknahmesystems. Nach BDH-Schät-
zungen wären durch die hohen Belastungen für
die Unternehmen 10.000 Jobs im Einzelhandel
gefährdet. Auch Pleiten vor allem bei kleinen
30 Läden seien wahrscheinlich.

*WDR, 19.6.2002*

### c) BUND: „Dosenpfand muss kommen –
Vermüllung der Landschaft stoppen"

Anlässlich der heutigen Kabinetts-Sitzung wie-
derholte der nordrhein-westfälische Landesver-

band des Bund für Umwelt und Naturschutz 35
Deutschland (BUND) seine Forderung nach
unverzüglicher Einführung des Pflichtpfandes
für alle ökologisch nachteiligen Getränkeverpackungen. ...
In einem Schreiben an Ministerpräsident Cle- 40
ment[1] hatte der BUND die Landesregierung aufgefordert, den Kurs der Regierungskoalition auf
Bundesebene zu unterstützen.

*http://www.bund-nrw.de/010619.htm (17.7.2002)*

[1] bis Oktober 2002 Ministerpräsident des Landes Nordrhein-Westfalen, 2002-2005 Bundesminister für Wirtschaft und Arbeit

*Demonstration in Berlin – Getränkedosen vor dem Bundesrat.
Am 1.10.2003 lief die neunmonatige Übergangsfrist für das
Dosenpfand ab. Händler, die Pfanddosen verkaufen, müssen
seitdem gleichartige Verpackungen wieder zurücknehmen und
das Pfand auch auszahlen.*

## *Aufgabe zu M 2*

**1.** *Beschreibe genau, mit welchen Mitteln die
Verbände versuchten, die Einführung des
Dosenpfandes zu verhindern oder herbei-
zuführen (M 2). Hältst du das Vorgehen der
Verbände für gerechtfertigt?*

## Schwierig wird es, wenn der Lobbyismus zu einem Abhängigkeitsverhältnis führt

Im Lexikon findet sich unter dem Stichwort „Lobby" zuerst einmal die Erklärung „Vorhalle" und genau hier, nämlich in der Wandelhalle des britischen Unterhauses ist die erste Lobbyarbeit entstanden: Hier hatten die Abgeordneten des britischen Parlaments die Möglichkeit, mit Außenstehenden zu verhandeln. Waren das früher sowohl in den USA als auch in Großbritannien die Wähler selbst, die versuchten die Parlamentarier zu beeinflussen, sind es heute Verbände, Interessengruppen und so genannte Public Affairs-Agenturen, die entweder in eigener Sache oder im Auftrag Interessen vertreten.

Nicht immer ist dies unerwünscht: Die exakt 1 781 Verbände, die in der offiziellen Lobbyliste beim Bundestag eingetragen sind, bewegen sich im parlamentarischen Alltag. Denn nur der Verband, der auf dieser Liste steht, wird von Ausschüssen eingeladen, sich bei Anhörungen zu Gesetzesvorlagen zu äußern. Von der AÄGP, der Allgemeinen Ärztlichen Gesellschaft für Psychotherapie, bis zum ZZF, dem Zentralverband zoologischer Fachbetriebe, sind hier Vereinigungen quer durch alle Interessen vertreten, manche durchaus gemeinnütziger Natur, andere wiederum mit handfesten wirtschaftlichen Interessen. Vielfach setzt aber das Lobbying schon ein, bevor sich das Parlament überhaupt mit einem Gesetzentwurf beschäftigt. ...

Auch Christian Lange, seit 1998 für die SPD im Parlament, ist davon überzeugt, dass Lobbyismus einen wichtigen Teil der repräsentativen Demokratie ausmacht. Abgeordnete seien auf die Informationen der Interessensvertreter angewiesen. „Schwierig wird es immer dann, wenn Lobbyismus zu einem Abhängigkeitsverhältnis führt. Genau dieser Gratwanderung kann man am besten durch Transparenz begegnen." Daher verfolgt Lange das Prinzip des so genannten gläsernen Abgeordneten und so kann jeder auf Langes Internetseite einsehen, welche Einnahmen und Ausgaben der baden-württembergische Politiker im Jahr verbucht. ...

Aber gerade im Verborgenen spielt sich die Art von Lobbyismus ab, die von der Öffentlichkeit als demokratieschädlich empfunden wird.

Zwar ist der Hinterzimmer-Lobbyismus und das Mauscheln hinter verschlossenen Türen passé. Vor allem Verbandslobbyisten wie Gewerkschaften und Unternehmensverbände suchen geradezu Scheinwerfer und Mikrofone. Aber die subtile 50 Lobbyarbeit sucht sich in der Informationsgesellschaft neue Wege: Früher war die Hauptaufgabe des Lobbyisten das Vermitteln von persönlichen Kontakten. Heute bringen sich Politikberater durch die elektronischen Medien schneller und 55 vor allem wesentlich früher ins Spiel. PR-Manager, Public-Affairs-Berater, Kommunikationsagenturen: Sie sind die neuen Lobbyisten. Noch ist unklar, wie viele solcher Lobbyisten überhaupt in der Hauptstadt unterwegs sind. Klar ist aber, 60 dass in Zeiten, in denen sich die Interessen einzelner Firmen innerhalb einer Branche auseinander entwickeln, die klassischen Verbandsvertreter an politischem Gewicht verlieren. Die Unternehmen, die es sich leisten können, beschäftigen hauptbe- 65 rufliche Interessenvertreter. Der parlamentarische Abend mit Buffet und informellen Gespräch gehört ebenso zum Repertoire der Politik-Berater wie das Liefern von Informationen in Form von Studien oder Gutachten beispielsweise. ... 70

Ungleichgewichte entstehen aber vor allem dort, wo keine Lobbies vorhanden sind. Stichwort Arbeitsmarkt: „Sowohl Arbeitgeber als auch Arbeitnehmer sind organisiert, aber es gibt eben die Gruppe der Arbeitslosen, die nicht organisiert 75 ist. Und bei vielen Themen verläuft die Frontlinie des Interessengegensatzes zwischen Arbeitsbesitzenden und Arbeitssuchenden. Wenn da die eine Gruppe nicht organisiert ist, ist die Gefahr groß, dass nicht die richtigen politischen Entscheidun- 80 gen getroffen werden", glaubt der CDU-Abgeordnete Krings. Hier funktioniert Demokratie nicht optimal, obwohl und gerade weil Interessen im Parlament vertreten werden.

*Constanze Hacke, Das Parlament, 1.8.2003*

## Aufgabe zu M 3

*1.* Beschreibe das Verhältnis von Abgeordneten und Lobbyisten. Wo erkennst du Gefahren für die Demokratie?

## Interessenverbände

**Interessenverbände**

Um ihre Interessen besser vertreten zu können, schließen sich einzelne Bürgerinnen und Bürger in Organisationen zusammen. Interessenverbände haben meist eine auf Dauer angelegte, feste Struktur, während Bürgerinitiativen organisatorisch eher lockere und in der Regel zeitlich begrenzte Zusammenschlüsse mit einem ganz konkreten Anliegen sind. Es gibt kaum Sachbereiche des Lebens, in der sich keine Interessenorganisation gebildet hat.

**Bürgerinitiative**
*Infobox*

**Pluralismus**

Ein durch Vielfalt gekennzeichnetes Verbändewesen ist Merkmal einer funktionierenden pluralistischen Demokratie.

**Funktionen der Verbände im politischen System**

Um eine Berücksichtigung der von ihnen vertretenen Interessen zu erreichen, versuchen die Verbandsvertreter (Lobbyisten) gezielt, politische Entscheidungen zu beeinflussen. Dazu bündeln sie die Wünsche und Meinungen ihrer Mitglieder in konkrete politische Forderungen und versuchen, diese durch gezielte Öffentlichkeitsarbeit, durch Bereitstellung oder Entzug von Wählerstimmen, Sachverstand und Spendengeldern durchzusetzen. Naturgemäß konzentrieren sie sich dabei auf die wichtigsten politischen Institutionen wie Ministerien, Bundesregierung und Bundestag, doch nutzen sie auch die indirekte Einflussnahme über die Medien und andere Möglichkeiten.

**Einflussadressaten**

**Verbände als Mittler zwischen Politik und Gesellschaft**

Als „Mittler" zwischen der Gesellschaft und den staatlichen Institutionen kommt den Verbänden eine wichtige Aufgabe zu, etwa bei der Bereitstellung von Fachinformationen (z.B. bei Anhörungen in den Ausschüssen des Bundestags) oder bei der Klärung der Frage, ob eine bestimmte politische Entscheidung praktikabel ist oder auf großen Widerstand in der Bevölkerung stößt.

**„Lobbypolitik"**
*M 3*

Die Öffentlichkeit sieht in der „Lobbypolitik" oft den ungerechtfertigten Versuch, Sonderinteressen auf Kosten der Allgemeinheit durchzusetzen. Beachtet werden muss, dass sich viele Interessen (z.B. von Kindern, Arbeitslosen oder Behinderten) nur schwer organisieren lassen und finanzkräftige und mitgliederstarke Verbände wie etwa die Gewerkschaften oder die Arbeitgeberverbände bessere Chancen haben, ihre Interessen einzubringen oder unliebsame politische Entscheidungen durch den Entzug von Wählerstimmen und gezielte Öffentlichkeitsarbeit zu verhindern.

## 2.2 Parteien

### Die Parteien – und ihr Ruf!

*Mester/CCC, www.c5.net*

### Die Aufgaben der Parteien

Die politischen Parteien wirken an der politischen Willensbildung des Volkes vornehmlich durch ihre Beteiligung an den Wahlen mit, die ohne die Parteien nicht durchgeführt werden könnten. ... Sie
5 stellen, sofern sie die Regierung stützen, die Verbindung zwischen Volk und politischer Führung her und erhalten sie aufrecht. Als Parteien der Minderheit bilden sie die politische Opposition und machen sie wirksam. Sie sind als Mittler beteiligt
10 am Prozess der Bildung der öffentlichen Meinung. Sie sammeln die auf die politische Macht und ihre Ausübung gerichteten Meinungen, Interessen und Bestrebungen, gleichen sie in sich aus, formen sie und versuchen, ihnen auch im Bereich der staat-
15 lichen Willensbildung Geltung zu verschaffen. In der modernen Massendemokratie üben die politischen Parteien entscheidenden Einfluss auf die Besetzung der obersten Staatsämter aus. Sie beeinflussen die Bildung des Staatswillens, indem
20 sie in das System der staatlichen Institutionen und Ämter hineinwirken, und zwar insbesondere durch Einflussnahme auf die Beschlüsse und Maßnahmen von Parlament und Regierung. ... Ohne die politischen Parteien können aber in der
25 modernen Massendemokratie Wahlen nicht durchgeführt werden. Vornehmlich durch die Wahlen entscheiden die Aktivbürger über den Wert des Programms einer politischen Partei und über ihren Einfluss auf die Bildung des Staatswillens. Die Aktivbürger können diese Entscheidung nicht 30 sinnvoll treffen, ohne dass ihnen zuvor in einem Wahlkampf die Programme und Ziele der verschiedenen Parteien dargelegt werden. Erst durch einen Wahlkampf werden viele Wähler bestimmt, zur Wahl zu gehen und ihre Entscheidung zu treffen. 35 Das Gericht hat mehrfach betont, dass die politischen Parteien vornehmlich Wahlvorbereitungsorganisationen sind und dass sie an der politischen Willensbildung des Volkes vor allem durch Beteiligung an den Parlamentswahlen mitwirken. 40

*BVerfGE 20, S. 101*

### Aufgaben zu M 4 – M 5

**1.** a) *Interpretiere die Karikatur in M 4.*
b) *Wähle einen Vorwurf aus. Erkläre nun, warum du den Vorwurf für gerechtfertigt/nicht gerechtfertigt hältst.*

**2.** *Erkläre, welche Aufgaben die Parteien im politischen System erfüllen (M 5).*

**3.** *Grenze Parteien von Interessenverbänden ab (M 5).*

## M 6  Informationen zu den Parteien

**SPD** (Sozialdemokratische Partei Deutschlands)

**Vorsitzender:** Matthias Platzeck

**Gründung:** 1890 (Vorläuferparteien seit 1863), Verbot während der NS-Zeit, Wiedergründung 1945

**Schüler- und Jugendorganisationen:** Die Falken; Jungsozialisten (Jusos)

**Prägende Persönlichkeiten:** Willy Brandt, Bundeskanzler 1969 – 1974, Parteivorsitzender 1964 – 1987; Helmut Schmidt, Bundeskanzler 1974 – 1982

**Grundwerte:** Die Sozialdemokratie hat sich in der Tradition der Aufklärung immer an Freiheit, Gerechtigkeit und Solidarität orientiert. Diese Grundwerte bilden beim Übergang in die Informationsgesellschaft die Grundlage für eine offensive, erneuerungsbereite Politik. Die demokratische, freie, soziale und gerechte Gesellschaft bleibt Ziel der SPD.

**CDU** (Christlich-Demokratische Union)

**Vorsitzende:** Angela Merkel

**Gründung:** 1945

**Schüler- und Jugendorganisationen:** Schülerunion; Junge Union

**Prägende Persönlichkeiten:** Konrad Adenauer, Bundeskanzler 1949–1963; Ludwig Erhardt, Bundeskanzler 1963 – 1966, „Vater des Wirtschaftswunders"; Helmut Kohl, Bundeskanzler 1982 – 1998, Parteivorsitzender 1973 – 1998

**Grundwerte:** Wir brauchen mehr Freiheit denn je, damit sich die notwendigen Innovationskräfte des Einzelnen und unserer Gesellschaft entfalten können. ... Die CDU steht für die ökologische und soziale Marktwirtschaft, die uns zu einem nachhaltigen Umgang mit den natürlichen Ressourcen verpflichtet.

**CSU** (Christlich Soziale Union)

**Vorsitzender:** Edmund Stoiber

**Gründung:** 1945, bayerische Schwesterpartei der CDU

**Schüler- und Jugendorganisationen:** Schülerunion; Junge Union

**Prägende Persönlichkeit:** Franz Josef Strauß, Bayerischer Ministerpräsident 1978–1988, Parteivorsitzender 1961–1988

**Grundwerte:** Freiheit fordert immer auch Verantwortung. Nur eine Gesellschaft selbstverantwortlicher Bürger verhindert, dass der Staat durch umfassende Versorgung und Betreuung Menschen abhängig, passiv und egoistisch werden lässt. Die CSU will den Sozialstaat nicht als Vormund, sondern als Diener des Menschen. Sie fördert deshalb in der Sozialpolitik Selbstverantwortung und Eigeninitiative.

**Bündnis 90/Die Grünen**

**Vorsitzende:** Petra Roth, Reinhard Bütikofer

**Gründung:** Die Grünen: 1980; Bündnis 90: 1990 in den neuen Bundesländern; Vereinigung beider Parteien Mai 1993

**Schüler- und Jugendorganisationen:** Grüne Jugend

**Prägende Persönlichkeit:** Joschka Fischer, Bundesaußenminister seit 1998

**Grundwerte:** Leitbilder für eine neue Politik sind: Nachhaltigkeit, soziale Gerechtigkeit und Demokratie. Nur diese Leitbilder können die Rechte und Zukunftschancen von Jugendlichen und künftigen Generationen sichern. Nachhaltiges Wirtschaften bedeutet zukunftsfähige Produkte und ökologisch verträgliche Produktionsverfahren. Dafür muss Arbeit billiger und der Verbrauch natürlicher Ressourcen verteuert werden.

**FDP** (Freie Demokratische Partei)

**Vorsitzender:** Guido Westerwelle

**Gründung:** 1948

**Schüler- und Jugendorganisationen:** Junge Liberale (Julis)

**Prägende Persönlichkeit:** Hans-Dietrich Genscher, Bundesaußenminister 1974 – 1992

**Grundwerte:** Das Prinzip „Freiheit durch Verantwortung" begründet eine Bürgergesellschaft, in der Selbstorganisation und Mitmenschlichkeit das republikanische Gemeinwesen prägen. Die liberale Bürgergesellschaft fordert und fördert die Übernahme von Verantwortung durch den Einzelnen. (...) Nur dort, wo Eigenverantwortung und Mitverantwortung das Leistungsvermögen der Bürger übersteigen, übertragen die Bürger Verantwortung auf ihren Staat.

**PDS** (Partei des Demokratischen Sozialismus)

**Vorsitzender:** Lothar Bisky

**Gründung:** Nachfolgeorganisation der SED (Sozialistische Einheitspartei Deutschlands), die 1949 – 1989 Staatspartei der DDR war.

**Schüler- und Jugendorganisationen:** Solid

**Prägende Persönlichkeit:** Gregor Gysi, Vorsitzender der PDS-Gruppe im Bundestag 1990 – 98, 1998 – 2000 Fraktionsvorsitzender im Bundestag

**Grundwerte:** Die PDS will weder eine neue noch eine „verträglichere" Variante bisheriger Politik. Sie setzt sich für eine Gesellschaft ein, in der der Schwache nicht länger schwach, der Einzelne nicht länger allein, der Fremde nicht länger fremd und der Abhängige nicht länger wehrlos bleibt. Im Mittelpunkt (ihres) Wirkens steht der Kampf gegen Massenarbeitslosigkeit, Sozialabbau und Raubbau an der Natur.

## Mitgliederentwicklung der Parteien

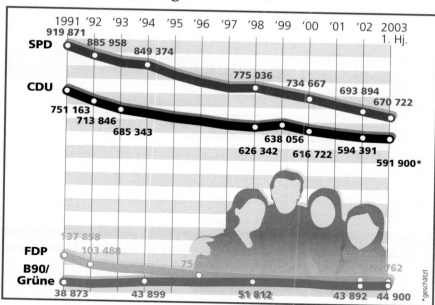

1991 '92 '93 '94 '95 '96 '97 '98 '99 '00 '01 '02 2003 1. Hj.

**SPD**
919 871
885 958
849 374
775 036
734 667
693 894
670 722

**CDU**
751 163
713 846
685 343
638 056
626 342
616 722
594 391
591 900*

**FDP**
137 858
103 488
75 038
66 762

**B90/ Grüne**
38 873
43 899
51 812
43 892
44 900

*geschätzt

*dpa-Grafik 8379*

## Die Mitgliederbefragung – ein Weg zu mehr innerparteilicher Demokratie?

*Die CDU in Baden-Württemberg bestimmte zum ersten Mal in einer Mitgliederbefragung den Spitzenkandidaten für die Landtagswahlen 2006. Dabei setzte sich der damalige Fraktionsvorsitzende Günther Oettinger gegen die damalige Kultusministerin Annette Schavan mit 60,6 % der Stimmen durch. Schavan erhielt 39,4 % der Stimmen. Die Reaktion auf diese Art der Kanditatenwahl war jedoch unterschiedlich:*

„Der erste Sieger steht indes schon heute fest: Es sind all jene, die seit Jahren mehr direkte Demokratie fordern. Mit welchem Recht will die CDU den Bürgern zukünftig verweigern, was sie in der eigenen Partei als Königsweg feiert? Die Volkswahl der Landräte z. B. blockiert die Union seit Jahren gegen eine Koalition aller anderen Parteien. Nun, da 80 000 Christdemokraten sogar den künftigen Vorsitzenden bestimmen dürfen, wird sie den Kreisbewohnern kaum weiter verwehren, ihren Verwaltungschef zu wählen."

*Andreas Müller, Stuttgarter Zeitung, 28.10.04*

„Solche Entscheidungen trifft man in den Gremien, die dafür da sind. In einer Firma wählt auch nicht die Belegschaft den Chef."

*Jan Gradl, Fraktionssprecher der CDU im Heidelberger Gemeinderat*

„Die plötzliche Idee einer Mitgliederbefragung finde ich sehr verwunderlich. Ich bin davon gar nicht begeistert. Man fragt sich, ob da nicht übertaktiert wird. Man muss auch darauf hinweisen, dass wir demokratisch gewählte Delegierte haben, die den Vorsitzenden bestimmen sollen."

*Wolfgang Müller-Fehrenbach, Vorsitzender des Kreisverbandes der CDU Konstanz*

„Eine Mitgliederbefragung ist gut. Wichtig ist, dass sie schnell kommt. Es ist dringend notwendig, dass wieder Ruhe einkehrt. Jetzt geht der Zweikampf los, aber das gehört zur Demokratie, auch wenn das mancher als unangenehm empfinden mag."

*Klaus Tappeser, Vorsitzender des Kreisverbandes der CDU Tübingen*

**M 9**

# Die innere Struktur der Parteien

Ihre Ideen werden also auch auf dem Bundesparteitag vertreten und können so **1.** die politische Orientierung der Bundespartei,

**ORTSPOLITIK** ➤ **KOMMUNALPOLITIK** ➤ **LANDESPOLITIK** ➤ **BUNDESPOLITIK**

Im Ortsverband können Sie Ihre Kritik vortragen, diskutieren und unmittelbar das kommunale Geschehen beeinflussen.

So werden Ihre Ideen auf dem Kreisparteitag vertreten und Sie können die Kommunalpolitik im weiteren Sinne mitgestalten. Zum Beispiel kann eine bessere Schule gebaut werden. Oder eine Kläranlage.

Ihre Ideen werden so auf dem Landesparteitag vertreten und können Niederschlag in der Landespolitik finden. Zum Beispiel durch eine andere Strukturpolitik.

**2.** die Politik der Bundesfraktion und der Bundesregierung beeinflussen. Zum Beispiel in der Frage der Mitbestimmung. Oder in der Außenpolitik. Oder, oder.

**KREISPARTEITAGE** **LANDESPARTEITAGE** **BUNDESPARTEITAGE**

Außerdem können Sie die Wahl der Delegierten auf dem Kreisparteitag mitbestimmen – oder selbst gewählt werden.

Durch den Kreisverband können Sie auf die Vertretung Ihres Kreises auf dem Landesparteitag Einfluss nehmen. Oder selbst zum Delegierten gewählt werden.

Über den Landesverband wiederum können Sie Mitspracherecht bei der Delegierten-Auswahl für den Bundesparteitag haben. Oder auch selbst Delegierter werden.

**ORTSVERBÄNDE** ➤ **KREIS-/ BEZIRKS-VERBÄNDE** ➤ **LANDESVERBÄNDE** ➤ Aus der Gesamtheit der Landesverbände ergibt sich die Bundespartei.

Wenn Sie sich über etwas ärgern, sehr gut. Aber bitte nicht gleich schwarz ärgern. Lieber klaren Kopf behalten und eine vernünftige Entscheidung treffen: Eintritt in eine Partei.

Aus den jeweiligen Ortsverbänden setzt sich ein Kreisverband zusammen, diese bilden die Bezirksverbände.

Die Kreisverbände sind jeweils in einem Landesverband zusammengefasst.

*Manfred Handwerger u.a., Der politische Prozess, 3. Aufl., Bamberg 1990, S. 91*

*Nach Artikel 21 Abs. 1 GG hat die innere Ordnung der Parteien demokratischen Grundsätzen zu entsprechen, die das Parteiengesetz (PartG) präzisiert.*

## Aufgaben zu M 6 – M 9

**1.** Recherchiert im Internet die Programmaussagen der Parteien z.B. zu den Bereichen Bildungspolitik, Arbeitsmarktpolitik oder Energiepolitik und stellt die Ergebnisse in einer Übersicht dar (M 6).

**2.** Überlegt, welche Gründe die Entwicklung der Mitgliederzahlen der Parteien (M 7) haben könnte.

**3.** Verfasse einen kurzen Leserbrief zu einem der Statements aus M 8. Einige Argumente findest du in M 10.

## Innerparteiliche Demokratie – notwendig oder störend?

M 10

Innerparteiliche Demokratie ist notwendig, um das Gewicht der politisch engagierten Bürgerinnen und Bürger in einer Partei zu erhöhen. Ein demokratischer Staat kann nicht von Parteien mit
5 undemokratischer Struktur (Beispiel „Führerprinzip" oder „demokratischer Zentralismus") regiert werden. Ungeachtet aller gesetzlichen Vorkehrungen sind die Einflussmöglichkeiten des einfachen Parteimitgliedes verhältnismäßig
10 beschränkt. Das liegt an der Teilnahmslosigkeit und Gleichgültigkeit vieler Parteimitglieder („Karteileichen"), an der Neigung der Parteibürokratie, sich von der Basis abzukapseln, und schließlich an den unverzichtbaren Sachzwängen
15 einer modernen und großen Parteiendemokratie, die eben auch entschiedene Führung und schnelle Entscheidungen benötigt. ...
Innerparteiliche Demokratie bedeutet auch, dass die einzelnen parteiinternen Gruppen ihre
20 Kontroversen weitgehend öffentlich kundtun.

Vielfach herrscht in den Parteien (und auch bei der Wählerschaft) der Glaube vor, das offene Austragen von innerparteilichen Konflikten beweise Schwäche, Unglaubwürdigkeit und mangelnde Einmütigkeit einer Partei. Eine Partei, die 25 Meinungsverschiedenheiten nicht vertuscht, gilt häufig als „zerstritten" und „uneins". Dies kann im Extremfall tatsächlich so sein, wenn die unterschiedlichen Positionen derart weit auseinanderliegen, dass sie die Energien der Politiker binden 30 und innere Auseinandersetzungen die programmatischen Vorstellungen der Partei überlagern. Vielfach jedoch befruchten innerparteiliche Differenzen die politische Diskussion. Es mag daher auch ein Zeichen von Stärke und Dynamik sein, 35 wenn eine Partei sie duldet und nicht mit dem beliebten Ruf nach „Geschlossenheit" abwürgt.

*Informationen zur politischen Bildung 207, Parteiendemokratie, hg. von der Bundeszentrale für politische Bildung, Neudruck 1996 (Online-Ausgabe)*

## Die Krise der Parteien – drei Reformvorschläge

M 11

| **Alle Macht den Wählern!** | **Alle Macht den Mitgliedern!** | **Alle Macht den Profis!** |
|---|---|---|
| Nach dem Vorbild der amerikanischen „primaries" sollen die Wähler selbst die Kandidaten wählen. Jeder Sympathisant einer Partei lässt sich in Wahllisten eintragen und beteiligt sich z.B. an der Auswahl des Kanzlerkandidaten. | Alle politischen Richtungsentscheidungen sollen durch Abstimmungen der Parteimitglieder an der Parteibasis getroffen werden. Die Fraktionen und die Regierung sind dazu da, diese Entscheidungen umzusetzen. | Partei wird gesehen als eine Dienstleistungsfirma, bestehend aus Politprofis, die ihr Produkt (Parteiprogramm) perfekt anbietet und sich so die Macht sichert. Geführt wird die Partei von exzellenten Führungspersonen, die das politische Programm vertreten. |

*nach: Ulrich v. Alemann, Das Parteiensystem der Bundesrepublik Deutschland, Opladen 2003, S. 200 f.*

### Aufgaben zu M 11

**1.** M 11 nennt drei Vorschläge zur Reform der Parteien. Überlegt, wie sich die einzelnen Vorschläge auf die Funktionsweise der Parteien auswirken würden.

**2.** Zur Vertiefung: Ladet aktive Parteimitglieder in die Klasse zu einem Expertengespräch ein und befragt sie zu ihren Erfahrungen mit der Parteiarbeit. Berücksichtigt dabei, wie die Attraktivität der Parteien besonders für junge Mitglieder erhöht werden könnte.

## Parteien

**Aufgaben und Stellung der Parteien**
*M 5*

Art. 21 GG nennt allgemeine Grundsätze zur Stellung und zum Aufbau der Parteien. Damit werden sie als Verfassungsinstitutionen erwähnt, was ihrer herausragenden Bedeutung bei der politischen Willensbildung entspricht. Aufgaben und verfassungsrechtliche Stellung der Parteien werden in § 1 Abs. 2 des „Gesetzes über die politischen Parteien" von 1967 näher beschrieben. Parteien wirken danach an der politischen Willensbildung des Volkes mit und bringen die von ihnen formulierten politischen Ziele (besonders als Regierungsparteien) in die staatliche Willensbildung ein. Sie sind damit das wichtigste Bindeglied zwischen Gesellschaft und Staat. Hat eine Partei die Mehrheit im Parlament errungen, so kann sie (in der Regel mit anderen Parteien zusammen = Koalition) die Regierung stellen und ihr politisches Programm in Gesetze gießen. Die Parteien, die in der Minderheit geblieben sind, bilden dann die Opposition und haben die Aufgabe, die Regierung zu kontrollieren und sich als Alternative für die nächsten Wahlen zu präsentieren. Es entspricht dem Rang der Parteien, dass nur das Bundesverfassungsgericht auf Antrag ein Parteienverbot aussprechen kann, wenn eine Partei zum Ziel hat, die freiheitlich-demokratische Grundordnung zu beseitigen.

**Parteiprogramme**
*M 6*

Die Programme der Parteien beschreiben ihre Bewertung der bestehenden politischen, gesellschaftlichen und wirtschaftlichen Verhältnisse und machen praktikable Vorschläge zur Verbesserung dieser Verhältnisse. Dabei wird auch deutlich, an welchen Grundwerten sich die Parteien orientieren.

**Innere Ordnung**
*M 9 – M 11*

In Art. 21 GG wird festgelegt, dass die „innere Ordnung" der Parteien „demokratischen Grundsätzen" entsprechen muss. Das bedeutet, dass Mitglieder nicht von der Willensbildung ausgeschlossen sein dürfen und der Entscheidungsweg grundsätzlich von unten (Parteibasis) nach oben (Führungsgremien) laufen sollte. In der Realität entscheiden aber meist die Führungseliten der Parteien über die politische Richtung und versuchen, ihren Kurs gegenüber der Parteibasis durchzusetzen.

**Finanzierung**

Um ihre wichtigen Aufgaben im politischen System zu erfüllen brauchen die Parteien Geld. Mitgliedsbeiträge allein reichen dazu in der Regel nicht aus. Deshalb sind staatliche Zuwendungen und private Spenden wichtige Einnahmequellen für die Parteien. Vom Staat erhalten die Parteien Zuschüsse für Wählerstimmen (Wahlkampfkostenerstattung) und Zuschüsse für private Beitrags- und Spendeneinnahmen. Zahlreiche Spendenskandale haben jedoch gezeigt, dass einzelne Parteien immer wieder der Versuchung unterliegen, die Herkunft ihrer Einkünfte zu verschleiern. Das neue Parteiengesetz aus dem Jahr 2002 zielt deshalb darauf ab, die Finanzierung der Parteien besser durchschaubar zu machen.

**Parteienverdrossenheit**

In den letzten Jahren mehren sich die Anzeichen, dass die Unzufriedenheit der Bürger mit den Parteien wächst („Parteienverdrossenheit"). Dies zeigt sich besonders an sinkenden Mitgliederzahlen und einer sinkenden Wahlbeteiligung.

## 2.3 Wahlen

### Wahlskandal in Dachau

M 12

[Der Ex-Stadtrat] Trifinopoulos wird unter anderem beschuldigt, vor der Wahl eine Vielzahl ihm persönlich bekannter griechischer wahlberechtigter Bürger Dachaus aufgefordert zu haben, Briefwahl zu beantragen, und einigen dieser Wähler persönlich die Wahlunterlagen überbracht zu haben. Dabei soll er nach Aufforderung der Wähler mehrere Stimmzettel für Gemeinderats-, Kreistags-, Bürgermeister und Landratswahlen selbst ausgefüllt haben. Anschließend habe er die Wähler dazu veranlasst, ... bewusst wahrheitswidrig an Eides statt zu erklären, dass sie die Stimmzettel persönlich gekennzeichnet hätten. In mindestens 15 Fällen übergaben die Wahlberechtigten der Anklage zufolge ihre kompletten Wahlunterlagen Trifinopoulos, damit dieser sie nach seinen eigenen Wünschen ausfüllen sollte.

Bei der Kommunalwahl in Dachau war es am 3. März und bei der Oberbürgermeister-Stichwahl am 17. März zu zahlreichen Ungereimtheiten gekommen. Rund 3500 Briefwahlscheine verschwanden spurlos, mehrere hundert Briefwahl-Stimmzettel für die Stadtrats- und Kreistagswahl wurden manipuliert.

Schließlich wurden auch noch 404 ausgezählte OB-Stichwahl-Stimmzettel in einem Altpapiercontainer auf dem städtischen Bauhof gefunden. Inzwischen wurden die Wahlen wiederholt.

*Süddeutsche Zeitung, 6.5.2003*

### Die Wahlgrundsätze ... und was sie bedeuten

M 13

**Art. 28 GG:**
„In den Ländern, Kreisen und Gemeinden muss das Volk eine Vertretung haben, die aus allgemeinen, unmittelbaren, freien, gleichen und geheimen Wahlen hervorgegangen ist."

**Art. 38 GG:**
„Die Abgeordneten des Deutschen Bundestags werden in allgemeiner, unmittelbarer, freier, gleicher und geheimer Wahl gewählt.

**allgemein**
Alle Bürger sind wahlberechtigt, soweit sie die allgemeinen Voraussetzungen dafür erfüllen.

Keine Gruppe ist aus sozialen, politischen oder wirtschaftlichen Gründen von der Wahl ausgeschlossen.

**unmittelbar**
Die Wählerstimmen werden direkt für die Zuteilung der Abgeordnetensitze verwendet. Es gibt keine Zwischeninstanz wie z.B Wahlmänner.

**frei**
Die Stimme kann frei von staatlichem Zwang oder sonstiger unzulässiger Beeinflussung abgegeben werden.

**gleich**
Alle Wahlberechtigten haben gleich viele Stimmen zu vergeben. Alle Stimmem haben gleiches Gewicht.

Eine Ausnahme von dieser Regel macht die 5 % Sperrklausel.

**geheim**
Es darf nicht feststellbar sein, wie der einzelne Bürger gewählt hat.

*Erich Schmidt Verlag, Zahlenbilder 86030*

### Aktives Wahlrecht

Wahlberechtigt sind im Sinne des Art. 116, 1 GG alle Deutschen, die am Wahltag das 18. Lebensjahr vollendet haben und seit mindestens drei Monaten eine Wohnung oder ihren gewöhnlichen Aufenthalt im Bundesgebiet haben.

*muss deutsche staatsbürgerschaft*
*strafgefangene dürfen nicht*
*geistig Behinderte*

### Passives Wahlrecht

Wählbar sind alle Deutschen im Sinne des Art. 116, 1 GG, die am Wahltag das 18. Lebensjahr vollendet haben (Ausnahme: Wahl zum Bundespräsidenten erst ab dem 40. Lebensjahr).

**Infobox**

**M 14**  # Die Wahlbeteiligung in der Bundesrepublik Deutschland

**Die Nichtwähler**
Nicht abgegebene Stimmen bei den Bundestagswahlen in % aller Wahlberechtigten

21,5 · 14,0 · 12,2 · 12,3 · 13,2 · 13,3 · 8,9 · 9,3 · 11,4 · 10,9 · 15,6 · 22,2 · 21,0 · 17,8 · 20,9 · 22,3

1949 '53 '57 '61 '65 '69 '72 '76 '80 '83 '87 '90 '94 '98 '02 2005

*Erich Schmidt Verlag,*
*Zahlenbilder 88607*

**M 15**  ## Typen von Nichtwählern

| **Grundsätzliche Nichtwähler** | **Konjunkturelle Nichtwähler** | **Bekennende Nichtwähler** |
|---|---|---|
| Die *grundsätzlichen Nichtwähler* haben kein politisches Interesse, sind schlecht integriert und haben meist wenige Kontakte, häufig geringe Bildung und geringen Berufsstatus. Frauen sind überproportional vertreten. Außerdem gehören dazu die Angehörigen von Sekten und weltanschaulichen Minderheiten, die es grundsätzlich ablehnen zu wählen. | Die *konjunkturellen Nichtwähler* entscheiden je nach Bedeutung der Wahl über ihre Beteiligung: Kommunal- und Europawahlen gelten ihnen am wenigsten. Sie haben durchaus Interesse an Politik und favorisieren eine Partei – sie müssen aber besonders mobilisiert werden, um aktiv zu werden. Ihre Zahl ist in letzter Zeit deutlich gewachsen. | Die *bekennenden Nichtwähler* sind eine neue Erscheinung. Sie sind politisch interessiert, aber höchst unzufrieden mit „ihrer" Partei und strafen sie mit Wahlabstinenz; sie gehen aber nicht so weit, eine andere Partei zu wählen. Möglicherweise lehnen sie auch alle etablierten Parteien als unfähig ab, ohne allerdings eine Protestpartei zu wählen. |

*Ulrich von Alemann, Das Parteiensystem der Bundesrepublik Deutschland, Opladen 2003, S. 206 f.*

## Aufgaben zu M 12 – M 15

**1.** Ermittle und begründe mit Hilfe von M 13, gegen welche Wahlgrundsätze der Dachauer Stadtrat verstoßen hat (M 12).

**2.** Werte die Grafik in M 14 aus. Versuche die Entwicklung auch unter Berücksichtigung von M 15 zu erklären.

# Die Bedeutung von Wahlen

Manchen Bürgern ist nicht so ganz klar und einsichtig wie den Parteien, welch außerordentliche Bedeutung der Wahlakt für die Demokratie besitzt. Durch die Wahlen zum Deutschen Bundestag wird über die parteipolitische Zusammensetzung, und damit über die Machtverteilung im höchsten politischen Organ unserer Verfassung entschieden. Die Zusammensetzung des Parlaments in Form von Sitzen oder Mandaten ist die Grundlage für die Bildung der Bundesregierung, die ihrerseits von der Mehrheit des Parlaments gewählt werden muss. Der Wähler hat es somit weitgehend in der Hand zu bestimmen, wer die Regierungsmacht in unserem Staat ausüben soll. Gewiss hat der Einzelne dabei nur eine Stimme unter vielen Millionen, aber die vielen einzelnen Stimmen summieren sich zu einem Gesamtergebnis, das über die Richtung entscheidet, welche die Politik der Bundesrepublik nehmen soll.

## Demokratische Legitimation

Demokratische Wahlen sind auch deshalb wichtig, weil durch sie die zu wählenden Abgeordneten als Volksvertreter legitimiert werden. Demokratie kann ja nicht Volksherrschaft im strengen Sinne des Wortes bedeuten, denn wenn alle miteinander und übereinander herrschen wollten, ist das Chaos wahrscheinlicher als eine funktionierende Ordnung des Zusammenlebens. Darum sind alle großen Demokratien darauf angewiesen, die Regelung der politischen Angelegenheiten an Repräsentanten zu übertragen, die stellvertretend für das Volk die Gesetzgebung und die Regierungsgeschäfte wahrnehmen. Doch beim Volk, also bei den Bürgern, liegt die Souveränität, das heißt die Macht, durch die Wahlen diejenigen Personen zu bestimmen, die das für das Wohl des Volkes so wichtige politische Geschäft auszuüben haben und sich dafür bei künftigen Wahlen vor dem Volk verantworten müssen. ...

## Chance zur politischen Korrektur

Demokratische Wahlen haben auch das Gute an sich, dass ihre Ergebnisse nicht endgültig sind. Gewiss sind die Ergebnisse einer Bundestagswahl für die Dauer der so genannten Wahlperiode verbindlich, denn um ein Regierungsprogramm verwirklichen zu können, braucht man einige Zeit. Aber vier Jahre später ist in der Regel Schluss mit dem durch die Wähler erteilten politischen Auftrag an ihre Repräsentanten. Dann müssen diese sich wiederum in einer Wahl vor dem Volk verantworten. Dabei wird womöglich ganz anders entschieden als bei der vorausgegangenen Wahl, und die politischen Karten, d. h. die Machtverhältnisse zwischen den politischen Parteien, werden neu gemischt. Dies macht die Lebendigkeit der Demokratie aus und verleiht den Wahlen eine so große Bedeutung für die geschichtliche Entwicklung. Wahlen bieten eine Chance, politische Korrekturen vorzunehmen.

## Wichtige Einrichtung der Demokratie

Aus alledem folgt, dass freie Wahlen eine wichtige Einrichtung der Demokratie sind und dass es keine Zumutung an den Bürger und an die Bürgerin ist, wenn die Politiker und die Organe der öffentlichen Meinungsbildung ihn bzw. sie auffordern, sein bzw. ihr Wahlrecht in Anspruch zu nehmen. Wählen zu dürfen ist ein Privileg, auch wenn es dem einen oder anderen Kopfzerbrechen bereiten mag, welcher Partei er seine Stimme geben soll. Wo es keine freien Wahlen gibt, in denen man ungehindert zwischen verschiedenen Personen und politischen Parteien auswählen kann, herrscht auch keine Freiheit. Ich halte nichts davon, aus dem Wahlrecht auch eine Wahlpflicht zu machen, denn es sollte auch die Freiheit geben dürfen, nicht zur Wahl zu gehen. Doch wer sich vor Augen führt, wofür Geschichte und Gegenwart leider viele Beispiele bieten, wie machtlos, hilflos und entscheidungslos ein Volk ist, das überhaupt nicht wählen darf, oder dem man, wie seinerzeit in der DDR, beim Wählen keine Wahl lässt, der kann leicht ermessen, was für ein Gewinn es ist, in persönlicher Verantwortung die Entscheidung zwischen Kandidaten und ihren Parteien treffen zu dürfen. Darin zeigt sich die politische Freiheit. Zwar gibt es immer wieder gleichgültige Zeitgenossen, die uns weismachen wollen, dass die politischen Parteien allesamt nicht viel taugten, aber diese Auffassung ist derart oberflächlich und unreif, dass man sie am besten ignoriert.

90 **Demokratische Willensbildung**

Der Wahlakt selbst, mit dem wir den Gewählten, wie oben zitiert, die demokratische Weihe verleihen, ist, wie es sich für eine so nüchterne Angelegenheit gehört, keine feierliche Sache. Wir

95 bekommen die Wahlzettel ausgehändigt, gehen in die Kabine und machen unsere Kreuze an den Stellen, die wir gemäß unseren politischen Vorstellungen für die richtigen halten. Aber wenn wir das keineswegs selbstverständliche Privileg, frei

100 wählen und entscheiden zu dürfen, in Anspruch genommen haben, dürfen wir zufrieden sein, un-

seren bescheidenen Anteil an der demokratischen Willensbildung geleistet zu haben. Es gibt in der Demokratie keine Institution, in der es so ausschließlich auf den Bürger ankommt wie bei den Wahlen zu den Volksvertretungen. Diese Chance sollte man sich nicht entgehen lassen.

*Kurt Sontheimer, Blickpunkt Bundestag, 3.9.1998*

## Aufgabe zu M 16

**1.** Wählen lohnt sich nicht! Nimm Stellung zu dieser Aussage unter Berücksichtigung der Argumente aus M 16.

---

**M 17**  **Das Wahlsystem zum Deutschen Bundestag**

● **Die Erststimme und ihre Bedeutung**

Das Gebiet der Bundesrepublik ist in 299 Wahlkreise eingeteilt. Jeder Wähler entscheidet sich für einen Kandidaten seines Wahlkreises. Gewählt ist, wer mindestens eine Stimme mehr hat als jeder andere Bewerber (Relative Mehrheitswahl). Der Gewählte kommt auf jeden Fall ins Parlament, auch wenn seine Partei die 5%-Hürde nicht schafft.

**Stimmzettel**
für die Wahl zum Deutschen Bundestag im Wahlkreis 222 Bamberg
am 27. September 1998

**Sie haben 2 Stimmen**

hier 1 Stimme
für die Wahl
eines / einer Wahlkreisabgeordneten

hier 1 Stimme
für die Wahl
einer Landesliste (Partei)

**Erststimme**  **Zweitstimme**

● **Die Zweitstimme und ihre Bedeutung**

Der Wähler gibt die Zweitstimme der Landesliste einer Partei. 299 Abgeordnete erhalten ihr Mandat über diese Listen. Die Gesamtzahl der Sitze einer Partei richtet sich nach dem bundesweiten Anteil an Zweitstimmen, die diese Partei erhält (Verhältniswahl). Bei der Vergabe der Sitze werden nur Parteien berücksichtigt, die bundesweit mindestens 5% der Zweitstimmen oder drei Direktmandate errungen haben (Sperrklausel).

● **Verteilung der Sitze auf die Parteien**

Wie viele Abgeordnetensitze (Mandate) den Parteien zustehen, wird mit Hilfe des „Hare-Niemeyer-Verfahrens" berechnet. Wie es funktioniert, zeigt die folgende Beispielrechnung. Drei Parteien haben die Fünf-Prozent-Hürde übersprungen:

| Partei | Sitze insgesamt | Zweitstimmen nach Parteien | Summe der Zweitstimmen | Ganzzahliger Anteil | Rest | Sitze nach größtem Rest | Sitze |
|--------|--------|--------|--------|--------|--------|--------|--------|
| **A** | 598 | x 3 700 000 | : 11 300 000 = | 195, | 80 | 1 | 196 |
| **B** | 598 | x 5 500 000 | : 11 300 000 = | 291, | 06 | 0 | 291 |
| **C** | 598 | x 2 100 000 | : 11 300 000 = | 111, | 13 | 0 | 111 |
| gesamt | | 11 300 000 | | | | | |

**Die Sitzverteilung erfolgt nach Zweitstimmen**

**C 111**
**A 196**
**598 Sitze**
**B 291**

**299 davon Direktmandate**

● **Verteilung der Sitze auf die Landeslisten der Parteien**

Die Gesamtzahl der bundesweit errungenen Sitze wird nun auf die einzelnen Bundesländer „verteilt". Die Gesamtzahl der Sitze im Land wird dann zunächst mit den Direktmandaten der Partei aus diesem Land aufgefüllt, die verbleibenden Sitze mit Kandidaten der Landesliste.

● **Überhangmandate**

Hat eine Partei in einem Bundesland mehr Direktmandate errungen als ihr – den Zweitstimmen nach – zustehen, erhält Sie Überhangmandate. Beispiel: Die Partei B hat im Bundesland Y alle 28 Direktmandate gewonnen. Nach Zweitstimmen stehen ihr nur 26 Mandate zu. Die zwei fehlenden Sitze erhält die Partei als Überhangmandate.

z.B. Partei B

**Sachsen**

**Hessen**
**Niedersachsen**

● = Listenmandat
● = Direktmandat

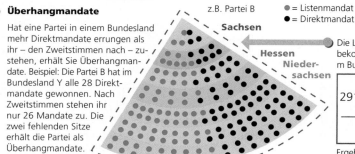

Die Landesverbände der Parteien, die viele Wähler gewinnen, bekommen auch entsprechend viele Sitze. Die Zahl der Sitze im Bundestag der Partei B im Bundesland Y errechnet sich so:

$$\frac{291 \text{ (Gesamtzahl der Sitze der Partei B)} \times 500\,000 \text{ (Zweitstimmen der Partei B im Bundesland Y)}}{5\,500\,000 \text{ (Gesamtzahl der Zweitstimmen der Partei B)}}$$

Ergebnis: 26,45. Das entspricht 26 Sitzen im Bundestag.

# Wahlergebnisse seit 1949

**Stimmenanteile in %** (Zweitstimmen)

| 1949[1] | '53 | '57 | '61 | '65 | '69 | '72 | '76 | '80 | '83 | '87 | '90[2] | '94 | '98 | '02 | 2005 |

**CDU CSU**
31,0 · 45,2 · 50,2 · 45,3 · 47,6 · 46,1 · 45,8 · 44,9 · 48,6 · 44,5 · 48,8 · 44,3 · 43,8 · 41,4 · 40,9 · 38,5 · 35,2

**SPD**
29,2 · 28,8 · 31,8 · 36,2 · 39,3 · 42,7 · 42,6 · 42,9 · 38,2 · 37,0 · 33,5 · 36,4 · 35,1 · 38,5 · 34,2

**F.D.P.**
11,9 · 9,5 · 7,7 · 12,8 · 9,5 · 5,8 · 8,4 · 7,9 · 10,6 · 7,0 · 9,1 · 11,0 · 6,9 · 7,3 · 6,2 · 6,7 · 7,4 · 8,6 · 9,8 · 8,1

**DIE LINKE.** IM BUNDESTAG
8,3 · 3,8 · 4,4 · 5,1 · 4,0 · 8,7

**BÜNDNIS 90 DIE GRÜNEN**
1,5 · 5,6 · 2,4

[1] nur eine Stimme pro Wähler
[2] ab 1990 Gesamtdeutschland
[3] vor 2005: PDS

*Quelle: Globus 5401*

# Wähler in Windeln? Der Vorschlag eines Familienwahlrechts

Lore Maria Peschel-Gutzeit würde gerne Babys mit dem Wahlrecht ausstatten. Die Chefin der Berliner Justizverwaltung findet es ungerecht, dass jede fünfte Stimme bei demokratischen
5 Abstimmungen nicht mitgewogen wird. In der Neuen Juristischen Wochenschrift (NJW) schlägt sie daher vor, das Wahlrecht der Deutschen zum Bundestag nicht wie bisher an die Volljährigkeit zu knüpfen, sondern an die Geburt. Die 64 Jahre
10 alte Sozialdemokratin ... knüpft eine hohe Erwartung an ihren auf den ersten Blick eigentümlichen Vorschlag: das politische Gewicht kinderreicher Familien zu erhöhen. ... Denn das ist eigentlich das Ziel des Vorhabens: Je mehr Kinder, desto mehr Wahlstimmen. Die Familie Peschel-Gut- 15 zeit, der drei Kinder beschert wurden, hätte also insgesamt über fünf Stimmen verfügt. Wenn es um Kindergartenplätze, Familienbesteuerung, Wohnungsbau und all die anderen Fragen geht, in denen Eltern und Kinder andere Interessen 20 haben als andere Menschen, würde die Politik in Zukunft vermutlich anders aussehen.

*Jakob Augstein, Wählerschicht in Windeln, in: Süddeutsche Zeitung, 23.10.1997, S. 5*

## Aufgaben zu M 17 – M 19

**1.** Erkläre in einem Kurzvortrag das Wahlsystem zum Deutschen Bundestag. Was verbirgt sich hinter den Begriffen Erststimme, Zweitstimme, Überhangmandat und Sperrklausel?

**2.** Bei der nächsten Bundestagswahl liegt folgendes Wahlergebnis in Mio. Zweitstimmen vor:
SPD: 18,5   CDU/CSU: 19,7   Grüne: 3,8
FDP: 2,9    PDS: 1,5
a) Berechne die Verteilung der Stimmen in Prozent und die Sitzverteilung nach dem Hare-Niemayer-Verfahren, wenn 598 Sitze zu vergeben sind.

b) Ermittle, welche Parteien (zusammen) eine absolute Mehrheit der Sitze erringen könnten.

**3.** a) Wie würden sich die Mehrheitsverhältnisse im Parlament ändern, wenn der Bundestag nach der relativen Mehrheitswahl nur mit den 299 Direktkandidaten besetzt würde?
b) Welche Auswirkungen hätte dies auf das Parteiensystem?

**4.** Diskutiert den Vorschlag eines Familienwahlrechts (M 19) unter Berücksichtigung der Wahlgrundsätze (M 13).

## Wahlen

**Wahlen**
M 13, M 16

Das Grundgesetz legt fest, dass die Bundesrepublik Deutschland eine repräsentative Demokratie ist, in der die Bürger nicht ständig über alle Angelegenheiten selbst abstimmen, sondern Abgeordnete wählen, die sie im Parlament vertreten. Wahlen sind deshalb die wichtigste Form der politischen Mitbestimmung in der parlamentarischen Demokratie. Mit der Wahl einer Partei entscheidet der Wähler über die Zusammensetzung des Parlaments und damit (indirekt) über die politische Richtung und Zusammensetzung der Regierung. Damit Wahlen als demokratische Wahlen bezeichnet werden können, müssen die Wahlrechtsgrundsätze des Art. 38 GG erfüllt sein: Wahlen müssen allgemein, unmittelbar, frei, gleich und geheim sein.

**Wahlrechts-grundsätze**

**Wahlsystem**
M 17 – M 19

Das Wahlsystem ist im Bundeswahlgesetz festgelegt. Für die Wahl der 598 Abgeordneten des Bundestages haben die Wähler zwei Stimmen: Mit der Erststimme entscheidet der Wähler nach dem Prinzip der relativen Mehrheitswahl, welcher Wahlkreisabgeordnete einen Sitz im Parlament erhalten soll. Die Zweitstimme, die nach den Prinzipien der Verhältniswahl abgegeben wird, ist die wichtigere Stimme, denn durch sie wird die Zahl der Sitze festgelegt, die jeder Partei im Bundestag zustehen. Hat eine Partei die Sperrklausel (5 % der Zweitstimmen oder mindestens drei Direktmandate) überwunden, so wird die Gesamtzahl der für sie abgegebenen Zweitstimmen in Mandate umgerechnet. Anschließend werden die Mandate dieser Partei auf Mandate in den einzelnen Bundesländern umgerechnet. Zur Charakterisierung des Wahlsystems zum Deutschen Bundestag wird häufig der Begriff „personalisierte Verhältniswahl" verwendet. Er verdeutlicht, dass das Stimmenergebnis auf der Verhältniswahl beruht, durch die Erststimme aber die Möglichkeit besteht, direkt einzelne Personen zu wählen (Personalisierung).

**Medien und Wahlkampf**

Im Wahlkampf konkurrieren die Parteien um die Stimmen der Wähler. Dazu versuchen sie, die Wähler von der Überlegenheit ihres Programms und ihres Personals zu überzeugen. Wahlkampf ist wichtig, weil er dem Wähler ermöglicht, sich über die Programme und das politische Personal der Parteien zu informieren. Immer mehr nutzen die Parteien dabei die Medien, vor allem das Fernsehen, und wenden moderne Methoden der Produktwerbung an, um sich in Szene zu setzen. Eine Folge davon ist, dass immer mehr Personen und „Images" in den Vordergrund rücken.

# 2.4 Medien

## „Ist Politik also Theater?"

M 20

Ist Politik also Theater? Ja, Politik ist Theater. Aber auch dieser Umstand ist weder gut noch schlecht. So lange das politische Theater einen Beitrag dazu leistet, Aufmerksamkeit zu erreichen für die vertretenen Inhalte, ist das politische Theater gut. Es ist schlecht, wenn dadurch von den Inhalten abgelenkt werden soll. Ohne Theater kann in dieser Gesellschaft keine erfolgreiche Politik gestaltet werden. Wir leben in einer Kommunikationsgesellschaft, und diese Kommunikationsgesellschaft folgt klaren Kategorien. Ich will sie zitieren, so wie sie der Kommunikationsphilosoph Vilem Flusser definiert hat. Erste Kategorie, erster Hauptsatz: „Was nicht kommuniziert wird, ist nicht, und je mehr es kommuniziert wird, des-to mehr ist es." Zweiter Hauptsatz: „Alles, was kommuniziert wird, ist etwas wert, und je mehr es kommuniziert wird, desto wertvoller ist es." Wenn dem so ist, dann müssen die Politiker auf Mittel zurückgreifen, die zur Kommunikation führen. 20 Dann müssen sie Nachrichten produzieren – und je mehr Theater, um so größer ist die Chance, dass eine Nachricht entsteht. Dazu kommt: Je negativer eine Nachricht ist, um so wahrscheinlicher erreicht sie Aufmerksamkeit. Deshalb ist es klar, dass Politik 25 auch Elemente der Inszenierung entwickelt und dass deshalb mit Blick auf bestimmte Ereignisse Drehbücher geschrieben werden.

*Auszug einer Rede von Peter Müller (Ministerpräsident des Saarlandes, CDU), in: Süddeutsche Zeitung, 27.3.2002, S. 17*

## Die Gier der Medien

M 21

Guter Journalismus ist zugleich informativ und unterhaltsam: Lesefreude und Erkenntnislust vermengen sich. Neugierde ist ein Trieb, Dramatik eine Sehnsucht, die nach Wort und Bild riefen, längst bevor die Presse entstand. Doch jetzt gedeiht ein Journalismus der Nullinformation. Denn es gibt mehr Medien, als Stoff vorhanden ist – mit zwei Folgen: Einerseits tobt der Verteilungskampf um Informationen, andererseits schaffen viele Medien künstlichen Stoff; die Stunde des Kunststoffjournalismus.

Die Gier nach Stoff, wie bei einem Junkie, verleitet zur Dramatisierung des Belanglosen. Die Mediengesellschaft macht Unwichtiges wichtig und Wichtiges unwichtig.

Es fehlt der Respekt: Das Angebot richtet sich an übersättigte „Medienkonsumenten", nicht mehr an Staatsbürger. Und weil es – beim Heißhunger solcher Medien – zu wenig „verkäufliche" Informationen gibt, erfinden sie Events, die eben keine Ereignisse sind. ... Sie bieten am wenigsten, was am meisten gefragt ist: Orientierung.

Fakten suchen, prüfen, darstellen, erklären, ge-

*Der damals amtierende Bundeskanzler Gerhard Schröder (SPD) und seine Herausforderin Angela Merkel (CDU) beim Fernsehduell am 30.9.2005.*

wichten und einordnen, das sind die ersten Aufgaben des Journalismus. ... Viele Medienmacher 25 wollen nicht Substanz, sondern Dramaturgie ... . Information nur insoweit, als sie der Unterhaltung dient: Das ist Entertainment oder eben Infotainment.

*Roger de Weck, Die Zeit, 29.12.1999, S. 12*

## M 22 Wer bestimmt die politische Agenda?

Die Frage, wer die politische Tagesordnung bestimmt, wird unterschiedlich beantwortet. Man kann dazu drei idealtypische Modelle unterscheiden:

**TOP-DOWN**

Das Top-Down-Modell geht davon aus, dass die politischen Akteure in Parteien und Regierungen mit ihren Entscheidungen die politische Tagesordnung formen und sie dann an die Medien weitergeben. Diese vermitteln sie schließlich an das Publikum weiter.

**MEDIOKRATIE**

Das Mediokratie-Modell meint, dass die Massenmedien heute als eigenständige Macht mitmischen. Sie bestimmen die politische Tagesordnung durch die Auswahl der Themen gegenüber den Politikern nach „oben" und gegenüber dem Publikum „nach unten". Politiker richten sich in ihren Entscheidungen maßgeblich nach den Vorgaben oder der erwarteten Reaktion der Massenmedien.

**BOTTOM-UP**

Das Bottom-Up-Modell nimmt die klassische Vorstellung von der Rolle der Medien in der Demokratie auf: Demnach ist es das Publikum selbst – die Bürger, die Wähler, das „Volk" – das die Probleme öffentlich artikuliert. Die Medien nehmen diese Meinungen auf, bündeln und kommentieren sie und geben sie so an die Politiker weiter, die sich in ihren Entscheidungen daran orientieren.

*nach: Ulrich von Alemann, Das Parteiensystem der Bundesrepublik Deutschland, Bonn 2003, S. 117 ff.*

## M 23 Die Medien als Kontrolleure?

Die moderne Demokratie basiert auf der Idee einer Kräfteverteilung zwischen Machtinhabern, Kontrolleuren und Wählern. Den politischen Akteuren stehen unabhängige, kritische Journa-
5 listen und aufgeklärte, umfassend informierte Bürger gegenüber – so soll es sein. ...
Verbunden sind Politiker, Journalisten und Bürger nur über das Bezugssystem der politischen Kommunikation: Die Bürger sollen mit seiner
10 Hilfe die politischen Prozesse durchschauen können; die Politiker sollen erfahren, was die Bürger von der Regierung erwarten. Und die Journalisten sollen keineswegs nur Informationen vermitteln, sondern den Mächtigen auch auf die Finger gucken, sie kontrollieren.
In diesem Sinne sind sie also auch Anwälte der Bürger. Sie sollen keine Richter sein, aber doch zumindest Zeitzeugen im Dienste derjenigen, die Zeitungen kaufen und den Fernsehapparat einschalten. Demokratie basiert somit auf öffentlichen Prozessen der Meinungs-, Willens- und Entscheidungsbildung. Demokratie ist Regierung durch öffentliche Meinung.

*Siegfried Weischenberg, in: Spiegel-special 1/1995, S. 21*

## Aufgaben zu M 20 – M 23

**1.** Erkläre, worin die Tendenz zu Inszenierung Infotainment begründet ist (M 20, M 21).

**2.** a) Setze die unterschiedlichen Modelle in M 22 grafisch um. Stelle dabei die Informationsflüsse als Pfeile dar.
b) Diskutiert, welches Modell eurer Meinung nach am besten die Wirklichkeit beschreibt.

**3.** Medien brauchen Politiker – Politiker brauchen Medien. Setze dich kritisch mit dieser These auseinander (M 20 – M 23).

# Medien

In der Demokratie erfüllen die Massenmedien Presse, Hörfunk, Fernsehen und Internet drei wesentliche, sich zum Teil überlappende Funktionen:

- Information/Bildung,
- Meinungsbildung,
- Kritik und Kontrolle.

Darüber hinaus wollen die Medien natürlich auch unterhalten.

*Funktionen der Medien*

Da wir in einer immer komplexer werdenden Welt die wenigsten Informationen durch eigene Erfahrung oder im direkten Gespräch gewinnen können, sind wir auf die Informationen der Massenmedien angewiesen. Unser (vermitteltes) Bild von der Wirklichkeit ist also wesentlich durch die Massenmedien geprägt. Für ein möglichst präzises Abbild der Wirklichkeit sollten die Massenmedien so vollständig, sachlich und verständlich wie möglich informieren, damit ihre Nutzerinnen und Nutzer in die Lage versetzt werden, das wirtschaftliche, soziale und politische Geschehen zu begreifen, die Funktionsweise des politischen Systems zu durchschauen und ihre eigenen Interessenlagen zu erkennen. Als Wählende, Mitglieder einer Partei oder einer Interessengruppe sind sie dabei auf unabhängige, wahrheitsgemäße und sorgfältig recherchierte Informationen angewiesen.

*Informationsfunktion*

Aber auch bei der Meinungsbildung fällt den Massenmedien eine bedeutsame Rolle zu. Dies ergibt sich aus der Funktionsweise einer pluralistischen Gesellschaft. Im Streit der unterschiedlichen Meinungen soll sich die beste und vernünftigste Lösung durchsetzen. Die Medien sollen die in der Bevölkerung bestehenden vielfältigen Meinungen und Überzeugungen widerspiegeln und sie in die öffentliche Diskussion einbringen. Da aber die Mittel, die eigenen Meinungen in den öffentlichen Diskurs einzubringen, unterschiedlich verteilt sind, fordern Anhänger eines „anwaltschaftlichen Journalismus", dass die Medien auch die Meinungen der schwächeren Mitglieder der Gesellschaft und von Minderheiten berücksichtigen sollten.

*Meinungsbildungsfunktion*

Zwar obliegt im parlamentarischen Regierungssystem in erster Linie der Opposition der Aufgabe der Kritik und Kontrolle, doch sind Opposition und andere Kontrollorgane auf die Vermittlung durch die Massenmedien angewiesen. Würde z.B. der jährliche Bericht des Bundesrechnungshofes nicht durch die Medien verbreitet, würden nur wenige Menschen über die ineffiziente Verwendung von Steuergeldern informiert werden. Außerdem decken Journalisten durch eigene Recherchen immer wieder politische Missstände auf und versetzen die Bürger durch ihre Berichterstattung in die Lage, politische Prozesse zu durchschauen und beurteilen zu können. Deshalb werden die Medien auch als „vierte (kontrollierende) Gewalt" bezeichnet.

*Kontrollfunktion/ Medien als „vierte Gewalt"*
*M 23*

Ob die Medien ihren Aufgaben noch gerecht werden, ist eine Ermessensfrage. Die aus der Marktkonkurrenz entstehende Quotenorientierung der Programme führt zu der Tendenz, Politik oder allgemein Informationen zunehmend als Unterhaltung zu präsentieren (Politainment/Infotainment) und sich stärker auf Personen (Images) und Ereignisse als auf Hintergründe und Strukturen zu konzentrieren, da diese schwerer vermittelbar sind. Überdies neigen Politiker dazu, ihre Botschaften mediengerecht zu inszenieren, um sich die Aufmerksamkeit der Medien zu sichern.

*Tendenz zum Politainment/ Infotainment*
*M 20, M 21*

# 3. Wie wirken die politischen Institutionen zusammen?

## 3.1 Bundeskanzler und Regierung

**M 1** | **Auf den Kanzler[1] kommt es an**

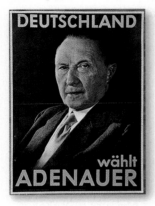   

*Wahlplakate bisheriger Bundeskanzler (Auswahl)*

**M 2** | **Die Wahl des Bundeskanzlers und der Regierung**

**informell ...**

- CDU/CSU und SPD stellen neues Kabinett vor
- Merkel als Kanzlerkandidatin von CDU/CSU nominiert
- Koalitionsvertrag unterzeichnet
- SPD und CDU/CSU billigen Koalitionsvertrag auf ihren Parteitagen
- Wahlergebnis: CDU/CSU trotz großer Verluste stärkste Kraft
- CDU/CSU und SPD streiten um Regierungsprogramm
- CDU/CSU und SPD nehmen Koalitionsverhandlungen auf
- Ampel- und Jamaica-Koalition finden keine Zustimmung

**und formell ...**

- Der Bundeskanzler wird auf Vorschlag des Bundespräsidenten vom Bundestag mit der Mehrheit der Mitglieder gewählt
- Der Kanzler bildet sein Kabinett
- Der Kanzler schlägt dem Bundespräsidenten die Minister zur Ernennung vor
- Der Gewählte wird vom Bundespräsidenten ernannt und leistet den Eid vor dem Bundestag
- Die Bundesminister werden vom Bundespräsidenten ernannt

*Autorentext*

[1] Bezieht sich der Begriff auf die Bezeichnung des Amtes, so wird weiterhin die männliche Form verwendet, bezieht sich der Begriff auf die aktuelle Bekleidung des Amtes durch Frau Merkel, so wird die weibliche Form verwendet. Aufgrund der unterschiedlichen Handhabung in den Quellen lässt sich diese Regelung jedoch nicht immer konsequent umsetzen.

## Aufgaben zu M 1 – M 2

**1.** Suche Informationen über einen der dargestellten Bundeskanzler (M 1) und halte einen Kurzvortrag über ihn.

**2.** Bringe die Aussagen in M 2 in die richtige Reihenfolge. Als Lösungshilfe kannst du im Grundgesetz nachschlagen (Art. 62 ff).

*Merkel → schlägt Bundespräsident Kandidaten vor)*
*Minister → kann auch so entlassen*

## Die Stellung der Bundeskanzlerin

**M 3**

Die Macht der Bundesregierung erscheint in der Bundeskanzlerin personifiziert. Das Grundgesetz untermauert die starke Position: Die Bundeskanzlerin hat nach Artikel 64 Grundgesetz
5 (GG) das Recht, das Bundeskabinett zu bilden. Sie schlägt dem Bundespräsidenten die Kandidatinnen und Kandidaten für die Ministerämter vor, und damit die Mitglieder des Bundeskabinetts. Auf gleiche Weise ist die Entlassung der
10 Bundesminister möglich.

Nach Artikel 65 GG bestimmt die Bundeskanzlerin die Richtlinien der Regierungspolitik und trägt dafür die Verantwortung. Diese **Richtlinienkompetenz** umfasst die Vorgabe eines
15 Rahmens für das Regierungshandeln, den die einzelnen Ministerien mit Inhalten ausfüllen. Innerhalb der von der Bundeskanzlerin bestimmten Richtlinien leitet jeder Bundesminister seinen Geschäftsbereich selbständig und unter eigener
20 Verantwortung (Ressortprinzip).

Die Bundeskanzlerin leitet die Geschäfte der Bundesregierung nach einer vom Bundeskabinett beschlossenen und vom Bundespräsidenten genehmigten Geschäftsordnung.

Sie trägt die Regierungsverantwortung gegenüber dem Bundestag. 25

Häufig bestehen Regierungen aus Koalitionen von Parteien, die zwei oder mehrere Parteien eingehen, um über eine Mehrheit im Bundestag zu verfügen. Innerhalb dieser Regierungskoalition 30 ist die Bundeskanzlerin an die Absprachen mit den Regierungspartnern gebunden, will sie das Bündnis nicht unnötig belasten.

Außerdem hat die Bundeskanzlerin den Vorsitz im Bundeskabinett und leitet die Kabinettsitzun- 35 gen.

Die Bundeskanzlerin entscheidet auch über ihre Stellvertreter (Artikel 69 GG). Dieses Amt übernimmt ein Bundesminister, in der Regel der Außenminister. Handelt es sich um eine Koali- 40 onsregierung, wird gewöhnlich ein Kabinettsmitglied des Regierungspartners zum Stellvertreter ernannt.

Im Verteidigungsfall besitzt die Bundeskanzlerin die Befehls- und Kommandogewalt über die 45 Streitkräfte (Artikel 115h GG).

*Presse- und Informationsamt der Bundesregierung, 2005*

*Kanzler liegt die Richtlinien der Politik fest →*
*Minister müssen ihr Ressort danach richten →*
*Bundestag kontrolliert die Regierung*

## So arbeitet die Bundesregierung

**M 4**

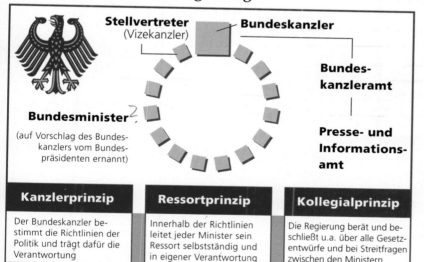

**Stellvertreter** (Vizekanzler)

**Bundeskanzler**

**Bundeskanzleramt**

**Bundesminister** (auf Vorschlag des Bundeskanzlers vom Bundespräsidenten ernannt)

**Presse- und Informationsamt**

| **Kanzlerprinzip** | **Ressortprinzip** | **Kollegialprinzip** |
|---|---|---|
| Der Bundeskanzler bestimmt die Richtlinien der Politik und trägt dafür die Verantwortung | Innerhalb der Richtlinien leitet jeder Minister sein Ressort selbstständig und in eigener Verantwortung | Die Regierung berät und beschließt u.a. über alle Gesetzentwürfe und bei Streitfragen zwischen den Ministern |

*Erich Schmidt Verlag, Zahlenbilder 67 123*

*Ministerien*

*relative Mehrheit?*

### Aufgabe zu M 1 – M 4

*Nur M Deutschland 1949–1989*
*Minister für ressortübergreifende Angelegenheiten*

**1.** Erklärt mit Hilfe von M 1 – M 4, durch was die herausgehobene Stellung des Kanzlers in seinem Kabinett begründet ist.

*Außenministerium*
*Innenministerium*
*Verteidigungsministerium*
*Finanz-/Wirtschaftsministerium*
*Justizministerium*

**M 5**

## Wie mächtig ist die Bundeskanzlerin?

*Ein zentraler Bestandteil des Regierungsprogramms der Koalition aus CDU/CSU und SPD ist die geplante Erhöhung der Mehrwertsteuer von 16 auf 19 % im Jahr 2007. Besonders Kanzlerin Merkel (CDU) setzte* *sich für eine Erhöhung der Mehrwertsteuer zur Entlastung der Lohnnebenkosten ein. Diese Pläne stießen jedoch auf massive Kritik:*

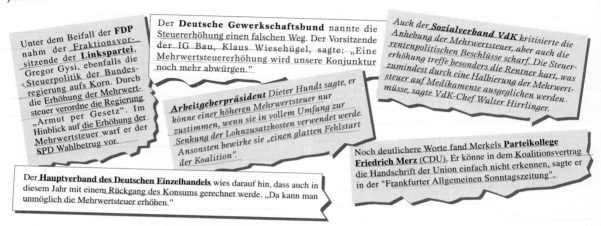

Unter dem Beifall der **FDP** nahm der Fraktionsvorsitzende der **Linkspartei**, Gregor Gysi, ebenfalls die Steuerpolitik der Bundesregierung aufs Korn. Durch die Erhöhung der Mehrwertsteuer verordne die Regierung „Armut per Gesetz". Im Hinblick auf die Erhöhung der Mehrwertsteuer warf er der SPD Wahlbetrug vor.

Der **Deutsche Gewerkschaftsbund** nannte die Steuererhöhung einen falschen Weg. Der Vorsitzende der IG Bau, Klaus Wiesehügel, sagte: „Eine Mehrwertsteuererhöhung wird unsere Konjunktur noch mehr abwürgen."

Auch der **Sozialverband VdK** kritisierte die Anhebung der Mehrwertsteuer, aber auch die rentenpolitischen Beschlüsse scharf. Die Steuererhöhung treffe besonders die Rentner hart, was zumindest durch die Halbierung der Mehrwertsteuer auf Medikamente ausgeglichen werden müsse, sagte VdK-Chef Walter Hirrlinger.

**Arbeitgeberpräsident** Dieter Hundt sagte, er könne einer höheren Mehrwertsteuer nur zustimmen, wenn sie in vollem Umfang zur Senkung der Lohnzusatzkosten verwendet werde. Ansonsten bewirke sie „einen glatten Fehlstart der Koalition".

Noch deutlichere Worte fand Merkels **Parteikollege Friedrich Merz** (CDU). Er könne in dem Koalitionsvertrag die Handschrift der Union einfach nicht erkennen, sagte er in der "Frankfurter Allgemeinen Sonntagszeitung".

Der **Hauptverband des Deutschen Einzelhandels** wies darauf hin, dass auch in diesem Jahr mit einem Rückgang des Konsums gerechnet werde. „Da kann man unmöglich die Mehrwertsteuer erhöhen."

*Zusammengestellt aus Zeitungsmeldungen, November 2005*

**M 6**

## Wenn der Kanzler keine Mehrheit mehr hat

politische Voraussetzungen:

Bundestagsmehrheit unterstützt nicht geschlossen den Bundeskanzler, aber keine Mehrheit für einen neuen Bundeskanzler

Instrument des Bundeskanzlers: **Vertrauensfrage** (Art. 68 GG)

Instrument des Bundestages: **Konstruktives Misstrauensvotum** (Art. 67 GG)

politische Voraussetzungen:

Änderung der Mehrheitsverhältnisse im Bundestag, z. B. durch Bruch der Koalition; Mehrheit für einen neuen Bundeskanzler

**Wirkung**
bei Ablehnung: Kanzler kann dem Bundespräsidenten die Auflösung des Bundestags vorschlagen – bei Auflösung: Neuwahlen

**Wirkung**
Abwahl des bisherigen Bundeskanzlers durch Wahl eines Nachfolgers

## Aufgaben zu M 4 – M 6

**1.|** Stelle eine Liste der Gegebenheiten zusammen, durch die die starke Stellung des Bundeskanzlers eingeschränkt wird (M 4 – M 6).

## Bundeskanzler und Regierung

Die Bundesregierung mit dem Kanzler an der Spitze hat die zentrale Aufgabe der politischen Führung. Einerseits soll der Wille der Parlamentsmehrheit von der Regierung in praktische Politik umgesetzt werden, um die inneren Verhältnisse und die auswärtigen Beziehungen der Bundesrepublik Deutschland zu gestalten. Andererseits formt die Regierung den Mehrheitswillen des Parlaments auch durch politische Initiativen entscheidend mit. Darüber hinaus hat die Regierung die Verantwortung für die Ausführung der Bundesgesetze.

*Regieren*

Nach einer Bundestagswahl hat der Bundestag die Aufgabe, mit der Mehrheit seiner Mitglieder einen neuen Bundeskanzler zu wählen. Hat eine Partei nach der Wahl keine Mehrheit der Sitze im Bundestag, so sucht sie sich (oft schon vor der Wahl) in der Regel eine ihr politisch nahestehende Partei als Koalitionspartner, um sicher zu sein, dass ihr Kanzlerkandidat auch von der Mehrheit des Bundestags gewählt wird. Mit dem Koalitionspartner wird dann im Vorfeld der Wahl des Bundeskanzlers durch den Bundestag ein Regierungsprogramm (Koalitionsvertrag) ausgearbeitet und es werden die Ministerposten personell besetzt (Kabinettsbildung). Der Bundespräsident schlägt dann dem Bundestag den aussichtsreichsten Kandidaten für das Amt des Bundeskanzlers zur Wahl vor. Nach seiner Wahl durch die absolute Mehrheit der Mitglieder des Bundestags und Ernennung durch den Bundespräsidenten bildet der neue Bundeskanzler auch formal sein Kabinett.

*Wahl des*
*Bundeskanzlers*

In der Regierung hat der Bundeskanzler eine hervorgehobene Stellung. Er bestimmt nach Art. 65 GG „die Richtlinien der Politik und trägt dafür die Verantwortung" (Kanzlerprinzip), d.h. er legt umfassende Ziele fest (wie z.B. Reformvorhaben). Darüber hinaus macht er dem Bundespräsidenten Vorschläge zur Ernennung und Entlassung von Kabinettsmitgliedern. Innerhalb der Richtlinien leitet der einzelne Minister jedoch selbstständig sein Ministerium (Ressortprinzip). Abgeschwächt wird das Kanzlerprinzip auch durch das Kabinettsprinzip. So berät und beschließt das Kabinett als Ganzes über alle Gesetzentwürfe und entscheidet bei Streitfragen über die Zuständigkeit zwischen einzelnen Ministerien.

*Stellung des*
*Bundeskanzlers*
*M 3, M 4*

Weitere Begrenzungen ihrer Macht erfahren der Bundeskanzler und die Regierung durch die Tatsache, dass sie sich ständig einer Mehrheit im Bundestag versichern müssen, um regieren zu können. Die Regierung kann also nicht über die Köpfe der eigenen Fraktion hinwegregieren oder die Bedürfnisse des Koalitionspartners dauerhaft ignorieren. Außerdem muss die Regierung die öffentliche Meinung, die politischen und rechtlichen Vorgaben der Europäischen Union und das Mitspracherecht des Bundesrates berücksichtigen.

*Macht-*
*beschränkungen*

Wenn der Kanzler unsicher ist, ob er noch von der eigenen Mehrheit im Parlament unterstützt wird, kann er die Vertrauensfrage stellen. Ändern sich die Mehrheitsverhältnisse im Bundestag (z.B. durch einen Bruch der Koalition), so kann die Opposition durch ein konstruktives Misstrauensvotum einen neuen Kanzler wählen, wenn sie dafür eine neue Mehrheit im Parlament hat.

*Vertrauensfrage*
*und*
*Misstrauensvotum*
*M 6*

*Was wir jetzt wissen:*

# 3.2 Organisation und Arbeitsweise des Bundestags

M 7

## Wenn die Debatten in den Medien stattfinden, was macht dann noch das Parlament?

*Viele unbesetzte Reihen beherrschen oft das Bild des Plenums im Bundestag. Regelmäßig erzielen dagegen Politik-Talkshows wie z.B. bei Sabine Christiansen (ARD, rechts) oder Maybrit Illner (ZDF) hohe Einschaltquoten.*

M 8

## Haushaltsdebatten im Deutschen Bundestag

Tatsächlich stellt die Haushaltsdebatte in vielerlei Hinsicht einen der wenigen herausgehobenen Momente parlamentarischer Auseinandersetzungen dar und hat in diesem Sinne in der Bundes-
5 republik eine besondere Tradition entwickelt. Im Haushaltsplan wird das politische Programm einer Bundesregierung in konkreten Finanzzuweisungen sichtbar. ... Einnahmen und Ausgaben verweisen auf politische Schwerpunktsetzungen
10 und Defizite der Regierungsarbeit. Mehr noch: In der Haushaltsdebatte nimmt das Parlament seine historische Kernfunktion wahr, das Budgetrecht. Zwar ist das Parlament in der Bundesrepublik Deutschland zunächst einmal auf die wesentlich

vom Finanzministerium zusammengestellte Vor- 15
lage angewiesen, die dann konkret hauptsächlich im Haushaltsausschuss diskutiert und abgeändert wird. Die Debatte im Plenum organisiert jedoch das Aufeinandertreffen von Regierung und Opposition ... In dieser Debatte geht es nämlich nicht 20
hauptsächlich um Details der Einnahmen und Ausgaben des jeweils nachfolgenden Jahres oder erforderlicher Nachtragshaushalte, sondern um die Grundzüge der Regierungspolitik und die entsprechende Kritik der jeweiligen Opposition. 25

*nach: Manuel Fröhlich, Im Haushaltsplan manifestiert sich das politische Programm einer Regierung, in: Das Parlament Nr. 49-50, 15.12.2002*

## Aufgaben zu M 7 – M 8

**1.** Kritiker behaupten, dass die eigentlichen politischen Auseinandersetzungen nicht mehr im Parlament, sondern in den abendlichen Polit-Talkshows stattfinden. Wie beurteilst du diese Entwicklung (M 7)?

**2.** Erläutere, welche Funktion den Haushaltsdebatten im Bundestag in M 8 zugeschrieben wird.

**3.** Erarbeitet in Gruppen Vorschläge, wie die Auseinandersetzungen im Plenum des Bundestages für Zuschauer attraktiver gemacht werden könnten (M 8).

## Die Arbeit in den Ausschüssen – Kernstück der Parlamentsarbeit

In der Regel kommen die Ausschüsse mittwochs morgens in den Sitzungswochen zusammen. Nicht ungewöhnlich sind jedoch auch kurzfristig einberufene Sondersitzungen, wenn eine dringende Angelegenheit ansteht. Auf den häufig langen Tagesordnungen stehen sowohl Anträge als auch die Gesetzesvorhaben, die die Bundesregierung, der Bundesrat oder eine der fünf Bundestagsfraktionen in den Bundestag eingebracht haben. Jedes Gesetzesvorhaben wird vom Plenum des Bundestages in die Ausschüsse zur Beratung verwiesen. Dort beschäftigen sich die Fachpolitiker mit den Details. Das kann manchmal binnen weniger Tage geschehen, bisweilen aber auch Monate oder sogar Jahre dauern. Ohne dass dafür ein Antrag oder Gesetzentwurf vorliegen muss, haben die Ausschüsse im Zuge der so genannten Selbstbefassung die Möglichkeit, zum Beispiel Themen, mit denen sie sich beschäftigen wollen, selber zu bestimmen, oder Minister einzuladen, um diese zu befragen. ...

In ihren Sitzungen diskutieren die Abgeordneten, ob die geplanten Maßnahmen sinnvoll sind oder ob es Alternativen gibt. Die Abgeordneten haben vorher die Themen, die im Ausschuss beraten werden, in den Arbeitskreisen ihrer Fraktionen besprochen. Dadurch stellen sie sicher, dass ihre Fraktionen hinter den Vorschlägen stehen, die sie im Ausschuss machen. Zwischen der Regierung und den sie tragenden Koalitionsfraktionen ... besteht meistens Übereinstimmung. Aber häufig bringen auch Koalitionsabgeordnete Änderungswünsche ein und setzen sie durch. Die Vertreter der Oppositionsparteien bringen meist eigene Anträge ein. Sie können eigentlich nur darauf hoffen, die Mehrheit im Ausschuss oder die Bundesregierung von ihren Vorschlägen zu überzeugen. Auch dieses geschieht.

Häufig laden Ausschüsse Sachverständige zu öffentlichen Anhörungen ein. Dort tragen Experten oder Vertreter von Verbänden ihre Positionen zum jeweiligen Gesetzentwurf vor. Deren Stellungnahmen fließen in die Meinungsbildung der Abgeordneten ein. Das Recht, eine öffentliche Anhörung zu beantragen, ist ein Minderheitenrecht; es genügt dazu ein Viertel der Ausschussmitglieder.

Wenn ein Gesetzentwurf in den Ausschüssen fertig beraten und abgestimmt ist, geht er zurück an das Plenum des Bundestages. Dieser Entwurf ist durch die Arbeit der Ausschüsse mehrheitsfähig gemacht worden. Die abschließende Diskussion im Plenum vor allen Abgeordneten macht die Arbeit der Ausschüsse und ihr Ergebnis im „Forum der Nation", dem Plenum, öffentlich. Die Opposition hat hier die Chance, ihre Kritik öffentlich zu präzisieren und sich dadurch selbst dem Wähler als Alternative zu empfehlen.

*Blickpunkt Bundestag 5/98, S. 71 f.*

*Sitzung des Ausschusses für Ernährung, Landwirtschaft und Forsten*

## Aufgaben zu M 9

**1.** Erkläre, warum den Ausschüssen eine zentrale Bedeutung bei der Gesetzgebung zukommt (M 9).

**2.** Wie beurteilst du den Vorschlag, Ausschusssitzungen zukünftig im Fernsehen zu übertragen?

## Gesetze

Mit Gesetzen nimmt der Staat seine Aufgaben wahr. Er schützt seine Bürger (z.B. durch Strafandrohung für Vergehen), ordnet das Zusammenleben (z.B. durch Straßenverkehrsregeln) und erfüllt staatliche Leistungen (z.B. durch die Sozialgesetzgebung). Darüber hinaus kann der Staat mit Hilfe von Gesetzen das Zusammenleben der Menschen lenken und gestalten (z.B. Förderung von Forschung und Bildung, Entscheidung über zukünftige Energiepolitik). Der Bundestag verabschiedete in der 14. Legislaturperiode (Sept. 1998- Sept. 2002) über 500 Gesetze, um seine Aufgaben zu erfüllen.

Gesetze weisen im Allgemeinen drei Merkmale auf:

- Sie werden in einem vorgeschriebenen Verfahren der gesetzgebenden Organe (Bundestag) beschlossen und müssen ordnungsgemäß ausgefertigt und verkündet werden.
- Sie enthalten für eine Vielzahl von Personen allgemeine Regeln (keine Einzelfallregelung).
- Gesetze sind allgemeinverbindlich und müssen von allen Betroffenen eingehalten werden.

*Autorentext*

## M 10    Die Organisation des Deutschen Bundestags

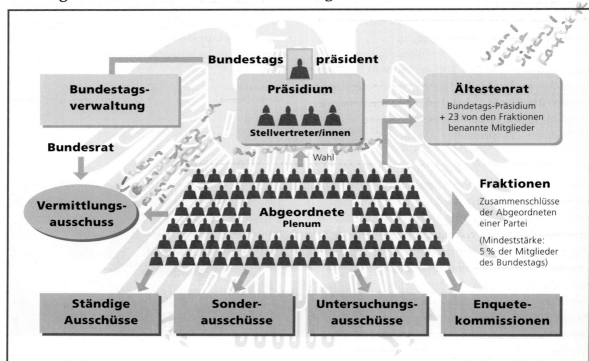

*Erich Schmidt Verlag, Zahlenbilder 64110*

# Die Aufgaben der Opposition

M 11

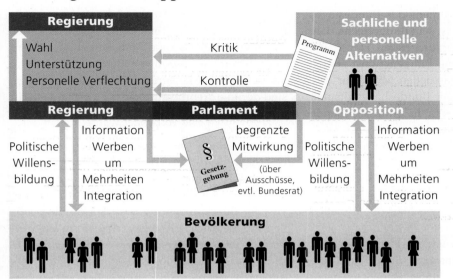

nach: Erich Schmidt Verlag,
Zahlenbilder 67260

„Die Rolle der Opposition ist eine elementar wichtige Rolle in der parlamentarischen Demokratie – auch wenn es immer nur die zweitschönste Rolle sein kann.

Die Aufgabe der Opposition ist eine zweifache: zum einen, das Handeln der Regierung kritisch zu begleiten, auf Fehlentscheidungen und Fehlentwicklungen aufmerksam zu machen, wo nötig, auch öffentlichen Widerstand zu organisieren; zum anderen, die eigenen Alternativen darzule- 10 gen, für sie zu werben, neue Mehrheiten für diese Alternativen zusammenzubekommen."

*Wolfgang Schäuble, Vorsitzender der CDU/CSU-Bundestagsfraktion 1991 bis 2000, Bundesinnenminister seit Ende 2005, in: Blickpunkt Bundestag 5/98, S. 66 f.*

## Dualismus von regierender Mehrheit und Opposition

M 12

Die politische Grenzlinie verläuft in erster Linie nicht mehr zwischen dem Parlament auf der einen und der Regierung auf der anderen Seite, die entscheidende Trennungslinie liegt in einem parlamentarischen System zwischen der Regierungs- beziehungsweise Parlamentsmehrheit und der Regierung auf der einen sowie der Opposition auf der anderen Seite. Die Regierungsmehrheit, die heute einen Regierungschef wählt, kann morgen nicht so tun, als ob sie mit dessen Person und Regierung nichts verbinde. Durch eine Verweigerung der Zusammenarbeit mit dem von ihr gestellten Regierungschef würde sie sich selbst einen Fehler bescheinigen – nämlich denjenigen, den falschen Kanzler gewählt zu 15 haben. Die Brücke, über die Parlamentsmehrheit und Regierung im heutigen parlamentarischen Regierungssystem verbunden sind, bilden die Parteien. Jedoch muss dies nicht unbedingt bedeuten, dass Regierung und Parlamentsmehrheit 20 eine absolute Einheit darstellen. Die unterschiedliche Intensität der Beziehungen zwischen diesen beiden Organen hängt in erster Linie ab von der Anzahl der Parteien, die zur Bildung einer Regierung notwendig sind. 25

*Informationen zur politischen Bildung Nr. 227, Parlamentarische Demokratie 1, Neudruck 1993, S. 26 f.*

*Datenschutz-beauftragter: Überprüft Daten*

*Ausländerbeauftragter: Rechte der Ausländer*

## M 13  Wie kontrolliert der Bundestag die Regierung?

Klassisches Kontrollinstrument des Bundestages – wie jedes Parlaments – ist sein Budgetrecht, d. h. er muss den jährlich vorzulegenden Haushaltsplan der Bundesregierung billigen, sonst stehen
5 der Regierung keine finanziellen Mittel für ihre Politik zur Verfügung. Der Bundeshaushaltsplan ist übrigens auch ein Gesetz: Es umfasst 3 Bände mit jeweils rund 1.200 Seiten Kleingedrucktem. Jedes Mitglied des Bundestages kann mündliche
10 und schriftliche Anfragen an die Regierung richten, die diese ebenso beantwortet. Nach Kabinettssitzungen muss die Regierung in einer Regierungsbefragung auf Anfragen über die aktuellen Themen berichten.
15 Eine Fraktion oder eine Parlamentsgruppe kann eine Aktuelle Stunde beantragen. In ihr findet eine Aussprache über ein wichtiges aktuelles Thema statt oder über Antworten, die die Regierung auf eine mündliche Anfrage gegeben hat.
20 Von mindestens 34 Abgeordneten, von einer Fraktion oder einer Parlamentsgruppe können Kleine und Große Anfragen an die Bundesregierung gerichtet werden. Sie werden schriftlich beantwortet, über die Große Anfrage findet eine Aussprache im
25 Plenum statt. Mindestens 25 % der Abgeordneten können verlangen, dass zur Vorbereitung umfangreicher Sachthemen eine Enquete-Kommission oder zur Auf-

klärung eines vermeintlichen Missstandes ein Untersuchungsausschuss eingesetzt wird. Der Untersuchungsausschuss kann Akteneinsicht verlangen, Zeugen vernehmen und vereidigen.

Spezielle Kontrollinstrumente des Bundestages sind der / die Wehrbeauftragte für die Bundeswehr, die Parlamentarische Kontrollkommission für die Geheimdienste und die G-10-Kommission, die Beschränkungen des Postgeheimnisses (Art. 10 GG) überwacht. Der Petitionsausschuss des Bundestages, an den sich alle Bürger wenden können, kann zur Überprüfung der Bürgerbeschwerden von der Bundesregierung und den Bundesbehörden Akteneinsicht verlangen, Auskünfte einholen, Zeugen und Sachverständige vernehmen. In bestimmten, gesetzlich festgelegten Fällen kann eine (unterschiedlich große) Zahl von Bundestagsabgeordneten durch Anrufung des Bundesverfassungsgerichts Handlungen der Regierung und der sie unterstützenden Regierungskoalition gerichtlich überprüfen lassen. Hat die Bundesregierung das Vertrauen der Mehrheit des Bundestages verloren, so kann sie abgewählt werden, allerdings nur dadurch, dass der Bundestag mit absoluter Mehrheit einen neuen Bundeskanzler wählt (Konstruktives Misstrauensvotum). Bisher wurde dieses Mittel zweimal benutzt, 1972 und 1982. 1972 fehlten dem von der Opposition aufgestellten Kandidaten zwei Stimmen zur absoluten Mehrheit, eine davon hatte die Stasi von einem Abgeordneten gekauft. 1982 löste Helmut Kohl (CDU) nach einem konstruktiven Misstrauensvotum Helmut Schmidt (SPD) als Bundeskanzler ab.

*Eckart Thurich, in: Nahaufnahme Bundestag, Thema im Unterricht 12/1998, S. 30 f.*

## M 14  Insgesamt 1766 Kleine Anfragen in der 14. Wahlperiode

**Berlin: (hib/RAB)** Die Fraktionen des Deutschen Bundestages haben nach momentanem Stand in der 14. Wahlperiode (Sept. 1998 – Sept. 2002) insgesamt 1766 Kleine Anfragen an die Bundesregierung gestellt. Die meisten Anfragen kamen mit 1091 von der PDS, die FDP hat 336 und die CDU/CSU 319 Anfragen gestellt. SPD und Bündnis 90/Die Grünen haben zusammen 15 Anfragen und die Fraktion der Bündnisgrünen ge-

sondert 2 Anfragen an die Regierung gestellt. Hinzu kamen 3 Kleine Anfragen von einzelnen Abgeordneten der CDU/CSU. Große Anfragen gab es insgesamt 96, von denen die CDU/ CSU 59, die FDP 23, die PDS 14 und die Koalition 5 gestellt haben. Die Zahl der Aktuellen Stunden belief sich in der 14. Wahlperiode auf 142.

*heute im bundestag, 1.8.2002*

## Aufgaben zu M 11 – M 14

**1.** Der französische Staatspräsident Jacques Chirac hat einmal gesagt, es sei „die Aufgabe der Opposition, die Regierung abzuschminken, während die Vorstellung läuft".

a) Was könnte damit gemeint sein und welche Mittel und Instrumente stehen der Opposition dazu zur Verfügung (M 11, M 13)?

b) Welche Instrumente hältst du für besonders wirkungsvoll (M 13)?

## Zur Wahlfunktion des Bundestags: die Bestellung der Staatsorgane

## Die Arbeit der Abgeordneten – Marco Bülow über seine ersten 100 Tage

*Marco Bülow (SPD) wurde im September 2002 in den Bundestag gewählt. Er gehörte mit zu den jüngsten Abgeordneten. Auf der Internetseite „Vier unter der Kuppel" berichtete er im Januar 2003 über seine ersten 100 Tage als Abgeordneter. Marco Bülow gehört auch dem 16. Bundestag seit Ende 2005 an.*

Nach einem anstrengenden, aber sich lohnenden Wahlkampf und dem Gewinn des Wahlkreises, begann für mich mit der konstituierenden Sitzung des Bundestages am 17. Oktober 2002 die
5 Arbeit als MdB in Berlin. Die ersten 100 Tage in diesem Amt sind vergangen. Zeit für ein kurzes Resümee. ...

Die ersten zwei Amtswochen waren aufregend – nicht nur für mich. Die Verteilung der Aus-
10 schüsse, von Posten und Pöstchen ist weitgehend abgeschlossen und das großartige Gefühl gewählt zu sein, hält immer noch an. Von der Berliner Luft konnte ich bis jetzt nur ein Bruchteil aufschnappen, habe aber das sichere Gefühl, dass ich mich hier schnell wohl fühlen werde, nicht zuletzt des-
15 halb, weil sich die Mentalität „des Berliners" und „des Ruhris" sehr ähneln.

Die Ereignisse der folgenden Wochen überrollen mich dann regelrecht. Vorlagen und Papiere ohne Ende, ein Treffen nach dem anderen. Plenum,
20 Ausschuss- und Fraktionssitzung, Arbeitsgruppentreffen, Sitzung mit einer EU-Kommissarin und dem Bundesumweltminister, Treffen mit einzelnen Abgeordneten und den Youngsters. Bürobesprechung ... Daneben
25 die Bürostruktur aufbauen und neben Tausenden von Vorlagen und Erklärungen doch noch die Zeitungen lesen. Eingewöhnungszeit:
30 Fehlanzeige. Auch die Medien haben mich in Beschlag genommen und es vergeht fast kein Tag ohne Interview oder Statement, fast keine
35 Fraktionssitzung ohne die Kameras des ARD-Hauptstadtstudios.

Auf der ICE-Fahrt nach Dortmund wird mir klar, der
40 Wahlkreis bleibt die Basis des Abgeordneten. Dort ist nicht

*Dietrich Herzog u.a., Abgeordnete und Bürger, Opladen 1990, S. 85*

nur sein privates zu Hause, sondern auch seine
politische Heimat. Ohne den Wahlkreis keine Ar-
45 beit im Bundestag, ohne Ortsverein und die vielen Unterstützer kein MdB Bülow. Ich nehme mir
fest vor, mir diesen doch so einfachen Grundsatz
immer wieder bewusst zu machen. Bloß nicht
abheben ...
50 In den Dezemberwochen machen mir die politischen Ereignisse zunehmend Sorgen. Der Opposition gelingt es, ohne Alternativen, sondern
nur mit Hau-Drauf-Reden zu glänzen und in den
Umfragen deutliche Zustimmung zu bekommen.
55 Ich möchte nicht glauben, dass es reichen kann,
nur „dagegen" zu sein. Klar hat eine Opposition die Pflicht zu kritisieren. Sie muss aber auch

sagen, wie sie es besser machen würde, sonst ist
sie überflüssig. Schlimm ist besonders, dass eine
konstruktive kritische Diskussion sonst nicht 60
mehr stattfinden kann.
Meine inhaltliche Arbeit kann ich u.a. als ordentliches Mitglied im Ausschuss für Umwelt, Naturschutz und Reaktorsicherheit umsetzen. Hier
fungiere ich als Berichterstatter zu den Themen 65
Erneuerbare Energien, der Verknüpfung Ökono-
mie-Ökologie sowie der internationalen Umweltpolitik. In diesem thematischen Zusammenhang
steht bereits die nächste Herausforderung an.
Am 31.1.2003 werde ich meine erste Rede im 70
Deutschen Bundestag halten.

*www.tagesschau.de (18.8.2003)*

---

**M 17**  ## Freies Mandat oder Fraktionszwang?

> **Art. 38, 1 GG**  Die Abgeordneten des Deutschen Bundestages werden in allgemeiner, unmittelbarer, freier, gleicher und geheimer Wahl gewählt. Sie sind Vertreter des ganzen Volkes, an Aufträge und Weisungen nicht gebunden und nur ihrem Gewissen unterworfen.

*Art. 38, 1 GG garantiert dem Abgeordneten ein freies Mandat. In der Regel wird aber von einem Abgeordneten verlangt, dass er sich dem Votum seiner Fraktion anschließt (Fraktionszwang). Bei der Abstimmung über sein Reformprogramm Agenda 2010 stieß der ehemalige Bundeskanzler Gerhard Schröder (1998 - 2005)*

*auf Widerstand aus den eigenen Reihen. Er musste um eine eigene Mehrheit im Bundestag bangen, da sich Abgeordnete der eigenen Partei weigerten, für das Reformpaket der Regierung zu stimmen. Das Verhalten der „Abweichler" aus den eigenen Reihen stieß auf ein geteiltes Echo.*

Die Schlagzeilen aus der Tagespresse:

### Vorwurf der Erpressung

„Erpressung ist das, was die Abweichler machen - gegenüber der Bundesregierung und der absoluten Mehrheit der Fraktion", meinte ein Abgeordneter.

### Neinsager sollen Mandat niederlegen

Der SPD-Abgeordnete Martin Schwanhold forderte dies öffentlich in der Neuen Osnabrücker Zeitung: „Wer der eigenen Regierung in für sie existenziell wichtigen Fragen die Gefolgschaft verweigert, der sollte dann auch so konsequent sein, sein Mandat niederzulegen."

### Der Kanzler droht - der Widerstand wächst

Gerhard Schröder mochte drohen wie er wollte, sechs SPD-Rebellen bleiben bei ihrer Kritik an der Agenda 2010. Man werde sich nicht "brechen" lassen – und auch einzelne Grüne kündigten ein "Nein" zu den Hartz-Gesetzen an.

### Schröder droht mit Rücktritt

Schröder hat wieder einmal die größte politische Keule geschwungen: Reformen oder Rücktritt. Er hat seine eigenen Leute nicht im Griff, zu viele meutern zu laut gegen zu viele Reformen. Der Kanzler weiß, dass sich Rücktrittsdrohungen bei häufigem Gebrauch abnutzen und die Wirkung entsprechend nachlässt.

### Linke: Schröder schadet der Partei und sich selbst

In der innerparteilichen Debatte wird den Ton unterdessen schärfer: Der Sprecher des Forums Demokratische Linke 21, Detlev von Larcher, sagte der Tageszeitung Die Welt, die ständigen Erpressungsversuche seien für freie Abgeordnete unzumutbar.

### Abweichler als Feiglinge tituliert

Als „Feiglinge" wurden die „Abweichler" von ihrer Parteiführung tituliert. Das sind sie mitnichten. Wer der Nötigung standhält, zu seiner Überzeugung steht, mit allen Konsequenzen, die das für ihn hat – womöglich der, von seiner Partei nicht mehr nominiert zu werden – der verdient Respekt.

### Abstimmen ohne Zwang

„Bei der Abstimmung zur Reform des Gesundheitswesens haben sechs SPD-Abgeordnete gegen das ausgehandelte Reformpaket und damit gegen die eigene Fraktion votiert. Sollten sich kritische Abgeordnete bei Abstimmungen der Fraktionsdisziplin unterwerfen?

| | Antworten in % |
|---|---|
| **JA** | 22 |
| **NEIN** | 72 |

*Zusammengestellt aus Zeitungsmeldungen, November 2003.*

In einem Abstimmungsmarathon beschlossen Bundestag und Bundesrat am 19.12.2003 die Agenda 2010 mit umfassenden Steuersenkungen, Einschnitten für Rentner und tief greifenden Arbeitsmarktreformen. Bei der Abstimmung über die einzelnen Gesetzespakete verfehlte die rot-grüne Koalition einmal die eigene Mehrheit der abgegebenen Stimmen. Bei der Abstimmung über die Zusammenlegung von Arbeitslosen- und Sozialhilfe und die Verschärfung der Zumutbarkeitsregeln für Arbeitslose gab es zwar eine breite Mehrheit im Bundestag, aber zwölf Gegenstimmen aus der Koalition. Hätten auch alle anwesenden Abgeordneten der Opposition dagegen votiert, hätte die Koalition die Abstimmung verloren. Auch bei der Lockerung des Kündigungsschutzes gab es zwei Gegenstimmen der SPD.

## Aufgaben zu M 16 – M 17

**1.** Beschreibe, von welchen Tätigkeiten die Arbeit von Marco Bülow bestimmt wird. Vergleiche dazu auch die Tabelle (M 16).

**2.** Die Verfassung garantiert dem Abgeordneten ein „freies Mandat". In der parlamentarischen Praxis wird vom Abgeordneten aber erwartet, dass er der Meinung seiner Fraktion folgt. Diskutiert unter Zuhilfenahme der Argumente aus M 17 was für und was gegen diese beiden Modelle spricht.

## Der Weg eines Gesetzes – das Beispiel Alkopops

M 18

*Ärzte warnen schon länger vor dem Konsum von Bier- und Saftmischgetränken mit Zusatz von Rum, Wodka oder Whiskey. Die süßen Mixgetränke mit einem leichten Alkoholgehalt werden z.T. schon von Kindern in bedenklichen Mengen getrunken. Anfang 2003 beschloss die Regierung, dagegen etwas zu unternehmen.*

**9.3.2004:** SPD und Bündnis 90/Die Grünen wollen eine Sondersteuer auf alkoholhaltige Süßgetränke, so genannte Alkopops einführen. Dazu haben sie einen Gesetzentwurf zur Verbesserung des Schutzes junger Menschen vor Gefahren des Alkohol- und Tabakkonsums vorgelegt. Darin heißt es, die Alkopops stellten eine dramatisch zunehmende Gefahr für junge Menschen dar, der mit allen Mitteln vorgebeugt werden müsse. Die Preise von Alkopops müssten durch eine zusätzliche steuerliche Belastung so verteuert werden, dass sie von jungen Menschen nicht mehr gekauft werden.

**12.3.2004:** Der Bundestag hat eine Sonderabgabe für alkoholhaltige Mixgetränke auf den Weg gebracht und beriet in erster Lesung über den entsprechenden Gesetzentwurf. Mit dem Gesetz sollen Jugendliche vom Konsum legaler Suchtmittel fern gehalten werden.

**20.3.2004:** Die Hersteller von Alkopops wehren sich gegen das Gesetz. „Fiskalische Maßnahmen sind kein wirksames Mittel der Gesundheitspolitik", sagte Holger Zikesch vom Spirituosenkonzern Diageo der Zeitung. Diageo vertreibt das Mixgetränk „Smirnoff Ice".

**28.4.2004:** Der Gesetzentwurf von SPD und Bündnis 90/Die Grünen zur Verbesserung des Schutzes junger Menschen vor Gefahren des Alkohol- und Tabakkonsums ist Gegenstand einer öffentlichen Anhörung des Finanzausschusses. Geladen sind 22 Sachverständige.

**6.5.2004:** Der Deutsche Bundestag hat in zweiter und dritter Lesung das „Gesetz zum Schutz junger Menschen vor Gefahren des Alkohol- und Tabakkonsums" und somit die angekündigte Sondersteuer auf Alkopops und eine Kleinstverkaufsmenge für Zigaretten festgelegt. Die Preise für 0,275 Liter-Flaschen steigen um 84 Cent. Die Flaschen müssen zukünftig zum bestehenden Abgabeverbot unter 18 Jahren nach dem Jugendschutzgesetz gekennzeichnet werden und die Mindestmengen an Zigaretten pro Schachtel wurde auf 17 Stück vereinbart. Das vom Deutschen Bundestag beschlossene Gesetz trat am 1. Juli 2004 in Kraft.

*Zusammengestellt vom Bearbeiter nach: heute im Bundestag*

### Aufgabe zu M 18

**1.** Diskutiert, ob das Gesetz geeignet ist, das Problem zu lösen.

207

| M 19 | **Wie entsteht ein Gesetz?** |
| --- | --- |

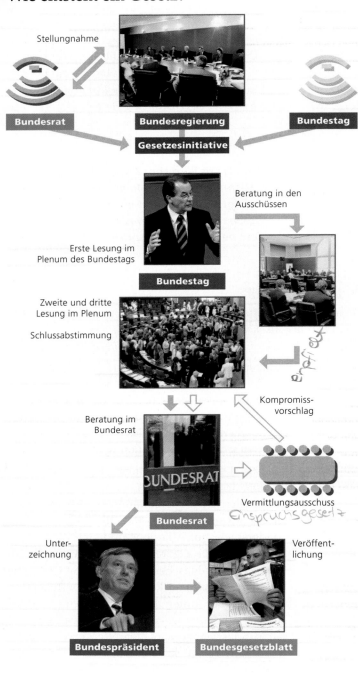

Stellungnahme

**Bundesrat** **Bundesregierung** **Bundestag**

**Gesetzesinitiative**

Erste Lesung im
Plenum des Bundestags

Beratung in den
Ausschüssen

**Bundestag**

Zweite und dritte
Lesung im Plenum

Schlussabstimmung

Kompromiss-
vorschlag

Beratung im
Bundesrat

Vermittlungsausschuss

**Bundesrat**

Unter-
zeichnung

Veröffent-
lichung

**Bundespräsident** **Bundesgesetzblatt**

Die meisten Gesetze, die in den Bundestag eingebracht werden, sind Vorlagen der Regierung. Die Entwürfe werden in den zuständigen Fachministerien erarbeitet.

Generell können Gesetzentwürfe von der Bundesregierung, aus dem Bundestag oder vom Bundesrat eingebracht werden.

Die erste Beratung im Plenum des Bundestages dient der Begründung des Gesetzesvorhabens und der Erörterung der Grundsätze der Vorlage. Es erfolgt noch kein Beschluss.

Der Gesetzentwurf wird anschließend an die fachlich zuständigen Ausschüsse überwiesen und dort intensiv beraten. Dort können in so genannten „hearings" auch Experten von außerhalb zu einem Gesetz gehört werden. Der Ausschuss kann dann dem Plenum eine Abänderung, Annahme oder Ablehnung des Entwurfs empfehlen.

Die zweite Lesung (Beratung) des Entwurfs erfolgt auf der Grundlage der Ausschussempfehlung. Über die einzelnen Bestimmungen wird dann abgestimmt.

Die dritte Lesung erfolgt sofort auf die zweite. Anschließend erfolgt die Schlussabstimmung.

Das im Bundestag beschlossene Gesetz wird dann dem Bundesrat zugeleitet. Die Zustimmung des Bundesrats ist erforderlich, wenn es sich um ein Zustimmungsgesetz handelt, in der Sache also Bund und Länder zuständig sind. Bei einem Einspruchsgesetz kann der Bundestag einen Einspruch des Bundesrats in einer weiteren Abstimmung überstimmen.

Bei Uneinigkeit über ein Gesetz und einer drohenden Ablehnung kann der Vermittlungsausschuss angerufen werden, der einen Kompromissvorschlag erarbeitet, über den Bundestag und Bundesrat erneut abstimmen.

Nach der Verabschiedung des Gesetzes wird es dem zuständigen Minister und dem Bundeskanzler zur Unterzeichnung vorgelegt.

Anschließend muss noch der Bundespräsident das Gesetz unterzeichnen. Er kann seine Unterschrift nur verweigern, wenn er der Auffassung ist, dass das Gesetz zweifelsfrei gegen die Verfassung verstößt.

Das Gesetz wird im Bundesgesetzblatt verkündet und tritt in Kraft.

## Aufgaben zu M 18 – M 19

**1.** Ordne den in M 18 geschilderten Gang des Gesetzes den einzelnen Stationen des Gesetzgebungsprozesses in M 19 zu. Überlege, wie wichtig jeweils die einzelnen Stationen für das Gesetz sind.

**2.** Immer mehr Gesetze werden im Rahmen der EU verabschiedet. Kläre mit Hilfe des Internets, inwiefern damit ein Bedeutungsverlust des Bundestages verbunden ist.

# Organisation und Arbeitsweise des Bundestags

Der Deutsche Bundestag ist das einzige direkt gewählte Verfassungsorgan des Bundes. Es steht damit im Zentrum der parlamentarischen Demokratie in der Bundesrepublik Deutschland und muss vielfältige Aufgaben erfüllen.

*Der Bundestag im Zentrum der Demokratie*

Wichtigste Aufgabe ist die Abstimmung über Gesetze. Obwohl auch einzelne Abgeordnete des Bundestags und der Bundesrat das Recht zur Gesetzesinitiative haben, werden die meisten Gesetzesinitiativen von der Bundesregierung in das Plenum des Bundestags (Gesamtheit der Abgeordneten) eingebracht, da diese die größte Aussicht haben, mit Hilfe der Regierungsmehrheit im Parlament auch verabschiedet zu werden. Einfache Gesetze werden mit der Mehrheit des Bundestages beschlossen, verfassungsändernde Gesetze mit Zweidrittelmehrheit. Anschließend muss der Bundesrat dem Gesetz zustimmen.

*Gesetzgebung*
*M 9, Infobox, M 18, M 19*

Abgeordnete, die derselben Partei angehören, schließen sich im Bundestag zu einer Fraktion zusammen, wenn sie mind. 5% der Mitglieder des Bundestages stellen. Parteien mit weniger als 5% der Abgeordneten bilden eine Gruppe. Die Fraktionen sind die politische Heimat für die Abgeordneten und bilden den organisatorischen Rahmen der Arbeit im Bundestag, denn anders wäre der Bundestag wohl kaum entscheidungsfähig. Bei Abstimmungen folgen die Abgeordneten in der Regel der von der Fraktion und den Ausschüssen festgelegten Linie (Fraktionsdisziplin), obwohl sie eigentlich nach Art. 38, 1 GG in ihren Entscheidungen frei sind (freies Mandat). Diese Arbeitsteilung ist jedoch sinnvoll, da sich nicht jeder Abgeordnete mit allen, oft sehr komplizierten, Gesetzen auseinandersetzen kann.

*Stellung der Abgeordneten im Parlament*

*Freies Mandat und Fraktionszwang*
*M 16, M 17*

Auch die Debatten im Plenum des Bundestags erfüllen eine wichtige Aufgabe. Durch den Austausch von Argumenten oder die Begründung von Gesetzesvorhaben wird Politik für den Bürger verständlicher und er kann sich ein besseres Bild von der Meinung der Parteien zu bestimmten Sachthemen machen. Problematisch ist in diesem Zusammenhang, dass sich die politischen Debatten immer mehr in die abendlichen Talkshows verlagern und so ein Bedeutungsverlust des Parlaments droht.

*Aufgabe der Debatten*
*M 8*

Eine weitere wichtige Aufgabe des Bundestags ist die Kontrolle der Regierung. Dies ist die Hauptaufgabe der Opposition. In der Praxis der Parteiendemokratie bilden nämlich die Regierung mit dem Bundeskanzler und die Regierungsparteien, die ja die Mehrheit im Parlament haben, eine Handlungseinheit, d.h. die Gewaltenteilung zwischen Exekutive (Regierung) und Legislative (Parlament) ist aufgehoben. Zwar üben auch die eigenen Abgeordneten Kritik an der Regierung, doch tun sie dies meist nicht öffentlich. So werden die Kontrollinstrumente des Bundestages wie Kleine und Große Anfragen, Aktuelle Stunden, Fragestunden, Untersuchungsausschüsse etc. hauptsächlich von der Opposition in Anspruch genommen. Außerdem kann die Opposition ihre Kritik wirksam über die Medien äußern und sich dort als die bessere Alternative präsentieren.

*Kontrolle der Regierung*
*M 11 – M 13*

Deutlich wird die zentrale Stellung des Bundestages auch daran, dass er eine ganze Reihe wichtiger Verfassungsorgane wählen kann oder an deren Wahl mitwirkt. So wählt der Bundestag den Bundeskanzler, nimmt an der Wahl des Bundespräsidenten teil, wählt die Hälfte der Richter des Bundesverfassungsgerichtes und entsendet Vertreter in den Vermittlungsausschuss.

*Wahlfunktion*
*M 15*

**Was wir jetzt wissen:**

# 3.3 Bundesrat und Bundespräsident

M 20 ## Aufgaben und Stellung des Bundesrats

Unter den Staatsorganen der Bundesrepublik Deutschland verkörpert der Bundesrat das föderative Element. Durch ihn wirken die Länder bei der Gesetzgebung und der Verwaltung des
5 Bundes mit. Die Mitglieder des Bundesrats werden nicht gewählt, sondern von den Länderregierungen aus ihrer Mitte bestellt und abberufen. Sie besitzen insofern eine Doppelfunktion: In ihren Ländern sind sie Träger der Exekutive, als Bun-
10 desratsmitglieder üben sie in erster Linie legislative Staatsgewalt aus. Jedes Bundesland verfügt über mindestens drei Stimmen, Länder mit mehr als 2 Mio. und bis zu 6 Mio. Einwohnern haben vier Stimmen, Länder mit mehr als 7 Mio. Ein-
15 wohnern können 6 Stimmen in die Waagschale werfen. Die 16 Bundesländer zusammen sind mit 69 Stimmen ausgestattet.
Der Bundesrat fasst seine Beschlüsse mit mindestens der Mehrheit seiner Stimmen. Für jedes
20 Land können die Stimmen nur einheitlich und nur durch anwesende Mitglieder oder deren Vertreter abgegeben werden. Bei der Stimmabgabe sind die Bundesratsmitglieder an die Weisungen ihrer Regierungen gebunden. Der Bundesrat
25 wählt für ein Jahr einen Präsidenten (und zwar im Wechsel aus jeweils einem anderen Bundesland) sowie drei Vizepräsidenten, die zusammen

**Die 69 Stimmen der Bundesländer im Bundesrat**

| | |
|---|---|
| Nordrhein-Westfalen | 〶〶〶〶〶〶 |
| Bayern | 〶〶〶〶〶〶 |
| Baden-Württemberg | 〶〶〶〶〶〶 |
| Niedersachsen | 〶〶〶〶〶〶 |
| Hessen | 〶〶〶〶〶 |
| Sachsen | 〶〶〶〶 |
| Rheinland-Pfalz | 〶〶〶〶 |
| Berlin | 〶〶〶〶 |
| Sachsen-Anhalt | 〶〶〶〶 |
| Thüringen | 〶〶〶〶 |
| Brandenburg | 〶〶〶〶 |
| Schleswig-Holstein | 〶〶〶〶 |
| Mecklenburg-Vorpommern | 〶〶〶 |
| Hamburg | 〶〶〶 |
| Saarland | 〶〶〶 |
| Bremen | 〶〶〶 |

das Präsidium bilden. Der Präsident des Bundesrates ist Vertreter des Bundespräsidenten.
Wie der Bundestag und die Bundesregierung besitzt der Bundesrat das Recht der Gesetzesinitiative.

*Erich Schmidt Verlag, Zahlenbilder 64510*

## Aufgaben zu M 20

**1.** Erkläre, welche Stellung der Bundesrat unter den Verfassungsorganen hat. Was ist seine Hauptaufgabe?

**2.** Internet-Rechercheaufgaben (www.bundesrat.de):
a) Wie ist die aktuelle Stimmenverteilung im Bundesrat? Vergleiche die Mehrheitsverhältnisse mit dem Bundestag!

b) Recherchiere, wie viele Einwohner die einzelnen Bundesländer haben. Wie beurteilst du vor diesem Hintergrund die Stimmengewichtung im Bundesrat (M 20)?

c) Dem Bundestag wird gelegentlich vorgeworfen, er sei ein „Blockadeorgan". Finde heraus, was sich hinter diesem Vorwurf verbirgt und kläre, ob der Vorwurf berechtigt ist.

# Zum Amtsverständnis des ehemaligen Bundespräsidenten Johannes Rau

Ich sehe heute für das Amt des Bundespräsidenten eine doppelte Aufgabe: Er muss für die Deutschen sprechen, und er muss Minderheiten zur Sprache verhelfen. Ich will das mit meinen Gaben
5 und auf meine Weise tun. Jeder soll wissen, dass ich Zuversicht und Kraft aus dem christlichen Glauben schöpfe und dass ich Respekt vor allen habe, die ihr Leben auf andere Fundamente gründen. Ich will zuhören, damit niemand unge-
10 hört bleibt.

Ich will Gesprächsfäden neu knüpfen, wo sie abgerissen sind, zwischen Ost und West, zwischen Jung und Alt.
Ich will zur Öffentlichkeit verhelfen, was in die gesellschaftliche Debatte gehört. Ich will alle – in 15 Betrieben und Verwaltungen, in Hochschulen und Parteien, in Akademien und Bürgerinitiativen, in den Medien und Verbänden –, die an der Zukunft unseres Landes arbeiten, ermutigen.

*Antrittsrede am 1.7.1999*

# Der Bundespräsident

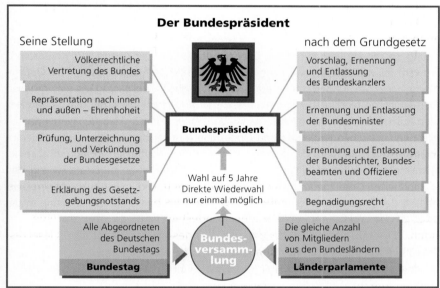

Der Bundespräsident

*Gesetze nicht unterschreiben, weil sie nicht mit Grundgesetz über einstimmig*

das Recht, sie auf ihre Übereinstimmung mit dem Grundgesetz zu überprüfen. Im Falle 15 des Gesetzgebungsnotstands (Art. 81 GG) kann er zur Lösung des zwischen Regierung und Bundestag 20 entstandenen Konflikts beitragen. Weitgehend eingeschränkt ist aber das Recht des Bundespräsidenten 25 zur Auflösung des Bundestags (Art. 63, 68 GG).
Auf Vorschlag des

Trotz seiner geringeren Machtfülle verfügt der Bundespräsident über vielfältige Wirkungsmöglichkeiten, die sich aus seinen grundsätzlichen Aufgaben wie aus seiner persönlichen Autorität
5 herleiten. Der Bundespräsident vertritt den Bund völkerrechtlich und schließt im Namen des Bundes Verträge mit anderen Staaten ab. Nach einem entsprechenden Beschluss des Bundestages ruft er den Verteidigungsfall aus. Im Gesetzgebungsver-
10 fahren fällt ihm die Aufgabe zu, die Bundesgesetze auszufertigen und zu verkünden. Dabei hat er

Bundespräsidenten wählt der Bundestag den 30 Bundeskanzler. Nach der Wahl nimmt der Bundespräsident die Ernennung des Kanzlers vor und ernennt auf dessen Vorschlag auch die Bundesminister. Nicht zu unterschätzen ist die Rolle, die der Bundespräsident als oberster Repräsentant 35 des Staates spielt. Durch Gespräche und Gesten, Empfänge und Ehrungen, Reisen und Reden trägt er maßgeblich zu dem Bild bei, das man sich im In- und Ausland von der Bundesrepublik macht.

*Erich Schmidt Verlag, Zahlenbilder 67100*

*Berliner Rede; – Aktuelle Themen (z. B. Wirtschaftskrise)*

## Aufgaben zu M 21 – M 22

**1.** Erläutere, wie der Bundespräsident Einfluss auf Politik und Gesellschaft nehmen kann (M 21, M 22).

**2.** Welche Auswirkungen hätte eine Direktwahl des Bundespräsidenten? Diskutiert die Vor- und Nachteile in der Klasse.

# Bundesrat und Bundespräsident

**Der Bundesrat**
**M 20**

Über den Bundesrat wirken die Länder an der Gesetzgebung und Verwaltung des Bundes sowie in Angelegenheiten der Europäischen Union mit. Alle Bundesgesetze werden nach Verabschiedung im Bundestag dem Bundesrat zur Abstimmung vorgelegt. Die Zustimmung des Bundesrates ist erforderlich, wenn in der Sache Bund und Länder zuständig sind (Zustimmungsgesetze). Das ist bei den Gesetzen der Fall, die die Verwaltung und die Finanzen der Länder betreffen. Außerdem bei verfassungsändernden Gesetzen und Gesetzen, die Verträge mit anderen Staaten betreffen.

**Zwang zum**
**Kompromiss**

Verweigert der Bundesrat seine Zustimmung (mit der absoluten Mehrheit der Stimmen) kann der Vermittlungsausschuss (je 16 Mitglieder aus Bundestag und Bundesrat) angerufen werden, der einen Kompromissvorschlag erarbeitet über den erneut beide Organe abstimmen müssen. Der Kompromissvorschlag über ein Zustimmungsgesetz kann vom Bundesrat endgültig abgelehnt werden, das Gesetz ist dann gescheitert. Bei Gesetzen, die nur den Bund betreffen (Einspruchsgesetze), hat der Bundesrat ein eingeschränktes Mitspracherecht. Verweigert er einem Einspruchsgesetz die Zustimmung, so kann er vom Bundestag überstimmt werden. Der Zwang zum Kompromiss im Vermittlungsausschuss wird immer dann besonders erforderlich, wenn die Oppositionsparteien im Bundesrat über eine Mehrheit verfügen und ganze Gesetzesvorhaben der Regierung blockieren könnten. Ergebnisse der oft komplizierten und zeitraubenden Aushandlungsprozesse haben dann den Charakter eines „kleinsten gemeinsamen Nenners" zwischen Regierung und Opposition. Kritiker dieser „Verhandlungsdemo-

**Kritik an der**
**„Verhandlungs-**
**demokratie"**

kratie" führen an, dass die Verantwortung für den politischen Kompromiss keiner Seite mehr klar zugeordnet werden kann. Für den Bürger ist es überdies schwierig, den komplizierten Gesetzgebungsprozess überhaupt noch zu durchschauen. Andererseits schafft der Zwang zum Konsens einem Gesetz auch eine breite Zustimmung in der Bevölkerung und kann somit leichter durchgesetzt werden.

**Aufgaben des**
**Bundespräsidenten**
**M 22**

Der Bundespräsident ist formal das Staatsoberhaupt der Bundesrepublik Deutschland. Nach dem Grundgesetz nimmt der Bundespräsident u.a. folgende Aufgaben wahr:
- die völkerrechtliche Vertretung der Bundesrepublik Deutschland
- Vorschlag, Ernennung und Entlassung des Bundeskanzlers; Ernennung und Entlassung der Bundesminister
- Prüfung, Unterzeichnung und Verkündung der Gesetze. Verstößt dabei das Verfahren oder der Inhalt eines Gesetzes zweifelsfrei gegen die Verfassung, kann der Bundespräsident seine Unterschrift auch verweigern

Als „Präsident aller Deutschen" hat der Bundespräsident vor allem moralische Autorität. Durch engagierte Grundsatzreden und Denkanstöße über parteipolitische Grenzen hinweg fördert er die Integration der Gesellschaft. Durch seine zahlreichen Auslandsreisen prägt er wesentlich das Bild mit, das man von Deutschland im Ausland hat.

# Die Zukunft Europas und der Europäischen Union

Brüssel
## Europäischer Rat
Stabilitäspakt

## Europäische Union

Friedensmodell

Integration

Währungsunion

# 1. Der europäische Einigungsprozess

**M 1**

## Europa – wie ich es sehe

*Erster Preis eines internationalen Malwettbewerbs zum*
*Thema: der europäische Baum*

### Aufgaben zu M 1

**1.** Vervollständige den folgenden Satz:
Europa bedeutet für mich ...

**2.** Entwerft eine Mindmap zum Thema
Europa.

**3.** Male ein Bild zum Thema: Europa – Vielfalt und Einheit.

**M 2**

**Was bedeutet die Europäische Union für Sie persönlich? (EU15)**

| | |
|---|---|
| Die Freiheit, überall innerhalb in der EU reisen, studieren und arbeiten zu können | **49%** |
| Euro | **48%** |
| Frieden | **32%** |
| Kulturelle Vielfalt | **28%** |
| Mehr Mitsprache in der Welt | **27%** |
| Geldverschwendung | **24%** |
| Nicht genug Kontrollen an den Grenzen der EU | **23%** |
| Bürokratie | **22%** |
| Wirtschaftlicher Wohlstand | **18%** |
| Mehr Kriminalität | **16%** |
| Arbeitslosigkeit | **15%** |
| Verlust unserer kulturellen Identität | **15%** |
| Soziale Absicherung | **11%** |
| Weiß nicht | **4%** |
| Andere (spontan) | **2%** |

*Quelle: Umfrage Nr. 60.1 - Okt.-Nov. 2003, Standard-Eurobarometer 60 - Abb. 6.2*

# Europas Weg zur Einigung

### Die Anfänge: Krieg und Frieden

Jahrhundertelang war Europa regelmäßig Schauplatz blutiger Auseinandersetzungen. Allein zwischen 1870 und 1945 führten Frankreich und Deutschland dreimal Krieg gegeneinander, mit schrecklichen Verlusten. Nach dem Zweiten Weltkrieg gelangten europäische Staatsmänner zu der Überzeugung, dass die wirtschaftliche und politische Einigung Europas die einzige Möglichkeit zur Sicherung eines dauerhaften Friedens zwischen ihren Ländern sei.

1950 schlug der französische Außenminister Robert Schuman die Integration der westeuropäischen Kohle- und Stahlindustrie vor. 1951 gründeten Belgien, Deutschland, Luxemburg, Frankreich, Italien und die Niederlande die Europäische Gemeinschaft für Kohle und Stahl (EGKS). Die Befugnis, Entscheidungen über die Kohle- und Stahlindustrie in diesen Ländern zu fällen, hatte ein unabhängiges übernationales Gremium, die so genannte „Hohe Behörde". Ihr erster Präsident war Jean Monnet.

> „Fraglos würde es einen großen Schritt vorwärts bedeuten, wenn Franzosen und Deutsche in einem Hause und an einem Tisch säßen, um miteinander zu arbeiten und gemeinsame Verantwortung zu tragen. ... Ich glaubte, dass die Verständigung zwischen Deutschland und Frankreich auf einer solchen Grundlage noch bedeutungsvoller sei als alle wirtschaftlichen Vorteile, die fraglos mit einer deutsch-französischen Union verbunden seien."
>
> *Konrad Adenauer zur Kohle- und Stahl-Union, März 1950*

### Von den drei Gemeinschaften zur Europäischen Union

Die EGKS war ein derartiger Erfolg, dass ihre sechs Gründungsmitglieder nach wenigen Jahren übereinkamen, eine Integration weiterer Bereiche ihrer Wirtschaft vorzunehmen. 1957 unterzeichneten sie den Vertrag von Rom und gründeten damit die Europäische Atomgemeinschaft (EURATOM) und die Europäische Wirtschaftsgemeinschaft (EWG). Ziel der Mitgliedstaaten war die Beseitigung von Handelshemmnissen und die Bildung eines „Gemeinsamen Marktes".

1967 wurden die Organe der drei Europäischen Gemeinschaften vereinigt. Seitdem gibt es eine gemeinsame Kommission und einen gemeinsamen Ministerrat sowie das Europäische Parlament.

Ursprünglich wurden die Mitglieder des Europäischen Parlaments von den nationalen Parlamenten entsandt. Seit 1979 werden sie jedoch alle fünf Jahre direkt gewählt, was den Bürgern der Mitgliedstaaten ermöglicht, für den Kandidaten ihrer Wahl zu stimmen.

Der Vertrag von Maastricht (1992) führte zu neuen Formen der Zusammenarbeit zwischen den Regierungen der Mitgliedstaaten – beispielsweise in der Verteidigungspolitik sowie im Bereich „Justiz und Inneres". Durch die Einbeziehung dieser intergouvernementalen Zusammenarbeit in das bestehende „Gemeinschaftssystem" begründete der Vertrag von Maastricht die Europäische Union (EU).

### Integration bedeutet gemeinsame politische Maßnahmen

Die wirtschaftliche und politische Integration der Mitgliedstaaten der Europäischen Union bedeutet, dass diese Länder in vielen Angelegenheiten gemeinsame Beschlüsse fassen müssen. So haben sie in äußerst unterschiedlichen Bereichen gemeinsame

Politiken entwickelt, z.B. in den Bereichen Kultur, Verbraucherschutz, Wettbewerb, Umweltschutz, Energie, Verkehr und Handel.

In den Anfangsjahren lag der Schwerpunkt auf einer gemeinsamen Handelspolitik für Kohle und Stahl sowie einer gemeinsamen Agrarpolitik. Mit der Zeit wurden entsprechend den Notwendigkeiten weitere Politikbereiche hinzugefügt. Wichtige politische Ziele wurden angesichts veränderter Umstände neu gefasst. So ist es beispielsweise nicht mehr das Ziel der Landwirtschaftspolitik, möglichst große Mengen preiswerter Nahrungsmittel zu produzieren, sondern Anbaumethoden zu fördern, die gesunde, hochwertige Erzeugnisse ergeben und die Umwelt schützen. Der Not-

wendigkeit des Umweltschutzes wird mittlerweile in einer Vielzahl von EU-Politikbereichen
85 Rechnung getragen.

Die Beziehungen der Europäischen Union zu der übrigen Welt sind ebenfalls immer wichtiger geworden. Die EU handelt mit anderen Ländern wichtige Handels- und Hilfsabkommen aus und
90 entwickelt eine gemeinsame Außen- und Sicherheitspolitik.

### Der Binnenmarkt: Abbau der Grenzen

Die Mitgliedstaaten benötigten einige Zeit, um alle Handelshemmnisse zu beseitigen und ihren
100 „Gemeinsamen Markt" in einen wirklichen Binnenmarkt zu verwandeln, in dem der freie Waren-, Dienstleistungs-, Personen- und Kapitalverkehr gewährleistet ist. Der Binnenmarkt wurde formell Ende 1992 vollendet. Nach wie vor bleibt
105 jedoch in einigen Bereichen noch viel zu tun, beispielsweise bei den Finanzdienstleistungen.

In den 90er Jahren wurde es für die Menschen immer leichter, durch Europa zu reisen, da die Pass- und Zollkontrollen an den meisten EU-Bin-
110 nengrenzen abgeschafft wurden. Eine Folge war die größere Mobilität der EU-Bürger. Seit 1987 haben beispielsweise mehr als eine Million junger Europäer mit Unterstützung der EU Studien im Ausland aufgenommen.

### 115 Die einheitliche Währung: der Euro in unseren Taschen

1992 beschloss die EU die Gründung der Wirtschafts- und Währungsunion (WWU), was die Einführung einer einheitlichen europäischen
120 Währung unter der Aufsicht einer europäischen Zentralbank bedeutete. Die einheitliche Währung, der Euro, wurde am 1. Januar 2002 eingeführt. Euro-Banknoten und -Münzen ersetzten die nationalen Währungen in zwölf der fünfzehn
130 Mitgliedstaaten der Europäischen Union (Belgien, Deutschland, Griechenland, Spanien, Frankreich, Irland, Italien, Luxemburg, den Niederlanden, Österreich, Portugal und Finnland).

### Eine wachsende Familie

140 Die EU ist durch mehrere Beitrittswellen immer größer geworden. Dänemark, Irland und das Vereinigte Königreich traten 1973 bei, gefolgt von Griechenland 1981, Spanien und Portugal 1986

sowie Österreich, Finnland und Schweden 1995. Die Europäische Union begrüßte 2004 weitere zehn Länder aus Ost- und Südeuropa: Zypern, die Tschechische Republik, Estland, Ungarn, Lettland, Litauen, Malta,Polen, die Slowakei und Slowenien. Bulgarien und Rumänien dürften einige Jahre später folgen. Auch die Türkei ist ein Beitrittskandidat. Wegen der Osterweiterung wurden im Vertrag von Nizza neue Regeln für die Größe der EU-Organe und ihre Funktionsweise festgelegt. Dieser Vertrag trat am 1. Februar 2003 in Kraft und ist der derzeit (2005) für die EU gültige Vertrag. Um Europa fit für die Zukunft zu machen haben die EU Staats- und Regierungschefs Ende 2001 einen Konvent einberufen, der die Ausarbeitung einer europäischen Verfassung zum Auftrag hatte. Der Entwurf einer europäischen Verfassung wurde am 29. Oktober 2004 von den nunmehr 25 Staats- und Regierungschefs unterzeichnet. Nach der Ablehnung des Verfassungsvertrags durch nationale Referenden in Frankreich und den Niederlanden ist jedoch fraglich, ob die Verfassung in dieser Form in Kraft treten wird.

### Friede – Stabilität – Wohlstand

Schumans Idee der Integration sollte den Krieg unmöglich machen. Dieses Ziel hat die EU erfüllt. Sie verbindet die Mitgliedsstaaten so eng miteinander, dass sie in vielen Bereichen nur noch gemeinsam handeln können. Konflikte werden mit Hilfe des Rechts und gemeinsamer Institutionen und nicht mit Gewalt gelöst. Mit der Europäischen Union verbinden sich viele Hoffnungen. Sie bringt Stabilität und gilt als Modell für Frieden und Wohlstand. Ihr wirtschaftlicher Erfolg ist unbestritten. Sie sieht sich aber auch als Gemeinschaft mit weltweiter Ausstrahlung, von der zunehmend erwartet wird, dass sie auch eine stärkere politische Rolle spielt.

### Die Europaflagge

Die Europaflagge ist das Symbol der Europäischen Union, aber auch der Einheit und der

Identität Europas im weiteren Sinn. Der Kreis der zwölf goldenen Sterne steht für die Solidarität und Harmonie zwischen den Völkern Europas. Die Anzahl der Sterne hat nichts mit der Anzahl der Mitgliedstaaten zu tun. Es gibt zwölf Sterne, da die Zahl Zwölf seit jeher Vollendung, Vollkommenheit und Einheit verkörpert. Die Flagge bleibt daher auch bei künftigen Erweiterungen der Europäischen Union unverändert bestehen. 210

*nach: http://europa.eu.int/abc/history/index_de.htm und Zeitlupe Europa*

## Aufgabe zu M 3

*1.* Gestalte eine Collage zum europäischen Einigungsprozess.

# Werte und Ziele der Europäischen Union im Verfassungsvertrag

M 4

*Am 29. Oktober 2004 wurde der vom Konvent ausgearbeitete Verfassungsentwurf von den nunmehr 25 Staats- und Regierungschefs unterzeichnet. Der Vertrag über eine europäische Verfassung muss allerdings gemäß den nationalen Vorschriften der Mitgliedsstaaten noch durch die Parlamente oder durch Referenden ratifiziert werden. Die Verfassung enthält im ersten Teil Aussagen über das Selbstverständnis, die Werte und Ziele der Europäischen Union. Im zweiten Teil werden die Grundrechte der Unionsbürger definiert.*

## TITEL I – DEFINITION UND ZIELE DER UNION

### Artikel I – 1: Gründung der Union

…

(2) Die Union steht allen europäischen Staaten offen, die ihre Werte achten und sich verpflichten, ihnen gemeinsam Geltung zu verschaffen.

### Artikel I – 2: Die Werte der Union

Die Werte, auf denen die Union sich gründet, sind die Achtung der Menschenwürde, Freiheit, Demokratie, Gleichheit, Rechtsstaatlichkeit und die Wahrung der Menschenrechte; diese Werte sind allen Mitgliedstaaten in einer Gesellschaft gemeinsam, die sich durch Pluralismus, Toleranz, Gerechtigkeit, Solidarität und Nichtdiskriminierung auszeichnet.

### Artikel I – 3: Die Ziele der Union

(1) Ziel der Union ist es, den Frieden, ihre Werte und das Wohlergehen ihrer Völker zu fördern.
(2) Die Union bietet ihren Bürgerinnen und Bürgern einen Raum der Freiheit, der Sicherheit und des Rechts ohne Binnengrenzen und einen Binnenmarkt mit freiem und unverfälschtem Wettbewerb.
(3) Die Union strebt ein Europa der nachhaltigen Entwicklung auf der Grundlage eines ausgewogenen Wirtschaftswachstums an, eine in hohem Maße wettbewerbsfähige soziale Marktwirtschaft, die auf Vollbeschäftigung und sozialen Fortschritt abzielt, sowie ein hohes Maß an Umweltschutz und Verbesserung der Umweltqualität. Sie fördert den wissenschaftlichen und technischen Fortschritt.
Sie bekämpft soziale Ausgrenzung und Diskriminierungen und fördert soziale Gerechtigkeit und sozialen Schutz, die Gleichstellung von Frau und Mann, die Solidarität zwischen den Generationen und den Schutz der Rechte des Kindes. 30
Sie fördert den wirtschaftlichen, sozialen und territorialen Zusammenhalt und die Solidarität zwischen den Mitgliedstaaten. 35
Die Union wahrt den Reichtum ihrer kulturellen und sprachlichen Vielfalt und sorgt für den Schutz und die Entwicklung des kulturellen Erbes Europas. 40
(4) In ihren Beziehungen zur übrigen Welt schützt und fördert die Union ihre Werte und Interessen. Sie trägt bei zu Frieden, Sicherheit, nachhaltiger Entwicklung der Erde, Solidarität und gegenseitiger Achtung unter den Völkern, freiem und gerechtem Handel, Beseitigung der Armut und Schutz der Menschenrechte, insbesondere der Rechte des Kindes, sowie zur strikten Einhaltung und Weiterentwicklung des Völkerrechts, insbesondere zur Wahrung der Grundsätze der Charta der Vereinten Nationen. 45 50

*aus dem Verfassungsvertrag*

## Gemeinsame Werte auf dem Prüfstand – die Türkei und Europa

Hanel/CCC, www.c5.net

**Die EU und die Türkei**

**Verhältnis Türkei-EU**

**1987** erstes Beitrittsgesuch in Brüssel
**1997** Ablehnung als Beitrittskandidat
**1999** Offizieller Kandidatenstatus
**2002** EU-Gipfel ebnet Weg für Beitrittsverhandlungen

**Okt. 2004** EU-Kommission empfiehlt die Aufnahme von Beitrittsverhandlungen.
**Okt. 2005** EU beginnt offiziell Beitrittsverhandlungen

**Wirtschaft (2003/2004)**

| | TUR | EU-25 |
|---|---|---|
| **BIP–Kopf in €** | 6 300 | 22 300 |
| **Arbeitslosen-quote in %** | 10,8 | 9,0 |
| **Inflationsrate in %** | 25 | 1,8 |

71 Mio. Einwohner
Fläche 779.452 km²
Währung:1 Türk. Lira = 100 Kurus    Quelle: EU-Kommission/APA

## Gehört die Türkei in die EU?

### a) Heribert Prantl: Eine Chance für die Europäische Union

Gehört die Türkei zu Europa? Europa ist mehr als das, was war. Europa ist das, was die Europäer daraus zu machen verstehen. Die Türkei ist
5 eine große Chance für die Europäische Union: Die Türkei ist das Land zwischen den Kulturen, das Land, das Europa geopolitisch neue Horizonte öffnet. Die EU darf nicht das Finale der europäischen Geschichte sein, sondern ihr neuer
10 Anfang.
Die Geschichte Europas taugt sowohl für ein zuversichtliches Ja, als auch für ein ängstliches Nein zur Türkei. ...
Zweifellos: Die Türken haben die europäische
15 Geschichte mitgeprägt. ... Bis hinein ins 20. Jahrhundert war das Osmanische Reich ein zentraler Faktor in der europäischen Machtpolitik; drei Jahrhunderte lang war dieses Reich eine europäische Großmacht. ...
20 Im 20. Jahrhundert hat die Türkei das europäische Recht übernommen – das deutsche Handels- und Wirtschaftsrecht, das Schweizer Zivilrecht (inklusive Wahlrecht für Frauen), das italienische Strafrecht. Die Türkei hat jüngst die Todesstrafe
25 abgeschafft und den Kurden Rechte zugesichert.

Von westeuropäischen rechtsstaatlichen und zivilgesellschaftlichen Standards ist sie trotzdem weit entfernt; aber sie hat sich auf den Weg gemacht. Es ist der lange Weg nach Westen.
Die Aufnahme der Türkei in die EU ist eine weltgeschichtliche Frage. Es geht darum, was und wie Europa sein wird. Europa ist kein vergangenes Produkt, es ist nicht nur das, was in den Geschichtsbüchern steht, nicht die Addition aus alten Schlachten und Vorurteilen. Europa ist ein Zukunftsprojekt – so ist die EU angelegt, als Projekt der Vielfalt und der Toleranz. Europäische Demokratie heißt: Zukunft miteinander gestalten. ...
Ob die Türkei europäisch ist oder nicht – das entscheidet die Haltung der EU zur Türkei. Diese Türkei hat nur zwei Wege: den westeuropäischen oder den islamistischen. Akin Birdal, der türkische Bürgerrechtler, sagt: „Ich weiß, welchen ich gehen will." Die EU sollte es auch wissen. Die Türkei ist ein Brückenland, ein Land zwischen den Kontinenten, die Synthese aus europäisch-christlicher und nahöstlich islamischer Kultur. Es ist das einzige Land der Region, das eine

zuverlässige, am Westen orientierte Außenpolitik betreibt, es ist das einzige Land der Region mit einer laizistischen[1] und demokratischen Staatsform. Es ist das Land, durch das Europas Öl fließt. Es ist das Land, dessen Auswanderer die größte Minderheit in Westeuropa bilden. Es ist das Land, in dem der Dialog zwischen Christentum und Islam am aussichtsreichsten geführt werden kann.

*Heribert Prantl, in: Süddeutsche Zeitung, 18.11.2002*

[1]Laizismus: Trennung von Kirche und Staat

### b) Richard Wagner: Die Türkei gehört nicht in die EU

Die Kontroversen um eine europäische Verfassung zeigen, dass Europa an einem Wendepunkt angekommen ist. Wenn aus dem unruhigen Kontinent wirklich eine funktionierende Staatengemeinschaft werden soll, ist mit der erfolgten Osterweiterung die Zeit für eine Konsolidierung gekommen. Will man die EU als Wertegemeinschaft erhalten, muss ihre Begrenzung vereinbart werden. Europa kann nicht beliebig ausgeweitet werden, es riskiert, wie alle Großstaaten, eine Überdehnung. Damit aber würde es seine Identität einbüßen. Um das Bekenntnis zur europäischen Identität drücken sich viele Politiker. Die fruchtlose Diskussion um den Verfassungstext zeigt, dass man es nicht wagt, sich offen zu den europäischen Grundlagen zu bekennen. Bekanntlich sind das: die griechisch-römische Antike, die jüdisch-christliche Religionsformel, das darauf beruhende Mittelalter, die Renaissance mit ihrem 20 Rückgriff auf die Antike, die Aufklärung, die angelsächsischen Verfassungsideen, der Individualismus und das Arbeitsethos der Moderne. Rechtsstaat und Freiheitsbegriff sind untrennbar mit all dem verbunden. ... Alles zusammen stellt 30 einen kulturhistorischen Konsens dar, auf einem begrenzten Territorium. Wer die europäische Identität erhalten will, muss die Grenzen benennen. ...

Wer nicht erkennen will, dass die Werte der mo- 35 dernen Demokratie historisch gewachsene und religiös grundierte kulturelle Voraussetzungen haben, der hat nichts verstanden.

Der Islam ist in mancher Hinsicht mit den west- 40 lichen Werten unvereinbar. Schon weil er gegen die Gleichberechtigung der Geschlechter agiert, die Bildungsmöglichkeiten und die Bewegungsfreiheit der Frauen einschränkt. In der Türkei gibt es unter den Männern 6,5 Prozent Analpha- 45 beten, unter den Frauen sind es 23,4 Prozent. Hat das wirklich nichts mit dem Islam zu tun?

*Der Bosporus ist eine Meerenge und verbindet Europa mit Kleinasien. An beiden Ufern der Meerenge erstreckt sich die Stadt Istanbul.*

*Richard Wagner, 1952 im rumänischen Banat geboren, lebt als Schriftsteller in Berlin, in: Die Welt, 5.12.2003*

## Aufgaben zu M 4 – M 8

**1.** *Überprüfe, inwieweit ein Beitritt der Türkei zur EU mit den Werten und Zielen des Verfassungsvertrages vereinbar wäre (M 4 – M 8).*

**2.** *Führt anschließend eine Pro- und Kontra-Diskussion zu diesem Thema durch.*

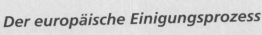

## Der europäische Einigungsprozess

Der französische Außenminister Robert Schuman schlug 1950 vor, die französische und deutsche Kohle- und Stahlproduktion – damals die Hauptgrundlage der Rüstungsindustrie – unter die Leitung einer gemeinsamen Behörde („Hohe Behörde") zu stellen. 1951 gründeten Frankreich und Deutschland zusammen mit Italien, Belgien, Luxemburg und den Niederlanden die Europäische Gemeinschaft für Kohle und Stahl (EGKS) oder „Montanunion". Die EGKS war so erfolgreich, dass die Gründungsmitglieder beschlossen, die Integration auf weitere Bereiche der Wirtschaft auszudehnen. 1957 gründeten sie in Rom die Europäische Atomgemeinschaft (Euratom) und die Europäische Wirtschaftsgemeinschaft (EWG) mit dem Ziel der Beseitigung von Handelshemmnissen und der Schaffung eines gemeinsamen Marktes.

Charakteristisch für den Einigungsprozess ist seit Beginn ein Wechselspiel von Vertiefung, d.h. dass immer mehr Politikbereiche in die Zuständigkeit der Europäischen Union übertragen wurden (z.B. Umweltpolitik, Währungspolitik …) und Erweiterung, d.h. dass immer mehr Staaten in die EU aufgenommen wurden. Dazwischen gab es aber auch immer Phasen der Stagnation, in denen sich Europa nicht weiterentwickelte.

Die Ziele der europäischen Einigung reichten von Anfang an über die Mehrung des wirtschaftlichen Wohlstands hinaus. Die Vereinbarungen über die Montanunion, die EWG und Euratom sowie der Maastrichter Vertrag von 1992 zur Gründung der Europäischen Union enthalten allgemeine Bezüge zu den grundlegenden gemeinsamen Werten der Mitgliedstaaten.

In Amsterdam wurden 1997 erstmals die gemeinsamen Werte in Artikel 6 des Vertrages zur Gründung der Europäischen Union zusammengefasst: „Die Union beruht auf den Grundsätzen der Freiheit, der Demokratie, der Achtung der Menschenrechte und Grundfreiheiten sowie der Rechtsstaatlichkeit; diese Grundsätze sind allen Mitgliedstaaten gemeinsam."

In der „Charta der Grundrechte der EU" wurden erstmals grundlegende Rechte der EU-Bürger ausgearbeitet. Der Europäische Rat von Nizza proklamierte diese Charta im Dezember 2000 in Form einer feierlichen Erklärung. Damit verfügt die EU über eine Zusammenstellung der gemeinsamen Grundwerte, die aber noch nicht rechtsverbindlich ist.

Das Ziel der Einklagbarkeit der Grundrechte vor dem Europäischen Gerichtshof soll aber im Zusammenhang mit der Europäischen Verfassung erreicht werden. Im Verfassungsentwurf sind die Ziele und Werte der Union erstmals systematisch zusammengefasst, außerdem soll die Charta der Grundrechte ein Bestandteil der Verfassung werden.

Seit über 40 Jahren hoffen die Türken auf einen Beitritt zur Europäischen Union. Im Oktober 2005 hat die EU offiziell damit begonnen, Beitrittsverhandlungen mit der Türkei zu führen. Ein Beitritt der Türkei zur EU wird allerdings kontrovers beurteilt. Die Gegner des Beitritts sehen eine Unvereinbarkeit von islamischer und christlicher Kultur, hohe Kosten für die wirtschaftliche Integration und ein sicherheitsstrategisches Problem, wenn ein Land wie der Irak Nachbarland der EU würde. Die Befürworter sehen die Chance des friedlichen Zusammenführens unterschiedlicher Kulturen, die Möglichkeit wirtschaftliche Ungleichgewichte in Europa auszugleichen und die Ausdehnung des Friedensmodells der EU auf Südosteuropa.

# 2. Der Entscheidungsprozess in der Europäischen Union

## Sollen gentechnisch veränderte Nahrungsmittel besser gekennzeichnet werden?

**M 1**

### Gekennzeichnet als Gen-Food?

Alte und neue Kennzeichnungspflicht für gentechnisch veränderte Lebens- und Futtermittel

GVO: gentechnisch veränderter Organismus

| | Beispiel | alt | neu |
|---|---|---|---|
| GVO-Lebensmittel | Mais, Sojasprossen, Tomaten | ja | ja |
| aus GVO hergestellte Lebensmittel | Maismehl | ja | ja |
| | raffinierte Mais-, Soja-, Rapsöl | nein | ja |
| | Glukosesirup aus Maisstärke | nein | ja |
| Lebensmittel von Tieren, die mit GVO-Futtermitteln gefüttert wurden | Fleisch, Eier, Milch | nein | nein |
| Lebensmittelzusatzstoffe/ Aromen aus GVO | Lezithin aus GVO-Sojabohnen in Schokolade | nein | ja |
| mit GVO-Enzymen* hergestellte Lebensmittel | Käse (Chymosin) | nein | nein |
| GVO-Futtermittel | Mais | nein | ja |
| aus GVO hergestellte Futtermittel | Maiskleber, Sojamehl | nein | ja |
| Futtermittelzusatzstoffe aus GVO | Vitamin B2 (Riboflavin) | nein | ja |
| GVO-Pflanze | Chicoree | ja | ja |

*Enzyme verbleiben nicht im Lebensmittel   Quelle: EU-Kommission, BMU, BMVEL   © Globus 8599

*Erste Rechtsvorschriften der EU über GVO bestehen seit Anfang der 90er Jahre. In den letzten Jahren erließ die EU spezifische Vorschriften zum Schutz der Umwelt und der Gesundheit der Bürger, die gleichzeitig auch einen einheitlichen Markt für Biotechnologie schaffen sollen (z.B. die Novel-Food-Verordnung über neuartige Lebensmittel und neuartige Lebensmittelzutaten von 1997). Damit erkennt die EU das Recht des Verbrauchers auf Information über gentechnisch veränderte Inhaltsstoffe vor der Kaufentscheidung an.*
*Im Juli 2001 schlug die Kommission eine Verordnung zur Rückverfolgbarkeit und Kennzeichnung von GVO vor. So will die Kommission ein hohes Maß an Umweltschutz, Sicherheit und die Wahlmöglichkeit für Verbraucher sicherstellen.*

*Autorentext*

---

### Gentechnisch veränderter Organismus

Der Begriff "gentechnisch veränderter Organismus" ist in verschiedenen europäischen und nationalen Gesetzen definiert. Jeder Umgang mit GVOs – sei es in geschlossenen Systemen oder im Freiland – setzt eine Genehmigung oder zumindest eine Anmeldung bei einer öffentlichen Behörde voraus.

Gesetzlich definiert sind die Begriffe "gentechnisch verändert" und "Organismus".

Gentechnisch verändert ist ein Organismus, dessen genetisches Material in einer Weise verändert worden ist, wie sie unter natürlichen Bedingungen durch Kreuzen oder natürliche Rekombination nicht vorkommt. Werden jedoch Gene insbesondere durch DNA-Rekombinationstechniken übertragen, ist der dadurch erzeugte Organismus "gentechnisch verändert".

*www.transgen.de*

*Infobox*

---

## Stellungnahmen von Befürwortern und Gegnern

**M 2**

„Ich finde, dass die Verbraucher ein Recht darauf haben genau zu wissen, was sie essen. Man weiß ja nicht, wie sich die GVO auf den Menschen auswirken."

„Mir ist das egal. Für die Lebensmittelindustrie ist das doch nur ein riesengroßer Aufwand. Am Ende werden die Lebensmittel nur teurer und nicht billiger."

„Durch die Kennzeichnung wird dem Verbraucher unnötig Angst gemacht. Auf der ganzen Welt wird doch schon Gen-Food gegessen. Die Europäer hinken mal wieder hinterher."

„Nur durch die Kennzeichnung hat man als Verbraucher auch die Möglichkeit Gen-Food abzulehnen, wenn man es nicht möchte."

*Autorentext*

## Aufgabe zu M 1 – M 2

**1.** Führt unter Berücksichtigung der Materialien aus M 1 und M 2 eine Debatte zum Thema: „Sollten gentechnisch veränderte Lebensmittel besser gekennzeichnet werden?"

**M 3** ## Was die EU regeln darf

**Die Europäische Union**
nach dem Vertrag über die Europäische Union EUV

**Erste Säule:**
Europäische
Gemeinschaft

**Zweite Säule:**
Gemeinsame Außen-
und Sicherheitspolitik

**Dritte Säule:**
Zusammenarbeit Innen-
und Justizpolitik

- Zollunion und Binnenmarkt
- Agrarpolitik
- Strukturpolitik
- Handelspolitik

**Neue oder geänderte Regelungen für:**
- Wirtschafts- und Währungsunion
- Unionsbürgerschaft
- Bildung und Kultur
- Transeuropäische Netze
- Verbraucherschutz
- Gesundheitswesen
- Forschung und Umwelt
- Sozialpolitik

**Außenpolitik:**
- Kooperation, gemeinsame Standpunkte und Aktionen
- Friedenserhaltung
- Menschenrechte
- Demokratie
- Hilfe für Drittstaaten

**Sicherheitspolitik:**
- Gestützt auf die WEU: die Sicherheit der Union betreffende Fragen
- Abrüstung
- Wirtschaftliche Aspekte der Rüstung
- Langfristig: Europäische Sicherheitsordnung

- Asylpolitik
- Außengrenzen
- Einwanderungspolitik
- Kampf gegen Drogenabhängigkeit
- Bekämpfung des organisierten Verbrechens
- Justizielle Zusammenarbeit in Zivil- und Strafsachen
- Polizeiliche Zusammenarbeit

**Entscheidungsverfahren:**
einzeln geregelt im EG-Vertrag

**Entscheidungsverfahren:**
Regierungszusammenarbeit

**Entscheidungsverfahren:**
Regierungszusammenarbeit

---

## *Infobox*

### Arten von gemeinschaftlichen Rechtsakten der EU
(bis zum Inkrafttreten der Verfassung)

- **Verordnungen** sind ab dem Zeitpunkt ihrer Verabschiedung auf Gemeinschaftsebene für jedermann verbindlich; sie gelten unmittelbar in jedem Mitgliedsstaat und müssen nicht erst in nationales Recht umgesetzt werden.

- **Richtlinien** legen Ziele fest, wobei es Aufgabe der Mitgliedsstaaten ist, diese auf nationaler Ebene anzuwenden; sie geben den Mitgliedsstaaten Ergebnisse verbindlich vor, stellen ihnen jedoch frei, wie sie diese erreichen.

- **Entscheidungen** beziehen sich auf ganz bestimmte Themen; sie sind in allen ihren Teilen für diejenigen verbindlich, an die sie gerichtet sind. Eine Entscheidung kann an alle Mitgliedsstaaten, einen Mitgliedsstaat, ein Unternehmen oder eine Einzelperson gerichtet sein.

- **Empfehlungen** und **Stellungnahmen** sind nicht rechtsverbindlich; sie geben lediglich den Standpunkt der Organe zu einer bestimmten Frage wieder.

*Wie funktioniert die Europäische Union? hg. vom Amt für amtliche Veröffentlichungen der Europäischen Gemeinschaften, Luxemburg, S. 18*

# Der lange Weg zu einer EU-Verordnung

## a) EU-Kommission schlägt neue Verordnung für gentechnisch veränderte Futter- und Lebensmittel vor

*Das Berlaymont, Sitz der EU-Kommission in Brüssel*

(26.7.2001) Die EU-Kommission hat die neue von Verbraucherkommissar David Byrne ausgearbeitete Verordnung für gentechnisch veränderte Lebens- und Futtermittel gebilligt. Nun beginnen
5 die Beratungen im Ministerrat und im Europaparlament. Findet das neue Gesetz auch dort eine Mehrheit, werden vor allem die Kennzeichnungsbestimmungen drastisch ausgeweitet. Erwartungsgemäß hat die EU-Kommission den
10 bisher nur informell diskutierten Verordnungsentwurf mehrheitlich angenommen. Damit ist eine grundsätzliche Neuorientierung bei der Zulassung gentechnisch veränderter Lebensmittel eingeleitet. Die wichtigsten Eckpunkte der neuen
15 Verordnung sind:

- Lebensmittel, Zutaten und Zusatzstoffe aus gentechnisch veränderten Organismen (GVOs) werden aus der älteren Novel Food-Verordnung herausgenommen und in einem eigenen EU-Gesetz geregelt. 20
- Futtermittel aus GVOs werden im Hinblick auf Zulassung, Sicherheitsbewertung und Kennzeichnung den Lebensmitteln gleich gestellt.
- Die Kennzeichnung stützt sich nicht mehr allein auf den GVO-Nachweis im Endprodukt, 25 sondern auf ein warenbegleitendes Dokumentationssystem. Dazu beschloss die Kommission neue Vorschriften zur „Rückverfolgbarkeit".

Schon jetzt zeichnen sich einige Streitpunkte ab. Die von der Kommission verabschiedete Verord- 30 nung sieht einen Schwellenwert von 1% vor, bis zu dem in einem konventionellen Lebensmittelzutat zufällige, unbeabsichtigte „GVO-Verunreinigungen" toleriert werden, ohne dass sie den gentechnikspezifischen Zulassungs- und Kenn- 35 zeichnungspflichten unterliegen. Bundeslandwirtschaftministerin Künast hat bereits angekündigt, die 1%-Schwelle nicht zu akzeptieren. Sie will 0% durchsetzen. Für EU-Verbraucherkommissar Byrne sind hingegen GVO-Spuren eine „Realität, 40 der wir uns nicht entziehen können."

## b) EU-Parlament will schärfere Kennzeichnungsbestimmungen

*Le bâtiment Louise Weiss, Sitz des Europäischen Parlaments in Straßburg. Im Vordergrund das Palais de l' Europe, Tagungsort des Europarates*

(4.7.2002) Das EU-Parlament hat sich mehrheitlich für einen Kennzeichnungs-Schwellenwert von 0,5% ausgesprochen. Damit ging das Parlament über die Vorschläge der EU-Kommission hinaus. Weiterhin bleibt die Verwendung von 5 GVO-haltigen Futtermitteln auf dem Lebensmittel deklarationsfrei.

Bei den Beratungen folgte das EU-Parlament weitgehend dem Bericht des federführenden Umweltausschusses. Vor allem bei der Kenn- 10 zeichnung sprach sich das Parlament für strengere Regelungen aus als im Vorschlag der EU-Kommission.

Der Schwellenwert, bis zu dem unbeabsichtigte Beimischungen von GVOs in Lebensmittel nicht 15 zu kennzeichnen sind, wird auf 0,5% festgelegt.

Die EU-Kommission hatte 1,0% vorgeschlagen. In den Grundlinien folgte das Parlament dem Entwurf der Kommission.

20 Noch sind jedoch die neuen Kennzeichnungs-

vorschriften nicht rechtskräftig und der weitere Beratungsweg ist lang. Nun ist erst einmal der EU-Ministerrat am Zug.

### c) EU-Agarminister einigen sich – Kompromiss bei Schwellenwertverhandlung

*Das Justus-Lipsius Gebäude in Brüssel, Tagungsgebäude des Ministerrates*

(29.11.2002) Nach stundenlangen Verhandlungen haben sich die EU-Agrarminister in der Frage des Schwellenwerts für zufällige GVO-Beimischungen auf einen Kompromiss verständigt. Bis
5 zu einem Anteil von 0,9% sollen GVO-Anteile in Lebensmitteln ohne Kennzeichnung bleiben.

Weil sich die EU-Agrarminister nicht über die Höhe des Schwellenwerts einigen konnten, drohte

erneut ein Scheitern der geplanten Verordnung über gentechnisch hergestellte Lebens- und Futtermittel.

Doch nun kam die Einigung: Der Schwellenwert von 0,9 Prozent fand die erforderliche Mehrheit der Agrarminister – gegen die Stimmen Großbritanniens, das auf 1,0% beharrte, sowie Österreichs und Luxemburgs, die einen deutlich niedrigeren Wert wollten. Alle anderen Länder stimmten der 0,9 % Schwelle zu.

Auch EU-Verbraucherkommissar Byrne schloss sich der Mehrheit der Mitgliedstaaten an. Er hatte sich vehement für 1,0% ausgesprochen, da zu niedrige Schwellenwerte zu einer Kennzeichnung „fast aller" Lebensmittel führen würden. Gegen die Auffassung der Kommission hätte der Beschluss des Ministerrats einstimmig ausfallen müssen.

Damit hat die neue Verordnung eine weitere Hürde genommen. Doch bis sie in Kraft treten kann, ist es noch ein weiter Weg. ... In der ersten Lesung hatte das Parlament für einen Schwellenwert von 0,5 % votiert.

### d) Nach der Zustimmung des Europa-Parlaments – Kennzeichnungspflicht kommt

(3.7.2003) Bis zuletzt war es spannend, ob sich das Europäische Parlament dem Gemeinsamen Standpunkt von Kommission und Ministerrat anschließen würde. Vor allem bei der Frage des
5 Schwellenwertes gingen die Auffassungen auseinander. Zuletzt hatte der Umweltausschuss des Parlaments eine Höhe von 0,5 Prozent empfohlen, bis zu dem zufällige GVO-Beimischungen zu tolerieren seien.
10 Am Ende folgte die Mehrheit des Parlaments der Linie der Agrarminister, die sich im Herbst auf 0,9% geeinigt hatten. Offenbar wollte auch das

Parlament ein langwieriges Vermittlungsverfahren vermeiden. Am 7. November 2003 trat in allen EU-Ländern die neue Verordnung in Kraft, mit der Zulassung und Kennzeichnung von gentechnisch veränderten Lebens- und Futtermitteln einheitlich und in gesetzlich verbindlicher Form geregelt werden. Seit 18. April 2004 müssen die neuen Bestimmungen in allen EU-Ländern angewandt werden.

*Alle Texte nach: www.transgen.de (23.4.2004)*

## Aufgaben zu M 4

**1.** Fasse in eigenen Worten zusammen, welche Ziele mit der neuen Regelung verfolgt werden sollen.

**2.** Erstelle eine Übersichtsskizze aus der hervorgeht, wer welche Positionen vertrat und wie der Gesetzgebungsprozess verlief.

# Das Regierungssystem der EU[1] im Überblick

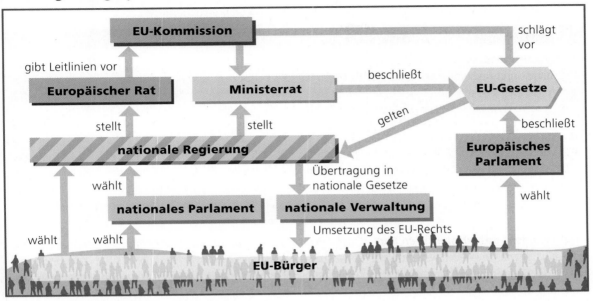

[1] nach dem Vertrag von Nizza

# Europäische Gesetzgebung: das Mitentscheidungsverfahren

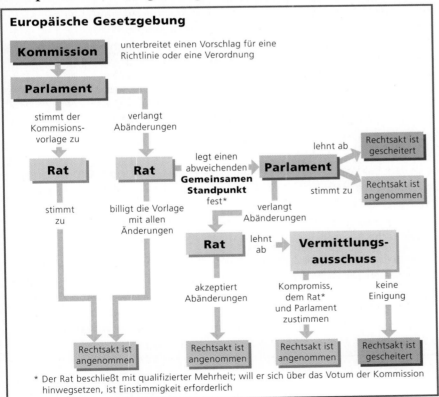

*Erich Schmidt Verlag,*
*Zahlenbilder 715420*

**M 7**

# Vorgestellt: die wichtigsten Organe der EU

*Der Kursivdruck bezieht sich auf die in der EU-Verfassung festgelegten Veränderungen.*

## Europäischer Rat

**Bestellung und Zusammensetzung:**

Die Staats- und Regierungschefs der Mitgliedsstaaten bilden mit dem Kommissionspräsidenten den Europäischen Rat. *Der Außenminister nimmt an den Beratungen ebenfalls teil. Der Europäische Rat wird von seinem Präsidenten vierteljährlich statt bislang halbjährlich einberufen.*

**Aufgaben:**

- Er gibt der Union die für ihre Entwicklung erforderlichen Impulse und legt ihre allgemeinen politischen Zielvorstellungen und Prioritäten fest („institutioneller Architekt").

- Er legt die strategischen Interessen und Ziele der Außenpolitik fest; schlägt dem Parlament den Kommissionspräsidenten vor *und ernennt den Außenminister mit Zustimmung des Kommissionspräsidenten.*

*Der Präsident des Europäischen Rats wird vom Europäischen Rat auf 2 1/2 Jahre mit qualifizierter Mehrheit gewählt (einmalige Wiederwahl möglich), er darf kein einzelstaatliches Amt innehaben; er führt den Vorsitz und leitet die Beratungen; er nimmt zusammen mit den Außenministern die Außenvertretung in der Außen- und Sicherheitspolitik wahr.*

## Europäische Kommission

**Zusammensetzung:** Jedes Land entsendet einen Kommissar auf 5 Jahre (bis 2014).

**Bestellung:** Die Regierungen der Mitgliedsstaaten bestimmen gemeinsam den neuen Präsidenten der Kommission. Der designierte Präsident der Kommission wählt dann in Gesprächen mit den Regierungen der Mitgliedstaaten die anderen 24 Mitglieder der Kommission aus. Das Parlament befragt daraufhin alle 25 Mitglieder und gibt seine Stellungnahme zum gesamten Kollegium ab. Im Falle der Zustimmung kann die neue Kommission am 1. Januar des folgenden Jahres ihr Amt aufnehmen.

*Der Kommissionspräsident wird vom Europäischen Rat dem Parlament zur Wahl vorgeschlagen, auf Vorschlag der Mitgliedsstaaten schlägt der Kommissionspräsident dem Parlament die Kommissare vor, die Kommission bedarf der Zustimmung durch das Parlament.*

**Aufgaben:**

- Sie macht dem Parlament und dem Rat Vorschläge für neue Rechtsvorschriften („Motor der EU"). Sie setzt die EU-Politik um und verwaltet den Haushalt.
- Sie überwacht (gemeinsam mit dem Gerichtshof) die Einhaltung des europäischen Rechts.

- Sie vertritt die Europäische Union in Wirtschaftsfragen auf internationaler Ebene, zum Beispiel durch Aushandeln von Übereinkommen zwischen der EU und anderen Ländern.

*Der **Außenminister** wird vom Europäischen Rat – mit Zustimmung des Präsidenten der Kommission – mit qualifizierter Mehrheit ernannt und entlassen. Der Außenminister untersteht gleichzeitig der Kommission und dem Rat. Der Außenminister ist auch einer der Vizepräsidenten der Kommission. Zuständig ist er für die Ausgestaltung und Leitung der Gemeinsamen europäischen Außen- und Sicherheitspolitik (GASP) und der Sicherheits- und Verteidigungspolitik (ESVP) unter dem Mandat des Rates. Darüber hinaus ist er für die Wahrnehmung der Außenbeziehungen der Union in Fragen der Außen- und Sicherheitspolitik zuständig.*

## Europäisches Parlament

**Bestellung:** Seit 1979 Direktwahl auf fünf Jahre in den Mitgliedsstaaten.

**Zusammensetzung:** 732 Abgeordnete. Zahl der Abgeordneten einzelner Staaten richtet sich nach der Bevölkerungszahl (BRD = 99 Abg., Malta = 5 Abg.).
*Ab 2009 Begrenzung auf 750 Abgeordnete (dann min. 6, max. 96 Sitze je Land).*

### Aufgaben:

- Es teilt sich die gesetzgebende Gewalt mit dem Rat.
- Es übt die demokratische Kontrolle über alle Organe der EU und insbesondere über die Kommission aus.
- Es stimmt der Benennung der Kommissionsmitglieder zu oder lehnt sie ab und kann einen Misstrauensantrag gegen die gesamte Kommission einbringen.

- Es teilt sich die Haushaltsbefugnis mit dem Rat und kann daher Einfluss auf die Ausgaben der EU ausüben.
- In letzter Instanz nimmt es den Gesamthaushalt an oder lehnt ihn ab.
- Stärkere Beteiligung an der Gesetzgebung, Wahl des Kommissionspräsidenten.

## Ministerrat („Rat")

**Bestellung und Zusammensetzung:** Nationale Regierungen entsenden zuständigen Ressortminister (z.B. Innenminister, Finanzminister, ...).

### Aufgaben:

- Er verabschiedet die Gesetze (in vielen Bereichen gemeinsam mit dem Parlament) auf Vorschlag der Kommission.
- Er schließt internationale Übereinkünfte für die EU ab.
- Gemeinsam mit dem Parlament genehmigt er den Haushaltsplan.
- Auf der Grundlage der vom Europäischen Rat festgelegten allgemeinen Leitlinien entwickelt er die Gemeinsame Außen- und Sicherheitspolitik.
- Er koordiniert die Zusammenarbeit der nationalen Gerichte und Polizeikräfte in Strafsachen.

- Der Vorsitz im Rat wechselt alle sechs Monate. Über die Beschlüsse im Rat wird abgestimmt. Je größer die Bevölkerung eines Landes ist, desto mehr Stimmen hat es: Deutschland, Frankreich, Italien, Großbritannien 29, Spanien u. Polen 27, Niederlande, Belgien, Tschechien, Griechenland, Ungarn und Portugal 12, Österreich u. Schweden 10, Dänemark, Irland, Litauen, Slowakei u. Finnland 7, Zypern, Estland, Lettland, Luxemburg u. Slowenien 4, Malta 3, zus. 321.
- *ab 2009 neues System zur Annahme von Rechtsakten mit qualifizierter Mehrheit:* **doppelte Mehrheit** *(der Mitgliedstaaten und der Bevölkerung)*

## Europäischer Gerichtshof (EuGH)

**Bestellung und Zusammensetzung:** Er verfügt über einen Richter je Mitgliedstaat; dem Gerichtshof stehen acht „Generalanwälte" zur Seite.

**Aufgaben:** Der Gerichtshof ist das oberste europäische Gericht. Die häufigsten Klagearten sind:

- Ersuchen um Vorabentscheidung: Wenn ein nationales Gericht Zweifel über die Auslegung oder Gültigkeit einer Rechtsvorschrift der EU hat, so kann es – und muss es in manchen Fällen – den Gerichtshof zu Rate ziehen. Dieser Rat wird in Form einer „Vorabentscheidung" erteilt.

- Vertragsverletzungsklagen: Diese Klage kann von der Kommission (oder einem anderen Mitgliedstaat) erhoben werden, wenn sie Grund zu der Annahme hat, dass ein Mitgliedstaat seinen Verpflichtungen gemäß dem EU-Recht nicht nachkommt.
- Darüber hinaus können die einzelnen Organe oder Mitgliedstaaten überprüfen lassen, ob ein bestimmter Rechtsakt rechtmäßig ist (Nichtigkeitsklage) oder ob die EU zu unrecht in einer bestimmten Sache nicht tätig geworden ist (Untätigkeitsklage).

**M 8**

## Europäische Verfassung – europäische Sinnkrise?

Die letzte Illusion ist verflogen. Europa steckt in einer der gefährlichsten Krisen der Geschichte seiner Einigung. ... Unter innenpolitischem Druck fallen selbst die Regierungen von EU-
5 Gründerstaaten in nationalen Egoismus und engstirnige Kleinstaaterei zurück. ...

Längst aber geht es nicht mehr alleine um die schwierige Ratifizierung der Europäischen Verfassung oder die mittelfristige Finanzierung der
10 EU, auf die sich die 25 in Brüssel nicht einigen konnten. Beide Probleme sind weniger dramatisch, als es jetzt den Anschein hat. Die Ratifizierung der EU-Verfassung wird, so haben es die Regierungschefs vereinbart, vorerst auf Eis
15 gelegt. Auf diese Weise können sich die unsinnig angeheizten innenpolitischen Leidenschaften abkühlen. Und mit der Festlegung des Finanzrahmens 2007 bis 2013 hat die EU ohnehin noch ein Jahr Zeit. Die Erfahrung lehrt, dass so schwierige
20 Entscheidungen immer erst unter massivem Zeitdruck in letzter Minute getroffen werden können. Dramatischer und viel beunruhigender ist, was in den nächtlichen Auseinandersetzungen des Gipfeltreffens zu Tage trat: eine Identitätskrise
25 und ein tief liegender Zielkonflikt der Europäer, der die Europäische Union in den Fundamenten erschüttert und zu zerreißen droht.

Die Mehrzahl der Briten will offenbar nicht mehr als den großen und freien EU-Binnenmarkt und
30 die pragmatische Zusammenarbeit der Regierungen. Deutschland, Frankreich und die Europäer in den meisten anderen EU-Mitgliedstaaten wollen mehr. Ihr Ziel ist die immer engere politische Union Europas, wie das auch in der EU-Verfas-
35 sung steht. Bundeskanzler Gerhard Schröder (1998-2005) hat völlig Recht, wenn er seinen britischen Kollegen Tony Blair davor warnt, „die politische Substanz Europas" zu beschädigen. Der Kanzler benennt den Kern des Problems: „Dieses Europa ist nur als politische Union über-
40 lebensfähig." ...

Im vergangenen halben Jahrhundert war die europäische Einigung eine beispiellose Erfolgsgeschichte, weil sie im Westen des Kontinents eine Garantie für Frieden und Demokratie war.
45 Für die neue Generation der Europäer ist das so selbstverständlich geworden wie die Freizügigkeit zwischen den Seen Schwedens, den griechischen Inseln und den Stränden Portugals. Heute erwarten Europas Bürger von ihren Politi-
50 kern aber Antworten auf die drängenden neuen Fragen, die viele Menschen zutiefst verunsichern und verängstigen: Wie können wir in einer zunehmend globalisierten Wirtschaft unseren Wohlstand und unsere soziale Sicherheit bewah-
55 ren? Wie können wir das Wirtschaftswachstum wieder ankurbeln und die Arbeitslosigkeit bekämpfen? Wie schützen wir uns vor Terrorismus und Kriminalität?

Bisher ist es Europas Politikern nicht gelungen,
60 den Bürgern klar zu machen, dass die Einigung des Kontinents die beste Antwort Europas auf diese Fragen sein kann. Nur wenn sich die Europäer enger zusammenschließen, können sie die Globalisierung gestalten. Dazu gehört aber
65 auch, dass das alte Europa seine Identität wahrt. Eine blindwütige Erweiterung, ein Europa ohne Grenzen und ohne „Wir-Gefühl", führt weiter zur Entfremdung.

*Thomas Gack, Stuttgarter Zeitung, 20.6.2005*

## Aufgaben zu M 5 – M 8

**1.** Überprüft mit Hilfe des Schaubilds M 6, welcher der möglichen Wege des Mitentscheidungsverfahrens die GVO-Verordnung genommen hat.

**2.** Erstellt in Gruppen Porträts der vorgestellten Institutionen. Vergleicht die politischen Organe der Bundesrepublik mit denen der EU (M 4 – M 8).

**3.** Beschreibe, worin der Verfasser (M 8) die europäische Sinnkrise sieht.

## Der Entscheidungsprozess in der Europäischen Union

Im Laufe der europäischen Integration haben die einzelnen Mitgliedsstaaten in unterschiedlichen Verträgen (z.B. Römische Verträge, Maastrichter Vertrag) vereinbart, der Europäischen Union die Zuständigkeit für immer mehr Politikbereiche zu übertragen. Man unterscheidet deshalb bis zum Inkrafttreten der neuen Verfassung drei Haupt-Politikbereiche (Säulen), die unter dem Dach der Europäischen Union vereint sind:

- der Bereich der gemeinsamen Außen- und Sicherheitspolitik (GASP)
- der Bereich der polizeilichen und justiziellen Zusammenarbeit
- der Bereich der Europäischen Gemeinschaften (EG), in dem ganz unterschiedliche Politikfelder zusammengefasst sind (z.B. Zollunion und Binnenmarkt, Verbraucherschutz, Umweltpolitik).

In den ersten beiden Bereichen gilt das Prinzip der Regierungszusammenarbeit, d.h. die Mitgliedsstaaten einigen sich auf gemeinsame Regelungen.

Im Bereich der EG ist das Gesetzgebungsverfahren besonders kompliziert, da für jeden Politikbereich einzeln angegeben ist, welches Gesetzgebungsverfahren zur Anwendung kommt.

Im Rahmen des Gemeinschaftsrechts werden die „Gesetze" von den Institutionen der EU erlassen. Dabei ist das Mitentscheidungsverfahren das am häufigsten angewendete Verfahren. Die wichtigsten an diesem Verfahren beteiligten Institutionen sind die Europäische Kommission, der Ministerrat und das Europäische Parlament.

Die Europäische Kommission hat allein das Recht zur Gesetzesinitiative. Sie wird deswegen auch als „Motor" der europäischen Einigung bezeichnet. Außerdem setzt die Kommission als Verwaltung das Gemeinschaftsrecht um und überwacht die Einhaltung des europäischen Rechts durch die Mitgliedsstaaten.

Der Rat der Europäischen Union setzt sich aus den Fachministern der Mitgliedsstaaten zusammen, die die jeweiligen nationalen Interessen durchzusetzen versuchen, dabei aber einen Kompromiss mit der Europäischen Kommission finden müssen. Der Ministerrat wird auch als Hauptgesetzgeber bezeichnet, weil ohne eine Einigung im Ministerrat keine Gesetze verabschiedet werden können und er in vielen Bereichen alleine entscheiden kann.

Das Europäische Parlament gilt als Sprachrohr der Bürger der EU, da die Abgeordneten von den EU-Bürgern direkt gewählt werden. Beim Mitentscheidungsverfahren entscheidet das Europäische Parlament gleichberechtigt mit dem Ministerrat über die Gesetze. Zwei wichtige Aufgaben kommen dem Parlament außerdem zu: Es entscheidet über den Haushalt der EU und kontrolliert die Arbeit von Kommission und Rat.

Die Staats- und Regierungschefs der Mitgliedsländer bilden den Europäischen Rat. Er ist nicht am Gesetzgebungsverfahren beteiligt, sondern legt zusammen mit dem Kommissionspräsidenten die Leitlinien und allgemeinen Ziele der Union fest.

Wichtige Organe sind außerdem der Europäische Gerichtshof, der darüber entscheidet, ob die Handlungen der EU-Organe und der Mitgliedsstaaten mit den EU-Verträgen übereinstimmen und die Europäische Zentralbank, die über die gemeinsame Geldpolitik bestimmt.

**Zuständigkeiten der EU**
M 3

**Arten der Zusammenarbeit**

**Das Gesetzgebungsverfahren**
M 4 – M 6

**Die EU-Institutionen**
M 5, M 7

Was wir jetzt wissen:

# 3. Der europäische Binnenmarkt

**M 1**

## Europa vor dem Binnenmarkt

Noch in den 80er Jahren galt Irland als wirtschaftlich rückständiges, vorwiegend agrarisch geprägtes europäisches Land. Mit der Vollendung des europäischen Binnenmarkts hat Irland einen rasanten wirtschaftlichen Aufschwung erlebt. Das BIP pro Kopf ist heute höher als in Deutschland.

### Mehrwertsteuer für eine Liebesnacht?

Eine Lektion zum Thema „Alltag in Europa" erteilten die Zollbehörden einem Lehrerehepaar, das sich ausgerechnet auf einer deutsch-französischen Freundschaftsveranstaltung kennen gelernt hatte. Weil der Lehrer aus Kehl regelmäßig in der Straßburger Wohnung seiner französischen Freundin übernachtet hatte, sollte er 47% Mehrwertsteuer für sein neues Auto bezahlen. Nachdem der deutsche Fiskus die üblichen 14 % kassiert hatte, griff der französische Zoll in Straßburg zu und verlangte noch mal 33 %, nach längerer Observierung des Mercedes, den der deutsche Halter nichts ahnend vor der Wohnung seiner französischen Freundin geparkt hatte.

### Vorschriftenflut – Die Norm bremst enorm

Reichhaltiges Anschauungsmaterial für die Zersplitterung in nationale Teilmärkte bietet der Lebensmittelsektor. So dürfen zum Beispiel die bei Fruchtjoghurt verarbeiteten Kirschen in der Bundesrepublik Deutschland mit der Farbe von Roter Beete gefärbt werden, nicht aber der Joghurt selbst. In Belgien ist es genau umgekehrt. Dort dürfen die Kirschen nicht gefärbt werden, wohl aber der Joghurt. So ist es schon soweit gekommen, dass viele der Hersteller der EG ihre Produkte in zwölf Varianten auf den Markt bringen, um deren Verkaufsfähigkeit in der ganzen EG zu garantieren.

### Grenzkontrollen bremsen den Güterverkehr

Ein LKW erreichte im europäischen Güterverkehr eine Durchschnittsgeschwindigkeit von lediglich 20 km/h. Schuld daran war ein aufwändiger Papierkrieg. So konnten beispielsweise beim Transit von Deutschland über Österreich nach Italien für den Fahrer 6, für die Ware 12 und für das Fahrzeug 27 Papiere kontrolliert werden. In den USA dagegen ist ein Trucker, der keine Grenzen zu passieren hat durchschnittlich 60 km/h schnell – eine enorme Kostenersparnis!

*Bundeszentrale für politische Bildung, Thema im Unterricht, Europa für Einsteiger, Lehrerheft, Bonn 1998, S. 13 f.*

**M 2**

## Die vier Freiheiten im Binnenmarkt

**Freier Personenverkehr**

- Wegfall von Grenzkontrollen
- Harmonisierung der Einreise-, Asyl-, Waffen- und Drogengesetze
- Niederlassungs- und Beschäftigungsfreiheit für EG-Bürger
- Verstärkte Außenkontrolle

**Freier Warenverkehr**

- Wegfall von Grenzkontrollen
- Harmonisierung oder gegenseitige Anerkennung von Normen und Vorschriften
- Geplante Harmonisierung der indirekten Steuern

**Freier Dienstleistungsverkehr**

- Liberalisierung der Finanzdienste
- Harmonisierung der Banken und Versicherungsaufsicht
- Öffnung der Transport- und Telekommunikationsmärkte

**Freier Kapitalverkehr**

- Größere Freizügigkeit für Geld- und Kapitalbewegungen
- Schritte zu einem gemeinsamen Markt für Finanzleistungen
- Liberalisierung des Wertpapierverkehrs

*Binnenmarkt: „Raum ohne Binnengrenzen, in dem der freie Verkehr von Waren, Personen, Dienstleistungen und Kapital gemäß den Bestimmungen dieses Vertrages gewährleistet ist."*

*Art. 14 Abs. 2 des Vertrags zur Europäischen Gemeinschaft*

# Die Entstehung des Europäischen Binnenmarkts

Eingeleitet wurde das ehrgeizige Projekt, das zum 31. Dezember 1992 startete, bereits sieben Jahre zuvor. Die Europäische Kommission hatte 1985 ein Weißbuch vorgelegt, in dem knapp 300
5 Einzelmaßnahmen aufgelistet waren. Damit sollten die in der damaligen Europäischen Gemeinschaft noch bestehenden physischen, technischen und fiskalischen Schranken beseitigt werden – also die Schlagbäume, abweichende Vorschrif-
10 ten für die Herstellung von Produkten und zu große Unterschiede bei den indirekten Steuern wie etwa Mehrwert- und Mineralölsteuer.

Seit 1987 das Ziel eines Binnenmarktes in den EG-Vertrag aufgenommen wurde, ist eine Menge
15 geschehen. Der vergrößerte Handelsraum hat den Warenaustausch in der EU erleichtert und größere Freiheiten für den Dienstleistungs- und Kapitalverkehr gebracht.

Zudem werden Reisende an den Binnengrenzen
20 nicht mehr kontrolliert. Das gilt allerdings nur für die Mitgliedsländer des Schengener Abkommens, das 1985 von Deutschland, Frankreich und den Benelux-Staaten im luxemburgischen Grenzort Schengen unterzeichnet wurde. Später
25 schlossen sich weitere EU-Länder sowie Island und Norwegen an. Im Jahr 1999 wurde das Abkommen dann in den Amsterdamer EU-Vertrag einbezogen. Großbritannien und Irland kontrollieren jedoch noch immer bei der Einreise aus
30 Staaten der Union.

Auch beim Warenverkehr und den anderen Freiheiten ist der Binnenmarkt noch nicht vollendet. Das zeigen die zahlreichen Verfahren, die die EU-Kommission gegen Mitgliedstaaten einleitet,
35 wenn diese gegen die Binnenmarktvorschriften verstoßen. Drei Beispiele aus der jüngeren Vergangenheit:

In Österreich wird ein alkoholisches Getränk auf Kräuterbasis ohne besondere Auflagen herge-
40 stellt und verkauft. Für die deutschen Behörden ist das Gebräu ein Medikament, das nach dem Arzneimittelgesetz zugelassen werden muss.

Irland unterzieht Bauprodukte aus der EU einem Zulassungsverfahren, das wie eine Importbe-
45 schränkung wirkt.

Österreich, Griechenland, Finnland und Portugal erkennen bestimmte Berufsqualifikationen nicht an.

---

## Das Cassis-de-Dijon Urteil

Ein deutscher Lebensmittelkonzern hatte vor dem EuGH geklagt, weil ihm die Einfuhr eines französischen Likörs aus schwarzen Johannisbeeren (französisch: cassis) unter Hinweis auf deutsche Gesetze verboten worden war; nach deutschem Recht mussten Liköre mindestens 32 % Alkohol haben, der „Cassis" aber hat weniger als 20 %. Der Gerichtshof entschied 1979, das deutsche Einfuhrverbot widerspreche den Verträgen der Gemeinschaft, die den freien Warenverkehr zwischen den Mitgliedstaaten fordern und Einfuhrbeschränkungen verbieten. Der Gerichtshof stellte den Grundsatz auf: Was in einem Mitgliedsland der Gemeinschaft nach dort gültigem Recht verkauft werden darf, das darf auch in allen anderen Mitgliedsländern verkauft werden. Dieses Urteil hat die Türen für den freien Warenverkehr im Binnenmarkt, gegen den sich viele Interessen gebildet hatten, endgültig geöffnet.

---

Diese Fälle machen deutlich, dass ein wichtiges Prinzip, auf das die Väter des Binnenmarktes 50 gesetzt hatten, in der Praxis nicht recht funktioniert: Statt europaweit die Produktvorschriften und Qualifikationen anzugleichen, sollten die Mitgliedstaaten verstärkt ihre unterschiedlichen Standards anerkennen. Den Grundgedanken 55 dieses Äquivalenzprinzips hatte der Europäische Gerichtshof bereits 1979 in seiner berühmt gewordenen „Cassis de Dijon-Entscheidung" formuliert.

... Nach Ansicht der EU-Kommission wird der 60 Binnenmarkt niemals vollendet sein. Vielmehr muss seine Funktionsfähigkeit ständig verbessert werden. Dabei geht es nicht nur darum, die bestehenden Vorschriften korrekt umzusetzen und anzuwenden. Dazu zählt auch die Wei- 65 terentwicklung der Binnenmarktregeln, etwa durch das Vorhaben der Kommission, bis 2005 einen gesamteuropäischen Finanzbinnenmarkt zu schaffen.

*iwd – Informationsdienst des Instituts der deutschen Wirtschaft Köln Nr. 51/52 , 19.12.2002*

## M 4 | Stationen und Formen wirtschaftlicher Integration

| Integrationsform | Inhalt | Beispiel |
|---|---|---|
| **Freihandelszone** | Zollfreiheit im Inneren | EFTA (European Free Trade Association), 4.1.1960 (Heute: Island, Liechtenstein, Norwegen, Schweiz) |
| **Zollunion** | Zollfreiheit im Inneren und gemeinsamer Außenzoll | EWG (1968 vollendet), Vertrag von Rom, 20.3.1957 |
| **Binnenmarkt** | Vier Freiheiten | EU (seit 1993) Einheitliche Europäische Akte, 17.2.1986 |
| **Wirtschafts- und Währungsunion** | Koordinierte Wirtschaftspolitik und gemeinsame Währung | EU (seit 1999/2000) Vertrag von Maastricht, 7.2.1992 |

## M 5 | Die EU – ein wirtschaftliches Erfolgsmodell für alle?

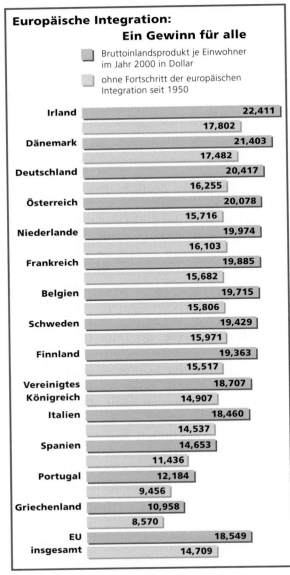

**Europäische Integration: Ein Gewinn für alle**

- Bruttoinlandsprodukt je Einwohner im Jahr 2000 in Dollar
- ohne Fortschritt der europäischen Integration seit 1950

| Land | Mit Integration | Ohne |
|---|---|---|
| Irland | 22,411 | 17,802 |
| Dänemark | 21,403 | 17,482 |
| Deutschland | 20,417 | 16,255 |
| Österreich | 20,078 | 15,716 |
| Niederlande | 19,974 | 16,103 |
| Frankreich | 19,885 | 15,682 |
| Belgien | 19,715 | 15,806 |
| Schweden | 19,429 | 15,971 |
| Finnland | 19,363 | 15,517 |
| Vereinigtes Königreich | 18,707 | 14,907 |
| Italien | 18,460 | 14,537 |
| Spanien | 14,653 | 11,436 |
| Portugal | 12,184 | 9,456 |
| Griechenland | 10,958 | 8,570 |
| EU insgesamt | 18,549 | 14,709 |

Das wirtschaftliche Zusammenwachsen Europas ist ohne historisches Vorbild. Einer Schätzung der EU-Kommission zufolge war das Bruttoinlandsprodukt (BIP) der Union im Jahr 2002 um fast 165 Milliarden Euro – 1,8 Prozent – höher, als es ohne den vollendeten Binnenmarkt gewesen wäre.

Bruttoinlandsprodukt je Einwohner:
zu Preisen und Kaufkraftparitäten von 1990:
europäische Integration:
einschließlich Integrationsfortschritte durch EFTA und GATT

*iwd-Informationsdienst des Instituts der deutschen Wirtschaft Köln Nr. 43, 23.10.2003*

### Aufgaben zu M 1 – M 5

1. Beschreibe Situationen, in denen sich die „Vier Freiheiten des Binnenmarkts" direkt auf dein Handeln auswirken (M 3).

2. Der Binnenmarkt wird auch als wirtschaftliches „Herz" der EU bezeichnet.
   a) Warum ist der Binnenmarkt für die wirtschaftliche Integration so wichtig?
   b) Warum kann der Binnenmarkt nie vollendet sein (M 2 – M 4)?

3. Vom europäischen Binnenmarkt profitieren nicht alle Staaten im gleichen Maß. Welche Gründe könnte es dafür geben (M 5)?

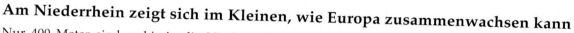

# Am Niederrhein zeigt sich im Kleinen, wie Europa zusammenwachsen kann

Nur 400 Meter sind es bis in die Niederlande. Dort wurde Ria van Meerwijcks geboren. Doch heute steht sie vor ihrem deutschen Einfamilienhaus. „Jetzt fragen Sie mal, warum ich 5 hierher gezogen bin." Sie lässt den Blick über das Niederrheinische schweifen: gelbe Wiesen, Klatschmohn am Ackersaum, sattgrüne Alleen, zwischen denen dunkelrot ein Kirchturm glänzt. Schön. „Es ist wegen des Preises", sagt Ria van 10 Meerwijcks. Holland ist teuer, sagen die Makler, die immer mehr Häuser im deutschen Grenzland an Niederländer verkaufen.

Von Emden bis kurz vor Aachen das gleiche Bild: Weil sich die Immobilienpreise in den Nieder-15 landen in den vergangenen Jahren verdreifachten, suchen immer mehr Holländer ihr Bauland jenseits der Grenze. Sie fliehen vor Quadratmeterpreisen von mehr als 400 Euro in Zentralholland, von 230 bis 370 Euro in der Grenzstadt 20 Nimwegen. Schon hat sich der niederländische Bevölkerungsanteil in den westlichen Kreisen von Niedersachsen und Nordrhein-Westfalen in nur zwei Jahren verdoppelt. „Da ist eine kleine Völkerwanderung im Gange", beobachtet Grenz-25 raumforscher Jan Smit.

Immer stärker vermischen sich im Grenzraum die Nationalitäten. Nur noch die Straßenschilder lassen erkennen, durch welches Land man gerade fährt: gelb für Deutschland, blau für die Nie-30 derlande. Die frühere Grenze ist durchlässig geworden – und dennoch hakt es. Am Niederrhein erweist sich im Kleinen, welche ökonomischen Chancen in einem Europa ohne Grenzen liegen und wie real dieses Europa schon ist. ...

35 Nur zehn Minuten fährt Rias Lebensgefährte Arno Martens morgens bis zum Stau des „Knotpunt Arnhem-Nijmegen". 600000 Menschen leben in dem Ballungsraum, einer der wichtigsten Wirtschaftsregionen in den Niederlanden. Bis 40 2015 sollen hier mindestens 30000, vielleicht sogar 100000 neue Arbeitsplätze entstehen, dazu eine Million Quadratmeter Büro- und 1000 Hektar Gewerbeflächen. ... Verlockende Aussichten für deutsche Grenzstädte wie Kleve und Emme-45 rich: Statt am Rand des Ruhrgebiets vergessen zu werden, könnten sie zum Speckgürtel eines aufstrebenden Wirtschaftsraums werden ...

Die Grenzwanderung wird vom deutschen wie vom niederländischen Staat sogar subventio-50 niert. Wer in Holland arbeitet und Steuern zahlt, darf seine Hypothekenzinsen von der Steuer absetzen, auch wenn das belastete Haus im Ausland steht. Wer in Deutschland baut, erhält (noch) eine Eigenheimzulage. Doppelt gefördert, 55 stechen Niederländer deutsche Konkurrenten beim Kauf fast immer aus. „Wenn es am Sonntag klingelt, steht ein Holländer vor der Tür und sagt: Verkauf dein Haus. Ich biete das Doppelte", spotten die Klever. ...

*Noch ist nicht alles geklärt:* 60
Darf der Notarzt aus Kleve nach Millingen über die Grenze fahren, wenn der niederländische Arzt aus Nijmegen doch zehn Minuten länger braucht? Für die Menschen ist es eine Selbstverständlichkeit, doch noch gibt es keine zwi-65 schenstaatliche Einigung. Immerhin: Im Gebiet der Euregio Gronau-Enschede dürfen Polizisten Straftäter auch über die Grenze verfolgen und im anderen Land festnehmen. Gemeinsame Streifen gibt es auch. ... 70
Bis diese Fragen geklärt sind, richten sich die Grenzgänger so gut es geht darauf ein. Jenseits des Rheins teilen sich beispielsweise der Bocholter Stadtteil Suderwick und die niederländische Gemeinde Dinxperlo die Hauptstraße. Der 75 südliche Bürgersteig ist deutsch, die Straße holländisch. Als die Niederlande vor zwei Jahren wegen der Schweinepest die Grenzen schlossen, fuhren wochenlang keine deutschen Müllfahrzeuge, und auch zu einem deutschen Metzger 80 auf der südlichen Straßenseite kam kein Lieferwagen mehr durch. Seine Ware schaffte der Mann trotzdem in den Laden – über den deutschen Bürgersteig.

*Karsten Polke-Majewski, Grenze! Welche Grenze?, in: Die Zeit 30/2002*

## Aufgaben zu M 6

**1.** Erkläre, welche Chancen der Binnenmarkt insbesondere für Grenzregionen bietet.

**2.** Welche Probleme bestehen noch und wie könnten sie gelöst werden?

## Der europäische Binnenmarkt

*Der europäische Binnenmarkt – vier Freiheiten*
*M 2*

Wirtschaftliches „Herz" der Europäischen Union ist der Binnenmarkt, ein Wirtschaftsraum, in welchem der freie Verkehr von Waren, Personen, Dienstleistungen und Kapital gewährleistet sein sollte. In den seit 2004 nunmehr 25 beteiligten Staaten leben derzeit rund 485 Millionen Verbraucher.

Der europäische gemeinsame Markt war vor 1993 von Grenzkontrollen und zahlreichen nationalstaatlichen Regelungen, wie z. B. unterschiedliche Produktstandards, behindert worden. Die wirtschaftliche Dynamik im Handel der Mitgliedstaaten der EG stagnierte. Mit der Einführung des Europäischen Binnenmarkts 1993 wollte man Wachstum und Beschäftigung stimulieren. Gleichzeitig brachte die Vollendung des europäischen Binnenmarkts den Bürgern der EU zahlreiche Erleichterungen und Freiheiten in ihrem Alltagsleben.

Der ungehinderte Warentransport über unsere Binnengrenzen ist heute ebenso selbstverständlich geworden wie ungehindertes Reisen und Niederlassen für die EU-Bürger innerhalb der Gemeinschaft. Aber der Weg dahin war weit und reicht bis in die Anfänge der Gemeinschaft zurück. Gut 10 Jahre nach der Verwirklichung des Binnenmarktes sind beachtliche Fortschritte zu verzeichnen. Bestes Beispiel ist die Einführung des Euro 2002 als gemeinsames Zahlungsmittel, die das Zusammenwachsen der Märkte zu einem einheitlichen europäischen Binnenmarkt nach außen erkennbar werden lässt.

*Keine Vollendung des Binnenmarkts*
*M 6*

Wir wissen heute, dass es eine Vollendung des Binnenmarktes im Sinne eines endgültigen Abschlusses nicht geben kann. Die Gestaltung des Binnenmarktes zum Nutzen der Wirtschaft und der Verbraucher ist ein kontinuierlicher Prozess, der stets aufs Neue zwischen den zuständigen EU-Organen und den Mitgliedstaaten ausgehandelt wird. So sind z. B. die Vorstellungen darüber, wie weit die EU-Regelungen beim Verbraucherschutz gehen sollen, in den Mitgliedstaaten unterschiedlich.

Bildung und Ausbildung sind wichtige Zukunftsbereiche, in denen weitere Integrationsschritte nötig sind: von der Anerkennung von Bildungsabschlüssen, einheitlichen Standards für Bewerbungen bis zu Kooperationen von Schulen und Universitäten über nationale Grenzen hinweg.

*Sozialunion und Wohlstandsgefälle*

Die Integration im Bereich der Europäischen Sozialpolitik ist im Gegensatz zur wirtschaftlichen Integration nicht weit fortgeschritten. Die Mitgliedsstaaten haben unterschiedliche Modelle sozialer Sicherheit. Diese sind historisch bedingt oder entsprechen dem jeweiligen wirtschaftlichen Entwicklungsstand. Die Aufnahme der Staaten Mittel- und Osteuropas hat die Unterschiede noch weiter vergrößert. Es stellt sich die Grundsatzfrage, ob eine Sozialunion („one size fits all" – Harmonisierungsmodell) sinnvoll ist angesichts unterschiedlicher Traditionen und wirtschaftlich-sozialer Bedingungen in den Mitgliedstaaten.

Wenngleich der Binnenmarkt für alle Wohlstandsgewinne bringt, gibt es auch heute noch ein deutliches Wohlstandsgefälle innerhalb der EU, allerdings auf einem insgesamt relativ hohen Niveau.

# 4. Der Euro – eine neue Dimension wirtschaftlicher Integration

## Der lange Weg zur gemeinsamen Währung

M 1

*Globus-Grafik 7090*

## Die Welt des Euro

M 2

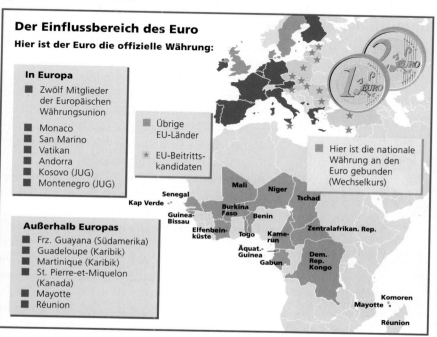

*Globus-Grafik 7491*

**M 3**

## Die Debatte um die Einführung des Euro

**Wie die Befürworter argumentierten:**

- Der Euro fördert die Vertiefung der Europäischen Integration durch die Vergemeinschaftung der Geldpolitik und den daraus erwachsenden weiteren Koordinierungsbedarf in anderen Politikfeldern wie Arbeitsmarkt-, Sozialpolitik etc.
- Der Euro stärkt die Rolle und den Einfluss der Europäer in den internationalen Organisationen (G9-Staaten, IWF, Weltbank, WTO, UNO).
- Der Euro schafft ein Gegengewicht zur weltweiten Dominanz des US-Dollars und der amerikanischen Wirtschaft.
- Der Euro wird zu einem Symbol der europäischen Integration und fördert so eine gemeinsame europäische Identität und ist ein entscheidender Schritt auf dem Weg zur Schaffung einer politischen Union.
- Der Euro fördert den Wettbewerb, der wiederum für den Verbraucher günstigere Preise bringt.
- Der Euro vermindert Kosten (Transaktionskosten: Umtauschgebühren entfallen, Umrechnungen sind nicht mehr nötig).

**... und die Einwände der Gegner:**

- Mit der Einführung der gemeinsamen Währung haben die Deutschen das Symbol ihrer wirtschaftlichen Erfolge – die DM – verloren.
- Der Euro wird zu einer Verteuerung der Güter des täglichen Bedarfs führen.
- Allgemein führt die Währungsunion zum Verlust der nationalen Selbstbestimmung über die Geld- und Währungspolitik.
- Eine gemeinsame Währung erfordert zuerst eine stärkere Vereinheitlichung der politischen, sozialen und wirtschaftlichen Entwicklungen der Mitgliedsstaaten.
- Schließlich wird die Wettbewerbssituation in der EU verschärft, was dazu führen wird, dass die Konzentration in der Wirtschaft voranschreiten wird („Die Großen schlucken die Kleinen").

*Autorentext*

### Aufgaben zu M 1 – M 3

**1.** Wie erklärst du dir, dass in Deutschland rund 2/3 der Bevölkerung mit dem Euro unglücklich sind?

**2.** Ordnet die Argumente in der Debatte um den Euro nach ihrer Wichtigkeit und einigt euch in der Klasse (in der Gruppe) auf eine Reihenfolge (M 3).

**M 4**

## Im Mittelpunkt der Währungsunion: die gemeinsame Geldpolitik der Europäischen Zentralbank

Die Europäische Zentralbank (EZB) hat ihren Sitz in Frankfurt am Main, also in Deutschland. Sie ist aber keine deutsche Angelegenheit. Die EZB ist eine europäische Einrichtung. Die nationalen Notenbanken der europäischen Staaten, wie z. B. die Deutsche Bundesbank, sind seit dem 1.1.1999 nicht mehr selbstständig, sondern der EZB als Filialen unterstellt. Ziel der gemeinsamen europäischen Geldpolitik der EZB ist die Stabilität des Euro. Die Unabhängigkeit der EZB ist garantiert:

- **Politisch:** Sie ist an keine Weisungen von EU-Organen oder Staaten gebunden
- **Institutionell:** Alle im EZB-Rat vertretenen nationalen Notenbanken müssen mit Beginn der Währungsunion selbst unabhängig sein.
- **Personell:** Die Mitgliedsstaaten des Direktoriums werden für eine Amtsdauer (8 Jahre) berufen, Wiederwahl ausgeschlossen. Die nationalen Notenbankpräsidenten für 5 Jahre, Wiederwahl möglich.
- **Operativ:** Die EZB ist bei Auswahl und Einsatz der geldpolitischen Instrumente frei.

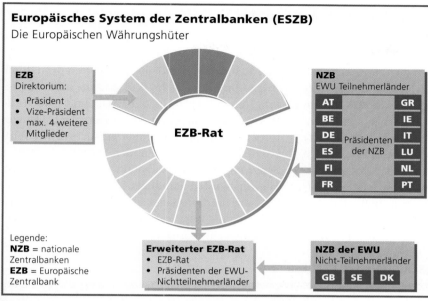

**Europäisches System der Zentralbanken (ESZB)**
Die Europäischen Währungshüter

EZB
Direktorium:
• Präsident
• Vize-Präsident
• max. 4 weitere
  Mitglieder

EZB-Rat

NZB
EWU Teilnehmerländer

| AT | | GR |
| BE | | IE |
| DE | Präsidenten | IT |
| ES | der NZB | LU |
| FI | | NL |
| FR | | PT |

Legende:
**NZB** = nationale
Zentralbanken
**EZB** = Europäische
Zentralbank

**Erweiterter EZB-Rat**
• EZB-Rat
• Präsidenten der EWU-
  Nichtteilnehmerländer

NZB der EWU
Nicht-Teilnehmerländer

| GB | SE | DK |

**Aufgabe zu M 4**
1.| Beschreibe den
organisatorischen
Aufbau der EZB.

*Europa Info-online, 2002 (http://userpage.fu-berlin.de/~tmuehle/europa/eu/inst_ecb.htm#eszb)*

## Die Aufgaben der EZB

M 5

**Geldversorgung der Wirtschaft**
Die EZB mit Sitz in Frankfurt am Main hat das alleinige Recht zur Genehmigung der Ausgabe von Euro-Banknoten. Das Recht zur Prägung von Münzen verbleibt bei den Mitgliedstaaten.

**Festlegung der Geldmenge**
Allein die EZB entscheidet, wie viele Münzen in Umlauf gebracht werden. Hierdurch wird sichergestellt, dass die EZB tatsächlich die gesamte Euro-Geldmenge steuern und kontrollieren kann.

**Festlegung der Geldzinsen**
Ferner bestimmt sie zu welchen Konditionen Geschäftsbanken Zentralbankgeld beziehen können und damit die Höhe der Zinsen, die man für Kredite bezahlen muss oder für Erspartes erhält.

**Stabilität der Währung nach innen und außen sichern**
Die EZB ist dafür verantwortlich, dass der Euro eine stabile (d.h. eine dauerhaft wertvolle) Währung wird und auch bleibt. Die EZB muss dafür sorgen, dass in den genannten Staaten immer genügend Euro-Geld im Umlauf sein wird, damit die Wirtschaft reibungslos funktionieren kann. Es darf aber nie zuviel Euro-Geld im Umlauf sein, weil sonst die Gefahr besteht, dass die Preise übermäßig steigen (=Inflation) und der Euro dadurch an Wert verliert (innere Stabilität des Euro). Außerdem überwacht sie auch den Außenwert des Euro (Stabilität nach außen).

**Abwicklung des Zahlungsverkehrs**
Des weiteren wickelt die EZB den Zahlungsverkehr zwischen den Geschäftsbanken im Euro-Raum ab, steuert die Wechselkurs-Geschäfte mit Fremdwährungsländern und hält dazu genügend Fremdwährungsreserven.

**Keine Geschäftsbanktätigkeiten**
Die EZB darf keine normalen Bankgeschäfte mit Privatkunden oder Wirtschaftsunternehmen betreiben. Das bleibt auch weiterhin die Aufgabe der Geschäftsbanken.

*Autorentext*

**M 6**

# Die Voraussetzungen für die Teilnahme an der Währungsunion

An einer Währungsunion können nur Staaten teilnehmen, die einander in ihrer wirtschaftlichen Entwicklung ähnlich sind. Um dies zu gewährleisten, hat der Vertrag von Maastricht für die Auf-
5 nahme von Ländern in die EWU feste Kriterien definiert, die so genannten Konvergenzkriterien. Konvergenz bezeichnet dabei die allmähliche Annäherung der Teilnehmerländer in wichtigen volkswirtschaftlichen Grunddaten. Dies ist not-
10 wendig, da Spannungen zwischen Ländern entstehen können, wenn sie sich wirtschaftlich unterschiedlich entwickeln.

Steigen beispielsweise in einem Land die Preise stärker als in anderen Ländern, so muss das betroffene Land Nachteile beim Export hinnehmen. Im Allgemeinen werden solche Differenzen durch Anpassung der Wechselkurse (Auf- oder Abwertung) aufgefangen. In der EWU sind jedoch die Wechselkurse unwiderruflich festgelegt. Demzufolge müssen die Teilnehmer versuchen, ihre Wirtschaftspolitik so aufeinander abzustimmen, dass Spannungen von vornherein vermieden werden. Hierfür wurden Stabilitätsziele vertraglich festgelegt, die die Mitglieder der EWU einhalten müssen: eine niedrige Inflationsrate, niedrige Zinsen, stabile Wechselkurse und solide Staatsfinanzen.

## Die Konvergenzkriterien (Stabilitätsziele)

**Preisstabilität[1]:**
Die Inflationsrate eines Landes soll dauerhaft nicht mehr als 1,5 Prozentpunkte über der Inflationsrate der drei preisstabilsten EU-Länder liegen.

**Niedrige langfristige Zinsen:**
Die langfristigen Zinssätze für Staatsschuldverschreibungen sollen um nicht mehr als 2 Prozentpunkte über den Zinssätzen der drei preisstabilsten Länder liegen.

**Stabile Wechselkurse:**
Die Währung eines Landes muss die vorgegebenen Bandbreiten im Europäischen Währungssystem seit mindestens zwei Jahren ohne Abwertung gegenüber der Währung eines anderen Mitgliedsstaates eingehalten haben.

**Solide Staatsfinanzen:**
Der gesamte Schuldenstand des Staates soll 60% des Bruttoinlandsprodukts (BIP) nicht überschreiten, und die jährliche Neuverschuldung, also das Haushaltsdefizit, soll nicht mehr als 3% des BIP betragen.

*Schul/Bank, Newsletter 5/2001*

[1]*Erläuterungen:*

*Preisniveaustabilität ist ein Element der wirtschaftspolitischen Ziele des Staates. Es dient der Vermeidung von **Inflation** und der Sicherung eines stabilen Geldwertes.*

*Staatsschuldverschreibungen: Der Staat gibt Wertpapiere (z. B. Schatzbriefe) heraus (Emission), die er Anlegern zu einem festen Zins während einer vorgegebenen Laufzeit anbietet.*

*Gesamtverschuldung des Staates: Der gesamte Schuldenstand eines Landes, in der Bundesrepublik Deutschland z.B. von Bund, Ländern und Gemeinden.*

*Neuverschuldung = Haushaltsdefizit: Zusätzliche Schulden, z. B. 2003 in der Bundesrepublik 43 Mrd. Euro, um die staatlichen Ausgaben zu finanzieren (ca. 4 % des Bruttoinlandsprodukts)*

## Die Sicherung der Währungsstabilität – der Stabilitätspakt

Der Stabilitätspakt soll sicherstellen, dass der Euro auf Dauer eine harte Währung bleibt. Im Vertrag von Maastricht waren zwar die Regeln für die Aufnahme in den Euro-Club festgelegt. Doch die Vorschriften für die Einhaltung nach dem Start der Währungsunion blieben vage. Unter dem Druck des damaligen deutschen Finanzministers Theo Waigel wurde im Dezember 1996 der Stabilitätspakt beschlossen. Er legt fest:

1. Die Neuverschuldung eines Mitgliedstaates der Europäischen Währungsunion darf 3 Prozent des Bruttoinlandsprodukts nicht überschreiten.

2. Nähert sich das Haushaltsdefizit eines Mitgliedstaates der Drei-Prozent-Grenze oder überschreitet diese, so erhält der betreffende Staat zunächst Empfehlungen der EU-Kommission zum Abbau des Haushaltsdefizits („Blauer Brief").

3. Sanktionen: Werden diese Empfehlungen ignoriert, wird eine Geldbuße verlangt, die zwischen 0,2 und 0,5 Prozent des Bruttoinlandsprodukts beträgt.

4. Ausnahmen: Bei Rückgang der Wirtschaftsleistung innerhalb eines Jahres in dem betref-

fenden Staat zwischen 0,75 und 2 Prozent kann eine Aussetzung der Sanktionen erfolgen, bei einem Rückgang von über 2 Prozent werden keine Sanktionen verhängt. Zu den Ausnahmefällen gehören auch Naturkatastrophen. 30

5. Die Geldbuße wird zunächst als unverzinsliche Einlage gefordert; Einlagen werden zurückerstattet, wenn kein übermäßiges Defizit mehr vorliegt; andernfalls werden sie unter den Mitgliedstaaten aufgeteilt, die keine über- 35 mäßigen Haushaltsdefizite aufwiesen.

6. Die endgültige Entscheidung über die Herausgabe einer Empfehlung oder über die Verhängung einer Sanktion liegt beim EU-Ministerrat. (Bei Empfehlungen kann der betreffende Staat 40 mitentscheiden; Sanktionen werden ohne seine Beteiligung verhängt).

7. Sobald das übermäßige Defizit bereinigt ist, werden die Strafmaßnahmen aufgehoben.

8. Ziel des Stabilitätspakts: ausgeglichene Haus- 45 halte oder Haushaltsüberschüsse in allen Euro-Ländern; Stabilität der Euro-Währung.

*Metzler Aktuell, Januar 2003*

## EU-Haushalte im Schulden-Test

Überschüsse (+) und Defizite (-) in den öffentlichen Haushalten in % des Bruttoinlandsprodukts (Prognose)

| | 2004 | | 2005 |
|---|---|---|---|
| Finnland | + 2,3 | | + 2,1 |
| Dänemark | + 1,0 | | + 1,5 |
| Schweden | + 0,6 | | + 0,6 |
| Estland | + 0,5 | | + 0,2 |
| Spanien | - 0,6 | Maastricht-Kriterium maximal - 3 % | - 0,1 |
| Belgien | - 0,1 | | - 0,3 |
| Irland | - 0,2 | | - 0,6 |
| Luxemburg | - 0,8 | | - 1,6 |
| Österreich | - 1,3 | | - 2,0 |
| Slowenien | - 2,3 | | - 2,2 |
| Niederlande | - 2,9 | | - 2,4 |
| Litauen | - 2,6 | | - 2,5 |
| Großbritannien | - 2,8 | | - 2,6 |
| Lettland | - 2,0 | | - 2,8 |
| Italien | - 3,0 | | - 3,0 |
| Frankreich | - 3,7 | | - 3,0 |
| Zypern | - 5,2 | | - 3,0 |
| Deutschland | - 3,9 | | - 3,4 |
| Griechenland | - 5,5 | | - 3,6 |
| Portugal | - 2,9 | | - 3,7 |
| Slowakei | - 3,9 | | - 4,0 |
| Malta | - 5,1 | | - 4,0 |
| Polen | - 5,6 | | - 4,1 |
| Tschechien | - 4,8 | | - 4,7 |
| Ungarn | - 5,5 | | - 5,2 |

Maastricht-Kriterium maximal - 3 %

© Globus 9561

Quelle: EU-Kommission

*Globus-Grafik 9561,*
*Quelle: EU-Kommission*

**M 9** ## Wird der Stabilitätspakt aufgeweicht?

### Präsident Jacques Chirac: „Lieber Wachstum als Stabilität"

Der Vorschlag von Frankreichs Präsident Jacques Chirac, den Stabilitätspakt zu lockern, ist in der EU auf Ablehnung gestoßen. Die Haushaltsdisziplin müsse gewahrt bleiben, hieß es bei einem Treffen der Wirtschafts- und Finanzminister.

### EU-Kommissar Fischler für flexibleren Stabilitätspakt

EU-Agrarkommissar Franz Fischler hat sich für eine Lockerung des Euro-Stabilitätspaktes ausgesprochen. In einem Interview schlug er vor, dass die nationalen Regierungen in konjunkturellen Abschwungsphasen die Drei-Prozent-Marke beim Haushaltsdefizit überschreiten dürfen. Als Ausgleich müssten sie demnach aber in Zeiten des Aufschwungs Steuereinnahmen einbehalten.

### Ein Pakt mit dem Teufel. In der Krise muss der Staat mehr Geld ausgeben dürfen

Die schwache Konjunktur in Europa legt die Crux des Stabilitäts- und Wachstumspaktes schonungslos offen: Es ist ein Schönwetterpakt. Sinken die Steuereinnahmen und steigen die Sozialausgaben, weil immer mehr Menschen auf der Straße stehen, sind weniger als drei Prozent Neuverschuldung einfach nicht zu schaffen. Der Pakt leidet daran, dass konjunkturelle Schwankungen nicht berücksichtigr werden. Er ist zu starr.

Robert von Heusinger, DIE ZEIT, 34/2002

## Aufgaben zu M 6 – M 9

**1.** Warum ist die Stabilität einer Währung in Form einer niedrigen Inflationsrate so wichtig? Mache dir dazu die Auswirkungen klar, die eine hohe Inflationsrate (z.B. 100%) hätte (M 6, M 7).

**2.** a) Erkläre, worin der Stabilitätspakt besteht (M 7, M 8).

b) Beschreibe die Schuldensituation der EU-Länder (M 8).

**3.** Expertenbefragung: Welche Bedeutung haben Zinsen für eine Volkswirtschaft? Ihr könnt zur Klärung dieser Frage einen Experten beispielsweise von einer Bank einladen.

**M 10** ## Der Außenwert des Euro

Der Außenwert des Euros ist seit seiner Einführung starken Schwankungen unterworfen. Kostete ein Euro am 4.1.1999 noch 1,1789 US-Dollar, so musste man am 26.10.2000 nur noch
5 0,8252 Dollar für einen Euro bezahlen. Im Juli 2002 übersprang der Euro jedoch wieder die 1 Dollar-Marke, am 6.1.2004 war ein Euro gar 1,27 US-Dollar wert. Wie sind diese Schwankungen des Außenwerts
10 des Euros zu erklären? Der Außenwert des Euro ist sein relativer Wert gegenüber einer anderen Währung (z .B. dem US-Dollar) und wird durch Angebot und Nachfrage auf den internationalen Devisenmärkten gebildet.
15 Jeden Tag wird dieses Verhältnis durch einen „Kurs" an den internationalen Finanzmärkten dokumentiert. In Euroland sind die Wechselkurse der Mitgliedstaaten untereinander stabil und

gegenüber Drittländern flexibel. In dieser freien Dynamik der Marktkräfte beeinflussen viele Faktoren die Nachfrage nach einer Währung: das Zinsniveau der zu vergleichenden Währungsgebiete, die Summe der Exporte und Importe, die Haushaltslage der jeweiligen Staaten, die Börsensituation oder auch irrationale Faktoren wie etwa das „Vertrauen" in die Stabilität einer Währung. Der Außenwert einer Währung sagt auch nichts über seinen Wert im Innern aus, denn die Geldwertstabilität einer Währung wird durch die Inflationsrate ausgedrückt. Die niedrige Bewertung des Euro im Verhältnis zum US-Dollar war z. B. über Jahre mit der boomenden US-Konjunktur und dem deshalb höheren Zinsniveau in den USA zu begründen.

*Autorentext*

## Der Euro – eine neue Dimension wirtschaftlicher Integration

Das Ziel einer Europäischen Wirtschafts- und Währungsunion (EWWU) wurde erstmals im Maastrichter Vertrag festgelegt. Es ist neben der Ost-Erweiterung der EU das bisher wohl ehrgeizigste Projekt der europäischen Integration.

*Die EWWU*
*M 1*

Die politischen Grundlagen für die Einführung des Euro wurden 1992 mit dem Vertrag von Maastricht geschaffen. Der Vertrag sieht vor, dass alle Staaten, die am Eurosystem teilnehmen wollen, bestimmte „Konvergenzkriterien" zur Angleichung ihrer wirtschaftlichen Verhältnisse erfüllen müssen. Dazu zählen Preisniveaustabilität, ein vor der Währungsunion stabiler Wechselkurs, solide Staatsfinanzen und ein einheitliches Zinsniveau.

*Vertrag*
*von Maastricht*
*M 6*

Im Mittelpunkt der EWWU steht der Euro, die Gemeinschaftswährung des Eurosystems, dem mittlerweile zwölf Staaten angehören. Mit dem Beitritt zum Eurosystem haben die Erstteilnehmer den Wechselkurs ihrer nationalen Währung zum Euro am 1.1.1999 unwiderruflich festgeschrieben (z.B. 1 Euro=1,95583 DM). Vom 1. Januar 2002 an wurde der Euro in allen Staaten des Eurosystems zum alleinigen gesetzlichen Zahlungsmittel.

*Der Euro*
*M 2*

Um ein Auseinanderdriften der wirtschaftlichen Entwicklung der Mitgliedstaaten auf Dauer zu verhindern und eine nachhaltige wirtschaftliche Konvergenz innerhalb der EU zu erreichen, wurde 1996 der Stabilitätspakt beschlossen. Er fordert von den Mitgliedsstaaten eine solide Wirtschafts- und Finanzpolitik. Auch hierfür wurden bestimmte Kriterien festgelegt. Vor allem Deutschland und Frankreich konnten 2003 und 2004 den Stabilitätspakt, bedingt durch eine schwache konjunkturelle Entwicklung, nicht einhalten. Dies führte zu einer Debatte über Sinn und Ausgestaltung des Stabilitätspakts.

*Stabilitätspakt*
*M 7 – M 9*

Die für den Euro verantwortliche Notenbank ist die Europäische Zentralbank (EZB) mit Sitz in Frankfurt am Main. Ihr oberstes Entscheidungsgremium ist der EZB-Rat, dem die sechs Mitglieder des EZB-Direktoriums sowie die zwölf Gouverneure der nationalen Notenbanken angehören. Die EZB ist unabhängig und keinen politischen Weisungen unterworfen. Sie ist für die Geldpolitik im Euroraum zuständig. Ziel der Geldpolitik der EZB ist die Sicherung der Geldwertstabilität nach innen (In der Praxis wird darunter verstanden, dass die jährliche Teuerungsrate der Verbraucherpreise mittelfristig 2 Prozent nicht übersteigen soll) und nach außen (angemessene Wechselkurse, vor allem gegenüber dem US-Dollar). Während das Preisniveau im Innern seit Einführung des Euro stabil blieb, war der Außenwert des Euro starken Schwankungen ausgesetzt.

*Die EZB*
*M 4, M 5*

Die Befürworter der gemeinsamen Währung sehen in der gemeinsamen Währung die ‚Krönung' des europäischen Binnenmarkts („Krönungstheorie") und einen entscheidenden Schritt zur Vertiefung der europäischen Integration hin zu einer politischen Union. Darüber hinaus befördere eine einheitliche Währung die wirtschaftliche Entwicklung.

*Gründe für den Euro*
*M 3*

Die Eurogegner hielten die Einführung für verfrüht, weil weder die wirtschaftlichsoziale noch die politische Integration weit genug vorangeschritten sei. Außerdem beklagten sie den Verlust der Kontrolle über die eigene Geld- und Währungspolitik.

*Einwände*

241

# 5. Die Erweiterung der EU

M 1

## Der Ausbau der Europäischen Union

**Die Europäische Union**

**Die sechs Gründerstaaten 1958**
Belgien
Deutschland
Frankreich
Italien
Luxemburg
Niederlande

**Beitritt 1973**
Dänemark
Irland
Großbritannien

**Beitritt 1995**
Finnland
Österreich
Schweden

**Beitritt 2004**
Estland
Lettland
Litauen
Malta
Polen
Slowakei
Slowenien
Tschechien
Ungarn
Zypern

*Kandidat* **Rumänien**
Beitritt vorauss.
Januar 2007

*Kandidat* **Bulgarien**
Beitritt vorauss.
Januar 2007

*Kandidat* **Kroatien**
Beitrittsverhandlungen

*Kandidat* **Türkei**
Beitrittsverhandlungen

**Beitritt 1986**
Portugal
Spanien

**Beitritt 1981**
Griechenland

dpa——
Grafik 0800

*Globus-Grafik 8110,*
*Quelle: Eurostat*

Finnland · Schweden · Estland · Lettland · Litauen · Großbritannien · Dänemark · Niederlande · Deutschland · Polen · Belgien · Luxemburg · Tschechien · Slowakei · Österr. · Ungarn · Slowe. · Kroatien · Rumänien · Italien · Bulgarien · Türkei · Portugal · Spanien · Malta · Irland

M 2

## Die fünfte Erweiterungsrunde – eine einmalige historische Herausforderung

- Noch nie in der Geschichte Europas war es möglich, die Teilung Europas in einem demokratischen, freiheitlichen Zusammenschluss von Staaten zu überwinden.

- Noch nie war die Zahl der Beitrittskandidaten so groß.

- Noch nie traten so viele kleine Staaten bei.

- Noch nie bestand ein so großes Gefälle in den Pro-Kopf-Einkommen zwischen den neuen und den alten Mitgliedsstaaten der EU.

- Noch nie bestand eine so große Unsicherheit über die Auswirkungen der Erweiterung auf die Stabilität der EU und den Fortgang des Integrationsprozesses.

*Autorentext*

# Fakten zu Erweiterung

| Land | Fläche in qkm | Einwohner in Mio. 2002 | BIP/Kopf in KKS*2000 | Hauptstadt |
|---|---|---|---|---|
| Belgien | 30,2 | 10,3 | 24.900 | Brüssel |
| Dänemark | 43,1 | 5,4 | 27.100 | Kopenhagen |
| Deutschland | 356,9 | 82,4 | 23.600 | Berlin |
| Finnland | 338,0 | 5,2 | 23.200 | Helsinki |
| Frankreich | 544,0 | 59,3 | 22.300 | Paris |
| Griechenland | 132,0 | 10,6 | 15.300 | Athen |
| Großbritannien | 244,1 | 60,1 | 23.300 | London |
| Irland | 70,3 | 3,9 | 26.600 | Dublin |
| Italien | 301,3 | 58,0 | 22.900 | Rom |
| Luxemburg | 2,6 | 0,4 | 42.800 | Luxemburg |
| Niederlande | 41,5 | 16,1 | 26.300 | Amsterdam (Regierungssitz Den Haag) |
| Österreich | 83,9 | 8,1 | 24.700 | Wien |
| Portugal | 91,9 | 10,3 | 16.700 | Lissabon |
| Schweden | 450,0 | 8,9 | 22.900 | Stockholm |
| Spanien | 506,0 | 40,4 | 18.200 | Madrid |
| EU | 3.236,2 | 379,4 | 22.500 | |
| Bulgarien | 111,0 | 8,1 | 5.400 | Sofia |
| Estland | 45,2 | 1,4 | 8.400 | Tallinn |
| Lettland | 64,6 | 2,4 | 6.600 | Riga |
| Litauen | 65,3 | 3,7 | 6.600 | Vilnius |
| Malta | 0,3 | 0,4 | 11.900 | Valletta |
| Polen | 312,7 | 38,6 | 8.700 | Warschau |
| Rumänien | 238,4 | 22,4 | 6.000 | Bukarest |
| Slowakische Republik | 49,0 | 5,4 | 10.800 | Bratislava |
| Slowenien | 20,3 | 2,0 | 16.100 | Ljubljana |
| Tschechische Republik | 78,9 | 10,3 | 13.200 | Prag |
| Ungarn | 93,0 | 10,0 | 11.700 | Budapest |
| Zypern | 9,3 | 0,7 | 18.500 | Nikosia |
| EU und alle Beitrittsländer | 4.324,2 | 484,8 | | |

*Europa wächst zusammen*, Wirtschaftsministerium Baden-Württemberg, 2003, S. 6

EU-Osterweiterung:
**Gewinner und Verlierer**

Geschätztes zusätzliches Wirtschaftswachstum in den Jahren 2001 bis 2010
als Folge der EU-Erweiterung in %

| | |
|---|---|
| Ungarn | 8,40 |
| Polen | 8,02 |
| Tschechien | 6,65 |
| Österreich | 0,66 |
| Italien | 0,50 |
| Deutschland | 0,40 |
| Irland | 0,40 |
| Finnland | 0,31 |
| Belgien | 0,25 |
| Großbritannien | 0,19 |
| Niederlande | 0,15 |
| Frankreich | 0,11 |
| Schweden | – 0,07 |
| Dänemark | – 0,11 |
| Spanien | – 0,18 |
| Portugal | – 0,21 |

*Globus Grafik 7415*

## Aufgabe zu M 3

**1.** Vergleiche die Daten. Welche Problematik
für die Erweiterung verbirgt sich hinter den
Zahlen?

## Ein Jahr Osterweiterung – eine vorläufige Bilanz

Die Umzugskisten sind weggeräumt, die neuen
Bewohner des europäischen Hauses haben sich
eingerichtet, und so manche vor der EU-Erweiterung geäußerte Sorge hat sich zerstreut: Massive Wanderbewegungen von Arbeitskräften, 5
umfassende Produktionsverlagerungen oder
Wettbewerbsverzerrungen durch Billigimporte
sind bislang ausgeblieben. Vielmehr überwiegen
die erfreulichen Nachrichten: Das Erfolgsmodell
eines freien, aber auf gesicherten Rahmenbe- 10
dingungen beruhenden wirtschaftlichen Aus-
tausches, der über Jahrzehnte den einzigartigen
wirtschaftlichen Erfolg der Europäischen Union
hervorgerufen hat, beginnt nun auch im erweiterten Europa zu greifen. Der wirtschaftliche 15
Aufschwung in den neuen Mitgliedsstaaten hat
die meisten Wirtschaftszweige erfasst und hält
zum Teil bereits mehrere Jahre an. Mit dem EU-
Beitritt hat er noch einmal an Fahrt gewonnen.
Aber auch für die Wirtschaft der alten Mitglieds- 20
staaten hat sich die EU-Osterweiterung ausge-
zahlt. Letzte Handelsbarrieren sind gefallen,
die Marktbedingungen haben sich verbessert.
Davon profitieren bislang insbesondere auch
die deutschen Unternehmen. Sie blicken deshalb 25
überwiegend optimistisch in die Zukunft. Bei
einem Teil der deutschen Bevölkerung überwiegt
hingegen immer noch die Skepsis.

### Neulinge als Wirtschaftsmotor für die Gemeinschaft

30 Die EU-Neulinge sind schon im ersten Jahr ihrer Mitgliedschaft zu einem wichtigen Wachstumsmotor für die EU avanciert – dem mit über 450 Millionen Menschen größten Binnenmarkt der
35 Welt. Sie verzeichnen mit Abstand die größte wirtschaftliche Dynamik innerhalb der Gemeinschaft ... Experten erwarten, dass das Wachstum in den neuen Mitgliedsstaaten mittelfristig etwa 2 Prozent über dem Durchschnitt der alten EU
40 liegen wird.

Die Erweiterung hat das Geschäft zwischen alten und neuen Mitgliedsländern noch einmal belebt. Insbesondere für die Bundesrepublik, die für die meisten mittel- und osteuropäischen Länder
45 der größte Handelspartner ist, haben sich die zehn Neuen als höchst profitable Absatzmärkte erwiesen: Die deutschen Exporte dorthin legten 2004 noch einmal um 8,3 Prozent zu und erreichten ein Gesamtvolumen von 61 Milliarden
50 Euro. Der Handel mit der Region erreicht damit mittlerweile die Größenordnung der deutschen Wirtschaftsbeziehungen mit dem größten Handelspartner außerhalb der EU, den USA. ...

### Keine Furcht vor EU-Erweiterung
55 ### im Mittelstand

Angesichts so beeindruckender Zahlen ist es kein Wunder, dass die deutschen Unternehmen ein grundsätzlich positives Urteil über die Erweiterung fällen. Dies ergibt sich aus in diesem Früh-
60 jahr durchgeführten Umfragen des Deutschen Industrie und Handelskammertages (DIHK) sowie des Instituts der deutschen Wirtschaft (IW) unter überwiegend kleinen und mittelständischen Unternehmen. Nur 13,5 Prozent aller Befragten
65 befürchten demnach negative Auswirkungen für den eigenen Betrieb.

Die deutsche Wirtschaft nutzt vielmehr die Chancen, die sich aus dem erweiterten Binnenmarkt ergeben: Zwei Drittel der befragten Unterneh-
70 men sind in den neuen Mitgliedsstaaten bereits aktiv oder planen die Aufnahme von Geschäftsbeziehungen: rund 75 Prozent im Export, knapp 55 Prozent im Import. Etwa 20 Prozent planen Investitionen direkt in den Beitrittsländern. Fast
75 drei Viertel der Unternehmen, die bereits vor der EU-Erweiterung in der Region tätig waren, haben seither ihre Tätigkeiten ausgebaut oder planen dies derzeit.

---

### Beitritt eines neuen Staates zur Union

#### Beitrittskriterien (Kopenhagener Kriterien)

Im Juni 1993 hat der Europäischen Rat von Kopenhagen den Staaten Mittel- und Osteuropas das Recht eingeräumt, der Europäischen Union beizutreten, wenn sie folgende drei Kriterien erfüllen:

- Politik: institutionelle Stabilität als Garantie für demokratische und rechtsstaatliche Ordnung, für die Wahrung der Menschenrechte sowie die Achtung und den Schutz der Minderheiten;
- Wirtschaft: funktionstüchtige Marktwirtschaft;
- Übernahme des gemeinschaftlichen Besitzstandes an rechtlichen Regeln (Acquis communautaire): Die Länder müssen sich die Ziele der politischen Union sowie der Wirtschafts- und Währungsunion zu eigen machen.

---

Natürlich geht damit auch unvermeidlich ein zunehmender Rationalisierungs- und Konkurrenz- 80 druck einher. Besonders bei Wirtschaftszweigen mit hohem Arbeitskostenanteil und geringerer Qualifikation (Textil-, Holz- und Bauindustrie) hat sich mit der Erweiterung der schon länger bestehende Anpassungsdruck erhöht. Vor allem 85 gering qualifizierte Arbeitnehmer werden davon negativ betroffen sein. Diese Entwicklung ist aber nicht erst durch den Beitritt der zehn Staaten in die EU entstanden, sondern dauert seit dem Fall der Grenzen 1989/90 an. 90

Denn: Das bloße Abzählen der mit Produktionsverlagerungen verbundenen Arbeitsplatzverluste greift aus vielen Gründen zu kurz. Wenn etwa die deutsche Automobilindustrie Osteuropa als günstigen Produktionsstandort nutzt, wird die 95 Branche insgesamt wettbewerbsfähiger. Dies schafft und sichert auch in Deutschland Arbeitsplätze. Außerdem hat die Verbesserung der Einkommenssituation in den Beitrittsländern zur 100 Folge, dass ihre Kaufkraft weiter gestärkt wird und die Nachfrage nach hochwertigen Produkten steigt - davon können die deutschen Unternehmen wiederum profitieren. Experten schätzen, dass das starke Exportwachstum in Richtung 10 neue EU-Mitglieder bislang etwa 80.000 Arbeitsplätze in Deutschland geschaffen hat.

*Regierung-online.de, Stand: Mai 2005*

# Stimmen aus den Beitrittsländern

„Ich sehe viele Nachteile durch den EU-Beitritt. Vorteile habe ich noch nicht gesehen. Gut, wir können problemlos nach England fahren, weil die Grenze jetzt offen ist. Allgemein hat man jetzt keine Schwierigkeiten mehr zu reisen. Viele Polen sind daher bereits nach England emigriert. Ansonsten haben sich in Polen nur die Preise erhöht. Benzin und Lebensmittel sind teurer geworden, beziehungsweise die Lebenshaltungskosten allgemein haben sich erhöht."

*Isabella Czarnecka, Slawistik-Studentin aus Polen, zurzeit in Bonn*

„Die Mitgliedschaft in der Europäischen Union hat der Tschechischen Republik neue Entwicklungsmöglichkeiten in der Politik, in der Wirtschaft aber auch in anderen Lebensbereichen wie der Bildung eröffnet. Sie hat auch die Rolle unseres Landes auf europäischem und internationalem Feld gestärkt. Die Handelshemmnisse sind gefallen, was eine Steigerung an Tempo und Effektivität bei Export und Import in und aus EU-Ländern mit sich gebracht hat. Der Boom des tschechischen Außenhandels gehört deshalb sicherlich zu den größten kurzfristigen Vorteilen des EU-Beitritts unseres Landes. Die Durchlässigkeit der Grenzen ist verbessert worden. Das Handelsvolumen mit den Nachbarländern ist jedoch so gestiegen, dass die Verkehrswege es fast nicht absorbieren können. Vor dem Beitritt herrschten in der Bevölkerung viele Befürchtungen. Aber es gab bisher keine wesentlichen Auswirkungen, nicht einmal auf die Preise in Tschechien. Es fließen weitere Investitionen ins Land, weil Tschechien für ausländische Investoren attraktiver geworden ist. Für junge Generation hat der EU-Beitritt die Tür zum Studium im europäischen Ausland weit geöffnet."

*Dr. Marketa Smatlanova, Zweite Botschaftssekretärin, Tschechische Botschaft in Berlin*

„Die Stimmung vor dem EU-Beitritt war depressiv, das Selbstbewusstsein der slowakischen Bevölkerung sehr gering. Man fühlte sich hier chancenlos und sehnte sich den Beitritt herbei. Vor und nach dem Beitritt musste die Bevölkerung aufgrund von Reformen schwere Einschnitte hinnehmen. Andererseits kamen jedoch auch immer mehr Investoren ins Land, was besonders die Situation um Bratislava verbesserte und das Selbstwertgefühl stärkte. Das Gefühl, der "Verlierer" zu sein wandelte sich zu "wir sind doch etwas, wir können etwas, wir leisten etwas". Dieser Optimismus steigt weiter. Die Situation für die Jugendlichen ist wie die im westlichen Europa: Sie erkennen ihre Chancen und wissen, wie sie sie in unserer globalisierten Gesellschaft nutzen können. Trotz all dieser positiven Erfahrungen ist die Sichtweise auf das Konstrukt der EU auch realistischer und nüchterner geworden. Es wird deutlich, dass die EU nicht das Allheilmittel für alle Probleme ist, aber auch, dass die EU nicht das Optimum ist."

*Jarka Horak, Praktikantin im Goethe-Institut Bratislava, Slowakei*

„Eine der allergrößten Änderungen zeichnet sich im Tourismus ab. Wir durften 2004 3.316.000 deutsche Gäste in Ungarn begrüßen, das bedeutet einen Zuwachs von 9,1 Prozent im Vergleich zum Vorjahr. Die Zahl der deutschen Reiseveranstalter, die Ungarn in ihrem Programm haben, ist von 182 im Jahr 2002 auf 485 gewachsen. Wir erleben in diesen Tagen einen richtigen Boom von Billigfluglinien, die Budapest als neues Ziel in ihr Angebot aufgenommen haben. Durch unseren EU-Beitritt zeigt sich eine markante Änderung ganz klar im Gesundheitstourismus. Nach dem EU-Recht darf jeder seinen Arzt in der EU frei wählen. Als volles Mitglied der EU gibt es auch bei uns die Möglichkeit der Mitfinanzierung der deutschen Krankenkassen. Jede dritte Gästeübernachtung im Kur- und Wellness-Hotelbereich in Ungarn stammt jetzt schon aus Deutschland."

*Klara Strompf, Ungarisches Tourismusamt, Frankfurt am Main*

*DW-World.de, 1.5.2005 (die Interviews führte Kristina Judith)*

## Aufgaben zu M 3 – M 5

**1.** Stellt auf einer Wandzeitung Chancen und Herausforderungen durch die Erweiterung übersichtlich dar (M 3 – M 5).

Dazu könnt ihr unterscheiden nach:
a) Perspektive der „alten" Mitgliedstaaten
b) Perspektive der Beitrittsländer

## Die Erweiterung der EU

**Attraktivität
der EU
M 1**

Die Europäische Integration, die mit sechs Gründerstaaten 1951 begann, übt eine große Anziehungskraft auf die übrigen Staaten Europas aus. Dies belegt die ständige Erweiterung der EU auf nunmehr 25 Staaten. Die Europäische Union steht für politische Stabilität, Demokratie, Menschenrechte und Frieden.

**Europa gewinnt
M 2, M 4**

Mit der Osterweiterung ist die einstige Teilung Europas endgültig überwunden; Staaten, die mit der Geschichte und Kultur Europas eng verbunden sind, wurden integriert. Es ist der größte Wirtschaftsraum der Welt mit rund 485 Millionen Einwohnern entstanden. Das politische und wirtschaftliche Gewicht der EU als supranationaler Akteur wird voraussichtlich zunehmen. Die westeuropäischen Staaten, vor allem aber die Bundesrepublik, profitieren wirtschaftlich von der Entwicklung und Sicherung ihrer Exportmärkte im Osten.

**Probleme der
Osterweiterung
M 4, M 5**

Sowohl die große Anzahl der neuen Staaten als auch deren relative ökonomische Rückständigkeit bringen politische und wirtschaftliche Schwierigkeiten mit sich: Politisch geht es um die Reform der Institutionen, vor allem der Entscheidungsregeln im Ministerrat; wirtschaftlich geht es um eine möglichst schnellen Strukturwandel in den Erweiterungsstaaten und die Angleichung der wirtschaftlichen Entwicklung innerhalb der EU.

**Arbeitsmigration**

Je länger das Wohlstandsgefälle anhält, desto wahrscheinlicher ist die Arbeitsmigration von Ost nach West. Diese kann den gegenwärtigen Arbeitsmarkt in der BRD belasten, schadet aber auch den Beitrittsstaaten, weil qualifizierte Fachkräfte verloren gehen (brain drain). Darüber hinaus führt die notwendige Übernahme der bestehenden EU-Verträge und Regeln zu erheblichen sozialen und rechtlichen Veränderungen in den Beitrittsstaaten. Vor allem der starke landwirtschaftliche Sektor steht vor einem tiefgreifenden Strukturwandel und Arbeitsplatzverlusten. Der bereits zu beobachtende Preisanstieg z.B. bei Lebensmitteln bei kaum veränderten Reallöhnen kann zu sozialen Spannungen in den Erweiterungsstaaten führen.

# Internationale Zusammenarbeit und Friedenssicherung

# 1. Die Rolle der UNO bei der Friedenssicherung

## *Fallanalyse eines internationalen Konflikts*

Der Irakkrieg ist ein Beispiel für die Bearbeitung eines internationalen Konflikts. Die Vorgeschichte des Konflikts, die umstrittene Entscheidung für den Krieg und die Nachkriegsentwicklung haben die Rolle der UNO und das internationale Kräfteverhältnis in den Blick der Öffentlichkeit gerückt.

In einer Fallanalyse kann mit Hilfe der Materialien M 1 – M 9 das vielschichtige Problem so untersucht werden, dass vor allem die Rolle der UNO in diesem Konflikt deutlich wird.

Zur Untersuchung des Falles bieten sich folgende Fragestellungen an, die nach Möglichkeit beantwortet werden sollen. Dabei ist je nach der zur Verfügung stehenden Zeit auch ein arbeitsteiliges Vorgehen in Gruppen durch die Konzentration auf nur eine Frage möglich.

### *Leitfragen zur Untersuchung des Falles:*

**1.** Worum wird politisch oder militärisch gestritten, d.h. worin besteht der Gegenstand des Konflikts und wer sind die Konfliktparteien?
- Vorgeschichte des Konflikts betrachten
- Wer sind die Akteure?

**2.** Welche Argumente und Interessen liegen miteinander im Widerstreit?
- Welche Standpunkte werden von den Konfliktparteien formuliert und wie werden sie begründet?
- Welche Mittel haben die einzelnen Akteure, um ihre Standpunkte durchzusetzen?

**3.** Welche Konfliktlösung wird gewählt und welche Folgen hat dies?
- Wie ist die Lösung (rechtlich) legitimiert?
- Welche Reaktionen ruft die Entscheidung hervor?
- Ist der Konflikt damit beendet?

**4.** Welche Perspektiven ergeben sich?
- Wie ist die Konfliktlösung politisch zu beurteilen?
- Ergeben sich aus dem Konfliktverlauf Konsequenzen für die (Weiter)Entwicklung der beteiligten internationalen Organisationen (besonders der UNO), des internationalen Rechts oder der Weltordnung?

Nach der jeweiligen Arbeitsgruppenphase könnt ihr die Ergebnisse in der Klasse austauschen. Dabei sollte jede Gruppe jeweils ein Plakat/eine Wandzeitung erstellen, die das gemeinsame Ergebnis festhält.

Mit dem Wissen aus der Falluntersuchung könnt ihr abschließend eine Podiumsdiskussion zur Frage „War die Entscheidung für den Krieg richtig?" veranstalten. Folgende Rollen können auf dem Podium vertreten sein:
- Vertreter der Bush-Regierung
- ein Kriegsgegner aus Europa
- ein Iraker, der im Irak Saddam Husseins in der Opposition war
- ein Vertreter der UNO.

---

## M 1  Die Geschichte des Irakkrieges

Nach dem Ende des 2. Golfkrieges im April 1991 beginnen die Vereinten Nationen damit, Waffenkontrollen im Irak durchzuführen und Bestände von Massenvernichtungswaffen zu vernichten.
5 Der Irak unter Saddam Hussein verhält sich jedoch gegenüber den Kontrolleuren der Vereinten Nationen äußerst unkooperativ, sodass die Waffenkontrollen unter der permanenten Androhung militärischer Gewalt durchgeführt

werden müssen. Seit Dezember 1998 gibt es keine Waffenkontrollen mehr im Irak, da kein Mandat des Sicherheitsrats mehr vorliegt.

Am 11. September 2001 werden die USA Opfer eines terroristischen Angriffs mit zivilen Flugzeugen, bei denen fast 3000 Menschen sterben. In der Folge davon greifen die USA Afghanistan an, dessen Taliban-Regime der terroristischen

*Der französische Außenminister Dominique de Villepin, UN-Generalsekretär Kofi Annan und Bundesaußenminister Joschka Fischer (l-r) verfolgen am 5.2.2003 bei der Sitzung des Weltsicherheitsrates in New York den Irak-Bericht von US-Außenminister Powell. Auf einer Leinwand (oben) zeigte er Fotos angeblicher mobiler Biowaffen-Labors.*

Organisation Al-Quaida Unterschlupf gewährte. Al-Quaida wird von den USA für die Angriffe auf das Pentagon und das World Trade Center verantwortlich gemacht.

Am 12. Oktober 2001 erklärt George W. Bush, dass sich der Krieg gegen den Terror nicht auf Afghanistan beschränke. Der Irak rückt nun zunehmend in den Blick der amerikanischen Außenpolitik. Er wird von den USA verdächtigt, im Besitz von Massenvernichtungswaffen zu sein oder deren Besitz anzustreben und den internationalen Terrorismus zu unterstützen.

Ende Januar 2002 bezeichnet Bush den Irak als Teil einer „Achse des Bösen", zu der er außerdem Iran und Nordkorea zählt. Andeutungen von US-Politikern lassen immer häufiger Angriffsabsichten gegen den Irak vermuten.

Nach dem Jahrestag der Terrorangriffe auf die USA am 12. September 2002 trägt George Bush vor den Vereinten Nationen Punkt für Punkt seine Anklage gegen das irakische Regime vor: den Bruch aller Vereinbarungen, die Verfolgung politisch Andersdenkender, die Versuche, Massenvernichtungswaffen in die Hand zu bekommen. Es seien die Resolutionen der UN, so erinnerte er die Delegierten und Generalsekretär Kofi Annan, die von Bagdad schamlos ignoriert würden. Mithin sei es die Glaubwürdigkeit der UN, die auf dem Spiel stehe, wenn sie „im Angesicht der Gefahr" versage.

Am 20. September 2002 verabschieden die USA ihre neue Sicherheitsstrategie, deren zentrales Bedrohungsszenario ein so genannter „Schurkenstaat" in Besitz von Massenvernichtungswaffen ist und der keine Skrupel hat, diese entweder an Terroristen weiterzugeben oder selbst einzusetzen. Gegen eine solche Bedrohung sei auch ein präventiver militärischer Schlag zur Selbstverteidigung gerechtfertigt.

London und Washington legen am 4. Oktober 2002 eine UNO-Resolution vor, in der dem Irak mit militärischen Schritten gedroht wird, sollte er nicht bedingungslos abrüsten.

Das Ringen um die Resolution 1441 und die Frage nach Krieg oder Frieden beginnt. Frankreich, Russland und China äußern ebenso wie der Kriegsgegner Deutschland Vorbehalte gegen den im amerikanischen Resolutions-Entwurf enthaltenen Automatismus zur Anwendung militärischer Gewalt. Sie glauben, dass die Möglichkeiten einer friedlichen Abrüstung des Iraks noch nicht ausgeschöpft sind. Außerdem schätzen sie die unmittelbare Bedrohung durch den Irak als geringer ein. Der Europäischen Union gelingt es aber nicht, eine einheitliche Position zum Irakkonflikt einzunehmen.

Am 11. Oktober 2002 erteilt der US-Kongress Präsident Bush die Vollmacht zum Einsatz der Streitkräfte gegen den Irak auch ohne Zustimmung der UN.

Am 8. November 2002 verabschieden die Vereinten Nationen nach langen und zähen Verhandlungen die Resolution 1441. Darin fordert der Sicherheitsrat der Vereinten Nationen den Irak

auf, bis zum 8. Dezember „eine aktuelle, vollständige und detaillierte Liste" seiner Waffenprogramme zu liefern. Für den Fall, dass Bagdad
85 dieser Forderung nicht nachkommt, droht die Resolution mit „ernsthaften Konsequenzen". In bewusst diplomatischer Zweideutigkeit wurde damit offen gelassen, ob bei einem Bruch der Resolution bereits eine Legitimation für einen Krieg
90 gegen den Irak vorliegt.

UNO-Chefinspekteur Hans Blix trifft am 18. November in Bagdad ein, um die Waffeninspektionen vorzubereiten; am 27. November beginnt deren Arbeit.

95 Am 7. Dezember legt der Irak der UNO fristgerecht einen 12.000 Seiten starken Bericht über seine Waffenprogramme vor. Washington und London bezeichnen den Bericht als unzulänglich und werfen dem Irak einen Verstoß gegen die
100 Resolution 1441 vor. Am 24. Dezember erteilt der Verteidigungsminister Donald Rumsfeld den Marschbefehl für die ersten 25 000 Soldaten in die Golfregion, bis Mitte Februar sollen 250 000 Soldaten in der Region sein. Im Sicherheitsrat
105 wird weiter um eine friedliche Lösung des Konflikts gerungen.

Die USA zeigen sich allerdings von Anfang an skeptisch gegenüber dem Einsatz der UN-Inspekteure.

110 In ihrem Zwischenbericht vom 27. Januar 2003 an den Sicherheitsrat erklären die Chefinspektoren der UN, Blix und el-Barradei, der Irak habe zwar nicht lückenlos nachweisen können,

*US-Marines legen am 9.4.2003 eine Kette um den Kopf der Saddam-Hussein-Statue in Bagdad, um diese zu Fall zu bringen. Das Regime von Saddam Hussein ist an diesem Tag auch symbolisch gestürzt worden.*

dass seine Massenvernichtungswaffen zerstört worden seien, es lägen aber auch keine Beweise für den Verbleib von Massenvernichtungswaffen im Irak vor. Die Außenminister Deutschlands, Frankreichs, Russlands und Chinas plädieren wie die Inspektoren selbst, mehr Zeit für die Inspektionen einzuräumen. Der Irak könne friedlich entwaffnet werden, wenn er voll mit den Inspektoren kooperiere. Im Irak sind zu dieser Zeit bereits dutzende von Inspektoren auf der Suche nach Massenvernichtungswaffen. Die USA und Großbritannien werfen dem Irak dennoch den Verstoß gegen die Resolution 1441 vor und lehnen ein Ausweitung der Inspektionen ab.

Am 7. März 2003 legen die USA, Großbritannien und Spanien einen überarbeiteten Resolutionsentwurf vor, in dem Saddam Hussein aufgefordert wird, bis zum 17. März abzurüsten. Andernfalls drohe Krieg. Frankreich und Russland lehnen diesen Entwurf ab. Blix betont nochmals vor dem Sicherheitsrat, dass es möglich sei, den Irak friedlich abzurüsten. Die USA gehen offiziell weiter davon aus, dass der Irak noch im Besitz von Massenvernichtungswaffen ist. Der Aufmarsch der verbündeten Truppen ist zu diesem Zeitpunkt nahezu abgeschlossen.

Am 17. März stellen die USA, Großbritannien und Spanien ihre Bemühungen um ein UNO-Mandat für einen Militärschlag ein. Bush gibt Hussein 48 Stunden Zeit um den Irak zu verlassen und einen Krieg zu vermeiden.

Das Ultimatum der USA verstreicht am 20. März 2003. Eineinhalb Stunden später marschieren die USA in den Irak ein.

Am 1. Mai erklärt Präsident Bush die „größeren Kampfhandlungen" für beendet. Das Land ist weitgehend besetzt. Saddam Hussein ist entmachtet und kann am Abend des 13. Dezember 2003 gefasst werden. Aber auch nach über einem Jahr intensiver Suche können die US-Spezialisten im Irak keine Massenvernichtungswaffen finden. Auch ist die Sicherheitslage im Irak weiter prekär: Schätzungen zufolge hat der Irakkrieg mehr als 20 000 Irakern das Leben gekostet, mehr als 1 000 US-Soldaten starben bis Ende 2004.

*Autorentext (Stand: Anfang 2005)*

# Aus der Charta der Vereinten Nationen (Auszüge)

## Artikel 1: Ziele

**1.** den Weltfrieden und die internationale Sicherheit zu wahren und zu diesem Zweck wirksame Kollektivmaßnahmen zu treffen, um Bedrohungen des Friedens zu verhüten und zu beseitigen, Angriffshandlungen und andere Friedensbrüche zu unterdrücken und internationale Streitigkeiten oder Situationen, die zu einem Friedensbruch führen könnten, durch friedliche Mittel nach den Grundsätzen der Gerechtigkeit und des Völkerrechts zu bereinigen oder beizulegen;

**2.** freundschaftliche, auf der Achtung vor dem Grundsatz der Gleichberechtigung und Selbstbestimmung der Völker beruhende Beziehungen zwischen den Nationen zu entwickeln und andere geeignete Maßnahmen zur Festigung des Weltfriedens zu treffen; …

## Artikel 2: Grundsätze

…

**3.** Alle Mitglieder legen ihre internationalen Streitigkeiten durch friedliche Mittel so bei, dass der Weltfriede, die internationale Sicherheit und die Gerechtigkeit nicht gefährdet werden.

**4.** Alle Mitglieder unterlassen in ihren internationalen Beziehungen jede gegen die territoriale Unversehrtheit oder die politische Unabhängigkeit eines Staates gerichtete oder sonst mit den Zielen der Vereinten Nationen unvereinbare Androhung oder Anwendung von Gewalt. …

**7.** Aus dieser Charta kann eine Befugnis der Vereinten Nationen zum Eingreifen in Angelegenheiten, die ihrem Wesen nach zur inneren Angelegenheit eines Staates gehören, … nicht abgeleitet werden. …

## Artikel 24

(1) Um ein schnelles und wirksames Handeln der Vereinten Nationen zu gewährleisten, übertragen ihre Mitglieder dem Sicherheitsrat die Hauptverantwortung für die Wahrung des Weltfriedens und der internationalen Sicherheit und erkennen an, dass der Sicherheitsrat bei der Wahrnehmung der sich aus dieser Verantwortung ergebenden Pflichten in ihrem Namen handelt. …

## Artikel 39

Der Sicherheitsrat stellt fest, ob eine Bedrohung oder ein Bruch des Friedens oder eine Angriffshandlung vorliegt; er gibt Empfehlungen ab oder beschließt, welche Maßnahmen auf Grund der Artikel 41 und 42 zu treffen sind, um den Weltfrieden und die internationale Sicherheit zu wahren oder wiederherzustellen. …

## Artikel 41

Der Sicherheitsrat kann beschließen, welche Maßnahmen – unter Ausschluss von Waffengewalt – zu ergreifen sind, um seinen Beschlüssen Wirksamkeit zu verleihen; er kann die Mitglieder der Vereinten Nationen auffordern, diese Maßnahmen durchzuführen. …

## Artikel 42

Ist der Sicherheitsrat der Auffassung, dass die in Artikel 41 vorgesehenen Maßnahmen unzulänglich sein würden oder sich als unzulänglich erwiesen haben, so kann er mit Luft-, See- oder Landstreitkräften die zur Wahrung oder Wiederherstellung des Weltfriedens und der internationalen Sicherheit erforderlichen Maßnahmen durchführen. …

# Das Gewaltverbot in der UN-Charta

Das Allgemeine Gewaltverbot des Artikels 2, Ziffer 4 der oft und mit einigem Recht als globale Verfassung bezeichneten Charta der Vereinten Nationen bildet eine der grundlegenden Normen des Völkerrechts überhaupt. Es entzieht den Staaten das Recht, zur Verwirklichung ihrer nationalen Ziele und Interessen Gewalt anzuwenden oder auch nur anzudrohen.

Von diesem Gewaltverbot gibt es nach dem bestehenden Völkerrecht nur zwei in der Charta verankerte Ausnahmen: Nach Artikel 51 darf sich ein angegriffener Staat selbst verteidigen bzw. zur kollektiven Verteidigung auch andere Staaten um Hilfe bitten. Die zweite Ausnahme bildet eine Ermächtigung durch den UN-Sicherheitsrat gemäß den Bestimmungen des Kapitels VII der Charta.

*Informationen zur politischen Bildung Nr. 274, Internationale Beziehungen II, Bonn 1/2002, S. 70*

## M 4 Die Organisation der Vereinten Nationen

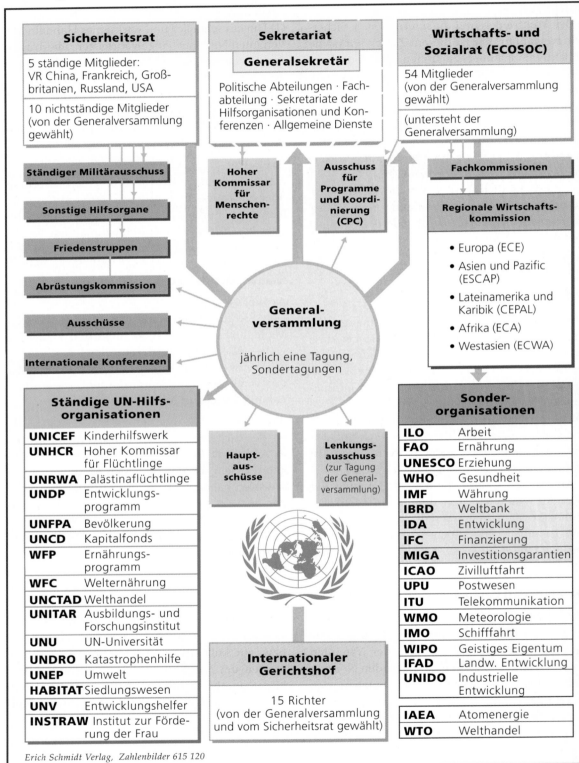

### Sicherheitsrat

5 ständige Mitglieder:
VR China, Frankreich, Großbritannien, Russland, USA

10 nichtständige Mitglieder
(von der Generalversammlung gewählt)

**Ständiger Militärausschuss**

**Sonstige Hilfsorgane**

**Friedenstruppen**

**Abrüstungskommission**

**Ausschüsse**

**Internationale Konferenzen**

### Sekretariat

#### Generalsekretär

Politische Abteilungen · Fachabteilung · Sekretariate der Hilfsorganisationen und Konferenzen · Allgemeine Dienste

**Hoher Kommissar für Menschenrechte**

**Ausschuss für Programme und Koordinierung (CPC)**

### Wirtschafts- und Sozialrat (ECOSOC)

54 Mitglieder
(von der Generalversammlung gewählt)

(untersteht der Generalversammlung)

**Fachkommissionen**

**Regionale Wirtschaftskommission**

- Europa (ECE)
- Asien und Pazific (ESCAP)
- Lateinamerika und Karibik (CEPAL)
- Afrika (ECA)
- Westasien (ECWA)

### Generalversammlung

jährlich eine Tagung, Sondertagungen

**Hauptausschüsse**

**Lenkungsausschuss** (zur Tagung der Generalversammlung)

### Ständige UN-Hilfsorganisationen

| | |
|---|---|
| **UNICEF** | Kinderhilfswerk |
| **UNHCR** | Hoher Kommissar für Flüchtlinge |
| **UNRWA** | Palästinaflüchtlinge |
| **UNDP** | Entwicklungsprogramm |
| **UNFPA** | Bevölkerung |
| **UNCD** | Kapitalfonds |
| **WFP** | Ernährungsprogramm |
| **WFC** | Welternährung |
| **UNCTAD** | Welthandel |
| **UNITAR** | Ausbildungs- und Forschungsinstitut |
| **UNU** | UN-Universität |
| **UNDRO** | Katastrophenhilfe |
| **UNEP** | Umwelt |
| **HABITAT** | Siedlungswesen |
| **UNV** | Entwicklungshelfer |
| **INSTRAW** | Institut zur Förderung der Frau |

### Sonderorganisationen

| | |
|---|---|
| **ILO** | Arbeit |
| **FAO** | Ernährung |
| **UNESCO** | Erziehung |
| **WHO** | Gesundheit |
| **IMF** | Währung |
| **IBRD** | Weltbank |
| **IDA** | Entwicklung |
| **IFC** | Finanzierung |
| **MIGA** | Investitionsgarantien |
| **ICAO** | Zivilluftfahrt |
| **UPU** | Postwesen |
| **ITU** | Telekommunikation |
| **WMO** | Meteorologie |
| **IMO** | Schifffahrt |
| **WIPO** | Geistiges Eigentum |
| **IFAD** | Landw. Entwicklung |
| **UNIDO** | Industrielle Entwicklung |
| **IAEA** | Atomenergie |
| **WTO** | Welthandel |

### Internationaler Gerichtshof

15 Richter
(von der Generalversammlung und vom Sicherheitsrat gewählt)

*Erich Schmidt Verlag, Zahlenbilder 615 120*

# Im Zentrum der Vereinten Nationen: der Sicherheitsrat

**Der Sicherheitsrat der Vereinten Nationen**

- trägt die Hauptverantwortung für die Wahrung des Weltfriedens und der internationalen Sicherheit
- fasst Beschlüsse mit bindender Wirkung für alle UN-Mitglieder

Empfehlungen zur Aufnahme neuer Mitglieder in die UN

Vorschlag zur Wahl des UN-Generalsekretär

Wahl der Mitglieder des Internationalen Gerichtshofs

(gemeinsam mit der Generalversammlung)

**5 ständige Mitglieder**

| China | Frank-reich | Groß-britannien | Russ-land | USA |

(mit Vetorecht in Sachfragen)

**10 gewählte Mitglieder**

jährliche Wahl von 5 Mitgliedern auf 2 Jahre

**UN- Generalversammlung**

Empfehlungen zur Beilegung von Streitigkeiten

Untersuchung von Konflikten

Entsendung von Friedenstruppen

Förmliche Feststellung einer Bedrohung des Friedens, eines Friedensbruchs oder einer Angriffshandlung

Wirtschaftliche oder diplomatische Sanktionen

Militärische Sanktionen

*Erich Schmidt Verlag, Zahlenbilder 615124*

## Der Sicherheitsrat

Der Sicherheitsrat ist das mit Abstand mächtigste der sechs Hauptorgane der Vereinten Nationen und auch im gesamten Bereich der internationalen Politik ein einzigartiges Instrument. Die Charta weist ihm die Hauptverantwortung für den Weltfrieden und die internationale Sicherheit (Art. 24) zu und verleiht ihm weitreichende Kompetenzen bei der Wahrnehmung dieser Verantwortung. So kann er im Rahmen der friedlichen Beilegung von Streitigkeiten (Kapitel VI der Charta) jede Situation untersuchen (Art. 34) und in jedem Stadium einer Streitigkeit Empfehlungen zu deren friedlicher Erledigung aussprechen (Art. 36 ff.). Unter den Vorzeichen des Kapitels VI bleibt die Rolle des Sicherheitsrates beratend bzw. moderierend. Kapitel VII der Charta regelt dagegen die Ausübung von Zwang durch den Sicherheitsrat. Hierzu muss er nach Art. 39 feststellen, ob eine Situation eine Bedrohung oder einen Bruch des Friedens bzw. eine Aggressionshandlung darstellt. Gelangt der Sicherheitsrat zu einer solchen Feststellung, kann er geeignete Maßnahmen zur zwangsweisen Durchsetzung seiner Beschlüsse ergreifen. [25] [30]

Nach Art. 41 kann es sich dabei in einem stufenförmigen Verfahren um nichtmilitärische – vor allem wirtschaftliche – Sanktionen handeln, nach Art. 42 können auch militärische Maßnahmen zur Friedenserzwingung angeordnet werden. Für die Durchführung von Zwangsmaßnahmen unter seiner Autorität kann der Sicherheitsrat regionale Abmachungen wie etwa die OSZE in Anspruch nehmen (Kapitel VIII, Art. 53). Gemäß Art. 25 müssen alle Mitgliedstaaten der Vereinten Nationen die Beschlüsse des Sicherheitsrates annehmen und umsetzen. Die besondere Stellung des Sicherheitsrates kommt auch durch seine Befugnisse innerhalb der Organisation zum Ausdruck, durch die eine Reihe wichtiger Entscheidungen vor allem der Generalversammlung an ein vorangehendes Votum des Rates gebunden wird. Dies betrifft vor allem die Aufnahme und den Ausschluss von Mitgliedern sowie die Wahl des Generalsekretärs und der Richter des Internationalen Gerichtshofes. [35] [40] [45] [50] [55]

*Sven Bernhard Gareis / Johannes Varwick, Die Vereinten Nationen. Aufgaben, Instrumente, Reformen, 2. Aufl., Opladen 2002, S. 48 ff.*

## Aufgabe zu M 2 – M 5

*1.* Der Sicherheitsrat ist immer wieder als „Fehlkonstruktion" bezeichnet worden. Was spricht vor dem Hintergrund der Grundsätze der UN-Charta (Art. 1, 2) für diese Behauptung (M 2, M 3, M 5)?

**M 6**

## Gestaffelte Maßnahmen der Vereinten Nationen

- **Friedensschaffende Maßnahmen**

Diplomatische Maßnahmen zur friedlichen Lösung eines Konflikts. Neben Bereitstellung guter Dienste, Vermittlung und Schlichtung können sie
5 auch diplomatische Isolationsmaßnahmen und Sanktionen umfassen.

- **Friedenserzwingende Maßnahmen**

Maßnahmen zur Wiederherstellung des Friedens in Konfliktgebieten unter Einsatz militärischer
10 Mittel. Die Zustimmung der Konfliktparteien ist nicht erforderlich.

- **Friedenserhaltende Maßnahmen**

Aktivitäten zur Eindämmung, Entschärfung und / oder Beendigung von Feindseligkeiten zwi-
15 schen Staaten oder in Staaten durch Intervention einer neutralen dritten Partei unter internationaler Organisation und Leitung. Militärische Streitkräfte und zivile Organisationen können die politische Streitbeilegung ergänzen und für die
20 Wiederherstellung und Wahrung des Friedens

sorgen. Friedenserhaltende Maßnahmen beinhalten die Stationierung einer Friedenstruppe im Krisengebiet. Die Zustimmung der Konfliktparteien ist erforderlich.

- **Friedenskonsolidierende Maßnahmen**

Maßnahmen zur Bestimmung und Förderung von Strukturen, die geeignet sind, den Frieden zu festigen und zu konsolidieren, um das Wiederaufleben eines Konflikts zu verhindern. Diese können sowohl militärisches als auch ziviles Eingreifen erfordern.

Eine klare Grenzziehung zwischen den einzelnen „Typen" von Maßnahmen ist häufig schwierig. Friedenserhaltung setzt in vielen Fällen zunächst einmal die Schaffung von Frieden voraus, zugleich können vorausgehende oder begleitende „friedenserzwingende Maßnahmen" unerlässlich sein, wie auch das Beispiel Afghanistan zeigt.

*Arbeitsgemeinschaft Jugend und Bildung e.V. (Hg.), Frieden und Sicherheit, Wiesbaden 2003, S. 24*

**M 7**

## War der Irakkrieg völkerrechtswidrig?

Die USA verweisen zur Rechtfertigung für ein militärisches Vorgehen auf ihr Selbstverteidigungsrecht. Nach Wortlaut des Art. 51 UN-Charta löst allerdings nur ein konkreter Angriff gegen einen
5 Staat das Recht zur Selbstverteidigung aus. Als die Charta verabschiedet wurde, hat man sich bewusst gegen die Möglichkeit einer präventiven Selbstverteidigung entschieden. Die Anerkennung des Selbstverteidigungsrechts als Reaktion auf einen
10 akuten Angriff war auch von den USA gewollt. Unter Hinweis auf neue Waffensysteme, auf das höhere Vernichtungspotential von Waffen und vor allem das verdeckte Vorgehen von Aggressoren wird argumentiert, die Schwelle für militärische
15 Abwehrmaßnahmen müsse vorverlegt werden. Diesen Ansatz einer vorsorglichen („preemptive") Verteidigung hat Präsident Bush bereits in einer Ansprache am 1. Juni 2002 ... formuliert.
Nach allerdings umstrittenen völkerrechtlichen
20 Vorstellungen ist ein Präventivschlag allenfalls dann möglich, wenn ein Angriff unmittelbar bevorsteht und sich dies objektiv belegen lässt [z.B. durch Grenzverletzungen, Aufmarsch von Panzern etc.]. Präsident Bush hat in seiner Rede

die vorsorgliche Selbstverteidigung als Weiterentwicklung präventiver Selbstverteidigung verstanden. ... Der entscheidende Gesichtspunkt gegen jede Form von vorsorglicher Selbstverteidigung liegt letztlich darin, dass bei Verzicht auf eine objektivierbare Feststellung eines Angriffs, diese auf einer rein subjektiven Einschätzung des Staates beruht, der die Selbstverteidigung geltend macht. Damit ist das Gewaltverbot praktisch zur Disposition[1] dieses Staates gestellt.

*Rüdiger Wolfrum, Direktor am Max Planck Institut für ausländisches öffentliches Recht und Völkerrecht, Heidelberg (http://www.mpil.de/de/ Wolfrum/irak.pdf, 25.5.2004)*

[1]Verfügbarkeit, Beliebigkeit

## *Aufgaben zu M 7*

*1.| Überlege, ob die Argumentation der USA angesichts der veränderten Bedrohungen gerechtfertigt ist.*

*2.| Erläutere, welches zentrale Problem sich ergibt, wenn sich ein Staat auf das Recht zur vorsorgenden Selbstverteidigung beruft und welche Konsequenzen dies haben könnte.*

## Völkerrecht

Der Begriff Völkerrecht beschreibt das internationale Recht zwischen den verschiedenen Nationen. Völkerrechtssubjekte, also Träger von Rechten und Pflichten, können neben den Staaten auch Organisationen wie die Vereinten Nationen (UNO) sein, deren Charta zu einer der wichtigsten Satzungen des Völkerrechts geworden ist. In zunehmenden Maße dient das Völkerrecht auch dem Schutz des Individuums in Form von Menschenrechtskonventionen.

Niedergelegt ist das Völkerrecht in völkerrechtlichen Verträgen und allgemein anerkannten Rechtsgrundsätzen, wie z.B. den Menschenrechten oder der UN-Charta. Außerdem gehören das Gewohnheitsrecht und

getroffene Gerichtsentscheidungen zu den Quellen des Völkerrechts.

Das Völkerrecht ist für alle Staaten bindend. Es muss allerdings in Deutschland erst in nationales Recht umgesetzt werden, bevor es Gültigkeit erlangt. Wichtige Organe des Völkerrechts sind die UNO, die der Erhaltung des Weltfriedens dient, der Internationale Gerichtshof und der Internationale Strafgerichtshof. Ein großes Problem ist, dass es – anders als in den Staaten – kein internationales Gewaltmonopol gibt (Staatsanwaltschaft, Gerichte, Polizei), das die Durchsetzung des Völkerrechts garantieren könnte.

*Autorentext*

## Die Blauhelmsoldaten – das Markenzeichen der UNO

**M 8**

*Blauhelmsoldaten helfen bei der Rückkehr von Flüchtlingen im Kosovo.*

Die bekannten „Blauhelm-Soldaten" der UNO übernehmen in der Regel Aufgaben der Friedenserhaltung (Peace-Keeping). Dies bedeutet im Gegensatz zur Friedenserzwingung, dass die Soldaten den nach Beendigung eines Konflikts in einer Krisenregion oft brüchigen Frieden sichern sollen. Für das klassische Peace-Keeping gelten folgende Leitsätze:

- Die Entsendung erfolgt nur im Konsens mit den Konfliktparteien. Die Konfliktparteien müssen den Konflikt beenden wollen und sich einig über die Rolle der Blauhelm-Soldaten

sein (z.B. Sicherung der Grenze, um Grenzverletzungen vorzubeugen, Bildung einer Pufferzone zwischen den Konfliktparteien, Polizeiaufgaben, Beobachtung von Wahlen). 15

- Die Verantwortung für den Einsatz liegt bei den Vereinten Nationen, genauer beim VN-Generalsekretär, der die politische und operative Verantwortung trägt. 20
- Für die Blauhelmsoldaten gilt, dass sie strikt unparteiisch sein müssen, weshalb sich Länder, die in der Region eigene Interessen verfolgen, an den Missionen nicht beteiligen sollten.
- Die Blauhelmsoldaten dürfen nur leichte Waffen zur Selbstverteidigung tragen, um keiner Partei einen Vorwand zu bieten, die Soldaten in die Kampfhandlungen miteinzubeziehen. 25

Zu Beginn des Jahres 2003 unterhielten die VN 13 Peace-Keeping-Missionen. Dabei waren rund 40 000 Soldaten aus ca. 90 Ländern im Einsatz. 30 Neben diesen reinen UNO-Missionen gibt es noch viele Missionen, die zwar von der UNO legitimiert sind (also ein UN-Mandat haben), aber von einzelnen Staaten (z.B. den USA) oder regionalen Organisationen wie der NATO oder der EU 35 (im Rahmen der ESVP) durchgeführt werden.

*Autorentext*

## M 9    Die UNO – eine reformbedürftige Organisation

Es kann … nicht deutlich genug unterstrichen werden, dass die UNO nur so handlungsfähig ist, wie ihr dies ihre Mitgliedstaaten ermöglichen. Es wird künftig zunehmend erforderlich sein, dass

5 die Staaten, seien sie Ständige Mitglieder des Sicherheitsrates oder „einfache" UN-Mitglieder, der UNO realistische und durchführbare Aufgaben zuweisen und sie bei der Durchführung dieser Mandate dauerhaft unterstützen. …

10 Auch eine weitere entscheidende Reform steht weiterhin aus, die nur die Mitgliedstaaten leisten können: Der Sicherheitsrat muss in seiner Zusammensetzung, in seinen Entscheidungsmechanismen und in seinen Arbeitsweisen den

15 Erfordernissen des 21. Jahrhunderts angepasst werden. Er spiegelt in der Zusammensetzung seiner Ständigen Mitglieder die weltpolitische Konstellation am Ende des Zweiten Weltkrieges wider.

20 Seit 1993 laufen im Bereich der UN Bemühungen, den Sicherheitsrat hinsichtlich seiner Größe und Repräsentativität sowie transparenterer Arbeitsverfahren zu reformieren. Als weitgehend konsensfähig gilt eine Erweiterung des Rates

25 auf 25 Mitglieder, darunter fünf neue Ständige Mitglieder. Diese Zahlen würden es erlauben, sowohl die bislang nicht vertretenen Weltregionen Afrika, Lateinamerika und Südasien mit Ständigen Sitzen auszustatten als auch zwei Sitze für

30 Industrieländer vorzusehen.

Völlig offen ist hingegen die Frage, welche Staaten diese Sitze einnehmen sollen. So ist etwa der Rückhalt für Deutschland in der europäischen Staatengruppe keineswegs gesichert und die

35 Idee eines gemeinsamen EU-Sitzes dürfte wohl noch lange Zeit am Widerstand Frankreichs und Großbritanniens scheitern.

Ebenfalls verhärtet stellen sich die Positionen in der Veto-Problematik dar. Die existierenden

40 Ständigen Mitglieder wollen ihr Privileg weder

*Das UN-Hauptquartier in New York. Auch von der Reformfähigkeit der UNO wird abhängen, welche Rolle die Organisation in Zukunft bei der Sicherung des Weltfriedens spielen wird.*

aufgeben noch teilen, insbesondere die Entwicklungs- und Schwellenländer bestehen indes auf Gleichberechtigung aller künftigen Ständigen Mitglieder. Es ist realistisch kaum einzuschätzen ob, wann und wie sich diese Interessengegensätze auflösen lassen. Doch erst wenn dieser wohl noch lange Zeit schwierigste Reformschritt vollzogen ist, werden die Vereinten Nationen die Gefahr einer immer wiederkehrenden Selbstblockade überwinden und ihre globale Verantwortung effektiv wahrnehmen können.

*Informationen zur politischen Bildung, Nr. 274, Internationale Beziehungen II, Bonn 1/2002, S. 12 f.*

### Aufgaben zu M 8 und M 9

**1.** Welche Voraussetzungen müssen für den Einsatz der UN-Blauhelme gegeben sein (M 8)?

**2.** Bildet Gruppen und entwickelt ein Konzept für eine Reform des UN-Sicherheitsrates.

Beachtet dabei, dass die Entscheidungsfähigkeit des Sicherheitsrates gestärkt werden soll. Welche Probleme könnten sich für euer Konzept ergeben (M 9)?

## Die Rolle der UNO bei der Friedenssicherung

Die Vereinten Nationen (UNO) wurden am 24.10.1945 von 51 Staaten als globale Friedensorganisation gegründet. Heute sind fast alle Länder der Welt Mitglied der UNO. In der UN-Charta, dem Gründungsvertrag der UNO, sind die grundsätzlichen Ziele festgehalten:

*Gründung und Ziele der UNO*
*M 2, M 3*

- Wahrung des Weltfriedens und der internationalen Sicherheit
- Entwicklung freundschaftlicher Beziehungen zwischen den Nationen
- Herbeiführung einer internationalen Zusammenarbeit um internationale Probleme zu lösen und die Achtung der Menschenrechte zu fördern

Ihren Hauptsitz hat die UNO in New York. Entsprechend verschiedener Arbeitsschwerpunkte unterhält sie noch Amtssitze in Wien, Genf und Nairobi.

*Aufbau*
*M 4*

Die wichtigsten Organe sind die Generalversammlung, der Sicherheitsrat sowie das Sekretariat und der Internationale Gerichtshof. Die Organisationsstruktur teilt sich entsprechend der vielfältigen Aufgabenbereiche in viele Ausschüsse, Hilfsorganisationen, Kommissionen und Sonderorganisationen auf.

Alle Staaten der Generalversammlung haben eine Stimme. Die Generalversammlung kann jedoch nur Empfehlungen verabschieden, die völkerrechtlich nicht verbindlich sind. Dagegen sind die Resolutionen des Sicherheitsrates völkerrechtlich verbindlich und ihre Durchsetzung kann von den Vereinten Nationen rechtmäßig erzwungen werden, sofern sich die Mitglieder des Sicherheitsrates darauf einigen.

*Generalversammlung*

Der Sicherheitsrat besteht aus fünf ständigen Mitgliedern (USA, Großbritannien, Frankreich, China und Russland) und zehn nichtständigen Mitgliedern. Jedes ständige Mitglied ist mit einem Vetorecht ausgestattet, kann also Entscheidungen des Sicherheitsrates blockieren. Die nichtständigen Mitglieder werden von der Generalversammlung alle zwei Jahre neu gewählt.

*Sicherheitsrat*
*M 5*

Die Handlungsmöglichkeiten der UNO lassen sich folgendermaßen untergliedern:

*Handlungs-möglichkeiten*
*M 6, M 8*

- friedensschaffende Maßnahmen (diplomatische Aktivitäten, Vermittlung, Schlichtung, politische Isolierung)
- friedenserzwingende Maßnahmen (wirtschaftliche Sanktionen, Einsatz von Waffengewalt)
- friedenserhaltende Maßnahmen (Überwachung eines Waffenstillstandes, Trennung der Konfliktparteien, Wahrnehmung von Polizeiaufgaben)
- friedenskonsolidierende Aufgaben (Aufbau zivil- und rechtsstaatlicher Strukturen, gemeinsame Projekte, Durchführung von Wahlen)

Eine klare Unterscheidung zwischen den einzelnen Maßnahmen ist z.T. schwierig, oft verlangt die Situation den Einsatz mehrerer Maßnahmen zur selben Zeit.

Die Verdienste der UNO für die Sicherung des Weltfriedens sind unbestritten. Mit der UN-Charta liegt ein völkerrechtliches Dokument vor, das verbindliche Grundsätze und Regeln für die Beziehungen der Staaten untereinander enthält, auch wenn diese Regeln von Zeit zu Zeit in Frage gestellt und neu ausgelegt werden müssen.

Unbestritten ist aber auch, dass die UNO reformiert werden muss, um effektiver und handlungsfähiger zu werden. Im Zentrum der Reformüberlegungen stehen dabei der Sicherheitsrat und das System der Friedenssicherung. Das Vetorecht erlaubt es nämlich den ständigen Mitgliedern, Beschlüsse einseitig nach nationaler Interessenlage zu verhindern, während sich andere Staaten an die Beschlüsse halten müssen.

*Reformbedarf*
*M 9*

*Was wir jetzt wissen:*

# 2. Außen- und Sicherheitspolitik in Europa

**M 1**
**M 2**

## Europa bezieht Stellung

JA · MAL SCHAUEN · UNTER UMSTÄNDEN · NEIN

IRAK-KRIEG ... EUROPA BEZIEHT STELLUNG

*Plaßmann/CCC, www.c5.net*

## Die Haltung der EU-Staaten zum Irakkrieg

Vor dem Irakkrieg im Jahr 2003 waren die EU-Staaten in ihrer Haltung gespalten. Der Kurs Frankreichs und Deutschlands, eine friedliche Lösung zu finden, wurde von Griechenland, Belgien, Österreich, Luxemburg, Schweden und Finnland unterstützt. Die US-nahe Haltung Großbritanniens und Spaniens teilten Italien, Portugal, Dänemark und die Niederlande.

Acht europäische Regierungen hatten überraschend und ohne Rücksprache ihre Solidarität mit den USA unterstrichen, darunter auch die drei neuen EU-Mitglieder Polen, Ungarn und Tschechien. Auch andere osteuropäische Länder haben ihre Unterstützung der USA hervorgehoben.

*Autorentext*

### Aufgaben zu M 1 und M 2

*1.* Welche Probleme der Gemeinsamen Europäischen Außenpolitik werden in M 1 und M 2 deutlich?

*2.* Hältst du eine gemeinsame Außenpolitik der EU für wünschenswert? Begründe!

**M 3**

## Die Entwicklung von GASP und ESVP

Erst im Jahre 1992 entschlossen sich die Staats- und Regierungschefs der EU in Maastricht dazu, das Ziel einer gemeinsamen Außenpolitik in den Vertrag aufzunehmen. ... Ziel der GASP (Gemeinsame Außen- und Sicherheitspolitik) ist vor allem die Vertretung der EU auf der internationalen Ebene. Eine gemeinsame Position nach außen soll durch permanenten Gedankenaustausch und weitgehende Abstimmung zwischen den Mitgliedstaaten bei außenpolitischen Fragen und Problemen erreicht werden. Auch die GASP gehört nicht zu den eigentlichen Arbeitsfeldern der Europäischen Gemeinschaft; in der Außenpolitik arbeiten vielmehr die Regierungen der EU-Staaten direkt zusammen („intergouverne-

mentale Zusammenarbeit"), die EU-Kommission und das Europäische Parlament sind zwar in diese zwischenstaatliche Zusammenarbeit einbezogen, aber nicht an den Entscheidungen beteiligt, diese sind allein den Regierungen der Einzelstaaten vorbehalten. Keiner der Mitgliedstaaten will – bisher – auf seine Souveränität in der Außenpolitik verzichten. Deshalb haben die EU-Staaten im außenpolitischen Bereich nicht, wie auf anderen Politikfeldern, Hoheitsrechte auf die Organe der EU übertragen, und in kritischen Situationen finden sie auch heute nur mit Mühe und Einschränkungen oder überhaupt nicht zu einer gemeinsamen Linie.

1999 hat der Europäische Rat beschlossen, eine

Europäische Sicherheits- und Verteidigungspolitik (ESVP) zu schaffen. Dabei wurde die militärische Komponente der GASP intensiviert. Die ESVP ist also weniger eine Weiterentwicklung
35 der GASP, sondern vielmehr innerhalb dieser die Intensivierung eines Teilaspekts der gemeinsamen Außenpolitik. Die EU-Staaten stellten demzufolge eine schnelle Eingreiftruppe auf, um innerhalb von zwei Monaten Truppen in Korps-
40 stärke (50 000 bis 60 000 Soldaten) in Krisengebiete bringen und sie dort für mindestens zwei Jahre stationieren zu können. Ferner kann die EU nach den ESVP-Vereinbarungen bis zu 5000 Polizeibeamte für internationale Missionen bereitstellen.
45 Maßnahmen der ESVP müssen mit den Grundsätzen der Vereinten Nationen übereinstimmen und können Ziele der UNO unterstützen. Die Regierungen der EU-Staaten können also nun gemeinsam Einsätze beschließen und durchfüh-
50 ren, z. B. für humanitäre Missionen sowie zur Sicherung oder zur Erzwingung des Friedens in Krisenregionen – allerdings ist hierzu weiterhin Einstimmigkeit erforderlich.
Zur Koordinierung ihrer militärischen Aktivitä-
55 ten haben EU und NATO (vgl. M 10 ff.) vereinbart, dass die EU auf Planungs- und Führungselemente der NATO zurückgreifen kann. Zudem verfügt der Militärstab der EU über eigene operationelle Planungsfähigkeit.

*Metzler Aktuell, November 2003*

> ## Die fünf Ziele der gemeinsamen Außen- und Sicherheitspolitik
>
> * Wahrung der gemeinsamen Werte, der grundlegenden Interessen und der Unabhängigkeit der Europäischen Union,
> * Stärkung der Sicherheit der Union und ihrer Mitgliedstaaten in allen ihren Formen,
> * Wahrung des Weltfriedens und Stärkung der internationalen Sicherheit entsprechend den Grundsätzen der Charta der Vereinten Nationen sowie den Prinzipien der KSZE-Schlussakte von Helsinki (1975) und den Zielen der Charta von Paris (1990),
> * Förderung der internationalen Zusammenarbeit,
> * Entwicklung und Stärkung von Demokratie und Rechtsstaatlichkeit sowie Achtung der Menschenrechte und der Grundfreiheiten.
>
> *EU-Vertrag 1997, Artikel 11 Absatz 2*

### Aufgabe zu M 3

**1.** Nenne Ziele und Probleme der GASP.

## GASP-Strukturen im Vertrag von Nizza

**M 4**

**Europäischer Rat:** Er bestimmt die allgemeinen Leitlinien der GASP. Das Land, das den Ratsvorsitz innehat, vertritt die EU in Fragen der GASP nach außen.

5 **Hoher Vertreter der GASP:** Er ist in Personalunion auch Generalsekretär des Rates, sorgt für mehr Kohärenz und eine größere Sichtbarkeit der EU in der Welt. Durch seine fünfjährige Amtszeit steht er für die Kontinuität der GASP; ihm steht
10 eine Arbeitseinheit zur Verfügung, deren Aufgabe es ist, Strategien zu entwickeln und frühzeitig zu warnen.

**Troika:** Der Hohe Vertreter der GASP, die Europäische Kommission und die Ratspräsidentschaft
15 bilden die Troika, die in Kontakten mit Drittstaaten die Kohärenz der Außenpolitik gewährleisten soll.

**Rat für Allgemeine Angelegenheiten und Außenbeziehungen:** Einstimmig beschließen die Außenminister auf der Grundlage der allgemei- 20 nen Leitlinien gemeinsame Standpunkte, die Dauer von Aktionen und die einzusetzenden Mittel. Diese Beschlüsse werden von GASP-Arbeitsgruppen, dem Ausschuss der Ständigen Vertreter der Mitgliedstaaten (AStV) sowie dem 25 Politischen und Sicherheitspolitischen Komitee vorbereitet.

*Informationen zur politischen Bildung Nr. 279, Europäische Union, Bonn 2/2002, S. 38*

## M 5   Aktuelle Instrumente der GASP/ESVP

| Politisch-wirtschaftliche Instrumente | Nicht-militärisches Krisenmanagement | Militärisches Krisenmanagement |
|---|---|---|
| • Politische Erklärung<br>• Grundsätze und allgemeine Leitlinien<br>• Gemeinsame Strategien<br>• Gemeinsame Aktionen<br>• Gemeinsame Standpunkte<br>• Entwicklungshilfe, Förderprogramme, Wirtschaftssanktionen<br>• Rapid Reaction Mechanism (schnelle Finanzierung für Konfliktprävention) | • 5 000 Polizisten<br>• 200 Experten für Rechtsstaatlichkeit<br>• Zivile Verwaltungsexperten<br>• 2 000 Experten für Katastrophen- und Zivilschutz | • 100 000 Mann (60 000 Mann in 60 Tagen für 12 Monate verfügbar)<br>• 400 Kampfflugzeuge<br>• 100 Schiffe<br>• Hauptquartiere (national und multinational) |

*Dr. Heiko Borchert & Co., www.borchert.ch/paper/HSG_0428_EU.pdf (Stand: April 2003)*

## M 6   Joschka Fischer: Warum braucht die EU eine eigene Verteidigungspolitik?

Die Europäische Union hat aus der Erfahrung im Kosovo[1] die Lehre gezogen, dass sie auch selbst in der Sicherheits- und Verteidigungspolitik handlungsfähig werden muss. Dies liegt auch in der Konsequenz des europäischen Einigungsprozesses. Er gewinnt damit eine völlig neue Dimension. Die wirksame Verbindung ziviler und militärischer Mittel wird im 21. Jahrhundert zu einem Markenzeichen der EU werden. Die ESVP wird ihre neuen Mittel militärischer Krisenbewältigung einbetten in den erprobten, umfassenden Rahmen von Konfliktprävention und ziviler Krisenbewältigung. Die EU wird damit künftig über alle Ebenen politischer Einwirkung von der Frühdiagnose entstehender Konflikte bis hin zum Einsatz militärischer Mittel verfügen. Wenn wir das, was jetzt in Brüssel auf die Beine gestellt wird, richtig nutzen, wird ein neuer Mechanismus zu einer flexiblen, integrierten und umfassenden Bewältigung von Krisen entstehen. Der Einsatz von Gewalt wird dabei immer nur die ultima ratio bleiben.

*37. Münchner Konferenz für Sicherheitspolitik, Rede des ehemaligen Bundesaußenministers Joschka Fischer (1998-2005), 3.2.2001*

[1] Im Kosovokonflikt war die EU politisch und militärisch nicht in der Lage, ohne die Hilfe der USA eine Intervention zur Beendigung des Konflikts durchzuführen.

## M 7   Operation der ESVP im Kongo

*Mit einer Streitkraft von 1400 Soldaten haben die Europäer auf Bitten der UN in der im Nordosten Kongos gelegenen Provinzhauptstadt Bunia, die der Schauplatz eines blutigen Bürgerkrieges ist, von Juni bis September 2003 für die Sicherheit von Flüchtlingen, den Schutz des Flughafens und wichtiger Einrichtungen der UN gesorgt. Anschließend übernahm die EU Polizeiaufgaben in dem Land.*

# Eine Sicherheitsdoktrin für Europa

Die Europäische Union hat erstmals eine gemeinsame Strategie für ihre Sicherheitspolitik formuliert. Die EU-Außenminister beschlossen bei ihren Beratungen einen von EU-Chefdiplomat Javier Solana vorgelegten Entwurf. Die Strategie setzt vor allem auf Prävention, um internationale Krisen zu verhindern. Eine „robuste Intervention" in Form eines militärischen Eingreifens wird dabei aber nicht ausgeschlossen. Formell soll die Strategie auf dem Gipfel der Staats- und Regierungschefs am Freitag in Brüssel besiegelt werden.

Mit diesem neuen Rahmen für künftiges Krisenmanagement setzen sich die Europäer erkennbar von Konzepten der USA ab, wie sie im Irak deutlich geworden sind. Die Strategie legt deutlich mehr Wert auf ziviles Engagement zur Konfliktverhütung. Die Weltordnung müsse geprägt sein durch Multilateralismus[1] und die Zusammenarbeit der Staaten in internationalen Organisationen, allen voran den Vereinten Nationen, heißt es in dem Text.

Als Bedrohungen nach dem Ende des Kalten Krieges definiert die EU Terrorismus, Verbreitung von Massenvernichtungswaffen, regionale Konflikte wie im Nahen Osten, den Zerfall von Staaten durch Korruption und Machtmissbrauch sowie das Organisierte Verbrechen. „Kommen diese unterschiedlichen Elemente zusammen, dann könnten wir mit einer wirklich radikalen Bedrohung konfrontiert sein", heißt es in der Doktrin. Im Gegensatz zur Zeit des Kalten Krieges seien keine der neuen Bedrohungen ausschließlich militärischer Art – „noch kann eine von ihnen nur mit militärischen Mitteln angegangen werden", stellt die EU fest.

Zugleich betont die EU, dass sie ihre militärischen Fähigkeiten verbessern muss. Um das Militär zu reformieren und die Truppen flexibler und mobiler zu machen, müssten die Mitgliedstaaten auch mehr Geld für die Verteidigung ausgeben. In diesem Zusammenhang hebt die EU ihre Beziehungen zur NATO und das transatlantische Verhältnis hervor, das „unersetzbar" sei. „Mit einem gemeinsamen Vorgehen können die Europäische Union und die USA eine beachtliche Kraft sein, um Gutes in der Welt zu schaffen."

*www.tagesschau.de, 9.12.2003*

[1] Multilateralismus bezeichnet die Strategie, seine Außenbeziehungen mit anderen Nationen zu koordinieren

## Aufgaben zu M 5 – M 8

**1.** Überlege, in welchen Situationen die Anwendung der unterschiedlichen Instrumente der GASP/ESVP (M 5) sinnvoll sein kann.

**2.** Erläutere, welche Bedeutung Fischer der Entwicklung der ESVP beimisst (M 6).

**3.** Beschreibe die Kernelemente der neuen Sicherheitsdoktrin der EU (M 8).

# Braucht Europa die NATO?

Europa kann nur dann wirksam zum Frieden in der Welt beitragen, wenn seine Nationen über die Europäische Union gemeinsam handeln. … Es kann nicht in unserem Interesse liegen, bei der militärischen Verteidigung unserer Werte weiterhin auf andere angewiesen zu sein.

*Romano Prodi (Ex-Präsident der EU-Kommission), EUmagazin 4/2003*

Die USA haben immer wieder die Stärkung des „europäischen Pfeilers" im Bündnis gefordert. Genau dieses Ziel verfolgt die ESVP. Sie ist als Ergänzung der NATO und nicht als Konkurrenz zu ihr gedacht.

*Ex-Außenminister Joschka Fischer auf der 31. Konferenz für Sicherheitspolitik, 6.2.2001*

Wir haben nichts von einer NATO mit einer einzigen Supermacht und 18 großen und kleinen Zwergen, die hinter ihr herlaufen. Wir brauchen eine NATO mit einem starken europäischen Pfeiler neben dem amerikanischen.

*Guy Verhofstadt (belgischer Ministerpräsident), Esslinger Zeitung, 29.4.2003*

Wir brauchen nicht weniger USA in der NATO, sondern mehr Europa.

*Ex-Bundeskanzler Gerhard Schröder (Süddeutsche Zeitung, 30.4./1.5.2003)*

### M 10   Die Geschichte der NATO

Am 4. April 1949 unterzeichneten in Washington zehn westeuropäische Staaten sowie die USA und Kanada den Nordatlantikvertrag und gründeten damit die NATO (North Atlantic Treaty
5 Organisation). Der Kalte Krieg zwischen den von der Sowjetunion dominierten kommunistischen Staaten Osteuropas und dem nichtkommunistischen Westen war bereits voll entbrannt. Sieben weitere Staaten, unter ihnen die Bundesrepublik
10 Deutschland, traten in den Folgejahren dem Bündnis bei.

Zu Zeiten des Kalten Krieges galt die NATO bei den Staaten des Warschauer Pakts1, die bereits wenige Jahre nach seinem Ende ihr Interesse an
15 einer Mitgliedschaft bekundeten, als aggressives Bündnis. Ziemlich genau 40 Jahre lang war es die Hauptaufgabe der NATO, einen potenziellen Gegner durch die eigene militärische Stärke abzuschrecken. Etwaige Angriffsabsichten sollten
20 angesichts der Vergeltungsmöglichkeiten der Nordatlantischen Allianz von vornherein entmutigt werden. Als Voraussetzung für einen Erfolg dieser Politik galt, dass die Mitglieder der NATO weitaus höher gerüstet waren, als das etwa heute
25 der Fall ist. ...

Sowohl die neuen Mitglieder als auch die weiteren Beitrittsinteressenten ... sehen in der NATO einen „Stabilitätsanker" und versprechen sich von ihr die Garantie ihrer äußeren Sicherheit.
30 ... Wozu [aber] noch ein Verteidigungsbündnis, wenn es aller Voraussicht nach aus der Nachbarschaft keinen Angreifer mehr geben wird, lautet die immer wieder gestellte Frage. ...

Zumindest widersprüchlich mit Blick auf die Zu-
35 kunft der NATO ist, dass es beide Male die USA sind, die einerseits von der Allianz im Afghanistan-Krieg nur wenig Gebrauch gemacht haben, andererseits aber ausdrücklich für die Aufnahme neuer Mitglieder eintreten. Das Spektrum der
40 Meinungen darüber, ob die NATO nur einen Bedeutungswandel erfahren hat oder sich auf dem Weg in die Bedeutungslosigkeit befindet, ist breit gefächert. Die Zukunft der NATO bleibt jedenfalls spannend.

*Informationen zur politischen Bildung Nr. 274, Internationale Beziehungen II, Bonn 1/2002, S. 18 ff.*

1 Warschauer Pakt = Militärbündnis der Ostblockstaaten unter Führung der Sowjetunion (14.5.1955 – 1.7.1999)

### M 11   Die Mitgliedstaaten der NATO

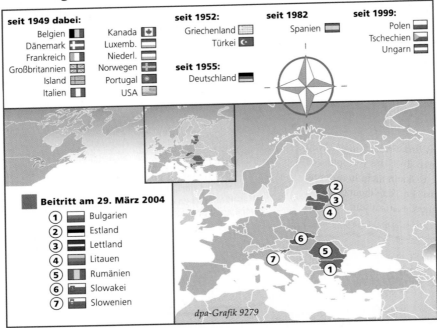

dpa-Grafik 9279

# Aus dem NATO-Vertrag

**Beistandsklausel: Art.5**

Die Parteien vereinbaren, dass ein bewaffneter Angriff gegen eine oder mehrere von ihnen in Europa oder Nordamerika als ein Angriff gegen sie alle angesehen werden wird; sie vereinbaren daher, dass im Falle eines solchen bewaffneten Angriffs jede von ihnen in Ausübung des in Artikel 51 der Satzung der Vereinten Nationen anerkannten Rechts der individuellen oder kollektiven Selbstverteidigung der Partei oder den Parteien, die angegriffen werden, Beistand leistet, indem jede von ihnen unverzüglich für sich und im Zusammenwirken mit den anderen Parteien die Maßnahmen, einschließlich der Anwendung von Waffengewalt, trifft, die sie für erforderlich erachtet, um die Sicherheit des nordatlantischen Gebiets wiederherzustellen und zu erhalten. 15
Von jedem bewaffneten Angriff und allen daraufhin getroffenen Gegenmaßnahmen ist unverzüglich dem Sicherheitsrat Mitteilung zu machen. Die Maßnahmen sind einzustellen, sobald der 20 Sicherheitsrat diejenigen Schritte unternommen hat, die notwendig sind, um den internationalen Frieden und die internationale Sicherheit wiederherzustellen und zu erhalten. (...)

# Die NATO auf der Suche nach einer neuen Identität

Die US-amerikanische Botschafterin bei der NATO, Victoria Nuland, hält ... bei vielen Gelegenheiten Reden zum Thema: „Die NATO muss globaler werden." ... Die Forderung, dass die NATO fähig sein müsse, weltweit Truppen einzusetzen, wenn die Interessen der Allianz berührt sind, ist nicht neu. Spätestens seit dem NATO-Gipfel 2002 in Prag ist das die offizielle Marschrichtung der Allianz.
Neueren Datums ist allenfalls die Überlegung, pazifisch ausgerichteten Staaten wie Japan, Südkorea, Australien und Neuseeland eine Art förmliche Partnerschaft anzubieten. Das Etikett „Welt-Bündnis" ... lehnt NATO-Generalsekretär Jaap de Hoop Scheffer übrigens ab. Die NATO wolle mit den asiatisch-pazifischen Partnern Kontakt zwar aufnehmen und unterhalten, aber ein Umbau der NATO zu einer Mini-UNO sei nicht gemeint. Man wolle globale Partnerschaften, aber keine Aufgabe als globaler Polizist. ...
Einige europäische NATO-Länder sehen das ähnlich und möchten sich auf die Verteidigung der ureigenen Allianz-Interessen konzentrieren. Dazu gehört neben der Landesverteidigung zum Beispiel die Hilfe für Afghanistan, nicht aber ein Einsatz im Kongo. Denn in Afghanistan, so NATO-Generalsekretär Jaap de Hoop Scheffer, gehe es auch darum, dass nicht wieder neue Basen für den internationalen Terror entstehen. „Wir müssen dafür sorgen, dass mehr Themen 30 auf die NATO-Agenda gesetzt werden. Zum Beispiel müssen wir auch in der NATO breit über Terrorismus, die Bedrohung und die größeren Zusammenhänge sprechen. Ich denke, dass die NATO insgesamt politischer geworden ist", 35 meinte Scheffer.
Zu einigen Anrainerstaaten am Persischen Golf und einigen Mittelmeerländern inklusive Israel unterhält die NATO partnerschaftliche Beziehungen, die ausgebaut werden sollen. Am 40 „Partnerschaftsprogramm für Frieden" nehmen zentralasiatische Länder, Finnland, Österreich und einige Balkanstaaten teil. Insgesamt gibt es 20 unterschiedlich intensive Kooperationsmodelle. Russland nimmt eine privilegierte Stellung 45 ein. Moskau wird bei fast allen politischen Themen konsultiert, im speziell dafür eingerichteten NATO-Russland-Rat.

*Bernd Riegert, www.dw-world.de, 9.2.2006*

## Aufgabe zu M 9 – M 13

**1.** Wie wird das Verhältnis zwischen NATO und EU in den Äußerungen in M 9 gesehen?

**2.** Erläutere, wie sich die NATO seit ihrer Gründung verändert hat (M 10 – M 13).

## Außen- und Sicherheitspolitik in Europa

**Motive für die GASP**
*M 3*

Erst 1992 wurde das Ziel einer Gemeinsamen Außen- und Sicherheitspolitik (GASP) in den Maastrichter Vertrag aufgenommen. Damit sollte sich die hauptsächlich durch die Integration im Wirtschaftsbereich (Binnenmarkt- und Währungsunion) geprägte EU in den internationalen Beziehungen einheitlich präsentieren können und dadurch mehr Gewicht in außenpolitischen Fragen erhalten.

**Motive für die ESVP**
*M 3, M 6*

Vor allem die Balkankriege und insbesondere die Kosovokrise (1999) haben aber deutlich gemacht, dass die EU mit den bisherigen Instrumenten der GASP nur unzureichend in der Lage war, Krieg und Gewalt vor der „eigenen Haustür" zu verhindern. Deshalb hat der Europäische Rat 1999 eine verteidigungspolitische Ergänzung der GASP beschlossen – die Europäische Sicherheits- und Verteidigungspolitik (ESVP). Neben humanitären Missionen oder Einsätzen zur Konfliktverhütung und -nachsorge kann die EU mit einer 60 000 Soldaten umfassenden Eingreiftruppe jetzt auch Kampfeinsätze in eigener Verantwortung durchführen. Dabei ist allerdings eine enge Abstimmung mit der NATO vorgesehen.

**Probleme der GASP/ESVP**

Zwar hat die EU mit dem „Hohen Vertreter der GASP" (zugleich Generalsekretär des Ministerrates) eine Art außenpolitischen Sprecher, doch gilt im Bereich der GASP/ESVP das Entscheidungsprinzip der Regierungszusammenarbeit, d.h. alle Einzelstaaten müssen zunächst einen gemeinsamen Standpunkt finden. Dabei bestimmt der Europäische Rat einstimmig die allgemeinen Leitlinien der europäischen Außenpolitik, im Ministerrat bestimmen die Außenminister dann gemeinsame Standpunkte und Aktionen im Rahmen der Leitlinien. Doch zeigt sich, dass es den Staaten in der Realität oft schwer fällt, ihre nationalen Interessen zugunsten einer gemeinsamen Außenpolitik aufzugeben. Dies hat besonders der Irakkrieg 2003 deutlich gemacht. Die neue EU-Verfassung sieht den Posten eines Außenministers mit erweiterten Rechten und eine begrenzte Abkehr vom Einstimmigkeitsprinzip vor.

**Ziele der GASP/ESVP**
*M 8*

In ihren Außenbeziehungen setzt sich die EU ein für die Wahrung ihrer Sicherheit und des Weltfriedens, für die Stärkung von Demokratie und Rechtsstaatlichkeit sowie die Achtung der Menschenrechte und Grundfreiheiten. Als ein Mittel zur Erreichung dieser Ziele kann die Integration von Staaten in die EU, insbesondere von Staaten des ehemaligen Ostblocks, angesehen werden. Die Osterweiterung dient somit dem Export von Stabilität durch Integration.
Ende 2003 hat die EU außerdem erstmals in ihrer Geschichte eine gemeinsame Sicherheitsdoktrin beschlossen. In ihr werden die Leitlinien der EU-Außenpolitik umrissen.

**Die ESVP und die NATO**
*M 9 – M 13*

Ob die NATO als transatlantisches Verteidigungsbündnis seine ursprünglich zentrale Bedeutung für Europa in Zukunft behalten wird, bleibt umstritten. Zwar bedeutet die ESVP nicht notwendigerweise eine Schwächung der NATO, doch ist sie ein Schritt hin zu mehr Unabhängigkeit der EU von den USA.

# 3. Die Rolle Deutschlands bei der Friedenssicherung

## Die Bundeswehr im Einsatz

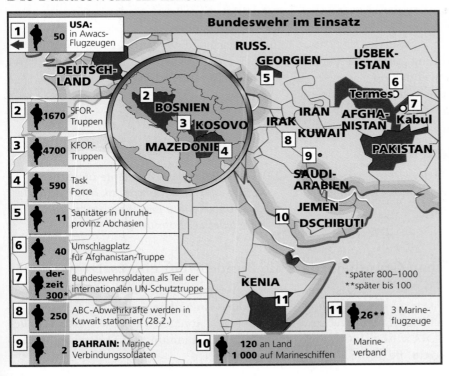

**Bundeswehr im Einsatz**

| 1 | 50 | USA: in Awacs-Flugzeugen |
| 2 | 1670 | SFOR-Truppen |
| 3 | 4700 | KFOR-Truppen |
| 4 | 590 | Task Force |
| 5 | 11 | Sanitäter in Unruhe-provinz Abchasien |
| 6 | 40 | Umschlagplatz für Afghanistan-Truppe |
| 7 | der-zeit 300* | Bundeswehrsoldaten als Teil der internationalen UN-Schutztruppe |
| 8 | 250 | ABC-Abwehrkräfte werden in Kuwait stationiert (28.2.) |
| 9 | 2 | BAHRAIN: Marine-Verbindungssoldaten |
| 10 | 120 an Land / 1 000 auf Marineschiffen | |
| 11 | 26** | 3 Marine-flugzeuge |

*später 800–1000
**später bis 100

Marine-verband

*dpa-Grafik 5806*

## Außenpolitik in einer veränderten Welt

*Der ehemalige Bundeskanzler Gerhard Schröder (SPD, 1998-2005) hat als erster deutscher Regierungschef seit Willy Brandt 1973 wieder eine Rede in der regulären UN-Vollversammlung in New York gehalten.*

Unsere Geschichte weist uns den Weg. Es ist der Weg in eine intensive internationale Zusammenarbeit unter dem Dach der Vereinten Nationen, die wir – auch durch mutige Reformen – weiter stärken müssen. … Wir müssen, auf der Basis eines effektiven Multilateralismus, entschlossen handeln, wo Frieden gefährdet und Menschenrechte verletzt werden. Aber wir müssen uns genauso entschlossen engagieren, Konflikte zu vermeiden. … Im Bewusstsein unserer eigenen Geschichte nehmen wir unsere Verantwortung für eine kooperative Friedenspolitik wahr. Wir tun das mit wirtschaftlichen, politischen und humanitären Mitteln. Aber wir übernehmen auch, Seite an Seite mit unseren Partnern in der NATO und in der EU, militärische Verantwortung dort, wo das zur Sicherung des Friedens und zum Schutz der Menschen unumgänglich ist. …

Unser Engagement für den Frieden in Afghanistan steht dabei an erster Stelle. Deutschland ist bereit, dort anhaltend engagiert zu bleiben – auch über das bisherige Maß hinaus. …

Unsere Antwort muss sein, die Rolle und das Engagement der Vereinten Nationen im Irak zu stärken. Nur die Vereinten Nationen können die Legitimität garantieren, die nötig ist, um der irakischen Bevölkerung den raschen Wiederaufbau ihres Landes unter einer eigenständigen, repräsentativen Regierung zu ermöglichen. Deutschland ist bereit, einen solchen Prozess zu unterstützen: durch humanitäre, technische und ökonomische Hilfe oder auch durch Ausbildung irakischer Sicherheitskräfte. …

Neue Bedrohungen, derer kein Staat der Welt
35 allein Herr werden kann, erfordern mehr denn je internationale Zusammenarbeit. Aber sie erfordern auch neue Strategien. Deshalb sind wir aufgerufen, die Instrumente der Vereinten Nationen im Hinblick auf die neuen Herausforderungen zu
40 überprüfen. …

Eine politische Verpflichtung zu umfassender Prävention muss das Gewaltmonopol der Vereinten Nationen, aber auch die Institutionen des Völkerrechts weiter stärken. Innerhalb der Vereinten Nationen müssen wir die Kraft zu den überfälligen institutionellen Reformen finden. …

Ich teile auch die Auffassung des Generalsekretärs, dass die Legitimität des Sicherheitsrats davon abhängt, dass er repräsentativ für alle Völker und Regionen ist. Eine Reform und Erweiterung – gerade auch um Vertreter der Entwicklungsländer – ist notwendig.

Für Deutschland wiederhole ich, dass wir im Rahmen einer solchen Reform auch selbst bereit sind, mehr Verantwortung zu übernehmen.

*Frankfurter Rundschau, 25.9.2003*

## Aufgaben zu M 1 und M 2

**1.** Informiert euch mithilfe des Internets über die Aufgaben der Bundeswehr in den jeweiligen Einsatzgebieten (M 1).

**2.** Welche Ziele und Instrumente deutscher Außen- und Sicherheitspolitik nennt Schröder? Kläre unbekannte Begriffe gegebenenfalls mit Hilfe eines Lexikons (M 2).

## M 3    Auf welcher rechtlichen Grundlage darf die Bundeswehr eingesetzt werden?

Unter welchen Voraussetzungen die Streitkräfte eingesetzt werden dürfen, ist im Grundgesetz für die Bundesrepublik Deutschland (GG) festgelegt. Danach ist gemäß Artikel 87 a Abs. 1 GG die
5 Hauptaufgabe der Streitkräfte die Verteidigung gegen einen Gegner, der das Bundesgebiet mit Waffengewalt angreift. Weiter bestimmt Art. 87a Abs. 2 GG, dass die Streitkräfte außer zur Verteidigung nur eingesetzt werden dürfen, so-
10 weit das Grundgesetz es ausdrücklich zulässt. Da ein Angriff auf das Bundesgebiet jedoch immer unwahrscheinlicher wird, gehören heute bewaffnete Auslandseinsätze oder unbewaffnete humanitäre Hilfeleistungen bzw. unbewaffnete
15 Beobachtermissionen im Rahmen eines Systems gegenseitiger gemeinsamer (kollektiver) Sicherheit (UNO) oder eines Verteidigungsbündnisses (NATO, ESVP) zu den häufigsten Einsätzen der Bundeswehr.
20 Auf der Grundlage des Urteils des Bundesverfassungsgerichts vom 12. Juli 1994 sind Einsätze bewaffneter deutscher Streitkräfte verfassungsrechtlich zulässig, wenn sie gemäß Art. 24 Abs. 2 GG im Rahmen und nach den Regeln eines Systems gegenseitiger kollektiver Sicherheit stattfinden. Außerdem muss die Bundesregierung in jedem konkreten Fall die – grundsätzlich vorherige – Zustimmung des Deutschen Bundestages eingeholt.

Im Innern darf die Bundeswehr nur ausnahmsweise eingesetzt werden:

- Im Spannungs- und Verteidigungsfall zum Schutz von zivilen Objekten und zur Verkehrsregelung (Art. 87 a Abs. 3 GG)
- Zudem darf die Bundeswehr im Innern der Bundesrepublik Deutschland eingesetzt werden, um in bürgerkriegsähnlichen Situationen (bei Aufständen oder einem Staatsstreich) zivile Objekte zu schützen oder organisierte und militärisch bewaffnete Aufständische zu bekämpfen (Art. 87a Abs. 4 GG), falls Polizei und BGS hierzu nicht mehr ausreichen
- Möglich ist auch ein Einsatz der Bundeswehr zur Hilfe bei Naturkatastrophen oder besonders schweren Unglücksfällen (Art. 35 Abs. 2 und 3 GG)

*Autorentext*

# Die Bundeswehr in Afghanistan

*Bundeswehrsoldaten als Teil der UN-Schutztruppe ISAF auf Patrouille in Kabul*

In Afghanistan herrscht seit über 20 Jahren Krieg. Mit der Übernahme der Herrschaft durch die extremistischen Taliban wurde das Land in politischer, sozialer und wirtschaftlicher Hinsicht zusätzlich um viele Jahre zurückgeworfen. Das Taliban-Regime bot darüber hinaus Terroristen eine Heimstatt und stellte sich auch nach den Anschlägen vom 11. September 2001 schützend vor Angehörige des Al-Qaida-Netzwerks. Der daraufhin erfolgte Einsatz militärischer Mittel im Rahmen der internationalen Koalition gegen den Terrorismus hat das Taliban-Regime beendet. Jetzt gilt es, dem Land beim Wiederaufbau zu helfen und der Bevölkerung eine Perspektive für eine friedliche Zukunft zu sichern. Die Afghanistan-Konferenz auf dem Petersberg in Bonn im Dezember 2001 hat den Weg für eine politische Stabilisierung des Landes vorgezeichnet. Auf Wunsch der Teilnehmerkonferenz hat der UN-Sicherheitsrat das Mandat für die Aufstellung der Friedenstruppe ISAF („International Security Assistance Force") erteilt, die nun die afghanische Übergangsregierung unterstützt. Die ISAF soll insbesondere die Sicherheit in Kabul und Umgebung aufrecht erhalten, so dass die vorläufige afghanische Regierung und das Personal der Vereinten Nationen in einem sicheren Umfeld arbeiten können. Die Resolution des Sicherheitsrates erlaubt dabei „friedenserzwingende Maßnahmen" nach Kapitel VII der UN-Charta, also Maßnahmen zur Wiederherstellung des Friedens in Konfliktgebieten unter Anwendung militärischer Mittel.

Auch Deutschland beteiligt sich an der UN-Friedensmission in Afghanistan. Seit Februar 2003 hat Deutschland – gemeinsam mit den Niederlanden – als so genannte „lead nation" die besondere Verantwortung der Führung der internationalen Truppen übernommen. Der Einsatzbeschluss des Bundestages sieht hierfür bis zu 2.500 deutsche UN-Soldaten in Afghanistan vor.

### Rechtsgrundlagen

- **Resolutionen des UN-Sicherheitsrates** vom 12. und vom 28. September 2001, die unter anderem das Recht zur individuellen und kollektiven Selbstverteidigung bekräftigen und die Notwendigkeit bestätigen, alle erforderlichen Schritte gegen zukünftige Bedrohungen zu unternehmen

- **Feststellung des NATO-Bündnisfalls** am 2. Oktober 2001

- **Mandat des Deutschen Bundestags** für den Einsatz deutscher Streitkräfte vom 16. November 2001

- **Verlängerung des Bundestags-Mandats** am 15. November 2002

- **Beschluss des Deutschen Bundestags** zur Ausweitung des Mandats für den Einsatz der Bundeswehr auch außerhalb Kabuls am 24. Oktober 2003

*Arbeitsgemeinschaft Jugend u. Bildung e.V. (Hg.), Frieden und Sicherheit, Wiesbaden 2003, S. 23*

## Aufgabe zu M 4

*1.|Der ehemalige Verteidigungsminister Struck (2002-2005) hat den Afghanistan-Einsatz der Bundeswehr unter anderem damit begründet, dass auch dort die Sicherheit Deutschlands verteidigt würde. Stimmst du dieser Auffassung zu (M 4)?*

## M 5    Die Neuordnung der Bundeswehr

Mit der Neuordnung soll die Bundeswehr „konsequent auf die wahrscheinlicheren Einsätze – nämlich Konfliktverhütung und Krisenbewältigung einschließlich des Kampfes gegen den inter-
5 nationalen Terrorismus – ausgerichtet" werden (Ex-Verteidigungsminister Struck). Das mögliche Einsatzgebiet für die Bundeswehr wird die ganze Welt.

Die Bundeswehr soll bis zum Jahr 2010 eine neue
10 Struktur erhalten. Das von Verteidigungsminister Peter Struck (SPD) vorgestellte dreistufige Modell sieht Eingreif-, Stabilisierungs- und Unterstützungskräfte vor, wobei die Teilstreitkräfte Heer, Luftwaffe, Marine sowie die Streitkräftebasis und
15 der Sanitätsdienst nicht abgeschafft werden. Die jeweiligen Einheiten werden jedoch „aufgabenorientiert" den neuen Kategorien zugeordnet.

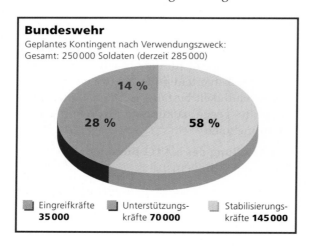

**Bundeswehr**
Geplantes Kontingent nach Verwendungszweck:
Gesamt: 250 000 Soldaten (derzeit 285 000)

14 %
28 %
58 %

Eingreifkräfte **35 000**     Unterstützungskräfte **70 000**     Stabilisierungskräfte **145 000**

**Eingreifkräfte:** Sie bestehen aus modern ausgestatteten Land-, Luft- und Seestreitkräften und umfassen 35 000 Mann. Hinzu kommt logistische Unterstützung vom Fernmelder bis zum Sanitätsdienst. Geplant sind zeitlich begrenzte, friedenserzwingende Einsätze auch im Rahmen der schnellen NATO-Eingreiftruppe NRF oder der Europäischen Eingreiftruppe. Auch sollen sie für Operationen zur Rettung und Evakuierung in Kriegs- und Krisengebieten zur Verfügung stehen.

**Stabilisierungskräfte:** Vorgesehen ist ein Umfang von 70 000 Soldaten. Sie sollen für längerfristige, friedensstabilisierende Einsätze wie derzeit auf dem Balkan bereitstehen. Sie müssen Konfliktparteien trennen und Waffenstillstandsvereinbarungen überwachen können, den Schutz der Bevölkerung oder staatlicher Autoritäten im Einsatzland sicherstellen sowie zur Abwehr „örtlich begrenzter Angriffe" oder zur Durchsetzung von Embargomaßnahmen fähig sein. Damit soll ein zeitlich abgestufter Einsatz von bis zu 14 000 Soldaten in bis zu fünf parallel laufenden Operationen möglich sein.

**Unterstützungskräfte:** Hier wird mit derzeit 137 500 Soldaten geplant. Darunter ist ein Ausbildungsumfang von 40 000 Zeit- und Berufssoldaten vorgesehen. Auch ein Teil der 75 000 zivilen Dienstposten der Bundeswehr soll dieser Kategorie zugeordnet werden.

*Die Welt, 13.1.2004*

## M 6    Wehrdienst oder Berufsarmee?

*Die Amerikaner haben sie, die Engländer haben sie und viele NATO-Verbündete in Europa wollen sie: die Berufsarmee. In Deutschland ist der Streit über die Beibehaltung der Wehrpflicht entbrannt. Peter*
5 *Zumkley wirbt für die Wehrpflicht, während sein Parteifreund Christoph Matschie (beide SPD) für die Schaffung einer Berufsarmee plädiert.*

### a) Peter Zumkley: Plädoyer für die Wehrpflicht

Vorsorge für die Landesverteidigung bleibt nach
10 unserer Verfassung die einzige Legitimation für die Streitkräfte. ...
Der eventuell notwendige Verteidigungsumfang

der Bundeswehr kann nur mit der Beibehaltung der Wehrpflicht erreicht werden. Nur eine Wehrpflichtarmee kann genügend Reservisten gut ausbilden und im Verteidigungsfall heranziehen. Die Wehrpflicht als Risikovorsorge für die Landes- und Bündnisverteidigung ist von besonderer Bedeutung. In den letzten 40 Jahren haben über acht Millionen Wehrpflichtige Mitverantwortung für die Sicherheit unseres Landes übernommen und einen Beitrag zu seinem Schutz geleistet. Mit ihrem Dienst haben sie zu einem breiten gesellschaftlichen Konsens für die Notwendigkeit von Streitkräften beigetragen.

Die Wehrpflichtarmee ist die vitalere Armee. Die Wehrpflichtigen bringen ein breites Spektrum an Einstellungen und Anschauungen in die Truppe ein. Dies beugt Verkrustung und Entfremdung der Streitkräfte vor und trägt dazu bei, dass der „Staatsbürger in Uniform" in der Gesellschaft verankert bleibt.

Die Befürworter für die Aussetzung oder Abschaffung der Wehrpflicht führen die mangelnde „Wehrgerechtigkeit" ins Feld. „Dienstgerechtigkeit" ist der bessere Begriff, da auch die Zivildienstleistenden der allgemeinen Wehrpflicht genügen. In der Geschichte der Bundeswehr haben fast immer ein Drittel eines Geburtsjahrganges keinen Wehrdienst oder sonstigen Dienst geleistet. Das führte nicht zur Abschaffung der Wehrpflicht. Der Durchschnitt der Nichteingezogenen wird künftig eher geringer sein. Die Behauptung, es würde keine Wehrgerechtigkeit mehr geben, ist somit nicht zutreffend.

Und schließlich wäre eine reine Berufsarmee deutlich teurer. Eine Bundeswehr mit Berufs- und Zeitsoldaten sowie Wehrpflichtigen ist in ihrer Qualität jeder Berufsarmee überlegen.

### b) Christoph Matschie:
### Wir brauchen die Berufsarmee

Als die allgemeine Wehrpflicht eingeführt wurde, ging es darum, die Landesverteidigung sicherzustellen. Nur dies konnte einen so starken Eingriff in die Freiheit des Einzelnen rechtfertigen. Das war in einer Zeit, als man im Ost-West-Konflikt mit klassischen Angriffs- und Verteidigungskriegen rechnete, die mit großen Armeen geführt werden würden. Heute gibt es diese Art der Bedrohung in Europa nicht mehr. Damit entfällt auch die Begründung für einen Pflicht, die so stark in die persönliche Freiheit eingreift. Viele europäische Staaten haben deshalb die Wehrpflicht ausgesetzt oder ganz abgeschafft. Wir sollten den gleichen Weg gehen.

Die Anforderungen an heutige europäische 15 Armeen haben sich stark gewandelt. Gut ausgebildete Spezialisten sind gefragt. Schon heute spielen Wehrpflichtige für die wesentlichen Aufgaben der Bundeswehr fast keine Rolle mehr.

Was wir in Zukunft brauchen, ist eine gemeinsa- 20 me europäische Verteidigungspolitik, basierend auf einer gemeinsamen Berufsarmee. Beim Absolvieren des Wehrdienstes hier zu Lande gibt es längst keine Gerechtigkeit mehr. Der eine muss dienen, der andere kommt davon. Auch das un- 25 terhöhlt die Legitimation der Wehrpflicht.

Wer sich für Zivildienst entscheidet, muss fast immer ran. Wir haben uns so sehr an die Zivis gewöhnt, dass manche meinen, ohne ihre Dienste geht es nicht. Aber hier müssen wir umlernen. 30 Billige Arbeitskraft für soziale Aufgaben ist kein Grund für eine Dienstpflicht für junge Männer. Wir müssen stattdessen in Zukunft Freiwilligendienste besser fördern und mehr reguläre Stellen schaffen im Sozialbereich. 35

Auch um die demokratische Einbindung einer zukünftigen Berufsarmee muss uns nicht bange sein. Unsere Gesellschaft hat hier in den letzten Jahrzehnten eine enorme Entwicklung durchlaufen. Wir werden gemeinsam mit unseren 40 europäischen Nachbarn in der Lage sein, eine zukünftige europäische Berufsarmee fest in unserer Demokratie zu verankern.

*Stuttgarter Nachrichten, 5.4.2002 (www.stuttgarter-nachrichten.de/stn/page/detail.php/139561, 2.12.2002)*

## Aufgabe zu M 5 und M 6

**1.** Denkt euch eine Linie in der Mitte des Klassenzimmers (Streitlinie). Es steht die Frage zur Diskussion, ob die Wehrpflicht abgeschafft und die Bundeswehr in eine Berufsarmee umgewandelt werden soll. Teilt euch nun entlang der Linie in eine Pro- und eine Kontragruppe. Sammelt Argumente für eure jeweilige Position (M 6). Führt eine Pro-Kontra-Diskussion und nehmt anschließend entlang der Streitlinie nochmals Stellung. Vergleicht das Ergebnis. Welche Seite konnte mehr überzeugen?

## Die Rolle Deutschlands bei der Friedenssicherung

**Ziele deutscher Außenpolitik**
M 2

Durch die dramatische Veränderung der weltpolitischen Lage seit dem Ende des Kalten Krieges und dem Entstehen neuer globaler Gefährdungen kommen auf die deutsche Außen- und Sicherheitspolitik neue Aufgaben zu.
Zentrale Ziele deutscher Sicherheitspolitik sind:

- die EU als Friedensregion zu erhalten, zu vertiefen und zu erweitern
- die transatlantische Partnerschaft zu festigen
- eine multilaterale Sicherheitsordnung für die Welt zu stärken (UNO)
- die internationale Ordnung so zu gestalten, damit Menschenrechte und Völkerrecht, wirtschaftliche, soziale und ökologische Aspekte beachtet werden
- Verringerung der Kluft zwischen Arm und Reich

**Die Aufgaben der Bundeswehr**
M 3, M 4

Im Rahmen von EU, NATO und UNO nimmt Deutschland auch militärische Aufgaben bei der Sicherung des Friedens wahr. Wann die Bundeswehr zu Auslandseinsätzen geschickt werden darf, unterliegt einer strengen Regelung. Das Bundesverfassungsgericht hat klargestellt, dass es der Bundeswehr grundsätzlich erlaubt ist, an internationalen Friedensmissionen teilzunehmen. Dazu ist aber stets ein Beschluss der Bundesregierung erforderlich, dem die Mehrheit des Bundestages zustimmen muss.

**Reform der Bundeswehr**
M 5

Die veränderte Beurteilung der internationalen Sicherheitslage hat eine Veränderung der Verteidigungspolitik und eine Anpassung der Bundeswehr an die neuen Entwicklungen erforderlich gemacht. So wird die Hauptaufgabe der Bundeswehr heute weniger in der Landesverteidigung gesehen als vielmehr in der Abwehr möglicher Risiken für die Sicherheit Deutschlands und seiner Bündnispartner weltweit.
Dazu gehört die Beteiligung an der Krisenprävention, an internationalen Friedensmissionen, humanitären Hilfsaktionen, am Aufbau staatlicher Strukturen nach einem Kriege, aber auch an Militäreinsätzen im Rahmen einer multinationalen Streitkraft.

Zur Wahrnehmung dieser Aufgaben muss die Bundeswehr allerdings umstrukturiert werden. Sie wird dazu in drei Kategorien eingeteilt:

1. Eingreifstreitkräfte
   (ca. 35 000 Soldaten, die friedenserzwingende Einsätze durchführen können)
2. Stabilisierungskräfte
   (ca. 70 000 Soldaten , die friedenserhaltende Einsätze bestreiten können)
3. Unterstützungskräfte
   (ca. 137 000 Soldaten, die Einsätze logistisch unterstützen sollen)

**Wehrpflicht- oder Berufsarmee?**
M 6

Im Zusammenhang mit dem grundlegenden Wandel der Streitkräftestruktur wird seit einigen Jahren auch die Beibehaltung der Wehrpflicht in Frage gestellt. Kritiker der allgemeinen Wehrpflicht fordern, die Bundeswehr nach dem Vorbild anderer europäischer Armeen in eine Berufsarmee umzuwandeln.

# Nützliche Internetadressen

### Kapitel Kinder und Jugendliche in Familie und Gesellschaft

*www.bmfsfj.de* (Bundesministerium für Familie, Senioren, Frauen und Jugend, mit weiteren Links zu den Themen Familie und Jugend)

*http://cgi.dji.de* (Deutsches Jugendinstitut)

*www.deine-rechte.de* (Auf dieser Seite kannst du dich über deine Rechte als Jugendlicher informieren)

*www.eltern.de* (Internetseite der gleichnamigen Zeitschrift mit zahlreichen Informationen zum Thema Familie)

*www.familie.de* (Das Familienportal familie.de ist das Internet-Angebot von Family Media, einem der größten Familien- und Kindermedienverlage in Deutschland)

*www.jugendnetz.de* (Das Jugendnetz ist eine Gemeinschaftsaktion der großen landesweiten Organisationen der Jugendarbeit in Baden-Württemberg. Viele Informationen und Aktionen für Jugendliche)

### Kapitel Politik in Schule, Gemeinde und Land

*www.gstbrp.de* (Gemeinde und Städtebund Rheinlandpfalz, ausführliche Beschreibung der Beteiligungsmöglichkeiten)

*www.jom.rlp.de* (Online-Jugendmagazin JOM mit einem breiten Themenspektrum)

*www.kindersache.de/politik/default.htm* (Kindersache gehört zum Medienreferat beim Deutschen Kinderhilfswerk, Informationen rund um Politik und Recht speziell für Kinder)

*www.landtag.rlp.de* (Der Landtag Rheinland-Pfalz im Internet mit Jugendseite)

*www.mbfj.rlp.de* (Ministerium für Bildung, Frauen und Jugend in Rheinland-Pfalz)

*www.rlp.de* (Seite der Staatskanzlei Rheinland-Pfalz mit vielfältigen Informationen zum Land und zur Landespolitik)

### Kapitel Recht und Rechtsprechung

*www.abc-recht.de* (Rechtsratgeber mit vielen Informationen)

*www.bka.de/pks/pks2004/index.html* (Bundeskriminalamt, polizeiliche Kriminalstatistiken)

*www.bundesverfassungsgericht.de* (Bundesverfassungsgericht)

*http://dejure.org* (Gesetzesdatenbank, sämtliche Gesetze online mit Suchmaschine)

*www.jugendschutz.net* (Seite der Länder zum Thema Jugendschutz im Internet)

*www.ratgeberrecht.de* (Rechtsportal der ARD, hervorragende Seite zum Thema Recht im Alltag, mit Gerichtsurteilen)

### Kapitel Medien und Freizeit

*www.bildungsserver.de* (Deutscher Bildungsserver, Unterpunkt Medien und Bildung mit umfassenden Hinweisen zur Medienerziehung)

*www.mediendaten.de* (Mediendaten Südwest, aktuelle Daten zur Mediennutzung und umfassendes Informationsangebot zum Thema Medien)

*www.medienpaedagogik-online.de* (Seite der Bundeszentrale für politische Bildung zum Thema kritischer Umgang mit Medien)

*www.lmk-online.de* (Landeszentrale für Medien und Kommunikation Rheinland-Pfalz mit umfassender Linkliste)

### Kapitel Wirtschaft und Umwelt

*www.arbeitsagentur.de* (Bundesagentur für Arbeit)

*www.bda-online.de* (Bundesverband der Deutschen Arbeitgeberverbände (BDA), aktuelle Informationen)

*www.chancenfueralle.de* (Seite der Initiative Neue Soziale Marktwirtschaft e.V., mit vielen Wirtschaftsinfos und einem sehr guten Wirtschaftslexikon)

*www.checked4you.de* (Online-Jugendmagazin der Verbraucherzentrale Nordrhein-Westfalen, sehr empfehlenswerte Seite mit nützlichen Informationen zu den Themen Geld, Handy, Klamotten, Computer, Musik usw.)

*www.dgb.de* (Seite des Deutschen Gewerkschaftsbundes, mit Informationen zu Interessen und Rechten von Arbeitnehmern, Link zur Seite der DGB-Jugend)

*www.diw.de/deutsch/produkte/publikationen/school/* (Zeitschrift DIW@School des Deutschen Instituts für Wirtschaftsforschung Berlin mit verständlich geschriebenen Beiträgen zu Wirtschaftsthemen)

*www.iwkoeln.de* (Institut der deutschen Wirtschaft Köln, mit den Publikationen iwd und Wirtschaft und Unterricht)

*www.oekotest.de* (Die Zeitschrift Ökotest prüft Produkte unter ökologischen Aspekten)

*www.schulbank.de* (Schulseite des Bundesverbandes deutscher Banken mit zahlreichen Wirtschaftsnachrichten und Sonderthemenseiten speziell für Schüler)

*www.stiftung-warentest.de* (Internetseite der Stiftung Warentest, unabhängige Qualitätstests von Produkten)

*www.verbraucherministerium.de* (Bundesministerium für Verbraucherschutz, Ernährung und Landwirtschaft)

### Kapitel Parlamentarische Demokratie und politisches System

*www.politische-bildung.de* (Informationsportal der Bundeszentrale und der Landeszentralen für politische Bildung, mit hervorragend sortierter Linkliste zu allen politischen Themen)

*www.bpb.de* (Bundeszentrale für politische Bildung, zahlreiche Online-Publikationen, Politik-Lexikon)

*www.bundesregierung.de* (Bundesregierung)

*www.bundestag.de* (Bundestag)

*www.bundesrat.de* (Bundesrat)

*www.bundeswahlleiter.de* (Informationen zu Wahlen und Wahlrecht des Statistischen Bundesamtes)

*www.sozialpolitik.com* (Seite der Arbeitsgemeinschaft Jugend und Bildung e.V. im Auftrag des Bundesministeriums für Gesundheit und Soziale Sicherung, mit Informationen zum Sozialstaat speziell für Schüler)

### Kapitel Die Zukunft Europas und der Europäischen Union

*www.eiz-niedersachsen.de* (Europäisches Informationszentrum Niedersachsen, gut aufbereitete Seite zum Thema Europa mit aktuellen Publikationen, dazu die Jugend-Seite www.entdeckeeuropa.de)

*www.europa.eu.int* (Offizieller Server der Europäischen Union, mit umfassenden Informationen über die Arbeit der EU, Austausch- und Förderungsprogramme, Dokumente zum Download)

*www.europa.eu.int/citizens* (Das Europa Direkt-Bürgerinformationssystem bietet Leitfäden und Ländermerkblätter im Hinblick auf Wohnen, Arbeiten, Studium, Ausbildung und vieles mehr)

*www.europa-digital.de* (Europäische Nachrichten und Hintergrundinformationen)

### Kapitel Internationale Zusammenarbeit und Friedenssicherung

*www.amnesty.de* (Amnesty International Deutschland, mit Informationen zum Thema Menschenrechte)

*www.auswaertiges-amt.de* (Seite des Außenministeriums, mit vielen Nachrichten, Länderinfos und zahlreichen nützlichen Links zu internationalen Organisationen)

*www.bundeswehr.de* (Bundeswehr)

*www.bmvg.de* (Bundesministerium der Verteidigung)

*www.nato.int* (Internetauftritt des Nordatlantischen Bündnisses)

*www.osce.de* (Seite der Organisation für Sicherheit und Zusammenarbeit in Europa)

*www.runiceurope.org* (Regionales Informationszentrum der Vereinten Nationen (RUNIC), übersichtliche Seite mit Informationen zur Arbeit und Aufbau der UNO)

*www.un.org* (Seite der Vereinten Nationen)

## Bildnachweis

Archiv Gerstenberg – S. 64; Argus, Hamburg – S. 31, 73, 213, 236; Artothek, Weilheim – S. 113, 114

Bildzeitung, Hamburg – S. 97

Cartoon-Caricature-Contor, Pfaffenhofen – S. 22, 108, 146, 181, 218, 258; Cinetext, Frankfurt – S. 38, 113, 128

Der Spiegel, Hamburg – S. 215, 216; Deutsche Presse-Agentur, Frankfurt – S. Umschlag (4), 37, 60 (4), 65, 89 (2), 101, 110, 163, 166 (2), 169, 193, 200 (2), 208, 247 (5), 249, 250, 255, 256, 260, 267; DIZ, Süddeutscher Verlag Bilderdienst, München – S. 123; DPA-Grafik, Hamburg – S. 96, 183, 262, 265

Erich Schmidt Verlag, Berlin – S. 53, 67, 68, 74, 109, 153 (2), 154, 170, 171, 176, 187, 188, 197, 202, 203, 211, 225, 252, 253; Erik Müller, Rottenburg – S. 32, 33 (4); Eucom - European Communication, Brüssel – S. 223

Frankfurter Allgemeine Zeitung, Frankfurt – S. 98; Friedemann Bedürftig u.a., Das Politikbuch, 4. Aufl., Ravensburg 1997 – S. 31

Germanisches Nationalmuseum, Nürnberg – S. 61, 101; Globus Infografik, Hamburg – S. 25 (2), 48, 96, 118, 143, 146 (3), 147, 155, 158, 160, 191, 218, 221, 235 (2), 239, 242, 243; Greenpeace e.V., Hamburg – S. 45

Images.de - digital photo, Berlin – S. 70, 138; Interfoto, München – S. 37, 113; Ivan Steiger – S. 42; iwd - Informationsdienst des Instituts der deutschen Wirtschaft, Köln – S. 232

Keystone Pressedienst, Hamburg – S. 7, 23, 81

Marie Marcks, Heidelberg – S. 7, 11; Martin Stortz, Stuttgart – S. 152; Matthias Schwoerer (Baaske Cartoons) – S. 113, 130

Nordpool, Sörup/Barg – S. 15

Stefan Husch, Heidenrod – S. 56; Superbild, Unterhaching – S. 19

Tomas Renth, Mainz – S. 41

Ullstein-Bild, Berlin – S. 178, 201, 208 (2); Ulrich Metz, Tübingen – S. 110 (2); United Feature Syndicate Inc./kipkakomiks.de – S. 89, 103

Vario-Press, Bonn – S. 89, 95

Wikipedia, St. Petersburg (USA) – S. 224; Wilder+Designer, Fürth – S. 7, 14, 17, 22, 31, 36 (7), 50, 57, 126, 128, 131, 136, 137 (3), 163; Wolfram Weiner, Eine Geschichte des Geldes, 1. Aufl., Frankfurt a.M. – S. 117

# Glossar

### Abgeordnete
Die gewählten Mitglieder eines Parlaments.

### Agenda 21
Handlungsprogramm für eine nachhaltige Wirtschaftsweise der Staaten, verabschiedet im Jahr 1992 in Rio de Janeiro. Die Lokale Agenda 21 soll das Programm auf lokaler Ebene (Städte und Gemeinden) verwirklichen.

### Bedürfnis
Wunsch, einen Mangel zu beseitigen. So liegt dem Bedürfnis zu trinken, Durst als Mangelempfinden zugrunde.

### Binnenmarkt
Ein Wirtschaftsraum, in dem einheitliche Bedingungen für den Verkehr von Waren, Dienstleistungen und Kapital herrschen. Bürger können ihren Wohn- und Arbeitsort frei wählen. Der Binnenmarkt in der EU wurde zum 1. Januar 1993 verwirklicht.

### Bruttoinlandsprodukt (BIP)
Wert aller Sachgüter und Dienstleistungen ohne Vorleistungen, die in einem bestimmten Zeitraum innerhalb der Landesgrenzen einer Volkswirtschaft erzeugt werden.

### Bürgerinitiative
Lockerer, zeitlich befristeter Zusammenschluss von Bürgerinnen und Bürgern, die wegen eines bestimmten Anliegens Einfluss auf die Politik nehmen möchten.

### Bürgerliches Gesetzbuch (BGB)
In ihm stehen die wichtigsten rechtlichen Regelungen, die das Zusammenleben der Bürger betreffen, z.B. zu den Rechten und Pflichten beim Kaufvertrag.

### Bund (Bundesstaat)
Der Zusammenschluss mehrerer Staaten zu einem Gesamtstaat, zum Beispiel die Bundesrepublik Deutschland mit allen Bundesländern.

### Bundeskanzler
Der Chef der Bundesregierung. Er bestimmt die Richtlinien der Politik und trägt die Verantwortung dafür.

### Bundespräsident
Das Staatsoberhaupt der Bundesrepublik. Er repräsentiert Deutschland nach außen. Außerdem gehören zu seinen Aufgaben die Ernennung und Entlassung der höchsten Staatsbeamten und die Unterzeichnung der vom Bundestag verabschiedeten Gesetze.

### Bundesrat
Der Bundesrat ist ein Teil der Legislative. Über ihn wirken die Länder an der Gesetzgebung des Bundes mit. Der Bundesrat muss bei Gesetzen, die Länderinteressen berühren oder die Verfassung ändern, zustimmen, damit diese in Kraft treten können. Bei anderen Gesetzen kann er Einspruch erheben, der aber vom Bundestag überstimmt werden kann.

### Bundestag
Name des deutschen Parlaments, s. dort!

### Bundesverfassungsgericht
Höchstes Deutsches Gericht mit Sitz in Karlsruhe. Das Bundesverfassungsgericht wacht darüber, dass Parlamente, Regierungen und Gerichte in Deutschland das Grundgesetz einhalten. Jeder Bürger kann eine Verfassungsbeschwerde beim Bundesverfassungsgericht einreichen.

### Demokratie
Das Wort stammt aus dem Griechischen und bedeutet Herrschaft des Volkes. Die Beteiligung aller Bürgerinnen und Bürger an allen Abstimmungen kann nur in sehr kleinen Staatsgesellschaften verwirklicht werden (direkte Demokratie). Wo dies nicht möglich ist, wählt das Volk Vertreter (Repräsentanten), die für das Volk handeln (repräsentative Demokratie).

### Europäische Union
Die Gemeinschaft von heute (2006) 25 europäischen Staaten wurde 1957 als Wirtschaftsbündnis gegründet. Neben der gemeinsamen Politik in allen wirtschaftlichen Bereichen wurde im Vertrag von Maastricht (1992) auch eine Zusammenarbeit in der Außen- und Sicherheitspolitik sowie der Justiz- und Innenpolitik beschlossen.

### EU-Organe

Zu den wichtigsten Organen der Europäischen Union – vergleichbar mit den Verfassungsorganen in der Bundesrepublik Deutschland – gehören der Ministerrat, die Europäische Kommission, das Europäische Parlament, der Europäische Gerichtshof und der Europäische Rechnungshof. Der Europäische Rat ist kein Organ der EU im rechtlichen Sinne, doch hat der Europäische Rat eine große Bedeutung für die Entwicklung der Europäischen Union.

### Europäische Zentralbank (EZB)

Die EZB wurde am 1.6.1998 gegründet und bildet zusammen mit den nationalen Notenbanken das Europäische System der Zentralbanken. Die EZB ist von politischen Weisungen unabhängig und seit der Einführung des Euro am 1.1.1999 für die Geldpolitik im Euro-Raum (2006: 12 Staaten) zuständig. Ihre Hauptaufgabe ist es, die Preisstabilität zu garantieren. Darüber hinaus unterstützt sie auch die allgemeine Wirtschaftspolitik.

### Exekutive

Die ausführende Gewalt, d.h. Regierung und Verwaltung.

### Föderalismus

Gliederung eines Staates in Gliedstaaten (in der Bundesrepublik Deutschland die Bundesländer) mit eigener Verfassung, Regierung und Parlament. Bezeichnet auch das Bestreben, die Rechte der Gliedstaaten zu wahren.

### Fraktion

Alle Abgeordneten einer Partei im Parlament.

### Fünf-Prozent-Klausel

Vorschrift, dass alle Parteien bei einer Wahl mindestens fünf Prozent der gültigen Zweitstimmen erhalten müssen, um ins Parlament zu kommen, bzw. um an der Sitzverteilung teilnehmen zu können.

### Gemeinde

Die Gemeinden (Kommunen) bilden das unterste politische Gemeinwesen in der Bundesrepublik Deutschland. Gemeinden besitzen das Recht der Selbstverwaltung (Art. 28 GG) und regeln im Rahmen der Gesetze alle Angelegenheiten der örtlichen Gemeinschaft in eigener Verantwortung.

### Geschäftsfähigkeit

Die Fähigkeit Rechtsgeschäfte abzuschließen. Die beschränkte Geschäftsfähigkeit beginnt mit der Vollendung des 7. und endet mit der Vollendung des 18. Lebensjahres. Mit Vollendung des 18. Lebensjahres erhält man die volle Geschäftsfähigkeit.

### Gewerkschaft

Freiwilliger Zusammenschluss von Arbeitnehmern, um gemeinsame wirtschaftliche, soziale und berufliche Interessen besser durchsetzen zu können.

### Globalisierung

Die wachsende Verflechtung der Weltwirtschaft, ermöglicht u.a. die Ausweitung der Kommunikationsmedien und enger Verkehrsverbindungen. Die G. bewirkt auch in einigen Bereichen eine Vereinheitlichung der Lebensstile. Außerdem wird die Weltöffentlichkeit zunehmend zur Kontrollinstanz für politisches Fehlverhalten.

### Grundgesetz

Die Verfassung der Bundesrepublik; sie regelt den Aufbau, die Aufgaben und das Zusammenspiel der Staatsorgane. Im Grundgesetz werden auch die Grundrechte garantiert.

### Grundrechte

In der Verfassung garantierte Rechte, die für jeden Einzelnen gewährleistet werden, wie zum Beispiel die Meinungsfreiheit, die Versammlungsfreiheit und die Menschenwürde.

### Gruppe/soziale Gruppe

Ein „sozialer Verband" von mindestens drei Menschen, die durch ein bestimmtes „Wir-Gefühl" miteinander verbunden sind. Dabei gibt es Gruppen, in die man hineingeboren wird (Familie) oder die man sich nicht aussuchen kann (z.B. Schulklasse). Diese Gruppen nennt man Zwangsgruppen. Und es gibt Gruppen, für die man sich freiwillig aufgrund von Freundschaften oder gemeinsamen Interessen (z.B. Sport, Politik, Religion) entscheidet.

### Güter

Mittel, mit denen Bedürfnisse befriedigt werden können (z.B. Sachgüter und Dienstleistungen).

## Haushaltsplan

Aufstellung der Einnahmen und Ausgaben für einen bestimmten Zeitraum.

## Inflation

Prozess anhaltender Preisniveausteigerungen bzw. anhaltender Geldentwertung.

## Judikative

Die rechtsprechende Gewalt; sämtliche Gerichte der Bundesrepublik Deutschland.

## Jugendstrafrecht

Das Jugendstrafrecht ist ein besonderes Strafrecht für Jugendliche, das im Jugendgerichtsgesetz (JGG) geregelt ist. Es findet Anwendung auf Jugendliche zwischen 14 und 18 Jahren. Auf Heranwachsende zwischen 18 und 21 Jahren kann es angewendet werden. Kinder unter 14 Jahre sind strafunmündig. Während Erwachsene mit Haft- oder Geldstrafen bestraft werden, sieht das JGG einen breiten Katalog von Strafmöglichkeiten vor, der Strafzweck der Erziehung steht im Vordergrund.

## Kabinett

Der Kanzler, die Minister und politischen Beamten (Staatssekretäre).

## Kaufvertrag

Er kommt zustande, wenn die Willenserklärungen der Beteiligten (Antrag und Annahme) übereinstimmen.

## Koalition

Zusammenschluss zweier oder mehrerer Parteien, die gemeinsam eine Regierung bilden und Gesetzentwürfe ausarbeiten.

## Konstruktives Misstrauensvotum

Der Bundestag kann den Bundeskanzler nur durch die Wahl eines neuen Kanzlers (konstruktiv!) zum Rücktritt zwingen.

## Kredit

Ein Gläubiger überlässt einem Schuldner Geld unter der Voraussetzung der Rückzahlung.

## Mandat

Auftrag; der Wähler beauftragt durch die Wahl einen Politiker, seine Interessen zu vertreten.

## Markt

Der Ort des Zusammentreffens von Angebot und Nachfrage.

## Massenmedien

Sammelbezeichnung für Presse, Rundfunk, Fernsehen und Internet. Allgemein Kommunikationsmittel, mit denen Informationen durch Schrift, Ton oder Bild einseitig an ein sehr breites Publikum übermittelt werden können.

## Mehrheitswahlrecht

Danach ist gewählt, wer in seinem Wahlkreis die Mehrheit der Stimmen erhalten hat, die Minderheiten werden nicht berücksichtigt. Relative Mehrheit: Gewählt ist, wer die meisten Stimmen hat. Absolute Mehrheit: Gewählt ist, wer mehr als die Hälfte der Stimmen erzielt. Qualifizierte Mehrheit: eine vereinbarte Mehrheit, z.B. 2/3 der Stimmen, muss erreicht werden.

## Menschenrechte

Als Menschenrechte bezeichnet man die Rechte, die jedem Menschen von Geburt an allein aufgrund der Tatsache zustehen, dass er ein Mensch ist („Universalität" der Menschenrechte). Durch die Formulierung von Grundrechten in Verfassungen und internationalen Abkommen wird versucht, die Menschenrechte als einklagbare Rechte zu gestalten. So lautet Artikel 1, Absatz 2 des deutschen Grundgesetzes: „Das Deutsche Volk bekennt sich darum zu unverletzlichen und unveräußerlichen Menschenrechten als Grundlage jeder menschlichen Gemeinschaft, des Friedens und der Gerechtigkeit in der Welt."

## NATO

(= North Atlantic Treaty Organization, deutsch: Nordatlantikpakt) Verteidigungsbündnis zwischen europäischen Staaten, den USA und Kanada mit dem Ziel der Stärkung der Sicherheit durch politische, wirtschaftliche und militärische Zusammenarbeit.

## Ökologie

So bezeichnet man die Wissenschaft von den Wechselbeziehungen zwischen den Lebewesen und ihrer Umwelt.

## Ökonomisches Prinzip

Wirksamer Einsatz der vorhandenen Mittel zur Bedürfnisbefriedigung.

## Opposition
Alle Personen und Gruppen, die der Regierung im Parlament gegenüberstehen und sie kritisieren.

## Parlament
Die Versammlung der vom Volk gewählten Abgeordneten. Das Parlament regt Gesetze an, bewilligt sie und kontrolliert die Regierung. In einer parlamentarischen Demokratie nimmt vor allem die Opposition die Kontrollfunktion wahr, da die Mehrheit im Parlament die Regierung trägt.

## Parteien
Politische Gruppen, die über einen längeren Zeitraum Einfluss auf die politische Willensbildung nehmen. Sie sind bereit, in Parlamenten und Regierungen, Verantwortung zu übernehmen.

## Recht
Gesamtheit aller Rechtsnormen, deren Nichtbeachtung zu staatlichen Sanktionen führt. Aufgabe des Rechts ist es, ganz allgemein gesagt, gesellschaftliche Konflikte zu regeln und den Konfliktaustrag zu zivilisieren, d.h. zu verrechtlichen. Dazu erfüllt das Recht mehrere Funktionen: Es gibt dem Einzelnen (Rechts)Sicherheit, ordnet das Zusammenleben und ermöglicht so Frieden in einer Gesellschaft. Es führt zu Gerechtigkeit, da vor dem Gesetz alle Menschen gleich behandelt werden müssen. Es ermöglicht Herrschaft mit Hilfe von Gesetzen und ermöglicht gleichzeitig Herrschaftskontrolle, da die Regierenden verpflichtet sind, sich an die bestehenden Gesetze zu halten.

## Rechtsfähigkeit
Mit der Geburt ist der Mensch Träger von Rechten und Pflichten.

## Rechtsstaat
Ein Rechtsstaat ist ein Staat, in dem die öffentliche Gewalt an eine objektive Rechtsordnung gebunden ist. In einem Rechtsstaat ist die Macht des Staates begrenzt, um die Bürger vor gesetzloser Willkür zu schützen. Ausdruck des Rechtsstaatsprinzips im Grundgesetz der Bundesrepublik sind u.a. garantierte Freiheitsrechte (z.B. Art. 2), Gleichheitsrechte (z.B. Art. 3), Rechtssicherheit (z.B. Art. 1), Rechtsschutz (Art. 19), Sicherung und Schutz der Grundrechte (Art. 19, 79), Gesetzmäßigkeit der Verwaltung (Art. 20).

## Rolle
Das menschliche Verhalten, das andere Menschen in bestimmten Situationen erwarten. Eng damit verbunden ist der Begriff des Rollenkonflikts, der dann eintritt, wenn an eine Person, die eine Rolle einnimmt, unterschiedliche und auch sich widersprechende Erwartungen gestellt werden.

## Soziale Marktwirtschaft
Die Soziale Marktwirtschaft ist eine Wirtschaftsordnung, die den Grundsatz der Freiheit auf dem Markt mit dem des sozialen Ausgleichs verbindet.

## Sozialisation/Sozialisationsprozess
Der lebenslange Erziehungs- und Entwicklungsprozess eines Menschen aufgrund von Einflüssen aus seiner Umwelt. Durch die Sozialisation wird ein Individuum zu einem vollwertigen Teil der Gesellschaft.

## Sozialstaat
Bezeichnung für einen Staat, der seinen Bürgern ein Existenzminimum sichert, wenn sie in Not geraten sind, und für einen gerechten Ausgleich zwischen Reichen und Bedürftigen sorgt. In Deutschland geschieht dies z.B. durch die Sozialversicherungspflicht und durch staatliche Unterstützung, wie die Sozialhilfe, Kindergeld oder Ausbildungs- und Arbeitsförderung.

## Sozialversicherungssystem
Bezeichnung für die Gesamtheit gesetzlicher Pflichtversicherungen in Deutschland (Arbeitslosen-, Renten-, Kranken-, Pflege und Unfallversicherung). Die Sozialversicherung versichert den Einzelnen gegen Risiken für seine Existenz. Sie ist organisiert nach dem Solidarprinzip. Sozialversicherungspflichtig sind alle abhängig Beschäftigten. Die Versicherungsbeiträge teilen sich Arbeitgeber und Arbeitnehmer.

## Steuern
Steuern sind Zwangsabgaben, die der Staat von seinen Bürgern und Unternehmen ohne eine spezielle Gegenleistung erhebt. Sie sind die Haupteinnahmequelle des Staates.

## Taschengeldparagraph
Regelung des BGB, die besagt, dass Geschäfte von Minderjährigen dann wirksam sind, wenn diese mit Mitteln bezahlt werden (in der Regel

Taschengeld), die ihm zur freien Verfügung von den gesetzlichen Vertretern (Eltern) überlassen worden sind.

### Tarifvertragsparteien

Dazu zählen Gewerkschaften (vertreten die Arbeitnehmer) und Arbeitgeberverbände (vertreten die Arbeitgeber). Im Rahmen der Tarifautonomie handeln diese beiden Interessengruppen in eigener Verantwortung Tarifverträge aus, die Löhne, Arbeitszeiten und sonstige Arbeitsbedingungen regeln sollen. Der Staat darf sich nicht einmischen.

### UNO

(= United Nations Organization, deutsch: Vereinte Nationen) Eine nach dem Zweiten Weltkrieg gegründete Organisation, die die Wahrung des Friedens und der Menschenrechte in der Welt zum Ziel hat. Fast alle Staaten der Welt sind Mitglieder der UNO.

### Unternehmen

Dauerhafte organisatorische Einheit zur Produktion bzw. zur Erbringung von Dienstleistungen, die mehrere Betriebe umfassen kann. Je nach Träger werden private, öffentliche oder gemeinwirtschaftliche Unternehmen unterschieden, je nach Rechtsform Einzel-, Personen- und Kapitalgesellschaften.

### Verbände

Organisierte Gruppen, die auf die Politik Einfluss nehmen möchten, ohne politische Verantwortung zu übernehmen. Zur Verfolgung gemeinsamer Interessen werden Zusammenschlüsse gebildet, z.B. Berufsverbände.

### Verbraucherpolitik

Alle Maßnahmen (Gesetze) des Staates zum Schutz der Verbraucher.

### Verhältniswahlrecht

Jede Partei bekommt so viele Sitze im Parlament, wie sie prozentual Stimmen von den Wählern erhalten hat. Auch Minderheiten werden berücksichtigt.

### Währungsunion

Zusammenschluss souveräner Staaten mit vorher unterschiedlichen, aber ähnlich starken Währungen zu einem einheitlichen Währungsgebiet.

Im Gegensatz zu einer Währungsreform bleibt der Geldwert beim Übergang zu einer Währungsunion erhalten.

### Wahlen

Verfahren der Berufung von Personen in bestimmte Ämter durch Stimmabgabe einer Wählerschaft. In Demokratien werden die wichtigsten Staatsämter durch Wahlen besetzt. Demokratische Wahlen müssen die Bedingungen allgemein, frei, gleich und geheim erfüllen. Das genaue Wahlverfahren (Verhältniswahl, Mehrheitswahl) ist meist in Wahlgesetzen geregelt.

### Zins

Preis für die Überlassung von Geld oder Sachwerten.

# Register

*Zur Benutzung:* Die wichtigsten Fundstellen der Begriffe sind **fett** gedruckt. Hier steht der Begriff in einem zentralen Zusammenhang oder wird eingehend erläutert. Wird ein Begriff in einer infobox oder im Glossar erklärt, so ist der Seitenverweis blau gedruckt. Personennamen sind *kursiv* gedruckt.